Spanish Teacher's Guide with Answer Keys

CALIFORNIA SCIENCE EXPLORER

Cover Images
Earth Science: Poppy, Foreground r, Corbis; **Poppy Field,** Ralph A. Clevenger/Corbis
Life Science: Kelp, Ralph A. Clevenger/Corbis; **Shark,** Amos Noucham
Physical Science: Foreground, JPL/NASA; Background, Roger Ressmeyer/Corbis

ISBN-13: 978-0-13-203450-0
ISBN-10: 0-13-203450-6
3 4 5 6 7 8 9 10 11 10 09 08 07

Contenido

Ciencias de la Tierra

Guía de lectura y para tomar notas

Libro del estudiante

Ciencias de la vida

Guía de lectura y para tomar notas

Libro del estudiante

Ciencias físicas

Guía de lectura y para tomar notas

Libro del estudiante

Capítulo 1 Introducción a las ciencias de la Tierra

¿Qué son las ciencias?

1. predicción, b; observación, c; inferencia, a
2. Las alumnas y alumnos deben hacer un círculo alrededor de Formular preguntas.
3. **a.** teoría **b.** ley

Estudio de la Tierra

1. atmósfera, b; biosfera, a; hidrosfera, c
2. falso
3. a, b, d
4. **a.** Energía **b.** Materia
5. geólogos y geólogas, b; meteorólogos y meteorólogas, a; ciencias de la Tierra, c
6. b, c

Exploración de la superficie de la Tierra

1. **a.** elevación **b.** accidente geográfico **c.** relieve
2. montaña, c; llanura, a; meseta, b
3. mapa
4. a, b, c
5. **a.** Occidental **b.** Norte **c.** Primer meridiano **d.** Ecuador
6. **a.** 30º norte **b.** 90º oeste **c.** Shanghai

Mapas topográficos

1. topográfico
2. intervalo entre curvas de nivel, c; curva de nivel, a; curva de nivel directora, b
3. falso
4. **a.** pendiente poco empinada **b.** cumbre **c.** cuenca **d.** pendiente pronunciada

Seguridad en el laboratorio de ciencias

1. a
2. falso
3. c
4. campo
5. verdadero
6. c
7. falso

Capítulo 2 Desgaste y formación del suelo

Los minerales y las rocas

1. **a.** Sólido **b.** Forma de cristal **c.** De origen natural (en cualquier orden)
2. sedimentos
3. a, b
4. b, c
5. verdadero
6. **a.** mena.
7. minería superficial
8. fundición

Las rocas y el desgaste

1. **a.** desgaste **b.** erosión
2. **a.** Mecánico **b.** Químico (en cualquier orden)
3. mecánico
4. **a.** se congela **b.** se divide
5. a, b, c
6. **a.** Oxígeno **b.** Lluvia ácida (en cualquier orden)
7. b, c
8. falso
9. a

Formación del suelo

1. **a.** suelo **b.** humus **c.** lecho rocoso
2. a, b
3. c
4. **a.** A **b.** B **c.** C
5. suelo superior, a; subsuelo, b
6. **a.** Plantas **b.** Composición del suelo **c.** Según el suelo sea ácido o básico (en cualquier orden)
7. clima frío y seco, b; temperatura moderada, lluvias moderadas, a
8. descomponedor, b, descomposición, a
9. b, c

Conservación del suelo

1. recurso natural
2. b
3. falso
4. a, b
5. a, c
6. conservación del suelo
7. arada en contorno, b; rotación de cultivos, c, arada de conservación, a

Capítulo 3 Erosión y sedimentación

Cambios en la superficie de la Tierra

1. desgaste, d; erosión, b, sedimento, a, sedimentación, c
2. a, b
3. movimientos masivos
4. c
5. **a.** Flujos de tierra **b.** Revenimiento (en cualquier orden)

Erosión por agua

1. **a.** Arroyuelos **b.** Arroyos
2. arroyos

3. **a.** Cascada **b.** Meandro **c.** Lago de meandro
4. **a.** Abanico aluvial **b.** Delta
5. a
6. sedimentos
7. a, c

Las olas y el viento

1. b, c
2. b
3. **a.** promontorio **b.** olas **c.** abrasión
4. cordón litoral, d; banco de arena, a; deriva litoral, c; barra de arena, b
5. deflación
6. **a.** Deflación **b.** Abrasión (en cualquier orden)
7. verdadero
8. **a.** Dunas de arena **b.** Depósito de loes

Glaciares

1. glaciar
2. **a.** Valle **b.** Continental
3. arranque glacial, b; abrasión, a
4. verdadero
5. tillita
6. **a.** Marmita **b.** Morrenas

Capítulo 4 Tectónica de placas

El interior de la Tierra

1. b
2. verdadero
3. **a.** Núcleo **b.** Manto
4. falso
5. núcleo
6. corteza
7. **a.** Basalto **b.** Corteza continental
8. falso
9. a, c
10. **a.** litosfera **b.** astenosfera
11. a, b
12. verdadero

La convección y el manto

1. radiación
2. b
3. convección
4. Las alumnas y alumnos deben encerrar con un círculo las flechas A.
5. falso
6. núcleo externo
7. a

Continentes a la deriva

1. deriva continental
2. a
3. a
4. falso
5. c

Expansión del suelo oceánico

1. verdadero
2. a, b
3. expansión del suelo oceánico
4. a, b
5. c
6. a, c
7. subducción
8. verdadero

La teoría de la tectónica de placas

1. placas
2. falso
3. b
4. **a.** borde **b.** falla
5. **a.** Las placas se empujan unas contra otras **b.** Borde pasivo

Capítulo 5 Terremotos

Fuerzas en la corteza de la Tierra

1. a
2. **a.** esfuerzo **b.** compresión **c.** tensión **d.** cizallamiento
3. **a.** Compresión **b.** Tensión **c.** Cizallamiento
4. a
5. **a.** Tensión **b.** Falla de transformación **c.** Falla de deslizamiento
6. **a.** Falla de transformación **b.** Falla normal **c.** Falla de deslizamiento
7. a
8. verdadero

Terremotos y ondas sísmicas

1. terremoto
2. c
3. **a.** Ondas P **b.** ondas S
4. sismógrafo
5. **a.** tamaño de las ondas sísmicas **b.** Escala de magnitud del momento
6. c
7. c

Monitoreo de los terremotos

1. b
2. a
3. **a.** Medidores de corrimiento **b.** Satélites GPS **c.** Dispositivos de medición láser (en

cualquier orden)

4. c
5. b
6. falso

Precauciones en los terremotos

1. falso
2. a, c
3. **a.** licuefacción **b.** réplica
   c. tsunami
4. verdadero
5. c
6. verdadero

Capítulo 6 Volcanes

Volcanes y tectónica de placas

1. volcán
2. **a.** magma **b.** lava **c.** roca
3. magma
4. b, c
5. verdadero

Erupciones volcánicas

1. **a.** chimenea **b.** boca
2. a
3. **a.** Boca **b.** Chimenea **c.** Flujo de lava
   d. Cámara magmática
4. c
5. falso
6. **a.** Tranquila **b.** Explosiva
7. **a.** apagado **b.** inactivo
8. c
9. falso
10. verdadero

Relieves volcánicos

1. caldera
2. b
3. **a.** Cono de escoria **b.** Volcán en escudo
4. chimenea
5. b, c
6. **a.** Dique discordante, **b.** Dique concordante

La geología de California

1. **a.** fallas **b.** volcanes **c.** cordilleras
   d. cuencas (en cualquier orden)
2. c
3. verdadero
4. a
5. a, b

Capítulo 7 La atmósfera

El aire que te rodea

1. **a.** atmósfera, **b.** tiempo meteorológico
2. ozono, b; vapor de agua, c; partículas, a
3. a, c
4. **a.** contaminante **b.** contaminación **c.** contaminado
5. **a.** Neblina tóxica fotoquímica **b.** Lluvia ácida
6. **a.** Neblina tóxica fotoquímica
   b. combustibles fósiles
7. a, b

Presión del aire

1. b, c
2. verdadero
3. densidad, c; presión, b; presión del aire, a
4. a, c
5. **a.** barómetro **b.** aneroide **c.** mercurio
6. Las alumnas y alumnos deben trazar una línea más baja sobre el tubo que el nivel de mercurio que se muestra.
7. a, b, c
8. Las alumnas y alumnos deben hacer un círculo alrededor de B.

Capas de la atmósfera

1. **a.** Troposfera **b.** Mesosfera
2. falso
3. a, b
4. falso
5. estratosfera
6. b, c
7. falso
8. a, b
9. meteoroide
10. a, b, c
11. **a.** ionosfera **b.** exosfera

Energía en la atmósfera de la Tierra

1. ondas electromagnéticas, b; radiación, a
2. verdadero
3. a, b
4. dispersión
5. efecto invernadero
6. **a.** Tierra **b.** irradia **c.** gases

Transferencia de calor en la atmósfera

1. **a.** termómetro **b.** energía térmica
2. verdadero
3. radiación, b; conducción, a; convección, c
4. **a.** convección **b.** conducción, **c.** radiación
5. Las alumnas y alumnos deben hacer un círculo alrededor de la flecha que forma una corriente cíclica.

Vientos

1. **a.** anemómetro **b.** viento
2. verdadero
3. vientos locales

4. **a.** Brisa marina **b.** Brisa terrestre
5. **a.** efecto Coriolis **b.** vientos globales
6. verdadero
7. vientos alisios, b; vientos dominantes del oeste, a; vientos polares del este, c

Capítulo 8 Tiempo meteorológico

Agua en la atmósfera

1. agua
2. a
3. **a.** psicrómetro **b.** humedad relativa **c.** humedad
4. a, b, c
5. condensación
6. a, b
7. verdadero
8. nubes cirros, d; nubes cúmulos, c; nubes estratos, a; niebla, b
9. c
10. Las alumnas y alumnos deben hacer un círculo alrededor de la nube del medio.

Precipitación

1. c
2. a, c
3. gotas de lluvia
4. **a.** Lluvia **b.** Lluvia helada **c.** Granizo

Masas y frentes de aire

1. b, c
2. masa de aire
3. **a.** Húmeda **b.** Fría **c.** Seca **d.** Fría
4. a
5. frente
6. frente frío, c; frente cálido, a; frente estacionario, d; frente ocluido, b
7. a
8. a
9. b
10. a

Tormentas

1. **a.** tormentas eléctricas **b.** rayos **c.** tormenta
2. verdadero
3. tornado
4. c
5. un refugio de tormentas o el sótano de un edificio de construcción sólida
6. verdadero
7. falso
8. verdadero
9. evacuar

Predecir el tiempo meteorológico

1. b
2. **a.** isobara **b.** mapa meteorológico
3. Las alumnas y alumnos deben hacer un círculo alrededor del frente sobre la Costa Oeste.

Capítulo 9 Clima y cambio climático

¿Cuáles son las causas del clima?

1. **a.** microclima **b.** región climática **c.** clima
2. c
3. verdadero
4. **a.** Continental **b.** Marino
5. **a.** Vientos dominantes **b.** Vientos estacionales (en cualquier orden)
6. c
7. monzones
8. a, b
9. c

Corrientes y clima

1. radiación o energía
2. a, c
3. Coriolis
4. Corriente de California, b; Corriente de Davidson, a
5. falso
6. falso
7. b, c
8. verdadero
9. corriente profunda
10. a, b
11. Las alumnas y alumnos deben hacer un círculo alrededor de las flechas de la derecha que hacen un bucle desde lo profundo.

Regiones climáticas

1. **a.** Seca **b.** Polar (en cualquier orden)
2. a, b
3. **a.** sabana **b.** bosque tropical
4. **a.** Desiertos **b.** Estepas
5. **a.** Marino de la costa oeste **b.** Mediterráneo **c.** Húmedo subtropical
6. verdadero
7. b, c
8. verdadero
9. b, c

Cambios en el clima

1. falso
2. a, b

3. **a.** gases de efecto invernadero **b.** calentamiento global
4. **a.** dióxido de carbono **b.** energía **c.** atmósfera
5. a
6. falso

Capítulo 10 Ecosistemas

Los seres vivos y el medio ambiente

1. **a.** organismos **b.** hábitat
2. a, b
3. verdadero
4. bióticos
5. **a.** Luz solar **b.** Temperatura
6. **a.** Población **b.** Comunidad
7. comunidad, d; ecosistema, e; ecología, c; población, b; especie, a

Poblaciones

1. falso
2. inmigración, a; emigración, b
3. falso
4. **a.** factor limitante **b.** capacidad de carga
5. a, c
6. falso

El flujo de energía en los ecosistemas

1. luz solar
2. descomponedor, c; productor, a; consumidor, b
3. carnívoro, a; herbívoro, c; omnívoro, b
4. cadena alimentaria
5. red alimentaria
6. El consumidor primario es el ratón.
7. b
8. a, b

Interacciones entre los seres vivos

1. **a.** nicho **b.** selección natural
2. verdadero
3. competición
4. verdadero
5. La pitón es el depredador y el ratón es la presa.
6. comensalismo, b; mutualismo, a; parasitismo, c
7. **a.** huésped **b.** parásito

Ciclos de la materia

1. b, c
2. **a.** raíces **b.** hojas **c.** agua **d.** exhalación
3. verdadero
4. c
5. a
6. fijación
7. a

Cambios en las comunidades

1. sucesión
2. b, c
3. sí
4. sucesión secundaria

Capítulo 11 Recursos vivientes

Biomas

1. bioma
2. verdadero
3. a
4. verdadero
5. templados
6. sotobosque
7. llanura, b; pradera, c; sabana, a
8. a, b, c
9. verdadero
10. Alce
11. tundra
12. permagélido
13. falso

Ecosistemas acuáticos

1. a, b, c
2. a. Ríos b. Lagos
3. a, b
4. estuario
5. a, c
6. b, c
7. verdadero
8. algas

Bosques y pesquerías

1. falso
2. a, b
3. verdadero
4. b
5. a. Tala total b. Tala selectiva
6. b
7. a, b
8. verdadero

Biodiversidad

1. a. Valor ecológico b. biodiversidad
2. b, c
3. b, c
4. **a.** Área **b.** Clima **c.** Especies claves
5. **a.** Extinción **b.** Especie en peligro de extinción **c.** Especie amenazada

6. destrucción del hábitat, b; especies invasivas, c; caza ilegal, a
7. cautiverio
8. verdadero

Capítulo 12 La energía y los recursos materiales

Combustibles fósiles

1. **a.** combustión **b.** transformación de la energía **c.** combustible
2. **a.** gasolina **b.** calor **c.** mecánico **d.** automóvil
3. b, c
4. combustibles fósiles, b; hidrocarburos, d; petróleo, a; petroquímicos, c
5. falso
6. c

Fuentes de energía renovable

1. b
2. electricidad
3. energía hidroeléctrica
4. **a.** agua **b.** turbinas **c.** generadores **d.** electricidad
5. verdadero
6. a
7. **a.** gasohol **b.** combustibles de biomasa
8. a, b
9. energía geotérmica
10. b
11. fuente limpia de energía

Energía nuclear

1. a
2. **a.** Fisión nuclear **b.** Fusión nuclear
3. verdadero
4. vasija del reactor, b; varillas de combustible, a; fusión, c
5. c
6. b
7. falso

Conservación de la energía

1. aislamiento
2. eficiencia
3. verdadero
4. b, c
5. conservación
6. a, c

Reciclaje de los recursos de la materia

1. desechos sólidos urbanos, c; incineración, a; relleno sanitario, b
2. verdadero
3. reciclaje
4. biodegradable
5. a
6. **a.** Reutilizar **b.** Reciclar

Unidad 1

Sistemas y procesos de la Tierra

Capítulo 1 Introducción a las ciencias de la Tierra

Verifica lo que sabes (pág. 1)
Esta pregunta evalúa la comprensión de los estudiantes sobre cómo la luz solar llega a diferentes partes de la Tierra. (S 5.4.a)

Respuestas y explicaciones posibles
Respuesta correcta: Este calentamiento desigual causa diferencias en la presión y la temperatura, las cuales, a su vez, causan convección en la atmósfera de la Tierra y la porción superior de los océanos. *Explicación posible:* El calentamiento desigual hace que algunos lugares sean más cálidos que otros. Estas diferencias ponen en movimiento al aire y a las aguas de la superficie de los océanos. *Respuestas incorrectas posibles*: El calentamiento desigual no afecta a la atmósfera o los océanos de la Tierra. *Explicación posible:* El aire y las aguas de los océanos se mueven muy poco como resultado del calentamiento desigual del Sol.

Desarrollar el vocabulario de Ciencias

¡Aplícalo! (pág. 2)

1. área
2. ocurren
3. factor

Cómo leer en Ciencias

¡Aplícalo! (pág. 4)
Pida a los estudiantes que sigan el modelo en la página del estudiante a medida que crean su organizador gráfico. Respuestas de ejemplo:

1. ¿Qué tipos de transferencia de energía hay?
2. ¿Cómo pueden las ondas transferir energía?

Sección 1 ¿Qué son las ciencias? (págs. 6–12)

Objetivos
Al terminar esta lección, los estudiantes serán capaces de:

1.1.1 Identificar las destrezas que usan los científicos para aprender sobre el mundo.
1.1.2 Explicar qué implica una investigación científica.
1.1.3 Diferenciar entre una teoría científica y una ley científica.

Preparación para los estándares

¿Cómo pueden averiguar los científicos lo que hay en el interior de la Tierra? (pág. 6)

Reflexiónalo Las respuestas variarán. La mayor parte de las preguntas sobre la superficie de la Tierra pueden responderse con base en la observación directa, mientras que aquellas sobre el interior profundo de la Tierra deben responderse mediante evidencia indirecta.

Examina tu avance

Respuestas
Figura 1 (pág. 7) Un líquido al rojo vivo que hace erupción del interior de la Tierra y forma una roca negra cuando se enfría y endurece.

Verificar la lectura (pág. 7) Un pronóstico de lo que sucederá en el futuro basado en la experiencia anterior.

Actividad Destrezas
Controlar variables (pág. 9)
Resultado esperado La variable manipulada en el experimento hipotético es el tipo de suelo. La velocidad de crecimiento de los plantones es la variable respuesta. Las variables controladas deberían incluir la cantidad de suelo usado para cada plantón, al igual que la cantidad de luz y agua que recibe cada plantón.

Examina tu avance

Respuestas
Figura 3 (pág. 9) La variable manipulada fue la intensidad del incendio en la arbolada de secuoya.

Verificar la lectura (pág. 9) Uno de los factores que puede cambiar en un experimento.

Matemáticas Analizar datos
Razonamiento matemático 6.2.4
Las secuoyas y los incendios (pág. 10)

Respuestas

1. Plantones en diferentes ubicaciones
2. Porcentaje de árboles maduros con plantones
3. Incendio de alta intensidad; zona no incendiada

Examina tu avance

Respuestas
Figura 5 (pág. 11) Las observaciones son importantes para reunir e interpretar datos y para sacar una conclusión del experimento.

Verificar la lectura (pág. 10) Una decisión sobre cómo interpretar lo que se ha aprendido de un experimento.

Examina tu avance

Respuesta

Verificar la lectura (pág. 12) Una ley científica describe lo que los científicos esperan que suceda en cualquier momento bajo un conjunto particular de condiciones.

Evaluación

Destreza de vocabulario

Palabras académicas de uso frecuente (pág. 12) Respuesta de ejemplo: En un experimento controlado, un científico prueba cómo un factor afecta a otros factores.

Repasar los conceptos clave (pág. 12)

1. **a.** Ciencia es una manera de aprender acerca de la naturaleza y el conocimiento obtenido a través de ese proceso. **b.** Al observar, los científicos usan sus sentidos para reunir información. Al inferir, o hacer una inferencia, los científicos intentan explicar o interpretar lo que han observado. Al predecir, los científicos pronostican lo que sucederá con base en la experiencia o evidencia del pasado. **c.** No. Una inferencia se basa en observaciones y razonamiento de lo que ya se sabe.
2. **a.** Investigación científica es el término para las muchas formas en las que los científicos estudian la naturaleza y proponen explicaciones basadas en la evidencia que reúnen. **b.** Sí. El refrán hace una observación e inferencia sobre el tiempo. Podría plantearse como una hipótesis y probarse. **c.** Para determinar si el refrán es verdadero, podrían reunirse datos sobre el tiempo en el color del cielo al amanecer y el tipo de tiempo que siguió.
3. **a.** Una teoría científica es una explicación comprobada para una amplia gama de observaciones o resultados experimentales. Una ley científica es un enunciado que describe lo que los científicos esperan que suceda en cualquier momento bajo un conjunto particular de condiciones. **b.** A diferencia de una teoría, una ley científica no proporciona una explicación, sino que describe un patrón observado en la naturaleza.

Sección 2 Estudio de la Tierra (págs. 13–19)

Objetivos

Al terminar esta lección, los estudiantes serán capaces de:

1.2.1 Nombrar las partes del sistema terrestre.

1.2.2 Explicar cómo se transmite la energía en el sistema terrestre.

1.2.3 Identificar las ramas principales de las ciencias de la Tierra.

Preparación para los estándares

¿Cuál es la fuente de la energía de la Tierra? (pág. 13)

Reflexiónalo La energía solar causó que algo del agua en el fondo del frasco se evaporara. El frasco mostraría el ciclo de evaporación y condensación que tiene lugar en la Tierra.

Actividad Destrezas

Clasificar (pág. 15)

Resultado esperado Las rocas y el suelo que son llevados cuesta abajo por la ladera de una colina es un ejemplo de interacción entre la hidrosfera y la litosfera. La niebla que "desaparece" sobre un lago es una interacción entre la hidrosfera y la atmósfera. Las raíces de un árbol que absorben agua y nutrientes del suelo es una interacción entre la biosfera, la hidrosfera y la litosfera.

Examina tu avance

Respuestas

Figura 7 (pág. 14) Respuesta de ejemplo: *Un cambio en la temperatura de la hidrosfera puede afectar la temperatura de la atmósfera.*

Verificar la lectura (pág. 15) Todos los seres vivos de la Tierra.

Actividad Inténtalo

Energía en movimiento (pág. 17)

Resultado esperado Los estudiantes observarán ondulaciones, u ondas, moverse a través de la superficie del agua. El pedazo de papel se moverá verticalmente mientras las ondas pasan, pero el papel no cambiará de posición. Las formas de transferencia de energía son por ondas (agua) y por un objeto en movimiento, la arandela.

Examina tu avance

Respuestas

Figura 8 (pág. 16) Flujo de calor.

Verificar la lectura (pág. 17) Energía térmica que se transmite de un objeto a otro como resultado de una diferencia de temperatura.

Evaluación

Destreza clave de lectura

Examinar la estructura del texto (pág. 19) Las preguntas deberán ser similares a los siguientes ejemplos: *¿Cuáles son las partes principales de la Tierra?*, *¿Cómo puede dividirse la Tierra en partes diferentes?* o *¿Qué es el sistema terrestre?*

Repasar los conceptos clave (pág. 19)

1. **a.** La Tierra está conformada por la litosfera, la atmósfera, la hidrosfera y la biosfera. **b.** Respuesta de ejemplo: Los volcanes, los cuales son parte de la litosfera, liberan gases que pueden cambiar la atmósfera.
2. **a.** Por ondas, objetos en movimiento o por flujo de calor. **b.** Del objeto más caliente al objeto más frío. **c.** El calor fluirá del agua al bloque de hielo.
3. **a.** geología, meteorología, ciencia ambiental. **b.** Los geólogos estudian la estructura de la Tierra y los materiales que la forman. **c.** un científico ambientalista.

Laboratorio de destrezas

Acelerar la evaporación

Analiza y concluye (pág. 20)

1. Las respuestas variarán. Algunos estudiantes pueden haber previsto los resultados correctamente en cada caso y confirmado sus hipótesis por medio del experimento.
2. En la parte 1, el calor es la variable manipulada. En la parte 2, la variable manipulada es el viento. En ambas partes, la variable respuesta es la velocidad de evaporación.
3. Los factores que incrementan la velocidad de evaporación del agua incluyen la exposición a una fuente de calor y la exposición al viento.
4. Los informes de los estudiantes deberán resumir los pasos en el procedimiento que siguieron e incluir las hipótesis y resultados que anotaron. Una respuesta común sobre el desarrollo de una hipótesis podría mencionar lo rápido que se seca un charco expuesto al sol o al viento.

Sección 3 Exploración de la superficie de la Tierra (págs. 21–27)

Objetivos

Al terminar esta lección, los estudiantes serán capaces de:

1.3.1 Explicar qué incluye la topografía de un área.

1.3.2 Identificar los tipos principales de accidentes geográficos.

1.3.3 Explicar cómo representan los mapas la superficie de la Tierra y usarlos para localizar puntos en la superficie.

Preparación para los estándares

¿Cómo es el terreno alrededor de tu escuela? (pág. 21)

Reflexiónalo Los estudiantes desarrollarán alguna generalización sobre la topografía del área de acuerdo con los accidentes geográficos, pendientes y otras características que observen.

Examina tu avance

Respuestas

Figura 10 (pág. 22) Respuesta de ejemplo: Una montaña es un accidente geográfico con pendientes inclinadas y cimas que se elevan muy por encima de la tierra circundante.

Verificar la lectura (pág. 22) Una llanura interior es una llanura que se encuentra lejos de la costa.

Matemáticas Destrezas

Escala y proporciones (pág. 24)

Respuesta 117,500 cm ó 1.175 km; (1 × d = 25,000 × 4.7 cm) ó (25,000 × 4.7 cm)

Examina tu avance

Respuestas

Figura 11 (pág. 24) 1:100,000 ó 1 cm = 1 km.

Figura 13 (pág. 25) 90 grados.

Verificar la lectura (pág. 24) La escala de un mapa relaciona la distancia en un mapa con la distancia en la superficie de la Tierra.

Actividad Inténtalo

¿Dónde en el mundo? (pág. 26)

Resultado esperado En orden, las ciudades son Guayaquil, Ecuador; Lisboa, Portugal; Osaka, Japón; Buenos Aires, Argentina; Edimburgo, Gran Bretaña y Singapur, Singapur. La palabra que se escribe con la primera letra de estas ciudades es *GLOBES* (globo terráqueo).

Examina tu avance

Respuestas

Figura 15 (pág. 27) Los Ángeles: aproximadamente 34°N, 118°O; Sydney: aproximadamente 34°S y 151°E.

Verificar la lectura (pág. 26) De 0° a 180° este u oeste desde el primer meridiano.

Evaluación

Destreza de vocabulario

Palabras académicas de uso frecuente

(pág. 27) Oración de ejemplo: La topografía se refiere a la elevación, relieve y tipos de accidentes geográficos en un área.

Repasar los conceptos clave (pág. 27)

1. **a.** La topografía es la elevación, relieve y accidentes geográficos en un área. **b.** El relieve es la diferencia en la elevación entre la parte más alta y la parte más baja de un área; la elevación se refiere a la distancia sobre el nivel del mar, mientras el relieve se refiere a la diferencia máxima en elevación en una región. **c.** 1,000 m (1,200 m − 200 m).
2. **a.** Llanuras, mesetas y montañas. **b.** Una montaña es un accidente geográfico con elevación alta y relieve alto. **c.** Montaña, cordillera, sistema de montañas, cinturón de montañas.
3. **a.** El ecuador (para la latitud) y el primer meridiano (para la longitud). **b.** Forman la base para una cuadrícula de líneas de latitud y longitud que cubren la superficie de la Tierra y pueden usarse para localizar cualquier punto en la superficie.
4. 2,800 km

Sección 4 Mapas topográficos (págs. 28–31)

Objetivos

Al terminar esta lección, los estudiantes serán capaces de:

1.4.1 Explicar cómo se representa la elevación, el relieve y la inclinación en los mapas topográficos.

1.4.2 Explicar cómo se lee un mapa topográfico.

Preparación para los estándares

¿Puede un mapa mostrar un relieve? (pág. 28)

Reflexiónalo Las líneas sobre el papel representan curvas de nivel, las cuales son líneas que representan varias alturas.

Examina tu avance

Respuestas

Figura 17 (pág. 29) El mapa topográfico proporciona datos exactos sobre la elevación, relieve, inclinación y la forma de la montaña.

Verificar la lectura (pág. 29) Todos los puntos tienen la misma elevación.

Examina tu avance

Respuesta

Verificar la lectura (pág. 31) Las cimas de las colinas se indican por un lazo cerrado sin otras curvas de nivel dentro de él. Las depresiones se indican por un lazo cerrado con rayas en el interior de la curva de nivel.

Evaluación

Destreza clave de lectura

Examinar la estructura del texto (pág. 31)

Las preguntas deberán ser similares a las siguientes: *¿Qué significa curvas de nivel?*, *¿Qué muestran las curvas de nivel?* o *¿Cómo se interpretan las curvas de nivel?*

Repasar los conceptos clave (pág. 31)

1. **a.** Un mapa que muestra las características de la superficie de un área incluyendo elevación y relieve. **b.** La elevación y el relieve se representan con curvas de nivel. **c.** 50 m / intervalo × 12 intervalos = 600 m.
2. **a.** La escala, el significado de los símbolos del mapa y el intervalo entre curvas de nivel. **b.** Las pendientes escarpadas están representadas por curvas de nivel que están muy cerca entre sí; las pendientes suaves tienen curvas de nivel que están más separadas. **c.** Un valle.

Laboratorio de destrezas

Un mapa en una bandeja

Analiza y concluye (pág. 32)

1. Las curvas de nivel muy poco espaciadas representan pendientes escarpadas. Las curvas de nivel muy espaciadas representan pendientes suaves.
2. El punto más alto está indicado por un lazo cerrado sin curvas de nivel en su interior.
3. No; las lomas y los valles se muestran con curvas de nivel en forma de V. El mapa de la colina de arcilla sólo contiene curvas de nivel concéntricas.
4. Si existe una depresión, debería mostrarse como un lazo cerrado con rayas en el interior.
5. Ambos son un modelo de un accidente geográfico natural. El modelo de arcilla tiene tres dimensiones, mientras que el mapa sólo tiene dos dimensiones.

Sección 5 Seguridad en el laboratorio de ciencias (págs. 33–37)

Objetivos
Al terminar esta lección, los estudiantes serán capaces de:

1.5.1 Explicar por qué es importante la preparación cuando se llevan a cabo investigaciones científicas en el laboratorio y en el campo.

1.5.2 Describir lo que se debería hacer si ocurre un accidente.

Preparación para los estándares

¿Dónde está el equipo de seguridad en tu escuela? (pág. 33)

Reflexiónalo Respuesta de ejemplo: Es importante saber dónde está el equipo de seguridad porque en una emergencia puede no haber tiempo para preguntarle a un maestro o buscar el equipo.

Examina tu avance

Respuestas

Figura 19 (pág. 34) Cualesquiera tres de los siguientes: usar gafas de protección, usar guantes resistentes al calor, asegurar que los cables eléctricos no estén enredados y que no estén en el camino, usar un delantal, mantener limpia y ordenada el área de trabajo, usar zapatos cerrados, manejar con cuidado a los animales vivos y plantas, usar guantes de hule, amarrar el cabello largo.

Verificar la lectura (pág. 34) Saber cómo usar el equipo de laboratorio ayuda a estar preparado y evitar accidentes.

Examina tu avance

Respuestas

Figura 20 (pág. 36) Respuesta de ejemplo: ungüento para los labios, agua potable, zapatos para vadear, toalla.

Verificar la lectura (pág. 37) Notificar de inmediato al maestro, y luego escuchar las instrucciones del maestro y seguirlas con rapidez.

Evaluación

Destreza de vocabulario

Palabras académicas de uso frecuente
(pág. 37) Respuestas de ejemplo: *tenga lugar, suceda.*

Repasar los conceptos clave (pág. 37)

1. **a.** Leer todo el procedimiento para asegurarse de comprender todas las instrucciones, y revisar las reglas generales de seguridad en el Apéndice A. **b.** Para llevar a cabo un laboratorio de ciencias seguro es importante prepararse en forma minuciosa, comprender el uso apropiado del equipo de laboratorio, familiarizarse con los símbolos y precauciones de seguridad, seguir las instrucciones del maestro y las indicaciones del libro de texto con cuidado, y llevar a cabo en forma correcta los procedimientos al terminar el laboratorio. **c.** Algunos peligros en el campo pueden ser imposibles de anticipar.
2. **a.** Notificar al maestro de inmediato. **b.** Cubrir la cortada con un apósito limpio. Aplicar presión directa sobre la herida para detener el sangrado. **c.** Respuesta de ejemplo: Sí. La buena preparación y los comportamientos seguros pueden ayudar a las personas a evitar muchas de las circunstancias y situaciones que son la causa de los accidentes.

Repaso y evaluación (págs. 39–40)

Destreza clave de lectura (pág. 39)

Examinar la estructura del texto Preguntas y respuestas de ejemplo: ¿Qué es topografía? La topografía es la forma de la tierra. ¿Qué son los accidentes geográficos? Un accidente geográfico es una característica de la topografía como una montaña, llanura o meseta. ¿Qué es un mapa? Un mapa es un modelo plano de toda o parte de la superficie de la Tierra vista desde arriba. ¿Qué es la cuadrícula terrestre? La cuadrícula terrestre es la red de líneas de latitud y longitud que se usan para localizar puntos en la superficie.

Repasar los términos clave (pág. 39)

1. c
2. d
3. c
4. d
5. b
6. d
7. un estudio en el que sólo se cambia un factor
8. la diferencia en elevación entre el punto más alto y el punto más bajo en un área
9. toda el agua líquida y congelada en la Tierra
10. la distancia en grados al este u oeste de una línea llamada primer meridiano
11. una curva de nivel que está marcada con su elevación y es más gruesa y oscura que las otras curvas de nivel en un mapa

Verificar los conceptos (pág. 40)

12. No. Una hipótesis debe probarse de manera repetida por otros científicos para asegurar que los resultados de un experimento son verdaderos.
13. Un experimento controlado es una prueba de una hipótesis bajo condiciones establecidas por el científico.
14. La variable respuesta es la variable que cambia como resultado de los cambios de un científico a la variable manipulada.
15. Los científicos comunican sus hallazgos en reuniones científicas, intercambiando información en Internet o publicando los resultados de sus experimentos en revistas científicas.
16. Los meteorólogos estudian la atmósfera de la Tierra y pronostican el tiempo.
17. El Sol provee energía para muchos procesos.
18. Una costa marítima tiene poca elevación, pero una llanura interior puede tener poca o mucha elevación.
19. Al final de un laboratorio, los estudiantes deberán: limpiar el área de trabajo; apagar, desconectar y guardar el equipo de laboratorio; eliminar los materiales de desecho en forma apropiada; seguir las instrucciones del maestro; y lavarse muy bien las manos.

Razonamiento crítico (pág. 40)

20. Cuando un experimento está completo, un científico debe interpretar los datos, luego sacar una conclusión; es decir, decidir si los datos apoyan la hipótesis.
21. La lava de las erupciones volcánicas puede destruir todo a su paso, incluyendo la vegetación y la fauna. Las erupciones volcánicas también añaden gases a la atmósfera, los cuales pueden ser perjudiciales para los organismos en la biosfera.
22. La Tierra puede dividirse en hemisferios norte y sur y hemisferios oriental y occidental. Auckland está en los hemisferios oriental y sur de la Tierra.
23. Una hondonada de 1.5 metros de profundidad no se mostraría en un mapa con un intervalo entre curvas de nivel de 5 metros porque el intervalo sólo muestra cambios en la elevación mayores que 5 metros. La hondonada se mostraría en un mapa con un intervalo entre curvas de nivel de 1 metro porque la depresión es mayor que 1 metro.
24. gafas de protección: protegen los ojos; delantal: protege la piel y la ropa del daño; guantes de hule: protegen la piel de organismos y sustancias químicas peligrosas; rotura de objetos: manejar con cuidado los objetos de vidrio que pueden romperse; sustancia química corrosiva: evitar contacto con ácido o sustancias químicas corrosivas, o inhalar sus vapores.

Matemáticas práctica (pág. 40)

25. 1:26,000,000
    260 km

Aplicar destrezas (pág. 40)

26. Distancia (m) en el eje vertical; tiempo (min) en el eje horizontal
27. No. Durante el primer minuto, la corriente recorrió unos 65 m. Durante el segundo minuto, la corriente recorrió sólo unos 10 m. La corriente recorrió menos metros por cada minuto adicional.
28. Respuesta de ejemplo: La corriente apenas recorrerá alguna distancia.

Práctica de estándares (pág. 41)

1. D; S 6.7.a
2. A; S 6.3.a
3. A; S 6.4.a
4. C; S 6.7.c
5. D; S 6.2
6. B; S 6.7.a
7. A; S 6.7.f
8. C; S 6.7.f
9. C; S 6.2

Aplicar la gran idea (pág. 41)

10. Respuesta de ejemplo: La hidrosfera es el agua líquida y sólida (hielo) en la Tierra. La energía solar impulsa el ciclo del agua, el cual es el movimiento del agua entre la litosfera, hidrosfera, biosfera y atmósfera de la Tierra. Si una cantidad considerable del hielo en la hidrosfera se derrite, el nivel del mar se elevaría, inundando partes de la litosfera. Una elevación en el nivel del mar también afectaría los hábitats costeros (biosfera). S 6.4.a

Capítulo 2 Desgaste y formación del suelo

Verifica lo que sabes (pág. 43)

Esta pregunta evalúa la comprensión de los estudiantes sobre la forma en que el agua cambia el paisaje de la Tierra. (S 6.2.a)

Respuestas y explicaciones posibles
Respuesta correcta: El agua desgastaría algo del jabón, cambiando la forma del modelo del paisaje. *Explicación posible:* El agua puede cambiar física y químicamente las rocas. *Respuestas incorrectas posibles:* Nada le pasará al modelo del paisaje. *Explicación posible:* Las rocas son demasiado duras para cambiar, aun durante largos períodos de tiempo.

Desarrollar el vocabulario de Ciencias

¡Aplícalo! (pág. 44)

1. conserva, conservación
2. fundir, fundición

Cómo leer en Ciencias

¡Aplícalo! (pág. 46)
Pida a los estudiantes que observen la ilustración con cuidado mientras responden a las preguntas. Respuestas de ejemplo: La roca ígnea se transforma en sedimento y roca metamórfica; el sedimento se convierte en roca sedimentaria; la roca sedimentaria se convierte en roca metamórfica y material fundido en volcanes; la roca metamórfica se convierte en material fundido o de nuevo en sedimento.

Sección 1 Los minerales y las rocas (págs. 48–55)

Objetivos
Al terminar esta lección, los estudiantes serán capaces de:
2.1.1 Describir las características de los minerales.
2.1.2 Identificar los tres grupos principales de rocas y explicar cómo se forman a través del ciclo de las rocas.
2.1.3 Explicar cómo se procesan los minerales y las rocas y enumerar las formas como se usan estos materiales.

Preparación para los estándares

¿Qué es una roca? (pág. 48)
Resultado esperado Las descripciones y bocetos de los estudiantes deberán reflejar los colores y texturas de sus muestras. Las respuestas deberán reflejar con precisión las muestras de roca proporcionadas. Las definiciones de los estudiantes deberán indicar que una roca consiste de una o más sustancias: minerales y / o sedimento.

Examina tu avance

Respuesta

Verificar la lectura (pág. 49) Un sólido compuesto de partículas que se alinean en un patrón que se repite una y otra vez.

Actividad Inténtalo

Absorbedor de rocas (pág. 50)

Respuestas
Los estudiantes observan que la arenisca es áspera y de granos gruesos, mientras que el esquisto es suave y de grano muy fino. La masa del esquisto cambia poco o nada en absoluto, pero la masa de la arenisca aumenta. El agua puede entrar en los poros de la arenisca, pero el esquisto es esencialmente impermeable al agua.

Examina tu avance

Respuestas
Figura 4 (pág. 51) Que el agua y el clima desgasten la superficie de la Tierra formando sedimento y que lo transporten y lo depositen en capas, luego la presión comprime el sedimento y los materiales disueltos pegándolos.

Verificar la lectura (pág. 51) Son pequeñas partículas sólidas de materiales en la tierra que provienen de las rocas o los seres vivos.

Examina tu avance

Respuestas
Figura 6 (pág. 52) El desgaste de las rocas

Verificar la lectura (pág. 53) Minerales duros y coloridos.

Actividad Inténtalo

Productos de minerales (pág. 54)
Resultado esperado Los estudiantes deberán describir la bauxita como terrosa o arcillosa. La lata de aluminio es delgada, flexible y brillante. Las preguntas incluyen: ¿Cómo se extrae la bauxita? ¿Cómo puede separarse el aluminio del resto de la mena? ¿Son rentables los costos de extracción y refinación en el presente?

Examina tu avance

Respuestas
Figura 10 (pág. 55) Etapa 3

Verificar la lectura (pág. 54) Un proceso en el que una mena se mezcla con otras sustancias y luego se funde para extraer los elementos útiles en la mena.

Evaluación

Destreza clave de lectura

Examinar visuales (pág. 55) Los procesos incluyen actividad volcánica, desgaste de la roca, fundición, sedimento depositado y cambio de la roca por calor y presión.

Repasar los conceptos clave (pág. 55)

1. **a.** Sólido inorgánico de origen natural que se forma debajo de la superficie de la Tierra con una estructura de cristal y una composición química definida. **b.** No está hecho de seres vivientes. **c.** No; el carbón está formado de restos de plantas, los cuales son materiales orgánicos, carecen de una estructura de cristal y no tienen una composición definida.
2. **a.** El ciclo de las rocas es un proceso natural en el que una roca cambia gradualmente en otra. **b.** El agua y el viento deben desgastarla para formar sedimento. El sedimento debe compactarse y pegarse para volverse roca sedimentaria. **c.** Respuesta de ejemplo: La roca se podría desgastar para convertirse en sedimento. El sedimento se podría transportar, depositar y a la larga compactar y pegar para formar una roca sedimentaria.
3. **a.** Los minerales son fuentes de piedras preciosas, metales y otros materiales usados para hacer muchos productos. Las rocas se usan con más frecuencia como materiales de construcción y en procesos industriales. **b.** Una roca o mineral útil que puede extraerse y venderse para obtener una ganancia. **c.** La mayor parte de las menas deben encontrarse, extraerse y procesarse antes de que puedan hacerse productos útiles.

Sección 2 Las rocas y el desgaste
(págs. 56–63)

Objetivos
Al terminar esta lección, los estudiantes serán capaces de:

2.2.1 Explicar cómo el desgaste y la erosión afectan a la superficie de la Tierra.

2.2.2 Identificar qué causa el desgaste mecánico y el desgaste químico.

2.2.3 Describir los factores que determinan la rapidez con que se produce el desgaste.

Preparación para los estándares

¿Cuán rápido puede hacer efervescencia? (pág. 56)

Reflexiónalo La tableta triturada se disolvió más rápido que la tableta entera. Los estudiantes podrían sugerir correctamente que la tableta triturada tenía más área de superficie expuesta al agua y por tanto se disolvió más rápido.

Examina tu avance

Respuestas

Figura 6 (pág. 57) Los Apalaches están más desgastados que las montañas accidentadas de la Sierra Nevada.

Verificar la lectura (pág. 57) Desgaste es el proceso que fragmenta las rocas y otras sustancias de la superficie de la Tierra, y erosión es el movimiento de partículas de roca por el viento, el agua, el hielo o la gravedad.

Examina tu avance

Respuestas

Figura 12 (pág. 58) Liberación de la presión: la eliminación de capas de roca reduce la presión en las capas subyacentes, causando grietas. Congelamiento y deshielo: el agua congelada se expande en las grietas de las rocas y las separa. Acción de los animales: los animales cavan agujeros y madrigueras, los cuales aflojan el suelo y las partículas de roca. Desarrollo de la planta: la presión del crecimiento de las raíces fragmenta las rocas. Abrasión: partículas de roca transportadas por el viento, el agua o el hielo desgastan la superficie de las rocas.

Verificar la lectura (pág. 59) El agua penetra en las grietas de las rocas, luego se congela. El agua congelada se expande, actuando como una cuña para expandir y profundizar las grietas. Cuando el hielo se derrite, el agua penetra en las grietas a mayor profundidad. Al repetirse la congelación y el deshielo, terminan por fragmentar las rocas.

Actividad Inténtalo

Oxidación

Resultado esperado (pág. 61) Se desmenuza y permanece compactado. El nuevo recupera su forma. Si se deja en el recipiente, se oxidará, igual que la roca que se ha oxidado.

Examina tu avance

Respuestas

Figura 13 (pág. 60) El área de la superficie aumentará.

Verificar la lectura (pág. 61) Las plantas producen ácidos que disuelven lentamente la roca alrededor de sus raíces.

Matemáticas Analizar datos

Razonamiento matemático 6.2.2

¿Cuál se desgasta más rápido? (pág. 62)

Respuestas

1. Tiempo en años.
2. Pérdida de grosor de la piedra por desgaste.
3. La piedra A perdió alrededor de 8.5 milímetros; la piedra B perdió poco más de 4 milímetros.
4. La piedra A se desgastó más rápido.
5. Estuvieron expuestas a diferentes condiciones climáticas. Es probable que la piedra A se desgastara en un clima más cálido y húmedo.

Examina tu avance

Respuestas

Figura 15 (pág. 63) El mármol se desgasta más rápido. Sus minerales se disuelven con más facilidad en el agua.

Verificar la lectura (pág. 63) La lluvia aumenta la proporción de desgaste al proveer agua que causa cambios químicos al igual que por congelamiento y deshielo.

Evaluación

Destreza de vocabulario

Sufijos (pág. 63) erosión

Repasar los conceptos clave (pág. 63)

1. **a.** El desgaste es el proceso que fragmenta la roca y otras sustancias en la superficie de la Tierra. **b.** La erosión es el movimiento de partículas de roca por el viento, el agua, el hielo o la gravedad. **c.** Los procesos de desgaste y erosión desgastaron lentamente la roca sólida de la montaña.
2. **a.** El desgaste químico es el proceso que fragmenta la roca a través de cambios químicos. **b.** Ambos tipos de desgaste gastan la roca. El desgaste mecánico causa que la roca cambie físicamente, pero el desgaste químico causa que cambie la composición de la roca. **c.** Congelación y deshielo, mecánico; oxidación, químico; agua que disuelve los químicos de la roca, químico; abrasión, mecánico; lluvia ácida, químico.
3. **a.** El tipo de roca y el clima afectan la proporción de desgaste. **b.** El granito se desgasta muy despacio en climas fríos y secos. El calor y la humedad aumentan la tasa de desgaste.

Laboratorio de destrezas

Agitar rocas

Analiza y concluye (pág. 65)

1. El cambio de porcentaje en la masa de los fragmentos en cada recipiente variará significativamente, dependiendo del tipo de piedra caliza usada, la masa original de los fragmentos, la fuerza del ácido y la cantidad de agitación. Las cifras exactas no son importantes sino la forma como se comparan.
2. Debería haber un cambio en la masa de los pedacitos en los recipientes B, C y D. Debería haber poco o ningún cambio en la masa de los pedacitos en el recipiente A.
3. Los pedacitos en el recipiente D deberían mostrar el mayor cambio en la masa total debido a que fueron sometidos tanto al ácido como a la agitación. Los pedacitos en el recipiente A deberían mostrar el menor cambio debido a que no fueron sometidos al ácido ni se agitaron.
4. La mayoría de los estudiantes dirá que los resultados apoyaron su hipótesis. El ácido y la agitación causan tanto desgaste químico como físico.
5. La masa de los fragmentos en el recipiente D mostró el mayor cambio debido a que esos pedacitos se dejaron en ácido toda la noche y se agitaron al día siguiente.
6. La mayoría de los estudiantes sugerirá que el ácido fue más responsable por fragmentar la piedra caliza debido a que el cambio en la masa de los fragmentos en el recipiente C fue mayor que el cambio en la masa de los pedacitos en el recipiente B.
7. Se probaron dos variables en este experimento: el efecto de la agitación y el efecto del ácido. Los dos recipientes que no fueron agitados sólo difieren en la ausencia o presencia del ácido, así que esta variable se prueba en forma exclusiva. Agitar los dos recipientes la misma cantidad de tiempo permitió que la variable de acidez fuera probada con la agitación. La variable de agitación es probada en agua por los recipientes "agua, sin agitar" y "agua, agitar". La variable de agitación es probada en ácido por los recipientes "vinagre, sin agitar" y "vinagre, agitar".

Sección 3 Formación del suelo
(págs. 66–72)

Objetivos

Al terminar esta lección, los estudiantes serán capaces de:

2.3.1 Describir la composición de la tierra y explicar cómo se forma.

2.3.2 Explicar cómo clasifican los científicos a la tierra.

2.3.3 Identificar el papel de las plantas y de los animales en la formación de la tierra.

Preparación para los estándares

¿Qué es el suelo? (pág. 66)

Reflexiónalo Las respuestas variarán. Una respuesta común podría sugerir que el suelo es una mezcla de partículas diferentes, incluyendo arena, arcilla, fragmentos de roca y material derivado de los seres vivos.

Examina tu avance

Respuesta
Figura 16 (pág. 67) Agua y aire.

Actividad Inténtalo

Rojo o azul (pág. 69)
Resultado esperado Los suelos ácidos volverán azul el papel de tornasol rojo mientras que los suelos alcalinos volverán rojo el papel de tornasol azul.

Examina tu avance

Respuestas
Figura 18 (pág. 68) El horizonte A; ésta es la capa de suelo superior donde crecen las plantas.

Verificar la lectura (pág. 69) Qué tan ácida o básica es una sustancia.

Examina tu avance

Respuesta
Figura 20 (pág. 70) Las lombrices y los animales de madriguera.

Examina tu avance

Respuestas
Figura 21 (pág. 72) Es probable que el suelo sea muy fértil debido a que las lombrices transportan el humus al subsuelo y lo reparten como residuo, el cual es enriquecido con sustancias que las plantas necesitan para crecer.

Verificar la lectura (pág. 72) Lombrices.

Evaluación

Destreza clave de lectura

Examinar visuales (pág. 72) Las bacterias y los hongos son descomponedores que se encuentran en el suelo.

Repasar los conceptos clave (pág. 72)

1. **a.** Partículas de roca, minerales, material orgánico descompuesto, aire y agua. **b.** Los horizontes de suelo se forman conforme se desgasta el lecho rocoso y la roca se fragmenta en partículas de suelo. Las plantas desgastan la roca en forma mecánica y química y agregan material orgánico al suelo. La lluvia arrastra arcilla y minerales del suelo superior a otros horizontes de suelo. **c.** Suelo superior, subsuelo, horizonte C, lecho rocoso.
2. **a.** Clima, plantas, composición del suelo y si el suelo es ácido o básico. **b.** La muestra 1 es ligeramente básica. La muestra 2 es ligeramente ácida. La muestra 3 es neutra. La muestra 4 es muy ácida.
3. **a.** Algunos organismos del suelo hacen humus, un material que hace fértil al suelo. Otros organismos del suelo mezclan el suelo y hacen espacios para el aire y el agua. **b.** Los descomponedores incluyen hongos, bacterias y gusanos. Digieren o descomponen el material orgánico muerto y lo mezclan con el suelo. **c.** El suelo se volvería menos fértil debido a que los descomponedores hacen humus.

Laboratorio de destrezas

Comparar suelos

Analiza y concluye (pág. 73)

1. Las respuestas variarán, dependiendo de las muestras de suelo local empleadas. La mayor parte de las muestras de suelo superior embolsadas tendrán porcentajes altos de materiales orgánicos. La mayor parte de los suelos naturales tendrán menos material orgánico.
2. Los estudiantes deberán ser capaces de estimar qué proporciones de la muestra son arcilla, limo y arena. El material orgánico flotará en el agua.
3. Los estudiantes podrían observar que el suelo superior embolsado contiene más materia orgánica y se formó de más materia vegetal que el suelo local.
4. Las hipótesis variarán, dependiendo de las muestras de suelo. Por lo general, el suelo superior embolsado es una buena mezcla para flores y vegetales.
5. Los informes variarán. Las sugerencias de los estudiantes deberán estar apoyadas por los datos.

Sección 4 Conservación del suelo
(págs. 74–77)

Objetivos
Al terminar esta lección, los estudiantes serán capaces de:

2.4.1 Explicar por qué el suelo fértil es un recurso no renovable.

2.4.2 Enlistar formas en que el suelo puede perder su valor.

2.4.3 Identificar formas en que puede conservarse el suelo.

Preparación para los estándares

¿Cómo prevenir que el agua arrastre el suelo? (pág. 74)

Reflexiónalo Las respuestas variarán. Las respuestas comunes podrían sugerir formas que protegen el suelo o lo unen.

Examina tu avance

Respuesta
Figura 22 (pág. 75) Nitrógeno

Examina tu avance

Respuestas
Figura 24 (pág. 77) Previene que la lluvia excesiva arrastre el suelo

Verificar la lectura (pág. 76) Una combinación de arado excesivo y sequías.

Verificar la lectura (pág. 77) Permite que las plantas en el suelo retengan nutrientes y humedad para prevenir la erosión.

Evaluación

Destreza de vocabulario

Sufijos (pág. 77) conservar

Repasar los conceptos clave (pág. 77)

1. **a.** Todo lo que usan los humanos en el medio ambiente. **b.** El suelo fértil tiene un suministro limitado y toma mucho tiempo en formarse.
2. **a.** Pérdida de fertilidad y pérdida del suelo de la capa superior. **b.** El suelo superior se pierde debido a la erosión por viento y por agua. **c.** Una combinación de arado excesivo y sequías.
3. **a.** El manejo del suelo para prevenir su destrucción. **b.** Arada de contorno, arada de conservación y rotación de cultivos. **c.** Una combinación de arada de conservación para reducir la erosión y rotación de cultivos para mantener la fertilidad del suelo.

Repaso y evaluación (págs. 79–80)

Destreza clave de lectura (pág. 79)

Examinar visuales

R. los organismos que viven en el suelo
R. insectos, lombrices, bacterias y animales de madriguera, como los ratones
P. Ejemplo: ¿Cómo ayudan las lombrices al crecimiento de las plantas?
R. Ejemplo: descomponen la tierra dura y compactada, facilitando que las raíces de las plantas se extiendan y que el aire y el agua entren en el suelo.

Revise que las preguntas y respuestas de los estudiantes muestren una comprensión de los papeles de diversos organismos en la formación del suelo como se muestra en la Figura 20.

Repasar los términos clave (pág. 79)

1. b
2. c
3. b
4. a
5. d
6. que toma mucho tiempo para formarse y no pueden ser reemplazados cuando se han agotado
7. cualquier proceso físico que fragmente las rocas
8. la roca tiene muchos espacios abiertos en los cuales puede entrar el agua
9. la sustancia de color oscuro que se forma cuando las plantas y los animales se descomponen y hacen el suelo fértil
10. alterando el suelo y la planta que lo cubre lo mínimo indispensable

Verificar los conceptos (pág. 80)

11. Un sólido formado por partículas que forman un patrón repetitivo.
12. Ambos son rocas ígneas que se forman cuando el material fundido se enfría y endurece. El granito tiene granos de mineral grandes debido a que el material del que se forma se enfría despacio en lo profundo de la Tierra. El basalto tiene granos de mineral muy pequeños debido a que el material fundido del que se forma se enfría muy rápido en la superficie de la Tierra.
13. Minería: Las minas de cielo abierto exponen el suelo, lo cual puede conducir a la erosión. Es probable que las plantas no estén en

condiciones de crecer en áreas de minas de cielo abierto por años. Fundición: La fundición libera sustancias dañinas en el aire y el agua.

14. El principio de uniformismo establece que los mismos procesos que operan hoy operaron en el pasado.
15. Las plantas son un agente de desgaste mecánico cuando sus raíces abren grietas en la roca. Las plantas son un agente de desgaste químico cuando sus raíces producen ácidos débiles que disuelven lentamente la roca.
16. El oxígeno se combina con hierro en un proceso llamado oxidación, el cual produce herrumbre. El dióxido de carbono se disuelve en el agua para formar ácido carbónico, el cual desgasta la roca.
17. El suelo se forma cuando la roca es fragmentada por el desgaste y se mezcla con otros materiales en la superficie, incluyendo material orgánico descompuesto que puede sostener el crecimiento de las plantas.
18. El suelo superior contiene más humus que el subsuelo. Debido a que el suelo superior contiene más humus, es más fértil que el subsuelo.
19. El césped mantiene al suelo en su lugar y le proporciona materia orgánica.
20. La arada de conservación altera el suelo y las plantas que lo cubren lo menos posible, manteniendo por tanto el suelo en su lugar, reteniendo la humedad y conservando los nutrientes del suelo. Cuando se usa la rotación de cultivos, el granjero siembra diferentes cultivos cada año en el mismo lugar, lo que permite a los cultivos restaurar periódicamente los nutrientes que se habían perdido.

Razonamiento crítico (pág. 80)

21. Fragmentar una roca en pedazos aumenta la rapidez con que se desgastará químicamente la roca porque la roca fragmentada tiene más área de superficie expuesta a los agentes de desgaste.
22. **a.** El horizonte A contiene roca muy desgastada y fragmentos de minerales y abundante humus de la descomposición de restos orgánicos. **b.** El horizonte B está menos desgastado y contiene menos humus que el horizonte A. Está enriquecido con arcilla y algunos otros minerales que fueron arrastrados desde el horizonte A. **c.** El horizonte C es el horizonte menos desgastado. Es similar al lecho rocoso.
23. No; las piedras preciosas por lo general son minerales coloridos duros. La suavidad de la calcita y su ausencia de color no la hacen una piedra preciosa común.

Aplicar destrezas (pág. 80)

24. El suelo arenoso perdería agua más rápidamente debido a que el agua puede pasar con facilidad por los espacios entre los granos. Las partículas de arcilla conservan mejor el agua.
25. Las respuestas variarán. Un diseño común podría incluir lo siguiente: usar dos macetas idénticas con agujeros de drenaje; colocar grava en el fondo de cada maceta y cubrirla con cantidades iguales de las muestras de suelo; colgar las macetas sobre dos bandejas de recolección y verter cantidades iguales de agua en las macetas. Comparar qué tan rápido pasa el agua a través de las macetas.
26. Las respuestas variarán. Preguntas de ejemplo: ¿En qué clase de suelo crecen mejor las semillas de soja? ¿Qué necesita agregarse a cada tipo de suelo para hacerlo adecuado para cultivar semillas de soja?

Práctica de estándares (pág. 81)

1. D; S 6.2
2. C; S 6.2
3. D; S 6.2
4. C; S 6.5.e
5. D; S 6.2.a
6. A; S 6.2.a

Aplicar la gran idea (pág. 81)

7. Las proporciones de desgaste químico, desgaste mecánico, o ambos, podrían haber sido más rápidas donde se formó suelo maduro. Estas diferencias podrían deberse a diferencias de clima o vegetación. Las raíces de los árboles podrían haber incrementado el desgaste mecánico. La temperatura alta y la humedad podrían haber incrementado el desgaste ácido y la oxidación. Además, el tipo de roca en el área con suelo inmaduro podría haber sido más resistente al desgaste que el otro tipo de roca. S 6.2.a

Capítulo 3 Erosión y sedimentación

Verifica lo que sabes (pág. 83)

Esta pregunta evalúa la comprensión de los estudiantes sobre cómo puede moverse y cambiar de forma el sedimento. (S 6.2)

Respuestas y explicaciones posibles
Respuesta correcta: El agitar el frasco causaría que el suelo, la arena y la grava se mezclaran. Después que se detiene la agitación, el suelo, la arena y la grava se asentarían de nuevo, las partículas más grandes primero. *Respuestas incorrectas posibles:* Las partículas de diferentes tamaños se asentarían en el fondo del frasco en una mezcla aleatoria. *Explicación posible:* La masa y densidad del sedimento no afecta la cantidad de tiempo que el agua en movimiento puede mantener el sedimento suspendido.

Desarrollar el vocabulario de Ciencias

¡Aplícalo! (pág. 84)
Sedimento es el material movido por la erosión que resulta del asentamiento.

Cómo leer en Ciencias

¡Aplícalo! (pág. 86)
Pida a los estudiantes que usen oraciones completas mientras responden a las preguntas. Respuestas de ejemplo:

1. El agua causa pequeñas grietas o arroyuelos en la superficie del suelo.
2. Los arroyuelos forman un canal más grande o barranco.
3. El suelo y las rocas son movidos por la corriente de agua, agrandando los barrancos.
4. Los barrancos se unen para formar un arroyo.

Sección 1 Cambios en la superficie de la Tierra
(págs. 88–91)

Objetivos
Al terminar esta lección, los estudiantes serán capaces de:
3.1.1 Describir los procesos que desintegran y forman la superficie de la Tierra.
3.1.2 Identificar las causas de los diferentes tipos de movimientos de masas.

Preparación para los estándares

¿Cómo afecta la gravedad los materiales en una pendiente? (pág. 88)

Reflexiónalo Las hipótesis variarán. Una hipótesis común podría sugerir que el movimiento hacia abajo depende del ángulo de inclinación y de la resistencia de la fricción.

Actividad Destrezas

Hacer modelos (pág. 89)
Resultado esperado Los modelos y resultados de los estudiantes variarán. Los estudiantes podrían sugerir mejoras que incluyan cambiar el ángulo de inclinación, tamaño del sedimento o cantidad de agua.

Examina tu avance

Respuestas
Figura 2 (pág. 89) La superficie de la tierra se volvería plana y sin elevaciones.

Verificar la lectura (pág. 89) Fragmentos sueltos de roca, suelo o restos de animales y plantas que pueden ser movidos por la erosión.

Examina tu avance

Respuestas
Figura 3 (pág. 90) Desprendimiento de tierra.

Verificar la lectura (pág. 91) La diferencia principal entre depresión y desprendimiento de tierra es que el material en una depresión se mueve como una masa grande.

Evaluación

Destreza de vocabulario
Palabras derivadas del latín (pág. 91) *De-* significa "hacia abajo" y *positus* significa "poner", así que sedimentación es poner abajo el sedimento.

Repasar los conceptos clave (pág. 91)

1. **a.** Los cinco agentes de erosión son la gravedad, el agua constante, los glaciares, las olas y el viento. **b.** Erosión es un proceso en el que la roca fragmentada y el suelo son movidos por una fuerza como la gravedad. **c.** La erosión desgastará en forma gradual la cordillera. La sedimentación llenará valles con sedimento.
2. **a.** Los cuatro tipos de movimiento de masas son desprendimiento de tierra, corriente de barro, depresión y reptación. **b.** La gravedad causa todos los tipos de movimiento de masas. **c.** La cerca se movió como resultado de la reptación.

Laboratorio de destrezas

Montículos de arena
Analiza y concluye (pág. 93)

1. Una gráfica común debería mostrar una línea que se eleva de izquierda a derecha. Si la altura está en el eje de x y el ancho en el eje de y, la inclinación de la línea debería ser alrededor de 3. Sin embargo, este valor puede variar ligeramente.
2. La razón entre las variables, altura y ancho, permanece igual.

3. Las respuestas variarán, dependiendo de las hipótesis de los estudiantes. Los estudiantes deberán comparar sus hipótesis originales con los datos que reunieron.
4. Aconseje a los estudiantes que propusieron una hipótesis que no fue apoyada que elaboren una nueva hipótesis que sea consistente con los datos reunidos.
5. Los estudiantes extenderán la línea en la gráfica con una línea punteada para indicar que la razón entre el ancho y la altura continuará igual. Los estudiantes podrían probar esta predicción tratando de formar montículos de arena de tamaño apropiado.
6. Las respuestas de los estudiantes variarán. Los estudiantes pueden medir la altura del montículo sosteniendo la regla verticalmente detrás del montículo y viendo a través del montículo a la altura del ojo. Otros estudiantes pueden elegir encontrar la altura sosteniendo la regla verticalmente detrás del montículo y usando un lápiz sostenido en forma horizontal sobre la cima del montículo. Los estudiantes podrían mencionar que alterar los montículos de arena mientras se toman las mediciones afectó los resultados.

Sección 2 Erosión por agua (págs. 94–103)

Objetivos

Al terminar esta lección, los estudiantes serán capaces de:

3.2.1 Explicar cómo la erosión por agua es principalmente responsable de formar la superficie de la Tierra.

3.2.2 Describir algunas de las características de la tierra que se forman por la erosión por agua y la sedimentación.

3.2.3 Identificar factores que afectan la capacidad que tiene un río de erosionar y llevar sedimento.

Preparación para los estándares

¿Cómo el agua en movimiento desgasta las rocas? (pág. 94)

Reflexiónalo Las predicciones variarán. Las predicciones comunes podrían sugerir que la depresión sería mayor después de otros 10 minutos y mayor aún después de una hora. Incrementar el goteo de la llave aceleraría el proceso; disminuir el goteo de la llave lo dilataría.

Examina tu avance

Respuesta

Figura 5 (pág. 95) Menos de 0.25 cm.

Actividad Inténtalo

Precipitación pluvial (pág. 96)

Resultado esperado Las gotas desde 2 m causarán salpicaduras que recorren más distancia que las salpicaduras de las gotas desde 1 m. Debido a que las gotas mueven sedimento cuando golpean el suelo, las gotas desde 2 m causarán más erosión. Las gotas desde 2 m tendrán más energía cinética debido a que el agua cae desde una distancia mayor.

Examina tu avance

Respuestas

Figura 6 (pág. 96) La tierra entre los barrancos se volverá más estrecha conforme se erosionan los lados de los barrancos.

Verificar la lectura (pág. 96) Un surco o canal grande en el suelo que carga escorrentía después de un temporal.

Examina tu avance

Respuestas

Figura 10 (pág. 99) El agua en el río se hace más lenta y deposita sedimento en el delta. El canal principal del río fluye casi hasta la punta del delta, donde se divide en varios canales para formar la "pata de pájaro".

Verificar la lectura (pág. 98) Un meandro abandonado se forma cuando el meandro queda aislado del río.

Verificar la lectura (pág. 99) El sedimento que es depositado por una inundación vuelve fértil el suelo.

Examina tu avance

Respuesta

Figura 11 (pág. 101) Erosión: cascadas, valle en forma de V, llanura de aluvión, meandros, meandros abandonados, acantilados; Sedimentación: playas, delta.

Matemáticas Analizar datos

Matemáticas: Álgebra y funciones 6.2.2

Sedimento en movimiento (pág. 102)

Respuestas

1. Velocidad del arroyo
2. Diámetro de las partículas de sedimento
3. Alrededor de 90 cm/s; alrededor de 800 cm/s
4. Pedruscos rodados pequeños
5. Respuesta posible: Entre mayor es la velocidad del agua constante, son más grandes las partículas que el arroyo es capaz de mover.

Examina tu avance

Respuestas

Figura 13 (pág. 103) La velocidad del agua es más lenta ahí.

Verificar la lectura (pág. 103) En el exterior de la curva.

Evaluación

Destreza clave de lectura

Secuencia (pág. 103) Revise la precisión de las listas de los estudiantes. Los estudiantes deberán incluir información sobre la erosión y la sedimentación a lo largo de los márgenes del río.

Repasar los conceptos clave (pág. 103)

1. **a.** El agua en movimiento **b.** Escorrentía, arroyuelo, barranco, arroyo, afluente, río **c.** En un campo con suelo arado y sin plantas; no habría nada que mantuviera en su lugar al suelo.
2. **a.** Valles, cascadas, llanuras de aluvión, meandros y meandros abandonados **b.** Meandros abandonados o abanicos aluviales, deltas del río y suelo en llanuras de aluvión **c.** El agua que fluye del río disminuye su velocidad y deposita su sedimento.
3. **a.** Pendiente, volumen de flujo y forma del cauce **b.** La ribera del río con el tiempo se erosionará y la curva se volverá más grande.

Laboratorio de destrezas

Arroyos en acción

Analiza y concluye (pág. 105)

1. El arroyo de 10 minutos tendrá un canal más profundo que el arroyo de 5 minutos. Entre más tiempo fluyó el agua, más erosión ocurrió a lo largo del cauce.
2. La mayoría de los estudiantes habrá predicho que aumentar el ángulo de la pendiente producirá un canal más profundo y más erosión; sus resultados deberán confirmar esta predicción.
3. El material erosionado se movió hacia abajo de la pendiente hasta que fue depositado.
4. Los estudiantes observaron un canal que está más profundamente hendido en su cabeza. Otras características, como meandros, podrían haberse observado lejos de la cabeza del arroyo. Los estudiantes podrían sugerir que permitir que continuara el goteo por más tiempo permitiría que se desarrollaran más características.
5. Las características del sedimento o lecho rocoso, la cantidad y tipo de vegetación, la frecuencia e intensidad de las inundaciones.
6. Las respuestas variarán. Asegúrese que los estudiantes incluyan detalles sobre el suceso de erosión que describen.

Ciencias y sociedad

Protección de los hogares en las llanuras de aluvión

Tú decides (pág. 107)

1. Las respuestas de los estudiantes variarán. Respuesta posible: Los hogares y otros edificios en las llanuras de aluvión pueden ser dañados por inundaciones. Algunas personas piensan que el gobierno debería gastar dinero para ayudar a reconstruir las casas y otros edificios que son dañados durante las inundaciones. Otras personas piensan que aquellos que viven en estas casas y operan estos negocios deberían reubicarse a un terreno más alto.
2. Respuestas posibles: Construir diques o muros contra inundaciones a lo largo del arroyo, los residentes de la llanura de aluvión se beneficiarían, el gobierno pagaría los costos; podrían construirse presas corriente arriba, los residentes se beneficiarían, el gobierno pagaría el costo; reubicar a aquellos en mayor riesgo, el gobierno se beneficiaría a través de la reducción de gastos, el gobierno pagaría los costos de reubicación.
3. Anime a los estudiantes a apoyar sus argumentos con evaluaciones de daños, declaraciones sobre el valor del área afectada y declaraciones sobre la factibilidad de las posibles soluciones.

Sección 3 Las olas y el viento
(págs. 108–114)

Objetivos

Al terminar esta lección, los estudiantes serán capaces de:

3.3.1 Identificar lo que les da su energía a las olas marinas.

3.3.2 Describir cómo las olas marinas forman una costa.

3.3.3 Identificar las causas y los efectos de la erosión por viento.

Preparación para los estándares

¿De qué está hecha la arena? (pág. 108)

Reflexiónalo Las preguntas variarán. Preguntas posibles: *¿La arena de la playa es el resultado de la erosión? ¿Cómo se deposita la arena de la playa? ¿Qué causa las diferencias en la arena de playa en diferentes lugares?*

Examina tu avance

Respuesta

Figura 14 (pág. 109) Los promontorios se erosionarán, y la costa será más recta.

Actividad Destrezas

Calcular (pág. 111)

Resultado esperado Los estudiantes establecerán y resolverán una ecuación para hallar la erosión total.

Erosión total = (1.25 m / año)

(50 años) + (3.75 m / tormenta) (12 tormentas) = 107.5 metros

Examina tu avance

Respuestas

Figura 15 (pág. 110) El arco marino se colapsará con el tiempo debido a la erosión continua, dejando atrás un peñasco costero.

Verificar la lectura (pág. 110) Las olas erosionan la base de un acantilado rocoso, causando cuevas marinas o un colapso de la porción superior del acantilado.

Examina tu avance

Respuestas

Figura 16 (pág. 112) La costa gira, causando que la arena se deposite.

Figura 18 (pág. 113) En ambos procesos, las partículas más grandes se deslizan o ruedan, y las partículas más pequeñas son transportadas en suspensión. Una diferencia importante es que el agua lleva algo de material disuelto.

Verificar la lectura (pág. 113) La erosión por viento con frecuencia es evidente en áreas donde hay pocas plantas para mantener el suelo en su lugar.

Evaluación

Destreza de vocabulario

Palabras derivadas del latín (pág. 114) deflación

Repasar los conceptos clave (pág. 114)

1. **a.** El viento transfiere energía a las olas marinas. **b.** Una ola marina comienza a arrastrar en el fondo conforme entra a aguas poco profundas. La ola se hace mas lenta, y el agua se mueve hacia delante con la ola. **c.** Las olas erosionan la costa directamente al fragmentar la roca. Las olas también transportan arena, grava y pedruscos que erosionan la costa por abrasión.
2. **a.** Respuestas posibles: cueva marina, acantilado vertical, arco marino, peñasco costero **b.** Respuestas posibles: playa, banco de arena, cordón litoral **c.** La mayor parte de la arena entra a los océanos proveniente del río. Los bancos de arena se forman como resultado de la sedimentación por deriva litoral donde la costa gira en forma abrupta.
3. **a.** Deflación y abrasión **b.** Dunas de arena y depósitos de loes **c.** La arena se erosionaría mucho más que las rocas, de modo que la superficie de la tierra con el tiempo se volvería en su mayor parte rocas.

Sección 4 Glaciares

(págs. 115–119)

Objetivos

Al terminar esta lección, los estudiantes serán capaces de:

3.4.1 Identificar las dos clases de glaciares.

3.4.2 Describir cómo se forma y se desplaza un glaciar de valle.

3.4.3 Explicar cómo los glaciares causan erosión y sedimentación.

Preparación para los estándares

¿Cómo dan forma a la tierra los glaciares? (pág. 115)

Reflexiónalo Las respuestas variarán. Una respuesta común podría sugerir que el sedimento en el hielo cambia la tierra al rayar y raspar la roca subyacente.

Examina tu avance

Respuestas

Figura 22 (pág. 117) Un pico de montaña, crestas afiladas; y valles que cuelgan sobre un valle más bajo.

Verificar la lectura (pág. 116) Valles montañosos que fueron formados originalmente por ríos.

Examina tu avance

Respuesta

Figura 23 (pág. 118) Drumlin, tanto erosión como sedimentación; pico, erosión; circo, erosión; morrena, sedimentación; valle en forma de U, erosión

Evaluación

Destreza clave de lectura

Secuencia (pág. 119) Revise los organigramas de los estudiantes en cuanto a su precisión. Los estudiantes deberán incluir descripciones de cómo se acumula y compacta la nieve.

Repasar los conceptos clave (pág. 119)

1. **a.** Un glaciar continental es un glaciar que cubre gran parte de un continente o isla grande. **b.** Un glaciar de valle es un glaciar largo y estrecho en un valle montañoso. **c.** Ambos tipos de glaciares son masas grandes de hielo que se mueven sobre la tierra. Los glaciares de valle son largos y estrechos; los lados del valle les impiden extenderse. Los glaciares continentales se extienden sobre un área grande de tierra.
2. **a.** Los glaciares se forman en áreas donde cae más nieve de la que se funde. **b.** Los glaciares fluyen colina abajo debido a la fuerza de gravedad. **c.** La nieve cambia a hielo conforme es compactada por la nieve que se superpone.
3. **a.** Arranque glaciar y abrasión. **b.** La sedimentación ocurre cuando el glaciar se funde y deja roca y sedimento en la tierra.

Repaso y evaluación (págs. 121–122)

Destreza clave de lectura (págs. 121)

Secuencia Pasos siguientes en la formación del arroyo: se forman arroyuelos; se forman barrancos; los barrancos se unen; se forma el arroyo. Revise los organizadores gráficos de los estudiantes para ver su precisión. Los estudiantes deberán incluir todos los pasos en el proceso de formación del arroyo.

Repasar los términos clave (pág. 121)

1. c
2. a
3. c
4. b
5. b
6. b
7. b
8. el depósito de sedimento
9. agua que se mueve en la superficie de la Tierra
10. una curva en forma de lazo en el curso de un río
11. el movimiento de sedimento con la corriente cuesta abajo de la playa
12. un montículo de tillita depositado en las laderas de un glaciar

Verificar los conceptos (pág. 122)

13. Los agentes de erosión que son asistidos por la fuerza de gravedad son el agua en movimiento y los glaciares. La gravedad en sí causa el movimiento de masas y por tanto también es un agente de erosión.
14. La lluvia cae y golpea la superficie de la tierra. Se mueve cuesta abajo a través de la tierra como escorrentía. Conforme se mueve, la escorrentía forma arroyuelos diminutos. Muchos arroyuelos fluyen entre sí, se hacen más grandes y forman barrancos. Los barrancos se unen para formar un canal más grande, o arroyo.
15. Donde un arroyo fluye fuera de un valle montañoso estrecho y empinado, el arroyo se ancha y se vuelve menos profundo. El agua disminuye su velocidad y los sedimentos se depositan en un abanico aluvial.
16. En general, una pendiente mayor y un volumen mayor de flujo aumentan la carga de sedimento de un río.
17. La velocidad del agua que fluye en un río es más lenta en el interior de una curva.
18. Los depósitos de loes se forman cuando partículas finas que son llevadas por el viento caen al suelo y se acumulan.
19. Las glaciaciones son épocas en que los glaciares cubren partes grandes de la superficie de la Tierra.
20. Los lagos de marmitas se forman cuando un pedazo grande de hielo glaciar es dejado en un depósito glaciar. Cuando el hielo se derrite, se forma una depresión y se llena con agua.

Razonamiento crítico (pág. 122)

21. Ambos son tipos de movimiento de masas que ocurren con rapidez y pueden ser desencadenados por un terremoto. A diferencia de los desprendimientos de tierra, los cuales son en su mayor parte secos, las corrientes de barro tienen un porcentaje alto de agua.
22. La inundación puede depositar sedimento como suelo nuevo sobre una llanura de aluvión que hace fértil el valle del río y bueno para sembrar cultivos y bosques densos.
23. Es probable que una casa justo en la ribera de un río esté dentro de la llanura de aluvión del río. Una familia debería dudar debido a que la casa podría ser dañada o destruida por una inundación futura.
24. A es un promontorio, el cual se formó cuando las olas erosionaron la roca alrededor de la roca más dura del promontorio. B es una playa, la cual se formó cuando las olas acumularon arena a lo largo de la costa. C es un banco de arena, el cual se formó cuando la deriva litoral depositó arena.
25. La arena proviene de ríos que llevaron los granos al océano, donde las olas los depositaron para formar la playa.
26. Las respuestas variarán. Respuesta posible: Se podrían observar los accidentes geográficos enfrente del glaciar. Si se está retirando, existirían morrenas terminales y otros depósitos de tillita alejados del frente del glaciar.

Aplicar destrezas (pág. 122)

27. El flujo y carga fueron mayores en abril. Fueron menores en enero.
28. La carga de un río varía directamente con su volumen de flujo.
29. Es probable que la lluvia o el derretimiento de nieve aumentaran a lo largo del área drenada por el río en abril, creando más escorrentía y erosionando más sedimento.

Práctica de estándares (pág. 123)

1. B; S 6.2
2. B; S 6.2.a
3. C; S 6.2.a
4. C; S 6.2.b
5. D; S 6.2.c
6. A; S 6.2.a
7. A; S 6.2.b
8. C; S 6.2.d

Aplicar la gran idea (pág. 123)

9. La erosión es el levantamiento y movimiento de roca, sedimento o suelo. La gravedad causa erosión por el movimiento de masas, el agua constante y los glaciares. Durante el movimiento de masas, la gravedad empuja cuesta abajo rocas o sedimento. El agua constante se mueve cuesta abajo debido a la fuerza de gravedad. Conforme fluye el agua, erosiona la superficie de la Tierra. La gravedad también causa que el hielo de los glaciares fluya. El hielo que fluye erosiona la roca y el sedimento de algunos lugares y deposita roca y sedimento en otros lugares. S 6.2

Evaluación de la Unidad 1

Sistemas y procesos de la Tierra

Conexión de las grandes ideas (pág. 125)

Respuestas

1. b
2. c
3. a
4. Respuesta de ejemplo: Al principio el río fluye pasando las pendientes pronunciadas a nuestra derecha y terreno abierto a nuestra izquierda. Luego el río forma meandros a través del terreno abierto. Luego vemos Klamath Glen. Es probable que la erosión por agua causara la cañada debido a que vemos un arroyo pequeño que fluye a través de la cañada hasta el río. Después de esto, el río se ensancha y la pendiente del terreno es menos pronunciada. El río fluye más despacio, y pasamos a través del delta que se formó conforme el movimiento lento del río depositó sedimentos. Por último, pasamos un banco de arena producido por la deriva litoral, ¡y entonces hemos llegado al océano!

Unidad 2

Tectónica de placas y estructura de la Tierra

Capítulo 4 Tectónica de placas

Verifica lo que sabes (pág. 127)

Esta pregunta evalúa la comprensión de los estudiantes sobre las capas de la Tierra. (S 6.1b)

Respuestas y explicaciones posibles

Respuesta correcta: Tanto el huevo como la Tierra constan de tres capas principales. *Explicación posible:* El cascarón cortado sirve como modelo de la capa externa, o corteza. La clara sirve como modelo de la capa intermedia, o manto. La yema sirve como modelo de la capa central, o núcleo.

Respuestas incorrectas posibles: El huevo no es un buen modelo porque el interior de la Tierra contiene cavernas, lagos subterráneos y grandes espacios huecos. *Explicación posible:* Los estudiantes posiblemente hayan visto películas en las que se dé una explicación ficticia del interior de la Tierra.

Desarrollar el vocabulario de Ciencias

¡Aplícalo! (pág. 128)
Las ondas sísmicas son ondas producidas por los terremotos.

Cómo leer en Ciencias

¡Aplícalo! (pág. 130)
Pida a los estudiantes que revisen también el texto que aparece abajo del organizador gráfico cuando respondan a las preguntas. Respuestas de ejemplo.

1. la hipótesis de Wegener sobre la deriva continental
2. evidencia de que todos los continentes estuvieron unidos una vez

Sección 1 El interior de la Tierra
(págs. 132–139)

Objetivo
Al terminar esta lección, los estudiantes serán capaces de:

4.1.1 Explicar cómo aprenden los geólogos sobre las estructuras internas de la Tierra.
4.1.2 Identificar las características de la corteza, el manto y el núcleo de la Tierra.

Preparación para los estándares

¿Cómo averiguan los científicos lo que hay dentro de la Tierra? (pág. 132)

Reflexiónalo Las respuestas pueden variar, dependiendo de los materiales utilizados. Acepte cualquier explicación razonable sobre cómo reúnen los científicos evidencias sobre el interior de la Tierra.

Examina tu avance

Respuesta

Verificar la lectura (pág. 133) Los terremotos producen ondas sísmicas.

Examina tu avance

Respuestas

Figura 3 (pág. 134) El peso del agua de la capa superior hace que aumente la presión conforme la profundidad es mayor, del mismo modo que las rocas de la capa superior hacen que aumente la presión conforme la profundidad en la Tierra es mayor. Las presiones y temperaturas dentro de la Tierra son mucho mayores que en el fondo de la piscina.

Verificar la lectura (pág. 135) Basalto.

Aplicar destrezas

Hacer tablas de datos (pág. 137)

Resultado esperado Una tabla completa común puede incluir la información siguiente. A una profundidad de 20 km, la capa es al corteza, que está formada por roca sólida, en su mayor parte granito y basalto. A 150 km, la capa es la astenosfera, formada por material suave que fluye lentamente. A 2,000 km, la capa es el manto, que a esta profundidad es un material caliente pero sólido. A 4,000 km, la capa es el núcleo exterior, que es hierro y níquel fundidos. A 6,000 km, la capa es el núcleo interior, que es hierro y níquel sólido.

Examina tu avance

Respuestas

Figura 5 (pág. 136) El manto.

Verificar la lectura (pág. 137) Una capa suave del manto que se encuentra justo debajo de la litosfera.

Matemáticas Analizar datos

Repasar matemáticas: Razonamiento matemático 6.2.4

La temperatura dentro de la Tierra (pág. 138)

Respuestas

1. La profundidad aumenta
2. Alrededor de 1,200 °C
3. Alrededor de 4,000 °C
4. Generalmente aumenta con la profundidad.

Examina tu avance

Respuestas

Figura 6 (pág. 139) Se reordenarían alrededor de los sitios del nuevo polo. Sin embargo, el patrón general sería el mismo.

Verificar la lectura (pág. 138) El núcleo externo tiene la característica de ser líquido, en tanto que el núcleo interno es sólido.

Evaluación

Destreza de vocabulario

Usar palabras derivadas del griego (pág. 139)
asthenes significa débil, *sphaira* significa esfera, de

modo que astenosfera significa la capa menos rígida o suave del manto que está por debajo de la litosfera.

Repasar los conceptos clave (pág. 139)

1. **a.** No es posible perforar a mayor profundidad que la corteza de la Tierra, de modo que deben usarse métodos indirectos para aprender sobre la estructura interna de la Tierra.
   b. Las ondas sísmicas liberadas durante los terremotos se registran y estudian. Al analizar la velocidad y trayectorias que toman las ondas sísmicas, los científicos pueden inferir cómo es el interior de la Tierra.
2. **a.** corteza, manto, núcleo. **b.** La litosfera es la parte superior del manto; es rígida. La astenosfera es la capa en el manto que está directamente debajo de la litosfera; es mucho más caliente y está bajo mayor presión y, por tanto, es más plástica. **c.** El núcleo externo de la Tierra es líquido. La litosfera, el manto inferior y el núcleo interno son rígidos. La astenosfera es sólida pero capaz de fluir lentamente

Sección 2 La convección y el manto
(págs. 140–143)

Objetivos
Al terminar esta lección, los estudiantes serán capaces de:
4.2.1 Explicar cómo se transfiere el calor.

4.2.2 Identificar lo que ocasiona las corrientes de convección.

4.2.3 Describir las corrientes de convección en el manto de la Tierra.

Preparación para los estándares

¿Cómo puede el calor mover un líquido?
(pág. 140)

Reflexiónalo El calor se transfiere del agua caliente de la bandeja al agua fría del vaso. Cuando se calienta el agua en la parte inferior del vaso, se vuelve menos densa y se eleva. El agua más fría en la parte superior del vaso desciende, poniendo en movimiento las corrientes en el agua. Las dos gotas se movieron directamente porque entraron en las corrientes en lugares diferentes.

Examina tu avance

Respuesta

Verificar la lectura (pág. 141) La conducción es la transferencia térmica dentro de un material o entre los materiales que están en contacto directo.

Examina tu avance

Respuestas

Figura 9 (pág. 143) El manto de la Tierra es como la sopa en una olla. El núcleo de la Tierra es la fuente de calor.

Verificar la lectura (pág. 142) La gravedad empuja el material más denso (más frío) hacia el centro de la Tierra con mayor fuerza que al material menos denso (más caliente).

Evaluación

Destreza de vocabulario

Usar palabras derivadas del griego (pág. 143)
litho significa piedra y *sphaira* significa esfera, de modo que la litosfera significa la capa rígida y parecida a una piedra que está en la parte superior del manto.

Repasar los conceptos clave (pág. 143)

1. **a.** Radiación, conducción y convección.
   b. Radiación.
2. **a.** El flujo que transfiere calor dentro de un fluido. **b.** Cuando un fluido se calienta, disminuye su densidad. **c.** Usando la sopa como ejemplo, la sopa que está en el fondo de la olla se calienta. Se vuelve menos densa y se eleva. La sopa más fría y menos densa desciende al fondo de la olla, en donde se calienta y se eleva. El ciclo continúa.
3. **a.** El núcleo exterior y el manto. **b.** La roca más fría cerca de la parte superior del manto desciende conforme se eleva la roca más caliente cerca de la parte inferior del manto. **c.** Finalmente, la convección en el manto de la Tierra se detendrá. Cuando ya no se proporcione el calor suficiente al manto, la roca ya no podrá fluir en corrientes.

Sección 3 Continentes a la deriva
(págs. 144–148)

Objetivos
Al terminar esta lección, los estudiantes serán capaces de:
4.3.1 Explicar la hipótesis de Alfred Wegener sobre los continentes.

4.3.2 Enumerar las evidencias usadas por Wegener para sustentar su hipótesis.

4.3.3 Explicar por qué otros científicos de la época de Wegener rechazaron su hipótesis.

Preparación para los estándares

¿Cómo están unidos los continentes de la Tierra? (pág. 144)

Reflexiónalo Acepte cualquier pregunta razonable sobre la distribución de los océanos, continentes y montañas de la Tierra.

Examina tu avance

Respuesta

Figura 10 (pág. 145) Las opciones más obvias son las costas de África y América del Sur.

Examina tu avance

Respuestas

Figura 11 (pág. 146) Ofrecen evidencia de que África y América del Sur estuvieron unidos alguna vez.

Verificar la lectura (pág. 147) Un continente que se mueve hacia el ecuador se volverá más caliente; uno que se mueve hacia los polos se volverá más frío.

Evaluación

Destreza clave de lectura

Identificar evidencia de apoyo (pág. 148)
Los estudiantes deben incluir en sus organizadores gráficos evidencia de apoyo de las características de la tierra, de los fósiles y de las antiguas zonas climáticas.

Repasar los conceptos clave (pág. 148)

1. **a.** Alfred Wegener **b.** Los continentes se habrían separado gradualmente de sus posiciones actuales.
2. **a.** La correspondencia entre las costas de los continentes, características similares de la tierra, evidencia de los fósiles, evidencia de las antiguas zonas climáticas **b.** En diferentes continentes hay fósiles similares. Como muchos de estos organismos no pudieron haber atravesado el mar, esto proporciona evidencia de que los continentes alguna vez estuvieron unidos. **c.** Si los continentes derivaron hacia diferentes latitudes, uno esperaría que el clima hubiera cambiado con el tiempo. Por tanto, el carbón pudo haberse formado en América porque en algún momento el continente debió haber estado en una región más tropical de la Tierra.
3. **a.** No podían identificar un mecanismo por el cual los continentes pudieran moverse. **b.** Las respuestas pueden variar. Los estudiantes pueden señalar que la aceptación de la hipótesis dependía de la evidencia de apoyo que existía. También pueden señalar que hasta que se identificó la causa de la deriva continental, no había razón para suponer que la nueva hipótesis era mejor que la anterior. Acepte todas las respuestas razonables.

Sección 4 Expansión del suelo oceánico (págs. 149–155)

Objetivos

Al terminar esta lección, los estudiantes serán capaces de:

4.4.1 Explicar el proceso de expansión del suelo oceánico.

4.4.2 Enumerar las evidencias de la expansión del suelo oceánico.

4.4.3 Describir el proceso de subducción en las fosas oceánicas profundas.

Preparación para los estándares

¿Cuál es el efecto de un cambio de densidad? (pág. 149)

Reflexiónalo La densidad de la toallita aumentó conforme se fue humedeciendo cada vez más. El aumento en la densidad hizo que la toallita se hundiera.

Examina tu avance

Respuestas

Figura 14 (pág. 150) Una dorsal oceánica atraviesa Islandia.

Figura 15 (pág. 151) Se forma roca afuera de la dorsal.

Verificar la lectura (pág. 150) El sonar se usa para trazar el mapa del suelo oceánico.

Actividad Inténtalo

Inversión de los polos (pág. 153)

Resultado esperado Los pedazos magnetizados por el mismo polo se atraerán; los magnetizados por el polo opuesto se repelerán. Los estudiantes hacen el modelo del patrón de las franjas magnéticas.

Examina tu avance

Respuestas

Figura 16 (pág. 152) Las franjas registran progresivamente las inversiones de polaridad más antiguas del campo magnético de la Tierra. Esto podría ocurrir sólo si se estuviera formando suelo oceánico en la dorsal y se estuviera extendiendo desde ahí.

Verificar la lectura (pág. 153) Cuando la roca se enfrió, se magnetizó en forma paralela al campo magnético que existía en ese entonces. Con el tiempo, la expansión del suelo oceánico generó el patrón de franjas que aparece a ambos lados de la dorsal.

Examina tu avance

Respuestas

Figura 18 (pág. 154) En la fosa

Verificar la lectura (pág. 155) La subducción se está dando con mayor rapidez con la que se forma nueva corteza.

Evaluación

Destreza clave de lectura

Identificar evidencia de apoyo (pág. 155)
Los estudiantes deben incluir en sus organizadores gráficos evidencias de material fundido, de las franjas magnéticas y de las muestras de perforación.

Repasar los conceptos clave (pág. 155)

1. **a.** Dorsales oceánicas. **b.** El material fundido hace erupción por el centro de una dorsal oceánica y se endurece convirtiéndose en roca. **c.** El magma de la astenosfera llena las fisuras en la corteza oceánica a lo largo de las dorsales oceánicas. El magma se enfría y forma nuevo suelo oceánico. El suelo oceánico se aleja de la dorsal y finalmente se vuelve a hundir en el manto en una zona de subducción.
2. **a.** La evidencia de los procesos volcánicos en el suelo oceánico, las franjas magnéticas en el basalto del suelo oceánico, la edad del suelo oceánico según se determina por las muestras de perforación. **b.** Las rocas volcánicas son muy jóvenes, como se esperaría si se estuviera dando la expansión del suelo oceánico. **c.** En una fosa.
3. **a.** Un valle largo y profundo en el suelo oceánico en donde ocurre la subducción. **b.** Se hunde en el manto.

Laboratorio de destrezas

Hacer un modelo de la expansión del suelo oceánico

Analiza y concluye (pág. 157)

1. La hendidura del centro representa el valle central de la dorsal oceánica. La característica que falta es la dorsal montañosa.
2. Las hendiduras laterales representan fosas oceánicas profundas. El espacio que está debajo del papel representa la astenosfera.
3. El suelo oceánico de acuerdo con la raya que está cerca de la hendidura del centro es más joven, más caliente y menos denso que el suelo oceánico más alejado. Conforme el suelo se aleja de la dorsal, se enfría y se vuelve más denso. El suelo oceánico de acuerdo con la parte que está cerca de una hendidura lateral es más antiguo, frío y denso. El aumento de la densidad hace que aumente la profundidad del océano.
4. Las rayas representan las franjas magnéticas en la roca del suelo oceánico. El patrón de franjas magnéticas es el mismo en ambos lados de la dorsal oceánica.
5. Las diferencias de temperatura generan corrientes de convección. Estas corrientes hacen que la roca fundida erupcione en el valle por el centro de la dorsal oceánica. Conforme el material erupciona, el suelo oceánico se extiende, enfría y se vuelve mucho más denso. El material más denso se hunde de nuevo en el manto al llegar a una fosa.
6. Las respuestas pueden variar. Una respuesta común debe mencionar la erupción del material fundido en la dorsal oceánica, la expansión del suelo oceánico y la subducción de la corteza oceánica en las fosas oceánicas profundas. Entre las partes del proceso que no muestra el modelo se hallan cambios en la densidad y la fusión que ocurre en las zonas de subducción.

Sección 5 La teoría de la tectónica de placas (págs. 158–162)

Objetivos

Al terminar esta lección, los estudiantes serán capaces de:

4.5.1 Explicar la teoría de la tectónica de placas.
4.5.2 Describir los tres tipos de bordes de las placas.

Preparación para los estándares

¿Cómo encajan los continentes? (pág. 158)

Reflexiónalo La correspondencia general entre algunos continentes sugiere que los continentes posiblemente estuvieron unidos alguna vez. Por lo común, los continentes encajan mejor a lo largo de sus plataformas continentales.

Examina tu avance

Respuesta

Figura 20 (pág. 159) Suelo oceánico: Nazca, Cocos, Escocia; ambas; todas las demás placas rotuladas

Matemáticas Destrezas

Calcular la velocidad

Respuesta

6 cm / año

Examina tu avance

Respuestas

Figura 21 (pág. 160) El valle finalmente se convertirá en una cuenca oceánica con una dorsal oceánica.

Verificar la lectura (pág. 161) Cordilleras

Examina tu avance

Respuesta

Figura 22 (pág. 162) Necesitará respuestas a qué tan rápido y en qué dirección se está moviendo cada placa

Evaluación

Destreza de vocabulario

Usar palabras derivadas del griego (pág. 162)

Tectónica proviene de *tektón*, que significa "constructor". La tectónica de placas ha construido o dado forma a la superficie de la Tierra.

Repasar los conceptos clave (pág. 162)

1. **a.** Las placas son secciones de la litosfera de la Tierra. **b.** Teoría que explica la formación, movimiento y subducción de las placas de la Tierra. **c.** Las corrientes de convección en el manto de la Tierra.
2. **a.** Convergente, divergente, de transformación. **b.** Las placas se alejan una de otra en un borde divergente, se mueven una hacia otra en un borde convergente o se deslizan una sobre otra en un borde de transformación. **c.** La placa oceánica sufrirá una subducción por debajo de la placa continental.
3. $\frac{200 \text{ km}}{8{,}000{,}000 \text{ años}} = 2.5 \text{ cm / año.}$

Laboratorio de destrezas

Hacer un modelo de las corrientes de convección del manto

Analiza y concluye (pág. 163)

1. La mayoría de los estudiantes describirá que el agua de color se elevó y recorrió la superficie del agua fría. Los pedazos de papel se alejarán del agua de color que se eleva hacia los bordes de la superficie del agua fría.
2. Las respuestas de los estudiantes pueden variar. Busque descripciones específicas o detalladas de cómo se comparan sus predicciones.
3. El tipo de transferencia térmica fue por convección. El agua de color caliente era menos densa y tuvo que elevarse, creando así una corriente de convección.
4. Los pedazos de papel representan placas tectónicas. El agua fría y el agua de color representan el manto de la Tierra.
5. Las respuestas de los estudiantes pueden variar. Acepte respuestas en las que se detallen las semejanzas entre el movimiento de los pedazos de papel y el movimiento de las placas tectónicas reales. Un aspecto del proceso que no puede representarse con este modelo son las corrientes de convección en el movimiento sólido pero maleable del manto.

Repaso y evaluación (págs. 165–166)

Destreza clave de lectura

Identificar evidencia de apoyo (pág. 165)

Respuestas de ejemplo: los fósiles, los tipos de roca y las marcas de los glaciares continentales en las rocas sugieren que los continentes se han separado y desplazado; las erupciones en las dorsales oceánicas, las franjas magnéticas en la roca del suelo oceánico y las edades de las rocas en el suelo oceánico ofrecen evidencias de la expansión del suelo oceánico; las mediciones directas realizadas por medio de satélites en el espacio demuestran que los continentes se mueven lentamente.

Repasar los términos clave (pág. 165)

1. a
2. c
3. d
4. b
5. b
6. la corteza que forma los continentes
7. los flujos que transfieren calor dentro de un fluido
8. el supercontinente que existía en la Tierra hace millones de años
9. cañones submarinos profundos
10. en donde se separan dos placas

Verificar los conceptos (pág. 166)

11. Los geólogos estudian las rocas del manto y la corteza profunda de la Tierra y las

velocidades de las trayectorias que adquieren las ondas sísmicas.

12. Aumentan.

13. El núcleo de la Tierra se mueve. El movimiento del núcleo líquido externo genera el campo magnético.

14. La roca que está cerca de la parte inferior del manto se calienta mucho y asciende. Mientras tanto, la roca que está cerca de la parte superior del manto se enfría y desciende.

15. Los minerales que portan hierro adquieren un campo magnético débil paralelo al campo de la Tierra en el momento en que se forma la roca. La roca magnetizada en una dirección se forma en la dorsal oceánica hasta que se invierten los polos magnéticos de la Tierra. Luego la roca magnetizada en la dirección opuesta forma una nueva franja de roca a cada lado de la dorsal oceánica. Las franjas ofrecen sustento a la teoría de la expansión del suelo oceánico.

16. Las cordilleras se elevan porque ninguna placa continental es lo suficientemente densa para hundirse en el manto.

Razonamiento crítico (pág. 166)

17. Tanto la corteza continental como la corteza oceánica son partes de la capa externa de la Tierra. La corteza continental consta principalmente de rocas menos densas, como el granito, en tanto que la corteza oceánica consta principalmente de rocas mucho más densas, como el basalto. La corteza oceánica es mucho más densa que la corteza continental.

18. litosfera, astenosfera, manto inferior, núcleo externo, núcleo interno.

19. Se formará una zona de subducción. La corteza oceánica es más densa y, por tanto, se desliza por debajo de la corteza continental.

20. El calor del interior de la Tierra es la fuerza que dirige la tectónica de placas. El calor interno de la Tierra genera las corrientes de convección en el manto. El flujo de estas corrientes genera el movimiento de las placas.

21. Una teoría es un concepto bien comprobado que explica diversas observaciones. La tectónica de placas es una teoría porque la sustentan muchas evidencias y explica diversas observaciones, como las ubicaciones de los volcanes y los terremotos. La deriva continental la sustentaron algunas evidencias, pero no podía explicar muchas observaciones. Carecía de un mecanismo viable para explicar cómo se mueven las placas.

Practicar Matemáticas (pág. 166)

22. 14 cm / año

Aplicar destrezas (pág. 166)

23. La parte de la placa donde está Australia se mueve al noreste; la parte en donde está la India se mueve hacia el norte.

24. Como las placas se mueven en direcciones diferentes, se formará un borde divergente entre ellos.

25. Los estudiantes infieren que es un borde convergente en el que dos placas formadas por corteza continental chocan. Cuando las placas convergen, el choque eleva la corteza formando cordilleras.

Práctica de estándares (pág. 167)

1. D; S 6.1.c
2. B; S 6.1.c
3. B; S 6.1.b
4. D; S 6.1.a
5. C; S 6.1.a
6. D; S 6.1.c
7. D; S 6.1.e

Aplicar la gran idea (pág. 167)

8. Cuando la placa Africana choque con la placa Euroasiática, se formará un borde convergente. En consecuencia, el mar Mediterráneo se cerrará gradualmente, se formarán montañas y habrá actividad volcánica en el borde de la placa.

Capítulo 5 Terremotos

Verifica lo que sabes (pág. 169)

Esta pregunta evalúa la comprensión de los estudiantes sobre los terremotos. (S 6.1.d)

Respuestas y explicaciones posibles

Respuesta correcta: Ambas ocurren como resultado de un jalón, o tensión. A diferencia de la toalla de papel que se rasga, un terremoto también puede ocurrir por presión (compresión) y deslizamiento (rompimiento), puede ocasionar muchos daños y puede modificar la superficie de la Tierra. *Explicación posible:* Los terremotos son movimientos súbitos que suceden a lo largo de grietas en la corteza llamadas fallas. La tensión estira la roca, lo que da como resultado un rompimiento y movimiento a lo largo de la falla. *Respuestas incorrectas posibles:* Ambos ocurren sólo cuando algo se rasga al jalarlo. *Explicación posible:* Los estudiantes posiblemente no estén tomando en cuenta otras fuerzas además de la tensión que actúan en las rocas.

Desarrollar el vocabulario de Ciencias

¡Aplícalo! (pág. 170)

1. expandirá
2. construye

Cómo leer en Ciencias

¡Aplícalo! (pág. 172)
Idea principal: Hay maneras de hacer que una casa sea más segura antes de que ocurra un terremoto.
Detalles: Fijar los libreros y los gabinetes a madera en la pared impide que se caigan
Detalles: Agregar un contrachapado a las paredes las fortalece.

Sección 1 Fuerza en la corteza terrestre (págs. 174–180)

Objetivos
Al terminar esta lección, los estudiantes serán capaces de:
5.1.1 Explicar cómo el esfuerzo en la corteza cambia la superficie de la Tierra.

5.1.2 Describir dónde se hallan generalmente las fallas y por qué se forman.

5.1.3 Identificar las características de la tierra que son el resultado del movimiento de las placas.

Preparación para los estándares

¿Cómo afecta el esfuerzo la corteza terrestre? (pág. 174)

Reflexiónalo La corteza se romperá.

Examina tu avance

Respuestas
Figura 2 (pág. 175) Compresión.

Verificar la lectura (pág. 175) El cizallamiento puede hacer que la roca se rompa y separe.

Examina tu avance

Respuestas
Figura 3 (pág. 176) El labio superior; se desliza hacia abajo cuando ocurre el movimiento.

Verificar la lectura (pág. 177) El labio superior es la roca que se encuentra por encima del otro bloque; el labio inferior es la roca que se encuentra abajo.

Actividad Inténtalo

Hacer un modelo de esfuerzo (pág. 178)
Resultado esperado El paso 2 representa la compresión, el paso 3 representa la tensión y el paso 4 representa el cizallamiento.

Examina tu avance

Respuestas
Figura 4 (pág. 178) Falla inversa

Verificar la lectura (pág. 178) Un pliegue en la roca que se dobla hacia arriba formando un arco.

Evaluación

Destreza clave de lectura

Identificar ideas principales (pág. 180) Los estudiantes deben incluir detalles sobre la tensión, la compresión y el cizallamiento.

Repasar los conceptos clave (pág. 180)

1. **a.** Cizallamiento, tensión y compresión. **b.** La tensión jala la corteza, estirando la roca de modo que se vuelve más delgada en medio. **c.** La compresión aprieta la roca; la tensión jala la roca.
2. **a.** Una grieta en la roca de la corteza donde las superficies de la roca se deslizan una sobre otra. **b.** Las fuerzas del movimiento de las placas presionan y jalan la corteza tanto que la corteza se rompe finalmente. **c.** Normal, inversa.
3. **a.** Anticlinales, sinclinales, montañas plegadas, montañas de bloque de falla y mesetas. **b.** La compresión produce anticlinales, sinclinales y montañas plegadas; la tensión produce montañas de bloque de falla.

Sección 2 Terremotos y ondas sísmicas (págs. 181–187)

Objetivos
Al terminar esta lección, los estudiantes serán capaces de:
5.2.1 Describir cómo viaja la energía de un terremoto por la Tierra.

5.2.2 Identificar las escalas que se usan para medir la fuerza de un terremoto.

5.2.3 Explicar cómo localizan los científicos el epicentro de un terremoto.

Preparación para los estándares

¿Cómo viajan las ondas sísmicas? (pág. 181)
Reflexiónalo En el paso 3, las espirales se mueven hacia adelante y hacia atrás cuando la onda se mueve en línea recta del extremo comprimido del resorte al otro extremo. En el paso 4, las espirales se mueven de un lado a otro cuando la onda se

mueve en un salto del extremo jalado del resorte al otro extremo.

Examina tu avance

Respuestas
Figura 7 (pág. 182) En el epicentro

Verificar la lectura (pág. 183) Las ondas superficiales.

Actividad Destrezas

Clasificar (pág. 185)
Resultado esperado 1. X-XII destrucción total; 2. VII-IX daño de moderado a fuerte; 3. IV-VI daño leve

Examina tu avance

Respuestas
Figura 9 (pág. 185) Foto superior: IV-VI; fotos intermedias: VII-IX; foto inferior: X-XII.

Verificar la lectura (pág. 185) Los geólogos estudian los datos de los sismógrafos, sobre cuánto movimiento ocurrió a lo lago de la falla y sobre la fuerza de las rocas que se rompieron.

Matemáticas Analizar datos

Matemáticas: Razonamiento matemático 6.2.4

Velocidades de las ondas sísmicas (pág. 186)

Respuestas
1. eje de *x*: distancia desde el epicentro; eje de *y*: hora de llegada
2. 7.5 minutos
3. 4 minutos.
4. 2,000 = 3.5 minutos
   4,000 = 4.5 minutos

Examina tu avance

Respuestas
Figura 11 (pág. 187) Houston (cerca de 800 km en comparación con los cerca de 900 km de Savannah)

Verificar la lectura (pág. 187) La diferencia entre las horas de llegada de las ondas P y las ondas S.

Evaluación

Destreza de vocabulario
Palabras académicas de uso frecuente (pág. 187) Comprimir: *apretar*; expandir: *estirar*.

Repasar los conceptos clave (pág. 187)
1. **a.** Las ondas sísmicas transmiten la energía de un terremoto lejos del foco. Algunas de esas ondas llegan a la superficie y se convierten en ondas superficiales. **b.** *Ondas P*: comprimen y expanden el suelo en su recorrido; se desplazan por sólidos y líquidos; son las ondas sísmicas de movimiento más rápido. *Ondas S*: vibran de un lado a otro y de arriba abajo en su recorrido; sólo se desplazan por los sólidos. *Ondas superficiales*: se desplazan por la superficie; se mueven más lentamente que las ondas P y S; pueden producir movimientos de tierra violentos. **c.** Las ondas P son las primeras ondas en llegar durante un terremoto, seguidas de la sondas S. Cuando las ondas P y S llegan a la superficie, se transforman en ondas superficiales.
2. **a.** Una medición de la fuerza de un terremoto basada en las ondas sísmicas y el movimiento a lo largo de las fallas. **b.** La escala de Richter describe la fuerza de un terremoto en términos del tamaño de sus ondas sísmicas.
   c. Puede medir terremotos de cualquier magnitud, cerca o lejos.
3. **a.** Ondas sísmicas. **b.** Los geólogos miden la diferencia entre las horas de llegada de las ondas P y S, usando los datos de tres sismógrafos. Luego trazan tres círculos, usando los datos de los sismógrafos. El punto en que se intersecan los círculos es el sitio del epicentro.

Laboratorio de destrezas

En busca del epicentro

Analiza y concluye (pág. 189)
1. El epicentro se localiza al este del río Mississippi en la frontera entre Kentucky y Tennessee.
2. Chicago; 600 kilómetros.
3. *Primero*: Chicago; *Al final*: Denver.
4. a 2,900 kilómetros de San Francisco; 4 minutos con 25 segundos.
5. La diferencia en los tiempos de llegada también aumenta
6. El uso de tres estaciones de registro permite identificar la ubicación de un epicentro real, en tanto que el uso de sólo dos estaciones permite identificar dos posibles sitios de un epicentro.

Sección 3 Monitoreo de los terremotos
(págs. 190–195)

Objetivos
Al terminar esta lección, los estudiantes serán capaces de:.
5.3.1 Explicar cómo funcionan los sismógrafos.

5.3.2 Describir cómo monitorean las fallas los geólogos.

5.3.3 Explicar cómo se usan los datos sismográficos.

Preparación para los estándares

¿Cómo se pueden detectar las ondas sísmicas? (pág. 190)

Reflexiónalo Los palitos se mueven después de que el borrador golpea la gelatina. Los estudiantes infieren que las vibraciones u ondas que viajan por la gelatina hacen que los palitos se muevan.

Examina tu avance

Respuestas

Figura 13 (pág. 191) El contrapeso mantiene el bolígrafo estable. Cuando el suelo se agita, el bolígrafo permanece en su lugar.

Verificar la lectura (pág. 191) Un patrón de líneas, que es el registro de las ondas sísmicas de un terremoto, producido por un sismógrafo.

Examina tu avance

Respuestas

Figura 14 (pág. 193) *Horizontal*: medidor de reptación, dispositivo láser de alcance, satélite GPS; *vertical*: inclinómetro y satélite GPS

Verificar la lectura (pág. 192) Un medidor de reptación mide el movimiento horizontal por medio de un alambre unido a cada lado de una falla. En un lado, el alambre está anclado a un poste. En el otro lado, el alambre está atado a un contrapeso que se desliza cuando se mueve la falla. Los geólogos miden cuánto se ha movido el contrapeso para determinar cuánto movimiento ha ocurrido a lo largo de la falla.

Actividad Destrezas

Medición de la fricción (pág. 194)

Resultado esperado La fuerza de fricción (la lectura de la escala) es mayor en el caso de una superficie áspera.

Examina tu avance

Respuestas

Figura 15 (pág. 194) 20%

Verificar la lectura (pág. 195) Porque en ocasiones la energía almacenada se acumula a lo largo de una falla, pero no ocurre ningún terremoto, o bien porque varios terremotos pequeños a lo largo de la falla liberan sólo parte de la energía almacenada.

Evaluación

Destreza clave de lectura

Identificar ideas principales (pág. 195) Los estudiantes deben incluir detalles sobre los efectos de diversas cantidades de fricción en el riesgo de los terremotos.

Repasar los conceptos clave (pág. 195)

1. **a.** Un dispositivo que registra las ondas sísmicas. **b.** Un sismógrafo simple tiene un contrapeso sujeto a una estructura por un resorte o alambre. Un bolígrafo conectado al contrapeso descansa su punta sobre un rodillo giratorio. A medida que el rodillo gira, el bolígrafo dibuja una línea recta sobre un papel bien sujeto al rodillo. **c.** El sismograma del terremoto fuerte tendría líneas irregulares de mayor altura entre la parte superior e inferior.
2. **a.** Medidores de reptación, inclinómetros, dispositivos láser de alcance, monitores satelitales. **b.** Medidor de reptación: movimiento horizontal; inclinómetro: inclinación del suelo; dispositivo láser de alcance: movimiento horizontal; monitor satelital: movimiento a lo largo de las fallas. **c.** El esfuerzo acumulado a lo largo de la falla, que finalmente ocasionará un terremoto.
3. **a.** Para trazar mapas de las fallas, monitorear los cambios a lo largo de las fallas y tratar de pronosticar los terremotos. **b.** Miden el reflejo de las ondas sísmicas en las fallas. Estos datos se usan para trazar el mapa de la longitud y profundidad de la falla. **c.** La fricción determina cómo se mueven las rocas a lo largo de la falla. Si los geólogos saben que una falla está trabada por la fricción o deslizándose, pueden predecir si hay probabilidades de que ocurran terremotos fuertes. Más fricción significa mayor probabilidad de un temblor fuerte.

Sección 4 Precauciones en los terremotos (págs. 196–202)

Objetivos

Al terminar esta lección, los estudiantes serán capaces de:

5.4.1 Explicar cómo determinan los geólogos el riesgo de que ocurra un terremoto.

5.4.2 Identificar los tipos de daños que puede ocasionar un terremoto.

5.4.3 Ofrecer sugerencias para aumentar la seguridad ante un terremoto y reducir el daño del terremoto.

Preparación para los estándares

¿Puede una abrazadera prevenir que un edificio se desplome? (pág. 196)
Reflexiónalo El quinto popote proporcionó soporte adicional al marco. El cartón proporcionaría un soporte aún mayor. Sin estructuras de soporte adicionales, probablemente la estructura de una casa se vendría abajo durante un terremoto.

Examina tu avance

Respuestas
Figura 18 (pág. 197) *Menos probabilidades*: En los estados de las Llanuras y en la mayor parte de las zonas del Sur y el Medio Oeste; *Más probabilidades*: A lo largo de la costa del Pacífico, alrededor de las Montañas Rocosas y en partes del Medio Oeste.

Verificar la lectura (pág. 197) Las zonas de la costa del Pacífico.

Actividad Inténtalo

Trazar un mapa de la magnitud (pág. 199)
Resultado esperado La mayor parte de los terremotos de una magnitud de 9.0 ocurren cerca de donde chocan las placas.

Examina tu avance

Respuestas
Figura 20 (pág. 198) 900 veces
Figura 21 (pág. 199) Los estudiantes podrían sugerir las preguntas siguientes: ¿La casa se construirá sobre roca densa o sobre suelo suelto?, ¿Cuál es la pendiente del terreno?, ¿Otras casas en la zona han resultado dañadas por terremotos?, ¿Qué técnicas de construcción ayudaron a proteger las casas que no resultaron dañadas?

Verificar la lectura (pág. 198) Para mostrar cómo varía el daño de un terremoto de un lugar a otro y evaluar el riesgo a futuro en los mismos lugares.

Examina tu avance

Respuestas
Figura 23 (pág. 201) Podría salirse hacia un lado de sus cimientos y venirse abajo.

Verificar la lectura (pág. 200) *Peligrosos*: Pueden caerse sobre las personas; *Protección*: los muebles pesados y resistentes pueden proteger a las personas de lesiones.

Actividad Inténtalo

¿Estable o inestable? (pág. 202)
Resultado esperado Con los libros más pesados en la parte de arriba, la pila de libros se caerá. Con los libros más pesados en la parte de abajo, la pila permanecerá intacta.

Examina tu avance

Respuesta

Verificar la lectura (pág. 202) Instalando uniones flexibles y válvulas de cierre.

Evaluación

Destreza de vocabulario

Palabras académicas de uso frecuente
(pág. 202) Respuesta de ejemplo: *Construiría* las paredes con paneles contrachapados y empernaría la casa a sus cimientos.

Repasar los conceptos clave (pág. 202)
1. **a.** La ubicación de los límites de la placa tectónica, las fallas activas y los sitios en donde ocurrieron terremotos en el pasado. **b.** La ubicación de las placas continentales y las fallas varía.
2. **a.** Sacudidas, licuefacción, réplicas y tsunamis. **b.** La violenta sacudida de un terremoto convierte al suelo suelto, suave y húmedo en barro líquido que se abre, lo que hace que los edificios se hundan y se separen. **c.** Si el suelo es muy húmedo, la licuefacción puede hacer que el suelo se abra.
3. **a.** Agacharse, cubrirse y sostenerse; los estudiantes también pueden mencionar otras precauciones descritas en la página 200. **b.** Las almohadillas o muelles de caucho amortiguarán el golpe, y el edificio se moverá suavemente hacia adelante y hacia atrás sin ninguna sacudida violenta.

Laboratorio de destrezas

Eventos que sacuden la Tierra

Analiza y concluye (pág. 203)
1. Las mediciones que hagan los estudiantes de la distancia con respecto a la falla más cercana deben ser más o menos las mismas.
2. Las mediciones que hagan los estudiantes de la distancia con respecto al terremoto histórico más cercano deben ser más o menos las mismas.

3. Los estudiantes deben inferir que cuanto más cerca estén de la falla, y mayor sea el terremoto histórico, mayor será el riesgo.
4. Los estudiantes deben estar en posibilidades de justificar su estimación del riesgo de terremoto para su comunidad.

Tecnología y sociedad

Construcciones antisísmicas

Evalúa el impacto (pág. 205)

1. Los estudiantes podrían sugerir edificios de apartamentos, escuelas, hospitales y estaciones de bomberos y de policía, entre otras cosas.
2. En las anotaciones podría abordarse el reforzamiento, la absorción de energía y la prevención de incendios.
3. Aliente a los estudiantes para que consideren los diversos riesgos asociados con los terremotos y que incluyan en sus reportes cómo han abordado esos riesgos en sus diseños.

Repaso y evaluación (págs. 207–208)

Destreza clave de lectura

Identificar ideas principales (pág. 207) Revise la exactitud de los organizadores gráficos de los estudiantes. Los estudiantes deben incluir fallas normales, fallas inversas y fallas transcurrentes.

Repasar los términos clave (pág. 207)

1. b
2. c
3. c
4. c
5. a
6. apretar la roca hasta que se pliega o rompe.
7. una falla en la que el labio superior se desliza con respecto al labio inferior.
8. la zona bajo la superficie en donde la roca que está bajo tensión se rompe
9. ondas sísmicas que comprimen y expanden el terreno
10. una ola grande

Verificar los conceptos (pág. 208)

11. El movimiento de las placas de la Tierra genera esfuerzo en la corteza.
12. En donde dos placas se alejan una de otra, las fuerzas de la tensión pueden crear fallas normales. Cunando dos fallas normales se forman paralelas entre sí, queda un bloque de roca entre ellas. Conforme el labio superior de cada falla normal se desliza hacia abajo, el bloque que está en medio se mueve hacia arriba, formando una montaña de bloque de falla.
13. La compresión forma montañas plegadas. La compresión acorta y hace que crezca la corteza de modo que se dobla lentamente sin romperse. Si el pliegue se dobla hacia arriba en forma de arco, el pliegue se llama anticlinal. Si el pliegue se dobla hacia abajo formando un cuenco, el pliegue se llama sinclinal.
14. Una meseta es una zona grande de tierra plana que se eleva muy por encima del nivel del mar. Una meseta puede formarse cuando las fuerzas en la corteza de la Tierra empujan hacia arriba un bloque de roca grande y plano.
15. Un terremoto ocurre cuando la roca que hay a lo largo de una falla se rompe súbitamente en un punto por debajo de la superficie llamado foco. Este rompimiento libera tensión almacenada en la roca a manera de ondas sísmicas. Las ondas sísmicas viajan fuera del foco en todas direcciones. Llegan a la superficie en el epicentro.
16. La magnitud de un terremoto es un número que los geólogos asignan a un terremoto, con base en el tamaño del terremoto. Cuanta mayor energía se libera, mayor es la magnitud.
17. La altura de las líneas en zigzag en un sismograma indican la gravedad o cercanía de un terremoto.
18. Las casas nuevas y otras estructuras construidas sobre terreno suave deben anclarse a roca sólida por debajo del suelo.

Razonamiento crítico (pág. 208)

19. El labio superior se mueve hacia arriba en relación con el labio inferior. Es una falla inversa.
20. No, esta información no es suficiente porque dos círculos mostrarán dos puntos que se intersecan. Se necesita un tercer círculo para determinar la localización.
21. La calle se romperá por donde cruce la falla, y las dos aceras se moverán en forma horizontal en direcciones opuestas.
22. En general, el terreno lleno y el suelo suelto y blando aumentan la cantidad de daño que ocasiona un terremoto. Durante un terremoto, el terreno lleno que no es muy compacto se sacude con mayor violencia que la roca circundante. Además, un terremoto puede ocasionar licuefacción. La licuefacción convierte el suelo blando con un elevado contenido de humedad en barro líquido.

Aplicar destrezas (pág. 208)

23. Las ondas P llegan primero, luego las ondas S y finalmente las ondas superficiales.

24. Las ondas superficiales producen el movimiento de tierra más grande.
25. La diferencia en las horas de llegada fue aproximadamente de 1 minuto y 50 segundos.
26. Los picos superiores e inferiores de las ondas serían mucho menos pronunciados, creando quizás una línea casi recta. Si ocurriera una réplica, los picos volverían a acentuarse.

Práctica de estándares (pág. 209)
1. D; S 6.1.d
2. C; S 6.1.f
3. B; S 6.1.e
4. D; S 6.1.g
5. C; S 6.1.g
6. C; S 6.1.g
7. D; S 6.2.d

Aplicar la gran idea (pág. 209)

8. Respuesta de ejemplo: La tensión puede separar las rocas, haciendo que se forme una falla normal. Si dos fallas normales se forman paralelas entre sí, el bloque que queda entre ellas forma una montaña de bloque de falla. Si la tensión hace que las rocas se rompan a lo largo de una falla normal, ocurre un terremoto. S 6.1.d

Capítulo 6 Volcanes

Verifica lo que sabes (pág. 211)

Esta pregunta evalúa la comprensión de los estudiantes sobre por qué y cómo hacen erupción los volcanes. (S 6.1.d)

Respuestas y explicaciones posibles

Respuesta correcta: La presión del gas se libera cuando se rompe el sello en la tapa de la botella. Este ejemplo es similar a una erupción volcánica porque en ambos casos, el gas sale de la solución conforme disminuye la presión. *Explicación posible:* La liberación de gas bajo presión en ambas soluciones expulsa el refresco y la lava en el aire. *Respuestas incorrectas posibles:* El refresco y la lava salen de sus recipientes porque superan la gravedad. *Explicación posible:* Las fuerzas dentro de las soluciones son mayores que la gravedad.

Desarrollar el vocabulario de Ciencias

¡Aplícalo! (pág. 212)
1. El término está en negritas y es el sujeto de la oración.
2. Las islas hawaianas se han formado una por una durante millones de años conforme la placa del Pacífico ha ido pasando por un punto caliente.

Cómo leer en Ciencias

¡Aplícalo! (pág. 214)

Pida a los estudiantes que consulten el bosquejo para hallar las respuestas a las preguntas. Respuestas de ejemplo:
1. Algunos accidentes geográficos volcánicos están formados por lava y ceniza. Otros accidentes geográficos volcánicos están formados por magma.
2. La lava fluye gradualmente desde una boca y se forma una montaña ancha y ligeramente escarpada.

Sección 1 Volcanes y tectónica de placas (págs. 216–219)

Objetivos

Al terminar esta lección, los estudiantes serán capaces de:

6.1.1 Identificar dónde se localizan las regiones volcánicas de la Tierra y explicar por qué se encuentran en esas zonas.

6.1.2 Explicar cómo se forman los volcanes de punto caliente.

Preparación para los estándares

¿Dónde se encuentran los volcanes en la superficie de la Tierra? (pág. 216)

Reflexiónalo Los volcanes se concentran en los bordes de las placas. *Excepciones*: Algunos volcanes se forman dentro de las placas.

Examina tu avance

Respuesta

Figura 2 (pág. 217) La zona mediterránea, el oriente de África, el Oriente Medio y el Caribe.

Actividad Inténtalo

Punto caliente en una caja (pág. 219)

Resultado esperado El "magma" sale de la botella y llega a la superficie del agua, en donde pega con la "placa tectónica" en un punto directamente por encima de la botella. Cuando la placa se mueve en una dirección, el magma le pega en un punto posterior al punto original. Si la placa sigue moviéndose en la misma dirección, el magma le pegará en una serie de puntos, en donde los volcanes más recientes están más cerca del "punto caliente" y los volcanes más antiguos están más lejos de él.

Examina tu avance

Respuestas

Figura 4 (pág. 219) Kauai

Verificar la lectura (pág. 218) Una placa volcánica sufrió una subducción bajo una placa continental.

Evaluación

Destreza de vocabulario

Usar pistas para determinar el significado (pág. 219) Japón, Nueva Zelandia, Indonesia, las islas Filipinas, las islas Aleutianas y las islas del Caribe.

Repasar los conceptos clave (pág. 219)

1. **a.** Un punto débil en la corteza por donde la materia fundida llega a la superficie de la Tierra. **b.** En los bordes convergentes y divergentes de las placas. **c.** La corteza se fractura, permitiendo que el magma llegue a la superficie.
2. **a.** Zona en donde la materia sube desde la profundidad del manto y se funde formando magma. **b.** Con el tiempo, la lava fluye hacia la superficie y forma roca nueva. Las capas de roca se acumulan y forman un volcán. **c.** Se forma una serie de montañas volcánicas.

Laboratorio de destrezas

Hacer un mapa de terremotos y volcanes

Analiza y concluye (pág. 220)

1., 2. Tanto los terremotos como los volcanes se concentran en zonas claramente diferenciadas.

3. Los terremotos y los volcanes a menudo se dan en las mismas zonas: en los bordes de las placas de la Tierra.
4. El patrón no cambiaría mucho. Los datos adicionales se sumarían a las zonas ya conocidas.

Sección 2 Erupciones volcánicas
(págs. 221–228)

Objetivos

Al terminar esta lección, los estudiantes serán capaces de:

6.2.1 Explicar qué ocurre cuando un volcán entra en erupción.

6.2.2 Describir los dos tipos de erupciones volcánicas.

6.2.3 Identificar las fases de actividad de un volcán.

Preparación para los estándares

¿Cómo son las rocas volcánicas? (pág. 221)

Reflexiónalo La lava que produjo la piedra pómez tenía más gas que la lava que produjo la obsidiana. La obsidiana se formó cuando la lava se enfrió muy rápidamente.

Actividad Inténtalo

Gases en el magma (pág. 222)

Resultado esperado El vinagre reacciona con el bicarbonato de sodio produciendo dióxido de carbono. Las burbujas de gas se adhieren a las pasas, haciendo que las pasas suban a la superficie, en donde revientan las burbujas. Las pasas se hunden de nuevo, y el ciclo se repite. Las pasas representan el magma; las burbujas representan los gases atrapados en el magma. En este modelo, las pasas y las burbujas de gas no están bajo mucha presión, como sucede con el magma y los gases en un volcán real. Además, el magma, a diferencia de las pasas, no sube y baja en un volcán, sino que sube y sale.

Examina tu avance

Respuestas

Figura 7 (pág. 223) La chimenea

Verificar la lectura (pág. 223) La presión disminuye, permitiendo que el gas salga del magma.

Matemáticas Analizar datos

Matemáticas: Razonamiento matemático 6.2.4

Composición del magma (pág. 224)

Respuestas

1. Sílice, otros óxidos y otros sólidos
2. Riolita de formación magmática; cerca de 70 por ciento
3. Cerca de 60 por ciento
4. El magma de formación magmática tendría una mayor viscosidad porque contiene más sílice.

Examina tu avance

Respuestas

Figura 9 (pág. 225) Los gases disueltos quedaron atrapados en el magma endurecido. Acumularon presión hasta que explotaron.

Verificar la lectura (pág. 225) Tipo de erupción explosiva que arroja una mezcla de gases calientes, ceniza, escorias y bombas.

Examina tu avance

Respuestas

Verificar la lectura (pág. 227) la ceniza volcánica puede sepultar pueblos y hacer que los techos se desplomen cuando están húmedos.

Evaluación

Destreza clave de lectura

Hacer bosquejos (pág. 228) Revise los bosquejos de los estudiantes para asegurarse de que hayan utilizado en forma apropiada los números romanos, las letras mayúsculas y los nombres. Los detalles deben incluir las diferencias entre los volcanes activos, inactivos y extintos.

Repasar los conceptos clave (pág. 228)

1. **a.** Cámara magmática, chimenea, boca y cráter. **b.** El magma se junta en la cámara magmática, asciende por la chimenea y sale del volcán por la boca. **c.** La fuerza de los gases en expansión.
2. **a.** Silenciosas y explosivas. **b.** El contenido de sílice y si la lava está endurecida o líquida. **c.** la erupción fue silenciosa.
3. **a.** Activos, inactivos, extintos. **b.** Un volcán que entra en erupción con frecuencia tiene más probabilidades de hacer erupción de nuevo en el futuro cercano, de modo que es más peligroso. Sin embargo, si un volcán inactivo hiciera erupción, las personas no estarían preparadas y podrían perderse muchas vidas.

Sección 3 Relieves volcánicos
(págs. 229–234)

Objetivos

Al terminar esta lección, los estudiantes serán capaces de:

6.3.1 Hacer una lista de los accidentes geográficos que crean la lava y la ceniza.

6.3.2 Explicar cómo el magma que se endurece bajo la superficie de la Tierra crea accidentes geográficos.

Preparación para los estándares

¿Cómo puede la actividad de un volcán cambiar la superficie de la Tierra? (pág. 229)

Reflexiónalo La arena representa la corteza de la Tierra. El globo representa una cámara magmática que se está llenando.

Examina tu avance

Respuestas

Figura 12 (pág. 230) Volcán en escudo y meseta

Examina tu avance

Respuestas

Figura 14 (pág. 233) Las capas de roca que están por encima y por debajo del dique concordante son más antiguas

Verificar la lectura (pág. 232) Los suelos volcánicos son muy fértiles. Son ricos en potasio, fósforo y otros materiales que necesitan las plantas.

Evaluación

Destreza de vocabulario

Usar pistas para determinar el significado (pág. 234) La definición sigue al término en negritas. Después de la definición viene una explicación. Entre los ejemplos de calderas se hallan el Crater Lake en Oregon y la caldera de Long Valley en California.

Repasar los conceptos clave (pág. 234)

1. **a.** Escudo, cono de escoria, compuesto **b.** Escudo: ancho con pendiente baja, coladas de lava de baja viscosidad, consiste de coladas de lava; escoria: volcán pequeño con laderas pronunciadas, erupciones piroclásticas, consta de ceniza y escorias; compuesto: laderas pronunciadas, las coladas de lava y la ceniza caen y fluyen, consta de capas de cenizas y coladas de lava.
2. **a.** Cuellos volcánicos, diques discordantes, diques concordantes y batolitos. **b.** Los batolitos son grandes masas de rocas que forman el núcleo de muchas cordilleras. Las montañas en forma de domo se forman cuando la elevación fuerza al magma endurecido a doblar la roca hacia arriba. Luego la roca que está abajo del magma endurecido se desgasta, dejándolo expuesto. **c.** Cuello volcánico.

Sección 4 La geología de California
(págs. 235–236)

Objetivo

Al terminar esta lección, los estudiantes serán capaces de:

6.4.1 Describir cómo ayuda la tectónica de placas a explicar algunas de las características de la geología de California.

Preparación para los estándares

¿Cómo afecta a California el movimiento de placas? (pág. 235)
Reflexiónalo El borde convergente entre las placas de Juan de Fuca y de América del Norte es responsable de los volcanes en el norte de California.

Examina tu avance

Respuesta
Figura 17 (pág. 236) Se separará de la parte continental de México, abriendo con ello el Golfo de California.

Evaluación

Destreza de vocabulario

Usar pistas para determinar el significado (pág. 236) La definición sigue al término en negritas. Una explicación precede a la definición. El Central Valley de California es una cuenca.

Repasar los conceptos clave (pág. 236)

1. **a.** Fallas, volcanes, cordilleras y cuencas. **b.** El movimiento a lo largo de la falla principal hace que las rocas sean jaladas y empujadas por enormes fuerzas, lo que hace que se rompan. **c.** La distancia aumentará conforme la placa del Pacífico se desplace hacia el noroeste en relación con la placa Norteamericana.

Laboratorio de destrezas

Volcanes de gelatina

Analiza y concluye (pág. 239)

1. El magma se extiende verticalmente desde el punto de inyección en un dique en forma de abanico que gradualmente crece hasta que rompe la superficie. El magma se movió de esta forma porque se inyectó bajo presión.
2. Las respuestas deben basarse en lo que los estudiantes ya aprendieron sobre cómo fluye el magma por un volcán y cómo se formaron los diques en un plano vertical o casi vertical.
3. Cuando se inyectó cerca del centro, el magma fluía fácilmente hacia arriba en cualquier dirección. Cuando se inyectó cerca del borde, el magma fluyó al punto superficial más cercano, siguiendo el camino de la menor resistencia.
4. El agua con colorante fluyó verticalmente en dirección de la menor resistencia, en buena medida como una colada de magma en un volcán real.
5. Proporcione materiales artísticos. Aliente a los estudiantes a que preparen descripciones claras y lógicas.

Repaso y evaluación (págs. 241–242)

Destreza clave de lectura

Hacer bosquejos (pág. 241) Revise que los bosquejos de los estudiantes incluyan el nombre de cada tipo de accidente geográfico, lo que hace que el accidente sea diferente de otros accidentes geográficos volcánicos y detalles sobre cómo se forma cada uno.

Repasar los términos clave (pág. 241)

1. b
2. d
3. c
4. c
5. a
6. b
7. a
8. un área donde la materia caliente del manto sube y se funde formando magma
9. una mezcla de gases calientes, ceniza, escoria y bombas volcánicas.
10. una colina de laderas pronunciadas o montaña pequeña formada por desechos volcánicos
11. una capa delgada de magma que atraviesa las capas de roca existentes
12. una enorme cuenca, o valle en forma de cuenco
13. una fuente de agua muy caliente y vapor que sale del suelo

Verificar los conceptos (pág. 242)

14. El Cinturón de Fuego es un conjunto de volcanes que rodean el océano Pacífico.
15. La dorsal oceánica marca una placa divergente y la lava hace erupción desde las grietas en el suelo del océano.
16. Los volcanes pueden formarse en donde una placa oceánica se hunde por debajo de otra placa oceánica, o donde una placa oceánica se hunde por debajo de una placa continental.
17. Conforme aumenta la temperatura, el magma fluye más fácilmente.
18. Un volcán en escudo se forma cuando la lava fluye repetidamente por una fisura y se enfría formando capas. Una montaña de pendiente suave se forma gradualmente.
19. Un volcán activo es aquel que ha hecho erupción en el pasado reciente y que es probable que haga erupción en el futuro próximo. Un

volcán inactivo es aquel que actualmente no presenta actividad, pero que algún día puede activarse de nuevo. Un volcán extinto, o muerto, es muy improbable que vuelva a hacer erupción.

20. En la zona que rodea al volcán pueden ocurrir muchos temblores pequeños antes de que el volcán haga erupción. Estos temblores los desencadena el movimiento del magma en la cámara magmática y en la chimenea.
21. El Central Valley de California es una cuenca que se formó cuando las fuerzas tectónicas elevaron la tierra a cada lado de la cuenca.

Razonamiento crítico (pág. 242)

22. No es probable que ocurra una erupción volcánica en la costa este de Estados Unidos debido a que la región no tiene ningún volcán activo. Los estudiantes probablemente recuerden que esta parte de la placa Norteamericana está lejos de cualquier borde de placa. Los volcanes comúnmente aparecen a lo largo de bordes de placa divergentes o convergentes.
23. Un arco de islas se forma en un borde de placa convergente en donde una placa oceánica se hunde bajo otra placa oceánica. Un volcán de punto caliente se forma en la corteza continental u oceánica donde el magma del manto hace erupción. Los volcanes de punto caliente suelen estar lejos de los bordes de placa.
24. Respuestas posibles: Las plantas y los animales podrían morir debido a las coladas de lava, los flujos piroclásticos, los gases tóxicos, los flujos de lodo o las avalanchas; la superficie de la tierra cambiaría y se crearían nuevos accidentes geográficos; la lava rica en nutrientes, la ceniza y las escorias formarían con el tiempo suelo fértil.
25. Las mesetas se forman donde lava delgada y líquida sale por largas grietas que hay en el terreno. Como la lava es líquida y hace erupción en una zona amplia, se extiende.

Aplicar destrezas (pág. 242)

26. Este volcán está formado por ceniza y lava. Los geólogos lo clasifican como volcán compuesto.
27. A es un dique concordante. B es un dique discordante. Un dique concordante se forma cuando el magma se desplaza por las capas de roca y se enfría. Un dique discordante se forma cuando el magma se abre camino por las capas rocosas y se enfría.
28. C es una chimenea volcánica. Si entra más magma en el volcán, podría ocurrir una erupción explosiva.
29. D es una cámara magmática. Si el volcán está inactivo, la cámara magmática debe estar vacía.

Práctica de estándares (pág. 243)

1. B; S 6.1.e
2. D; S 6.1.f
3. C; S 6.2.d
4. B; S 6.7.g
5. D; S 6.1.d
6. B; S 6.1.e

Aplicar la gran idea (pág. 243)

7. Respuesta de ejemplo: la geóloga probablemente descubrió ceniza, escoria y bombas volcánicas. Estos productos de la erupción indican que ocurrió una erupción explosiva. También podrían ser evidencias de un flujo piroclástico. La roca formada por el magma producido por esta erupción tendría un grado elevado de contenido de sílice, como riolita, pómez u obsidiana. S 6.1.d

Evaluación de la Unidad 2

Tectónica de placas y estructura de la Tierra

Conexión de las grandes ideas (pág. 249)

Respuestas

1. a
2. d
3. c
4. El Triple Empalme Mendocino es el lugar en donde se juntan la placa Norteamericana, la placa del Pacífico y la placa de Gorda. La placa de Gorda se junta con la placa del Pacífico en un borde divergente. La Falla de San Andrés, la falla transcurrente más grande de California, tiene su extremo norte en el Triple Empalme Mendocino. Debido al movimiento en estos bordes, el Triple Empalme Mendocino tiene muchos terremotos. La subducción de la placa de Gorda formó dos volcanes en California, el Monte Shasta y Lassen Peak.

Unidad 3

Tiempo meteorológico y clima

Capítulo 7 La atmósfera

Verifica lo que sabes (pág. 251)

Esta pregunta evalúa la comprensión de los estudiantes sobre la presión de aire. (S 5.4.e)

Respuestas y explicaciones posibles

Respuesta correcta: La presión de aire disminuye con la elevación. *Explicación posible:* El aire es menos denso a elevaciones mayores y por tanto ejerce menos presión que el aire a elevaciones menores. *Respuestas incorrectas posibles:* El aire ejercería la misma cantidad de presión en la cima de una montaña que en elevaciones menores. *Explicación posible:* El aire no cambia con la elevación.

Desarrollar el vocabulario de Ciencias

¡Aplícalo! (pág. 252)
Anime a los estudiantes a leer el texto para comprobar sus definiciones. Pídales que digan dónde encontraron la definición exacta. *(Ejemplo: La exosfera es la capa o porción más externa de la atmósfera; en la Sección 3)*

Cómo leer en Ciencias

¡Aplícalo! (pág. 254)
Pida a los estudiantes que revisen las notas y que recuerden las pistas y preguntas con mucho cuidado para hallar las respuestas. Respuestas de ejemplo:

1. El tiempo meteorológico es la condición de la atmósfera de la Tierra; la atmósfera son los gases que rodean la Tierra
2. ¿Qué es el tiempo meteorológico? ¿Qué es la atmósfera?

Sección 1 El aire que te rodea
(págs. 256–261)

Objetivos

Al terminar esta lección, los estudiantes serán capaces de:

7.1.1 Describir la composición de la atmósfera de la Tierra.
7.1.2 Establecer la importancia que tiene la atmósfera para los seres vivos.
7.1.3 Identificar qué causa la neblina tóxica y la lluvia ácida.

Preparación para los estándares

¿Por cuánto tiempo arde la vela? (pág. 256)

Reflexiónalo El gas necesario para que la vela se queme es el oxígeno. La vela dura más tiempo encendida bajo el frasco grande debido a que éste contenía más oxígeno.

Examina tu avance

Respuestas
Figura 1 (pág. 257) Nitrógeno y oxígeno

Verificar la lectura (pág. 257) Una forma de oxígeno que tiene tres átomos de oxígeno en cada molécula

Actividad Inténtalo

Inhalar, exhalar (pág. 258)
Resultado esperado El agua de cal se volverá turbia cuando el CO_2 reaccione con el hidróxido de calcio en el agua. La turbidez es causada por la formación de carbonato de calcio, o piedra caliza.

Examina tu avance

Respuesta

Verificar la lectura (pág. 258) Agua en forma de gas.

Examina tu avance

Respuesta

Verificar la lectura (pág. 261) Respuesta de ejemplo: Las personas pueden construir autos y fábricas que contaminen menos y aprobar leyes que requieran mayor control de la contaminación del aire.

Evaluación

Destreza de vocabulario
Palabras derivadas del griego
(pág. 261) La neblina tóxica fotoquímica se forma por la acción de la luz en las sustancias químicas en el aire.

Repasar los conceptos clave (pág. 261)

1. **a.** Una capa delgada de gases que rodea la Tierra **b.** Nitrógeno, oxígeno, argón, dióxido de carbono **c.** El porcentaje de vapor de agua en el aire varía en gran medida.
2. **a.** La atmósfera contiene el oxígeno necesario para muchos organismos, mantiene el calor al atrapar la energía del Sol y protege a los seres vivos de la radiación peligrosa y objetos del espacio exterior. **b.** El dióxido de carbono aumentaría sin plantas. **c.** Las respuestas pueden variar, pero es probable que no hubiera vida en la Tierra.
3. **a.** La quema de combustibles fósiles **b.** Puede irritar los ojos, la garganta y los pulmones, dañar las plantas y dañar ciertos materiales. **c.** Verano; los rayos del Sol son más directos y las horas de luz de día son más largas en ese tiempo.

Sección 2 Presión de aire
(págs. 262–266)

Objetivos

Al terminar esta lección, los estudiantes serán capaces de:

7.2.1 Identificar algunas propiedades del aire.
7.2.2 Nombrar instrumentos que se usan para medir la presión de aire.
7.2.3 Explicar cómo el incremento en la altitud afecta la presión y densidad del aire.

Preparación para los estándares

¿Tiene masa el aire? (pág. 262)
Reflexiónalo La masa del globo aumentó después de inflarlo, llevando a los estudiantes a concluir que el aire tiene masa.

Examina tu avance

Respuesta

Verificar la lectura (pág. 263) El aire más denso ejerce más presión de aire que el aire menos denso.

Examina tu avance

Respuestas

Figura 7 (pág. 264) Desciende

Verificar la lectura (pág. 265) Milibares y pulgadas de mercurio

Examina tu avance

Respuesta

Verificar la lectura (pág. 266) El aire es menos denso; cada respiración toma menos moléculas de oxígeno a una altitud mayor que al nivel del mar.

Evaluación

Destreza clave de lectura

Tomar notas (pág. 266) Respuesta de ejemplo: La altitud afecta la presión de aire. Conforme aumenta la altitud, la presión de aire disminuye. El aire tiene masa, densidad y presión.

Repasar los conceptos clave (pág. 266)

1. **a.** El resultado del peso de una columna de aire presionando sobre un área. **b.** Su presión aumenta.
2. **a.** Barómetro de mercurio y barómetro aneroide. **b.** Milibares o pulgadas de mercurio **c.** 922.3 milibares.
3. **a.** La altura sobre el nivel del mar. **b.** La presión de aire disminuye; la densidad disminuye. **c.** La presión de aire aumentaría. La cantidad de aire sobre uno aumentaría conforme se desciende, aumentando por tanto el "peso", o presión, del aire sobre uno.

Sección 3 Capas de la atmósfera
(págs. 267–271)

Objetivos

Al terminar esta lección, los estudiantes serán capaces de:

7.3.1 Identificar las cuatro capas principales de la atmósfera.
7.3.2 Describir las características de cada capa.

Preparación para los estándares

¿Hay aire ahí? (pág. 267)
Reflexiónalo Tratar de empujar la bolsa dentro del frasco aumenta la presión de aire dentro del frasco. Tratar de jalar la bolsa fuera del frasco disminuye la presión de aire dentro del frasco. Conforme un globo se eleva, se expandirá hasta que estalle conforme la presión del aire exterior se vuelva menor que la presión de aire en el interior.

Examina tu avance

Respuestas

Figura 11 (pág. 268) troposfera
Figura 12 (pág. 269) alrededor de 30 km

Verificar la lectura (pág. 268) La porción media de la estratosfera contiene la capa de ozono, la cual absorbe energía del Sol y calienta la estratosfera superior.

Matemáticas Analizar datos

Matemáticas: Álgebra y funciones 6.2.2

Cambio de temperaturas (pág. 270)

Respuestas

1. Temperatura y altitud; grados Celsius y kilómetros
2. Aproximadamente −55 °C
3. Termosfera
4. La temperatura disminuye conforme aumenta la altitud.

Examina tu avance

Respuesta

Verificar la lectura (pág. 271) La parte inferior de la termosfera

Evaluación

Destreza de vocabulario

Palabras derivadas del griego (pág. 271)

tropo- giro o cambio; *meso-* medio; Las cuatro capas principales de la atmósfera son troposfera, estratosfera, mesosfera y termosfera.

Repasar los conceptos clave (pág. 271)

1. **a.** Troposfera, estratosfera, mesosfera y termosfera **b.** Los cambios en la temperatura. **c.** La exosfera o la termosfera.
2. **a.** Las respuestas variarán. Las respuestas posibles incluyen lo siguiente: Troposfera: donde ocurre el tiempo meteorológico; estratosfera: contiene la capa de ozono; mesosfera: donde se desintegra la mayor parte de los meteoritos; termosfera: las temperaturas son extremadamente altas. **b.** La temperatura de la troposfera desciende con el aumento en la altura, o altitud. La temperatura de la estratosfera por lo general aumenta con el aumento de altura. **c.** Las moléculas de gas están tan separadas que rara vez chocarían contigo para calentarte.

Sección 4 Energía en la atmósfera de la Tierra (págs. 272–275)

Objetivos

Al terminar esta lección, los estudiantes serán capaces de:

7.4.1 Establecer en qué forma viaja la energía del Sol a la Tierra.

7.4.2 Explicar qué le sucede a la energía solar en la atmósfera y en la superficie de la Tierra.

Preparación para los estándares

¿Atrapa el calor una bolsa de plástico? (pág. 272)

Reflexiónalo La bolsa de plástico atrapó en su interior el calor del Sol, y esto causó que el termómetro en la bolsa mostrara una temperatura mayor.

Examina tu avance

Respuestas

Figura 14 (pág. 273) Radiación ultravioleta.

Verificar la lectura (pág. 273) Luz roja.

Examina tu avance

Respuesta

Verificar la lectura (pág. 275) El proceso por el cual los gases mantienen el calor en el aire.

Evaluación

Destreza clave de lectura

Tomar notas (pág. 275) Pida a los estudiantes que revisen sus notas sobre la Sección 4 antes de comenzar esta evaluación.

Repasar los conceptos clave (pág. 275)

1. **a.** Infrarroja, luz visible y ultravioleta. **b.** Infrarroja, ultravioleta.
2. **a.** Es absorbida por la atmósfera o por la superficie de la Tierra. **b.** Alrededor de 25% **c.** Al amanecer y al ponerse el Sol, la luz solar viaja a través de un grosor mayor de la atmósfera. La atmósfera dispersa más luz del extremo azul del espectro. La luz restante es principalmente roja y anaranjada.
3. **a.** Calienta la tierra y el agua. La mayor parte se irradia después de regreso a la atmósfera como radiación infrarroja. **b.** La Tierra sería mucho más fría.

Laboratorio de destrezas

Calentamiento de la superficie de la Tierra

Analiza y concluye (pág. 277)

1. Ambas gráficas deberían elevarse en forma constante durante los primeros 15 minutos y luego disminuir en forma constante durante los segundos 15 minutos. La línea para la temperatura de la arena debería elevarse y descender en forma más pronunciada que la línea para la temperatura del agua, indicando una tasa de cambio mayor en la temperatura para la arena que para el agua.
2. La arena debería mostrar un cambio total mayor en la temperatura que el agua.
3. Los datos deberían mostrar que la arena tuvo un incremento mayor en la temperatura.
4. La arena absorbió calor más rápido que el agua. Estos resultados pueden coincidir o no con las hipótesis de los estudiantes.
5. Los datos deberían mostrar que la arena se enfrió más rápido.
6. Los resultados pueden coincidir o no con la segunda hipótesis de los estudiantes.
7. La arena que rodea a un lago se calentará más rápido en un día soleado y se enfriará más rápido después del atardecer que el agua en el lago.
8. Las respuestas pueden variar. Una respuesta posible es que los estudiantes esperaban que la arena y el agua se calentaran y enfriaran a la misma velocidad debido a que había cantidades iguales de las dos sustancias.

Sección 5 Transferencia de calor en la atmósfera (págs. 278–281)

Objetivos

Al terminar esta lección, los estudiantes serán capaces de:

7.5.1 Describir cómo se mide la temperatura.

7.5.2 Identificar tres formas de transferencia de calor.

7.5.3 Explicar cómo se transfiere el calor en la troposfera.

Preparación para los estándares

¿Qué sucede cuando el aire se calienta? (pág. 278)

Reflexiónalo El espiral giró debido a que el aire caliente se elevó desde la fuente de calor y empujó contra el espiral.

Matemáticas Destrezas

Unidades de conversión (pág. 279)

Respuestas

1.67 °C, 15.6 °C, 22.2 °C

Examina tu avance

Respuestas

Figura 17 (pág. 279) El té de hierbas caliente.

Verificar la lectura (pág. 279) La escala Celsius

Actividad Inténtalo

Temperatura y altura (pág. 280)

Resultado esperado La temperatura a 1 cm por encima de la tierra varía más que la temperatura a 1.25 m por encima de la tierra. La tierra se calienta durante el día conforme absorbe luz solar. Se enfría con rapidez en la noche.

Examina tu avance

Respuesta

Verificar la lectura (pág. 280) Por radiación y conducción.

Evaluación

Destreza de vocabulario

Palabras derivadas del griego (pág. 281) La palabra griega *thermos* significa calor. La energía térmica es energía calorífica o la energía total del movimiento en las partículas de una sustancia.

Repasar los conceptos clave (pág. 281)

1. **a.** La temperatura es la cantidad promedio de energía de movimiento de cada partícula de una sustancia. **b.** Termómetro **c.** El agua en el lago tiene mucha más energía térmica porque tiene muchas más partículas que el agua en el cubo.
2. **a.** Por radiación, por convección y por conducción. **b.** El Sol transfiere calor a la Tierra por radiación. Conforme la Tierra se calienta, vuelve a irradiar calor a la atmósfera y conduce calor a las moléculas de gas cerca de la superficie. Este calor se transfiere a lo largo de toda la troposfera por convección. **c.** Por radiación, por convección y por conducción. **d.** El ave es levantada por corrientes de convección del aire caliente ascendente.
3. 11 °C, 30 °C, 25 °C y 36 °C

Sección 6 Vientos (págs. 282–288)

Objetivos

Al terminar esta lección, los estudiantes serán capaces de:

7.6.1 Establecer cómo los científicos describen y explican los vientos.

7.6.2 Distinguir entre vientos locales y vientos globales.

7.6.3 Identificar dónde se localizan los principales cinturones de vientos globales.

Preparación para los estándares

¿Gira el viento? (pág. 282)

Reflexiónalo El movimiento del aire de Canadá giraría al oeste.

Actividad Inténtalo

Construir una veleta (pág. 283)

Resultado esperado Los estudiantes deberán averiguar que cuando sacan su veleta al exterior en el viento o soplan en ella, la veleta apunta en la dirección de la cual viene el viento.

Examina tu avance

Respuesta

Verificar la lectura (pág. 283) Hacia el este.

Examina tu avance

Respuestas

Figura 20 (pág. 284) Una brisa terrestre

Verificar la lectura (pág. 285) Se curvan a la izquierda.

Examina tu avance

Respuestas

Figura 23 (pág. 286) Los vientos globales todavía afectan la velocidad de un barco. Sin embargo, no son tan importantes como en el pasado porque los barcos modernos están equipados con motores.

Figura 24 (pág. 287) Vientos dominantes del oeste

Examina tu avance

Respuesta

Verificar la lectura (pág. 288) Bandas de viento de gran altitud y alta velocidad.

Evaluación

Destreza clave de lectura

Tomar notas (pág. 288) La forma en que la rotación de la Tierra hace que los vientos se curven es el efecto de Coriolis.

Repasar los conceptos clave (pág. 288)

1. **a.** El movimiento horizontal del aire de un área de alta presión a un área de baja presión **b.** El viento es el movimiento de aire de un área de alta presión a un área de baja presión. Las diferencias en la presión de aire con frecuencia son causadas por diferencias en la temperatura del aire. **c.** El viento que sopla sobre la piel elimina el calor corporal, así que el viento causaría que el cuerpo de una persona se sintiera más frío que si no hubiera viento.
2. **a.** Vientos que soplan sobre distancias cortas **b.** El calentamiento desigual de la superficie de la Tierra dentro de un área local pequeña **c.** Una brisa marina ocurre durante el día cuando el Sol calienta la tierra más rápido que los cuerpos de agua cercanos. Una brisa terrestre ocurre por la noche cuando el aire sobre la tierra se enfría más rápido que el aire sobre el agua.
3. **a.** Vientos alisios, vientos dominantes del oeste y vientos polares del este. **b.** Los vientos en el Hemisferio Norte entre los 30° de latitud norte y el ecuador soplan por lo general desde el noreste. En el Hemisferio Sur entre los 30° de latitud sur y el ecuador, los vientos soplan desde el sudeste. Estos vientos de levante constantes se llaman vientos alisios. Los vientos dominantes del oeste soplan por lo general desde el sudoeste entre los 30° y 60° de latitudes norte y desde el noroeste entre las latitudes 30° y 60° sur. El aire frío cerca de los polos baja y fluye regresando hacia latitudes más bajas. El efecto de Coriolis lleva estos vientos polares hacia el oeste, produciendo vientos llamados vientos polares del este. **c.** En el Hemisferio Norte, el efecto de Coriolis causa que los vientos alisios se curven hacia la derecha conforme se mueven hacia el ecuador. En el Hemisferio Sur, los vientos alisios se curvan hacia la izquierda conforme se aproximan al ecuador.

Laboratorio de destrezas

Medición del viento

Analiza y concluye (pág. 289)

1. Probablemente los estudiantes encontrarán que el viento es más fuerte en un lado del edificio; el edificio bloqueó e hizo más lento el viento en los otros lados del edificio.
2. El lado que recibe menos viento.
3. Las mediciones de los vientos relativos deberían ser bastante precisas. La fricción puede dificultar medir los vientos ligeros. La dirección y velocidad cambiantes del viento y fallar al sostener el cartón derecho son otras fuentes de imprecisión. La precisión podría mejorarse agregando gradaciones más finas a la escala del anemómetro.
4. Los estudiantes pueden haber tenido problemas para hacer que el indicador del anemómetro se moviera lo bastante libremente para medir los vientos ligeros. Los anemómetros pueden no haber sido lo bastante resistentes para sostenerse con vientos fuertes.
5. Probablemente los estudiantes desearán modificar sus diseños para usar otros materiales, pero la mayoría de los estudiantes descubrirán que los materiales fáciles de obtener se desempeñan de manera satisfactoria.

Repaso y evaluación (págs. 291–292)

Destreza clave de lectura

Tomar notas Revise los organizadores gráficos de los estudiantes para ver su precisión y enfoque en las ideas principales.

Repasar los términos clave (pág. 291)

1. d
2. c
3. b
4. a
5. b
6. agua en un estado gaseoso

7. las partículas de polvo y gases en el aire reflejan la luz en todas direcciones
8. un proceso natural por el cual los gases mantienen el calor en el aire
9. movimientos circulares de aire caliente y frío
10. el aire frío sobre el agua se mueve hacia la tierra

Verificar los conceptos (pág. 292)

11. Es difícil incluir el vapor de agua en una gráfica que muestra los porcentajes de varios gases en la atmósfera porque el porcentaje de vapor de agua varía mucho con el tiempo y de un lugar a otro.
12. El dióxido de carbono se agrega a la atmósfera al quemar combustibles fósiles. Además, las plantas y animales liberan dióxido de carbono como un producto de desecho.
13. Mientras te mueves hacia arriba de la troposfera, la temperatura disminuye en unos 6.5 °C por cada kilómetro de aumento en la altitud.
14. Respuestas de ejemplo: Radiación: luz solar calentando tu cara; Convección: agua circulando en una olla calentada; Conducción: quemarse cuando se toca un objeto caliente.
15. El aire caliente asciende en el ecuador y fluye hacia los polos. El aire frío baja en los polos y se extiende hacia el ecuador. El movimiento de aire entre el ecuador y los polos produce vientos globales.

Practicar matemáticas (pág. 292)

16. 15.6 grados Celsius
17. 86 grados Fahrenheit

Razonamiento crítico (pág. 292)

18. La presión de aire disminuye conforme aumenta la elevación o altitud. Un barómetro aneroide puede calibrarse para mostrar el cambio en la presión de aire como un cambio en la altitud.
19. Unos 640 milibares. En general, la presión de aire disminuye conforme aumenta la altitud.
20. La temperatura ahí está por debajo del punto de congelación.
21. Ha causado que Venus tenga temperaturas aún más altas de las que se esperarían por su distancia del Sol.
22. La tierra donde está la ciudad se enfría más rápido que el agua del océano circundante. El aire caliente sobre el océano se expandirá y elevará. El aire más frío sobre la ciudad se moverá debajo del aire caliente sobre el océano, formando una brisa terrestre.

Aplicar destrezas (pág. 292)

23. Las gráficas de los estudiantes deberán mostrar una línea con una pendiente negativa, es decir, una línea que se inclina en forma descendente hacia la derecha.
24. La temperatura era −15 °C a unos 4 kilómetros sobre la tierra.
25. A 2.4 kilómetros de Omaha, la temperatura aproximada era de −6.5 °C.
26. La temperatura aproximada a 6.8 kilómetros sobre Omaha era −36 °C, la cual es más o menos 36 °C más fría que la temperatura al nivel de la tierra.

Práctica de estándares (pág. 293)

1. D; S 6.4.e
2. D; S 6.4.e
3. B; S 6.4.e
4. A; S 6.4.e
5. C; S 6.4.e
6. B; S 6.4.e
7. A; S 6.3.d, 6.4.b
8. C; S 6.3.c, 6.4.d

Aplicar la gran idea (pág. 293)

9. Ejemplo: El aire caliente sube en el ecuador y el aire frío baja en los polos. Por tanto, la presión de aire tiende a ser menor en el ecuador y mayor en los polos. Esta diferencia en la presión de aire causa que los vientos de la superficie soplen desde los polos hacia el ecuador. Este movimiento de aire entre el ecuador y los polos produce vientos globales. S 6.4.d

Capítulo 8 Tiempo meteorológico

Verifica lo que sabes (pág. 295)

Esta pregunta evalúa la comprensión que tienen los estudiantes sobre la condensación. (S 5.3.b, 5.3.c)

Respuestas y explicaciones posibles

Respuesta correcta: El agua en el espejo provino del aire. *Explicación posible:* Como resultado de la temperatura caliente en el cuarto, el vapor de agua en el aire se condensó en el espejo más frío para formar gotas de agua. *Respuestas incorrectas posibles:* El agua proviene directamente de la regadera. *Explicación posible:* El agua de la regadera escapó de la ducha y se movió hasta el espejo.

Desarrollar el vocabulario de Ciencias

¡Aplícalo! (pág. 296)

1. frente

2. frente
El uso de *frente* en la primera oración es científico.

Cómo leer en Ciencias

¡Aplícalo! (pág. 298)
Pida a los estudiantes que usen la Figura 14 y la tabla para responder a estas preguntas. Respuestas de ejemplo:
1. cuatro tipos de frentes
2. cómo se forma cada tipo de frente y el tipo de tiempo meteorológico que produce
3. Una masa de aire frío rebasa a una masa de aire caliente.

Sección 1 Agua en la atmósfera
(págs. 300–306)

Objetivos
Al terminar esta lección, los estudiantes serán capaces de:
8.1.1 Describir la humedad y cómo se mide.

8.1.2 Explicar cómo se forman las nubes.

8.1.3 Nombrar los tres tipos principales de nubes.

Preparación para los estándares

¿Cómo se forma la niebla? (pág. 300)

Reflexiónalo La niebla se forma cuando el aire caliente y húmedo sube desde la superficie del agua caliente y se condensa conforme se enfría cerca del cubito de hielo. Esto no ocurre cuando la botella contiene agua fría porque el agua fría no produce aire caliente y húmedo.

Matemáticas Analizar datos

Matemáticas: Razonamiento matemático 6.1.1

Determinar la humedad relativa (pág. 302)

Respuestas
1. 64%
2. 88%
3. Disminuyó de 18 grados a 12 grados
4. Aumentó.
5. Para la misma cantidad de agua en el aire, conforme la temperatura disminuye, la humedad relativa aumenta. El aire caliente puede contener más humedad que el aire frío.

Examina tu avance

Respuestas
Figura 4 (pág. 303) Se formaría escarcha en lugar de rocío.

Verificar la lectura (pág. 302) Un psicrómetro.

Verificar la lectura (pág. 303) El enfriamiento del aire hasta el punto de rocío o por debajo de éste y la presencia de partículas en el aire o una superficie sólida en la cual se condense.

Examina tu avance

Respuestas
Figura 5 (pág. 305) cirro

Verificar la lectura (pág. 304) Nubes de color gris uniforme que se forman en capas planas

Examina tu avance

Respuestas
Figura 6 (pág. 306) El calor del Sol causará que las gotas de agua en la niebla se evaporen

Verificar la lectura (pág. 306) Nubes que se forman en o cerca del suelo.

Evaluación

Destreza de vocabulario

Identificar significados múltiples (pág. 306) Respuesta de ejemplo: Hay una gran masa de nubes sobre la ciudad.

Repasar los conceptos clave (pág. 306)
1. **a.** Una medida de la cantidad de vapor de agua en el aire. **b.** La humedad es la cantidad real de vapor de agua en el aire. La humedad relativa es el porcentaje de vapor de agua que hay realmente en el aire en comparación con la cantidad total de vapor de agua que el aire puede retener a una temperatura en particular. **c.** 20%
2. **a.** Condensación **b.** El aire debe enfriarse hasta su punto de rocío o por debajo de éste, y deben estar presentes partículas en el aire. **c.** Cuando el punto de rocío está por debajo de la congelación, se formarán cristales de hielo.
3. **a.** Cúmulo, estrato y cirro **b.** Respuesta posible: Las nubes cúmulo parecen masas esponjosas de algodón. Las nubes estrato se forman en capas planas. Las nubes cirro son altas, tenues y parecidas a plumas. **c.** Las nubes de nivel bajo son niebla, cúmulo, estrato y nimboestrato. Las nubes de nivel medio son altocúmulo y altoestrato. Las nubes de nivel alto son cirroestrato y cirro.

Sección 2 Precipitación
(págs. 307–309)

Objetivo
Al terminar esta lección, los estudiantes serán capaces de:

8.2.1 Identificar los tipos usuales de precipitación.

Preparación para los estándares

¿Cómo puedes hacer granizo? (pág. 307)
Reflexiónalo Para que se forme granizo, debe hacer mucho frío y debe haber partículas en las cuales el agua pueda cristalizarse en hielo.

Examina tu avance

Respuestas
Figura 8 (pág. 308) Cada vez que las piedras de granizo pasan por la región fría, se forma una nueva capa de hielo alrededor de ellas.

Verificar la lectura (pág. 309) Partículas de hielo cuyo diámetro es menos de 5 mm

Evaluación

Destreza clave de lectura

Comparar y contrastar (pág. 309) Revise las tablas de los estudiantes para ver su precisión. Los estudiantes deberán incluir información sobre los cambios de estado implicados.

Repasar los conceptos clave (pág. 309)

1. **a.** Lluvia, aguanieve, lluvia helada, granizo y nieve. **b.** Ambos se forman cuando la lluvia cae a través de una capa de aire frío cerca de la superficie. El aguanieve ocurre cuando la lluvia se congela en esta capa de aire frío. La lluvia helada ocurre cuando la lluvia se congela en superficies frías. **c.** Granizo **d.** Las piedras son lanzadas hacia arriba y hacia abajo en las nubes. Cuando las piedras pasan por las regiones frías de las nubes, se agregan capas de hielo adicionales.

Sección 3 Masas y frentes de aire
(págs. 310–317)

Objetivos
Al terminar esta lección, los estudiantes serán capaces de:

8.3.1 Identificar los tipos principales de masas de aire que afectan el tiempo meteorológico en América del Norte y describir cómo se desplazan.

8.3.2 Nombrar los tipos principales de frentes.

8.3.3 Explicar el tipo de tiempo meteorológico que se asocia con los ciclones y los anticiclones.

Preparación para los estándares

¿Cómo se comportan los fluidos de diferentes densidades? (pág. 310)
Reflexiónalo La masa de aire frío se movería por debajo de la masa de aire caliente, y la masa de aire caliente se elevaría.

Examina tu avance

Respuesta
Figura 11 (pág. 311) Marítima tropical.

Actividad Destrezas

Calcular (pág. 313)
Resultado esperado De Denver a la ciudad de Nueva York: 2618 km ÷ 3.5 horas = 748 km/h; De la ciudad de Nueva York a Denver: 2618 ÷ 4 horas = 655 km/h; La velocidad adicional que aumenta la corriente de chorro es 93 km/h (748 km/h −655 km/h)

Examina tu avance

Respuesta

Verificar la lectura (pág. 312) Del centro y norte de Canadá y Alaska

Actividad Destrezas

Calcular (pág. 314)
Resultado esperado Todos los tipos de frentes se asocian con nubes y precipitación. Sin embargo, los frentes fríos tienden a asociarse con cambios más abruptos en el tiempo meteorológico.

Examina tu avance

Respuestas
Figura 14 (pág. 314) Nubes y precipitación

Verificar la lectura (pág. 314) Nubes y posibles tormentas con lluvias o nieve copiosas

Examina tu avance

Respuestas
Figura 15 (pág. 316) En dirección contraria a las manecillas del reloj visto desde arriba

Verificar la lectura (pág. 316) Un centro de aire seco de alta presión

Evaluación

Destreza de vocabulario
Resultado esperado (pág. 317) Respuesta de ejemplo: El tiempo meteorológico cambia cuando un frente se mueve a través de un área. El viaje es más cómodo en el frente del autobús.

Repasar los conceptos clave (pág. 317)

1. **a.** Temperatura y humedad **b.** Las masas de aire marítimas tropicales y marítimas polares son húmedas; las masas de aire continentales tropicales y continentales polares son secas **c.** Una masa de aire marítima polar
2. **a.** El borde donde se encuentran dos masas de aire distintas **b.** Frente frío: nubes, tormentas, posible precipitación copiosa; frente cálido: nubes, precipitación ligera; estacionario: nubes, precipitación; ocluido: nubes, precipitación **c.** Cálido o estacionario
3. **a.** Un centro de baja presión **b.** En el Hemisferio Norte, los anticiclones tienen aire descendente que gira en espiral alejándose del centro en dirección de las manecillas del reloj. Conforme desciende el aire, se seca. Es por esto que los anticiclones por lo general producen un tiempo despejado y seco **c.** Anticiclones: aire descendente, presión alta, rotación en el sentido de las manecillas del reloj en el Hemisferio Norte; por lo general tiempo despejado; ciclones: aire ascendente, presión baja, rotación contraria a las manecillas del reloj en el Hemisferio Norte, por lo general tiempo nublado, viento y precipitación.

Sección 4 Tormentas
(págs. 318–325)

Objetivos

Al terminar esta lección, los estudiantes serán capaces de:

8.4.1 Enumerar los tipos principales de tormentas y explicar cómo se forman.

8.4.2 Describir medidas que pueden tomarse para mantenerse a salvo en una tormenta.

Preparación para los estándares

¿Puedes generar un tornado? (pág. 318)
Reflexiónalo El agua gira en una espiral en forma de embudo. Esta acción es como la de un tornado debido a que el agua gira alrededor en un círculo. Es diferente a un tornado porque ocurre en agua en lugar de en el aire.

Actividad Inténtalo

Distancias de los rayos (pág. 319)
Resultado esperado El número de segundos entre las centellas del rayo y el sonido del trueno depende de lo lejos que esté el rayo. Si el rayo está muy cerca, el trueno ocurrirá justo una fracción de segundo después de la centella. Si el rayo está muy lejos, el trueno puede no ser audible o puede ser apenas un ruido sordo.

Examina tu avance

Respuesta

Figura 18 (pág. 319) Las nubes cumulonimbos se forman con frecuencia a lo largo de los frentes fríos porque el aire caliente es obligado a ascender. Conforme se eleva el aire caliente, se enfría, formando masas de cúmulo densas.

Examina tu avance

Respuestas

Figura 21 (pág. 321) Cualesquiera cinco de los siguientes: Arkansas, Iowa, Kansas, Luisiana, Missouri, Nebraska, Nuevo México, Oklahoma, Dakota del Sur, Texas

Verificar la lectura (pág. 320) El rayo puede destrozar los troncos de los árboles o causar incendios forestales. Si el rayo cae en animales o personas, actúa como un choque poderoso y puede causar la pérdida del conocimiento, quemaduras graves o incluso un colapso cardiaco.

Examina tu avance

Respuesta

Verificar la lectura (pág. 323) Las personas pueden perderse porque la nieve que vuela obstruye las señales y otros puntos de referencia y los vientos fuertes enfrían con rapidez el cuerpo de una persona.

Evaluación

Destreza de vocabulario

Identificar significados múltiples (pág. 325) Un ciclón es un centro de remolino de baja presión. No gira con rapidez ni causa daños como un tornado.

Repasar los conceptos clave (pág. 325)

1. **a.** Una tormenta pequeña acompañada por precipitación copiosa y truenos y rayos frecuentes **b.** Buscar refugio bajo techo, evitar tocar objetos que conduzcan electricidad; si se está en el exterior, evitar lugares donde es más probable que caiga el rayo, encontrar un área baja segura.
2. **a.** Nubes cumulonimbo densas a lo largo de un frente **b.** El Callejón de los Tornados con frecuencia tiene aire frío y seco que se encuentra con aire caliente y húmedo.
3. **a.** Si el aire entre una nube y el suelo es más frío que 0 °C, la precipitación caerá como

nieve. **b.** Encontrar refugio, cubrir la piel expuesta y tratar de mantenerse seco.

4. **a.** Una tormenta tropical con vientos muy rápidos. **b.** Se forma una zona de baja presión sobre aguas cálidas. El aire caliente y húmedo que se eleva añade energía al sistema, el cual al final se convierte en un huracán. **c.** Los huracanes obtienen energía del aire cálido y húmedo en la superficie del océano, así que cuando pasan por la tierra se debilitan.

Laboratorio de destrezas

Rastrear un huracán

Analiza y concluye (pág. 327)

1. El huracán pareció moverse primero al norte hacia Mobile, Alabama. Luego giró hacia el este hacia Florida central, antes de invertir su dirección y dirigirse al noroeste hacia el extremo noreste de Florida. Continuó moviéndose al oeste o noroeste hasta que tocó tierra cerca de Biloxi, Mississippi.
2. Las predicciones de los estudiantes variarán. Es probable que hayan predicho que la tormenta tocaría tierra cerca de Mobile en el paso 2, entre Tallahassee y Tampa-San Petersburgo en el paso 5 y cerca de Nueva Orleáns en el paso 6. En realidad, el huracán tocó tierra algo al este de Nueva Orleáns cerca de Biloxi.
3. La trayectoria del huracán fue inusual debido a que invirtió su dirección.
4. Emitir alertas precisas para los huracanes con este tipo de trayectoria es difícil porque el huracán puede no tocar tierra en la misma área hacia la que parecía dirigirse.
5. Las alertas innecesarias pueden trastornar vidas, poner a las personas en peligro y causar pérdidas económicas, mientras que las alertas que llegan demasiado tarde pueden producir pérdida de vidas y daño a la propiedad innecesarias.
6. Otros tipos de información que serían útiles incluirían qué tan rápido se mueve el huracán, y otras condiciones del tiempo meteorológico que podrían cambiar la trayectoria del huracán.

Sección 5 Predecir el tiempo meteorológico (págs. 328–332)

Objetivos

Al terminar esta lección, los estudiantes serán capaces de:

8.5.1 Explicar cómo predicen el tiempo meteorológico los meteorólogos.

8.5.2 Describir qué puede aprenderse de la información en los mapas meteorológicos.

Preparación para los estándares

¿Qué tiempo hace? (pág. 328)

Reflexiónalo El reporte meteorológico del periódico puede coincidir con el tiempo meteorológico real en general pero no en todos los detalles. Por ejemplo, la temperatura real puede diferir de la temperatura pronosticada por unos cuantos grados o las lloviznas pueden ser ligeras en lugar de moderadas.

Examina tu avance

Respuestas

Figura 25 (pág. 329) Diferentes pantallas de computadora pueden proporcionar diferentes tipos de datos o datos para diferentes ubicaciones.

Verificar la lectura (pág. 329) Un científico que estudia las causas del tiempo e intentan pronosticarlo.

Aplicar destrezas

Interpretar datos (pág. 330)

Resultado esperado Los estudiantes deberán obtener las siguientes respuestas: **1.** 30 °F **2.** 26–31 mph **3.** de sur a norte **4.** 1016 mb **5.** 70–80% **6.** nieve

Examina tu avance

Respuesta

Verificar la lectura (pág. 331) Pequeños cambios en la atmósfera hoy pueden causar grandes cambios en el futuro.

Evaluación

Destreza clave de lectura

Comparar y contrastar (pág. 332) Revise las tablas de los estudiantes para ver su precisión. Asegúrese de que incluyeron unidades de medida.

Repasar los conceptos clave (pág. 332)

1. **a.** Un científico que estudia las causas del tiempo e intenta pronosticarlo. **b.** Computadoras, mapas meteorológicos, satélites, radar, estaciones meteorológicas y otros
2. **a.** Una línea con triángulos en el lado del frente **b.** Por medio de la dirección de la línea que se extiende desde un símbolo en el mapa meteorológico. **c.** Está gélido en Chicago. Es probable que empiece a nevar pronto, ya que se aproxima un sistema de baja presión. **d.** Un huracán se localiza al este de Florida. La presión de aire es más baja cerca del centro del huracán que en Tampa.

Laboratorio de destrezas

Leer un mapa meteorológico

Analiza y concluye (pág. 333)

1. El anaranjado representa las temperaturas más altas y el morado claro representa las temperaturas más bajas.
2. Más alta: Miami; más baja: Billings
3. Está lloviendo en partes de California, Texas y estados cercanos, está nevando en partes del noroeste.
4. Tres: frente cálido, frente frío, frente estacionario
5. Dos áreas de baja presión y dos áreas de alta presión
6. Es probable que sea invierno. Las temperaturas son bastante bajas.
7. Un frente frío; nubes y nieve seguidas de tiempo frío y seco.

Tecnología y sociedad

Radar Doppler

Evalúa el impacto (pág. 335)

1. El radar Doppler ayuda a mejorar la precisión de los pronósticos meteorológicos al proporcionar información sobre la ocurrencia e intensidad de la precipitación. También proporciona información sobre el movimiento del aire, como la rotación que ocurre durante los tornados, y así puede dar una alerta de tornados con mayor anticipación.
2. Las respuestas dependerán del mapa seleccionado. La intensidad de la precipitación con frecuencia se muestra con una escala de color del verde (precipitación ligera) al morado (precipitación copiosa). La velocidad del aire en movimiento se muestra con una escala que tiene valores tanto positivos como negativos para la velocidad del viento. Un valor negativo indica viento que sopla en la dirección opuesta de un valor positivo.
3. Anime a los estudiantes a interpretar los datos que observan para describir condiciones actuales y predecir condiciones futuras.

Repaso y evaluación (págs. 337–338)

Destreza clave de lectura

Comparar y contrastar **a.** Primavera y verano **b.** Buscar refugio y evitar árboles, agua y objetos que conduzcan electricidad **c.** Nubes cumulonimbo **d.** Moverse a un refugio de tormentas o al sótano si es posible; permanecer lejos de ventanas y puertas **e.** Sobre aguas marítimas cálidas **f.** De agosto a octubre.

Repasar los términos clave (pág. 337)

1. d
2. c
3. b
4. a
5. b
6. el vapor de agua se enfría y se vuelve un líquido
7. enormes masas de remolino de aire de baja presión
8. una chispa o descarga eléctrica en la atmósfera
9. nubes en forma de embudo que giran con rapidez que descienden hasta tocar la superficie de la Tierra
10. líneas en los mapas meteorológicos que unen áreas de presión de aire iguales

Verificar los conceptos (pág. 338)

11. El aire debe estar frío (en el punto de rocío o debajo de éste) para que el vapor de agua se condense y forme nubes. El aire a grandes altitudes por lo general es más frío que el aire cerca de la superficie.
12. El aguanieve se forma cuando la lluvia cae a través de una capa de aire por debajo de los 0 °C y se congela en pequeñas partículas de hielo. El granizo se forma cuando las bolitas de hielo en una nube cumulonimbo son arrastradas hacia la región fría de la nube por fuertes corrientes ascendentes, añadiendo cada vez otra capa de hielo hasta que son lo bastante pesadas para caer a la superficie. La nieve se forma cuando el vapor de agua en una nube se convierte directamente en cristales de hielo.
13. Los vientos dominantes del oeste y las corrientes de chorro por lo general mueven masas de aire de oeste a este en la parte continental de los Estados Unidos.
14. Un frente frío se forma cuando una masa de aire frío que se mueve rápido choca con una masa de aire caliente, forzando al aire caliente a elevarse.
15. Las inundaciones ocurren cuando un arroyo o río rebasa sus riberas o, en áreas urbanas, cuando la tierra está saturada por lluvias copiosas.
16. Como la tormenta ya no puede obtener energía del agua cálida del océano, se debilita y con el tiempo se disipa.

Razonamiento crítico (pág. 338)

17. 100%

18. A lo largo de los frentes fríos, el aire frío más denso avanza debajo del aire caliente menos denso y el aire caliente es empujado hacia arriba a lo largo del borde del frente. A lo largo de los frentes cálidos, el aire caliente se eleva sobre el aire frío más denso.
19. Respuesta de ejemplo: La partícula de agua se evapora del océano para cambiar de líquido a gas. El gas se eleva y se enfría, y se vuelve líquido de nuevo en un proceso llamado condensación. Cuando se juntan muchas gotas de agua, se forman nubes. Con el tiempo, la gota se vuelve más grande y más pesada y cae de nuevo a la Tierra como precipitación.
20. Ambos se forman en nubes cumulonimbo en primavera y verano. Las tronadas producen rayos, truenos, precipitación copiosa y posiblemente tornados. Los tornados son columnas de aire giratorias que llegan desde la nube hasta el suelo.
21. Nubes y precipitación.
22. No. La temperatura del agua en estas regiones es demasiado baja para que se formen huracanes.
23. Los meteorólogos no pueden pronosticar con precisión el tiempo con un mes de anticipación debido al efecto mariposa: un pequeño cambio en el tiempo de hoy puede significar un gran cambio en el tiempo en una fecha posterior.

Aplicar destrezas (pág. 338)

24. El mapa muestra un ciclón. Puede decirse esto porque la presión de aire en el centro es baja y el aire está girando en sentido contrario a las manecillas del reloj.
25. Los vientos están girando en una dirección contraria a las manecillas del reloj. El área de presión baja en el centro indica que los vientos están girando hacia el centro.
26. Los dibujos de los estudiantes deberán mostrar un área de alta presión rodeada por vientos que fluyen hacia afuera desde el centro en una dirección igual a la de las manecillas del reloj.
27. Se pronosticaría un tiempo húmedo y tormentoso. Para hacer una mejor predicción, se necesitaría preguntar sobre la dirección y velocidad de movimiento del centro de presión. Se podría preguntar también sobre la temperatura y sobre la ubicación y movimiento de los frentes.

Práctica de estándares (pág. 339)

1. B; S 6.4.a
2. D; S 6.4.e
3. C; S 6.4.e
4. B; S 6.4.e
5. C; S 6.2.d
6. C; S 6.4.e
7. C; S 6.4.e

Aplicar la gran idea (pág. 339)

8. Ejemplo: Ambos son grandes masas de aire en remolino que se forman cuando el borde entre los frentes de tiempo meteorológico se distorsionan. Un ciclón es un centro de un remolino de aire de baja presión. El aire caliente en el centro de un ciclón se eleva y la presión de aire desciende, causando que los vientos en un ciclón giren en espiral hacia el centro del sistema. Los ciclones producen nubes, viento y precipitación en un área. Un anticiclón es un centro de alta presión de aire seco. En un anticiclón, los vientos giran en espiral hacia afuera del centro, causando que el aire frío descienda desde lo alto de la troposfera. Conforme el aire frío cae, se calienta y su humedad desciende. El resultado es por lo general un tiempo seco y despejado. S 6.4.e

Capítulo 9 Clima y cambio climático

Verifica lo que sabes (pág. 341)

Esta pregunta evalúa la comprensión de los estudiantes sobre los cambios de estaciones en el clima. (S 5.4.a, 5.4.b)

Respuestas y explicaciones posibles

Respuesta correcta: Las descripciones de cambios de estaciones variarán dependiendo de las ubicaciones elegidas. Algunos estudiantes pueden saber que las estaciones resultan de la inclinación de la Tierra en su eje. *Explicación posible:* Debido a que la Tierra está inclinada en su eje, la energía solar choca en forma diferente con partes de la Tierra. *Respuestas incorrectas posibles:* Las estaciones dependen de la distancia de la Tierra al Sol. *Explicación posible:* Cuando la Tierra está más cerca del Sol, se vuelve más caliente. Cuando la Tierra está más lejos del Sol, se enfría más.

Desarrollar el vocabulario de Ciencias

¡Aplícalo! (pág. 342)

1. alterar
2. región
3. positiva

Cómo leer en Ciencias

¡Aplícalo! (pág. 344)
Pida a los estudiantes que usen la palabra exacta del bosquejo en sus respuestas. Respuestas de ejemplo:

1. Factores que afectan a la temperatura, Factores que afectan a la precipitación
2. La zona tropical está cerca del ecuador, Las zonas polares están cerca del Polo Norte o del Polo Sur, Las zonas templadas

Sección 1 ¿Cuáles son las causas del clima? (págs. 346–353)

Objetivos
Al terminar esta lección, los estudiantes serán capaces de:
9.1.1 Identificar los factores que influyen en la temperatura y la precipitación.

9.1.2 Explicar qué causa las estaciones.

Preparación para los estándares

¿Cómo afecta la latitud al clima? (pág. 346)

Reflexiónalo La forma es un círculo perfecto en el ecuador, un óvalo en las latitudes medias y un óvalo alargado y desvanecido en los polos. Los rayos del Sol calientan la Tierra en forma desigual debido a que los rayos de luz del Sol chocan con la superficie de la Tierra en ángulos diferentes. Este calentamiento desigual explica por qué varía la temperatura con la latitud.

Examina tu avance

Respuesta
Figura 1 (pág. 347) La zona templada.

Examina tu avance

Respuestas
Figura 2 (pág. 348) Altitud
Figura 3 (pág. 349) Cálida

Verificar la lectura (pág. 349) Los océanos moderan las temperaturas de la tierra circundante. Las corrientes oceánicas también calientan o enfrían el aire sobre ellas, afectando las temperaturas de la tierra circundante cuando el aire se mueve sobre ella.

Examina tu avance

Respuestas
Figura 4 (pág. 350) En el lado de barlovento

Verificar la lectura (pág. 351) El aire que asciende a las montañas se enfría mientras sube. El vapor de agua se condensa y cae como lluvia o nieve. Al aire en el lado de sotavento le queda poca humedad.

Matemáticas Destrezas

Porcentaje (pág. 352)

Respuesta Alrededor de 26.1 por ciento de un ángulo recto.

Examina tu avance

Respuestas
Figura 6 (pág. 352) Verano

Verificar la lectura (pág. 352) Invierno

Evaluación

Destreza de vocabulario

Palabras académicas de uso frecuente
(pág. 353) de cálido o caliente en verano a templado o frío en invierno

Repasar los conceptos clave (pág. 353)

1. **a.** Latitud, altitud, distancia de cuerpos de agua grandes y corrientes oceánicas **b.** En general, la temperatura se vuelve más baja hacia los polos. **c.** El lugar en el medio de un continente tendrá un clima más extremo con inviernos fríos y veranos calientes. El lugar cerca de la costa tendrá veranos cálidos e inviernos templados.
2. **a.** Vientos predominantes, cordilleras y vientos estacionales **b.** Los vientos predominantes podrían llevar masas de aire húmedo o masas de aire seco a una región. La cantidad de vapor de agua en una masa de aire influye en cuánta precipitación caerá. **c.** Es probable que haya una gran cantidad de precipitación en el lado de barlovento de la montaña y poca precipitación en el lado de sotavento.
3. **a.** La inclinación del eje de la Tierra conforme ésta gira alrededor del Sol. **b.** Cuando el extremo norte del eje de la Tierra apunta hacia el Sol, el Hemisferio Norte recibe luz solar en un ángulo más directo y tiene más horas de luz de día. Es verano. Durante el invierno en el Hemisferio Norte, la luz solar choca en el Hemisferio Norte en forma menos directa y tiene menos horas de luz de día. **c.** No habría estaciones, así que el clima de un lugar particular no variaría en el transcurso de un año.
4. $(66.5/360) \times 100 =$ alrededor de 18%

Laboratorio de destrezas

Rayos solares y ángulos

Analiza y concluye (pág. 355)

1. Manipulada: ángulo del termómetro. De respuesta: Tasa de cambio de la temperatura.
2. Las tres líneas de la gráfica deberán mostrar un aumento en la temperatura con el tiempo. La línea para el termómetro a 0° deberá mostrar un aumento mayor de temperatura que la línea para el termómetro a 45°, la cual deberá mostrar un aumento de temperatura mayor que la línea para el termómetro a 90°.
3. En un ángulo de 0°
4. En un ángulo de 90°
5. El termómetro a 0° representa la zona tropical, el termómetro a 45° la zona templada y el termómetro a 90° la zona polar.
6. El ángulo en que los rayos solares chocan con el Polo Norte en verano todavía es muy pequeño.
7. Las variables que se mantuvieron constantes incluyeron los termómetros, la fuente de calor, la distancia de la fuente de calor a los bulbos del termómetro, el tiempo y el tipo de material absorbente de calor.

Sección 2 Corrientes y clima
(págs. 356–361)

Objetivos

Al terminar esta lección, los estudiantes serán capaces de:

9.2.1 Identificar qué causa las corrientes superficiales y las corrientes profundas y explicar cómo estas corrientes afectan al clima.

9.2.2 Comparar y contrastar El Niño y La Niña.

9.2.3 Describir cómo afecta el afloramiento a la distribución de los nutrientes en el océano.

Preparación para los estándares

¿Cuál es más densa? (pág. 356)

Reflexiónalo El agua fría se hunde al fondo del recipiente. El agua fría es más densa que el agua tibia.

Actividad Destrezas

Inferir (pág. 357)

Resultado esperado Los estudiantes observarán que las corrientes en el Pacífico Sur, el Atlántico Sur y el océano Índico giran en una dirección contraria a las manecillas del reloj. Las corrientes en el Atlántico Norte giran en el sentido de las manecillas del reloj. Los patrones de las corrientes difieren debido a que el efecto de Coriolis hace girar las corrientes a la derecha al norte del ecuador y a la izquierda al sur de éste.

Examina tu avance

Respuesta

Figura 8 (pág. 357) La corriente de California y la corriente de Labrador son corrientes frías; la deriva del Pacífico Norte y la corriente del Golfo con corrientes cálidas.

Actividad Inténtalo

Sacar conclusiones (pág. 358)

Resultado esperado Los estudiantes deberán concluir que la corriente de Benguela trae tiempo frío y seco a la costa suroeste de África.

Examina tu avance

Respuesta

Verificar la lectura (pág. 359) El Niño ocurre por lo común cada dos a siete años.

Examina tu avance

Respuestas

Figura 11 (pág. 360) El agua del océano cerca de los polos es fría y densa, así que se hunde. Cerca del ecuador, el agua del océano es cálida y menos densa, así que sube.

Verificar la lectura (pág. 360) La cantidad total de sales disueltas en una muestra de agua.

Evaluación

Destreza clave de lectura

Hacer bosquejos (pág. 361) Los detalles sobre El Niño y La Niña deberán incluir que ambos son cambios a corto plazo en el océano Pacífico, pero son opuestos. El Niño ocurre cuando las aguas superficiales son cálidas y La Niña ocurre cuando las aguas superficiales son frías.

Repasar los conceptos clave (pág. 361)

1. **a.** Las corrientes superficiales afectan al clima al calentar o enfriar el aire sobre ellas o al proporcionar una fuente de humedad. **b.** Es probable que el clima sea frío y seco. **c.** Las corrientes profundas se forman cuando el agua densa del océano cerca de los polos se hunde y fluye lentamente a lo largo del suelo oceánico hacia el ecuador. **d.** El viento causa las corrientes superficiales, pero las diferencias en la densidad del agua del océano causan corrientes profundas. Las corrientes

superficiales mueven el agua cálida relativamente rápido hacia los polos. Las corrientes profundas mueven el agua fría y densa más despacio a lo largo del suelo oceánico hacia el ecuador.

2. **a.** Los vientos predominantes cambian, produciendo cambios en la temperatura del océano Pacífico tropical. **b.** Algunos lugares tienen una precipitación más copiosa; otros experimentan sequía.
3. **a.** El afloramiento ocurre cuando el viento aleja el agua superficial de una costa y el agua fría asciende de las profundidades del océano. **b.** El afloramiento trae nutrientes de las profundidades del océano. **c.** El Niño reduce el número de peces en esta región. Las personas en la industria pesquera podrían cambiar sus patrones de pesca o pescar en lugares diferentes.

Sección 3 Regiones climáticas
(págs. 362–371)

Objetivos
Al terminar esta lección, los estudiantes serán capaces de:
9.3.1 Identificar los factores que se usan para clasificar los climas.
9.3.2 Describir las seis principales regiones climáticas.

Preparación para los estándares
¿Cómo difieren los climas? (pág. 362)
Reflexiónalo Acepte todas las respuestas que se basen en algún sistema de clasificación lógico. Algunos estudiantes podrían usar nombres de climas reales para describir sus figuras.

Examina tu avance

Respuesta
Verificar la lectura (pág. 363) Los lados de barlovento de las islas hawaianas y la punta sur de Florida.

Actividad Inténtalo

Modelar un clima (pág. 367)
Resultado esperado La envoltura de plástico sobre el tazón caliente tendrá más gotas de agua que la envoltura de plástico sobre el tazón frío. El aire de climas cálidos con frecuencia tiene más vapor de agua debido a que la energía solar calienta el agua y causa que se evapore en el aire.

Examina tu avance

Respuestas
Figura 16 (pág. 366) Julio

Verificar la lectura (pág. 366) Una región árida que tiene menos de 25 cm de lluvia en un año.

Actividad Destrezas

Clasificar (pág. 368)
Resultado esperado La ciudad A es Los Ángeles, la cual tiene un clima mediterráneo (cálido y seco); la ciudad B es Miami, la cual tiene un clima tropical húmedo y seco (caliente y húmedo); la ciudad C es Portland, Maine, la cual tiene un clima continental húmedo (veranos calientes e inviernos fríos).

Examina tu avance

Respuestas
Figura 18 (pág. 368) En julio, menos de 5 mm; en enero, alrededor de 100 mm

Verificar la lectura (pág. 368) El sureste de los Estados Unidos.

Verificar la lectura (pág. 369) Gran parte de Alaska.

Examina tu avance

Respuestas
Figura 21 (pág. 371) Tundra

Verificar la lectura (pág. 370) Musgos, pastos, líquenes, flores silvestres y arbustos.

Evaluación

Destreza clave de lectura

Hacer bosquejos (pág. 371) Los bosquejos de los estudiantes deberán incluir características de los tres tipos de climas templados marinos: de la costa marina occidental, mediterráneo y subtropical húmedo.

Repasar los conceptos clave (pág. 371)

1. **a.** Temperatura y precipitación. **b.** Vegetación
2. **a.** Tropical lluvioso, árido, templado marino, templado continental, polar y tierras altas **b.** Ambos climas son cálidos. Los climas tropicales húmedos reciben lluvia abundante todo el año, pero los climas tropicales húmedos y secos tienen estaciones húmedas y secas. **c.** Semiárido, no hay suficiente lluvia para sostener árboles. **d.** Los vientos predominantes llevan humedad desde el océano cercano.

e. el centro de Rusia, está en el interior de un continente. La presencia del océano cercano y las corrientes oceánicas moderan las temperaturas invernales en Francia. **f.** Casquete de hielo, tundra, subártico, continental húmedo **g.** La precipitación aumenta conforme las masas de aire que llevan humedad pasan sobre las montañas.

Laboratorio de destrezas

Gráficas de climas fríos

Analiza y concluye (pág. 373)

1. Ciudad A
2. Washington, D.C.: subtropical húmedo; ciudad A: mediterráneo; ciudad B: semiárido; ciudad C: árido
3. Colorado Springs: ciudad B; San Francisco: ciudad A; Reno: ciudad C
4. Otros factores climáticos, como la distancia de cuerpos de agua grandes, altitud y cordilleras, afectan el clima de estas ciudades.
5. Para establecer el límite superior para cada eje se elige un valor que sea ligeramente superior que el valor máximo de cada variable. Luego se numeran los ejes de modo que los incrementos estén lo bastante espaciados para permitir al lector distinguir los datos climáticos mensuales.
6. Los folletos deberán basarse en información de las gráficas.

Sección 4 Cambios en el clima
(págs. 374–379)

Objetivos
Al terminar esta lección, los estudiantes serán capaces de:

9.4.1 Describir cómo las actividades humanas podrían estar afectando la temperatura de la atmósfera de la Tierra.

9.4.2 Explicar cómo las actividades humanas han afectado a la capa de ozono.

Preparación para los estándares

¿Qué es el efecto invernadero? (pág. 374)
Reflexiónalo Los rayos de luz que entran en ambas cajas irradian como calor desde el fondo de la caja. El calor queda atrapado dentro de la caja con la envoltura de plástico; el calor escapa de la caja sin envoltura.

Examina tu avance

Respuesta
Figura 22 (pág. 375) Dióxido de carbono, vapor de agua y metano, entre otros.

Matemáticas Analizar datos

Matemáticas: Álgebra y funciones 6.2.0

Niveles de dióxido de carbono (pág. 376)

Respuestas

1. El año se muestra en el eje de x. La concentración de dióxido de carbono en la atmósfera, en partes por millón, se muestra en el eje de y.
2. Los niveles de dióxido de carbono en la atmósfera fueron bastante constantes hasta principios del siglo XIX. Desde entonces, los niveles han incrementado en forma dramática. Este patrón podría explicarse por el inicio de la Revolución Industrial, la cual condujo a un gran aumento en las cantidades de combustibles fósiles quemados.
3. Los niveles aumentaron alrededor de 15 partes por millón entre 1800 y 1900. Durante los siguientes 100 años, los niveles aumentaron en alrededor de 70 partes por millón.
4. Acepte todas las estimaciones razonables. Las predicciones deberán estar alrededor de 450 a 600 partes por millón, dependiendo de cuál porción de la curva extrapolen los estudiantes. Tal incremento podría causar que la temperatura promedio de la Tierra aumentara en varios grados, lo cual podría ser peligroso para muchas de las formas de vida del planeta.

Examina tu avance

Respuestas
Figura 24 (pág. 377) El calentamiento global

Verificar la lectura (pág. 377) Cualesquiera tres de los siguientes: elevación de los niveles del mar, temporadas de siembra más largas, tasas más altas de erosión del suelo, huracanes más intensos, derretimiento de glaciares y casquetes de hielo polares, inundación de zonas costeras.

Actividad Inténtalo

¡Es tu piel! (pág. 378)
Resultado esperado El papel sin bloqueador solar muestra el mayor cambio de color, y el papel cubierto con el bloqueador con mayor FPS muestra el menor.

Examina tu avance

Respuestas

Figura 25 (pág. 379) El "agujero" en la capa de ozono se hizo más grande hasta alrededor del año 2000. Algunas investigaciones sugieren que los controles sobre la producción de CFC causará que el agujero de ozono se reduzca en forma gradual.

Verificar la lectura (pág. 378) Un grupo de compuestos de cloro usados anteriormente en los sistemas de aire acondicionado y refrigeradores, como limpiadores de componentes electrónicos, y en rociadores en aerosol. Los compuestos duraban por décadas y descomponían la capa de ozono.

Evaluación

Destreza clave de lectura

Palabras académicas de uso frecuente
(pág. 379) el efecto invernadero, un incremento en el dióxido de carbono y posiblemente una variación climática.

Repasar los conceptos clave (pág. 379)

1. **a.** Un incremento gradual en la temperatura de la atmósfera de la Tierra **b.** La quema de combustibles fósiles y madera **c.** El dióxido de carbono es un gas invernadero. El aumento de la cantidad de dióxido de carbono en la atmósfera causa que la atmósfera de la Tierra retenga más calor. **d.** Como resultado de los altos niveles de dióxido de carbono en su atmósfera, la temperatura superficial de Venus es mucho mayor de lo que sería de otra manera dada su distancia del Sol.
2. **a.** La liberación de CFC en la atmósfera redujo la cantidad de ozono en la capa de ozono. **b.** La reducción del ozono ocurrió como resultado de la liberación de los CFC en la atmósfera. Bajo tratados internacionales, la producción y uso de los CFC se está suspendiendo poco a poco. **c.** La reducción del ozono puede conducir a un aumento en la cantidad de radiación ultravioleta que llega a la superficie de la Tierra, causando daños a los ojos y varios tipos de cáncer de la piel.

Repaso y evaluación (págs. 381–382)

Destreza clave de lectura

Hacer bosquejos Los bosquejos de los estudiantes para la Sección 1 deberán continuar con los factores que afectan la precipitación y las estaciones.

Repasar los términos clave (pág. 381)

1. c
2. a
3. a
4. c
5. b
6. el clima se refiere a las condiciones promedio y a largo plazo de la temperatura, precipitación, vientos y nubes en una zona y el tiempo meteorológico son las condiciones actuales
7. un cambio climático a corto plazo en el océano Pacífico durante el cual los vientos cambian y empujan al agua cálida hacia la costa de América del Sur
8. el movimiento ascendente de agua fría desde la profundidad del océano a la superficie
9. el lado de las montañas que está hacia el viento
10. un aumento gradual en la temperatura de la atmósfera de la Tierra

Verificar los conceptos (pág. 382)

11. El agua se calienta y se enfría más despacio que la tierra; por tanto, los océanos y otros grandes cuerpos de agua por lo general moderan la temperatura de las zonas terrestres cercanas.
12. Los monzones son vientos que cambian con la estación. Estos vientos causan estaciones lluviosas y secas.
13. El eje inclinado de la Tierra mientras gira alrededor del Sol.
14. El efecto de Coriolis es un efecto de la rotación de la Tierra que desvía el viento y las corrientes superficiales de sus trayectorias originales. Causa que se curven a la derecha en el Hemisferio Norte y a la izquierda en el Hemisferio Sur.
15. Calientan el aire sobre ellas, lo cual afecta al clima de la tierra cercana a la costa.
16. Los climas áridos ocurren donde la evaporación potencial es mayor que la precipitación. Los dos tipos de climas áridos difieren en la cantidad de precipitación que reciben. Los climas esteparios o semiáridos reciben más precipitación que los climas desérticos o áridos.
17. La reducción del ozono afecta a todo el mundo, y las acciones de las personas alrededor del mundo afectan al ozono. Por esta razón, todos alrededor del mundo deben trabajar juntos para prevenir la reducción del ozono.

Razonamiento crítico (pág. 382)

18. Las respuestas variarán. Respuesta posible: Los grandes cuerpos de agua moderan los climas de la tierra cercana; las corrientes oceánicas cálidas y frías influyen en el clima de las zonas costeras; el vapor de agua es un gas invernadero.
19. Ambos son cambios climáticos a corto plazo causados por cambios en las corrientes superficiales del océano y los vientos predominantes en el océano Pacífico tropical. El Niño es un evento de agua cálida que puede causar lluvias muy copiosas en algunos lugares y sequías en otros. La Niña es un evento de agua fría que puede causar mayor actividad de huracanes en el océano Atlántico e inviernos más fríos y mayor precipitación en el noroeste del Pacífico.
20. El aire que pasa sobre la estepa en un clima semiárido ha perdido mucho de su vapor de agua cuando pasó sobre las cordilleras. Algo del aire que pasa sobre zonas continentales húmedas proviene de los océanos y no cruza cordilleras; este aire lleva más humedad.
21. Octubre; enero; tropical húmedo y seco

Matemáticas práctica (pág. 382)

22. $(35 \div 140) \times 100\% = 25\%$

Aplicar destrezas (pág. 382)

23. Las zonas mostradas en el mapa son Zona A, zona polar; Zona B, zona templada; Zona C, zona tropical; Zona D, zona templada; y Zona E, zona polar.
24. La zona tropical incluye el ecuador; cubre 47 grados de latitud.
25. La Zona B, la zona templada, tiene la mayor cantidad de tierra apropiada para que la gente pueda vivir.
26. La Zona C tiene la temperatura más alta durante todo el año debido a que está más cerca del ecuador; recibe la mayor cantidad de radiación solar.

Práctica de estándares (pág. 383)

1. C; S 6.4.e
2. B; S 6.4.e
3. A; S 6.4.e
4. C; S 6.4.e
5. B; S 6.3.c, 6.4.d
6. C; S 6.3.a, 6.4.d
7. A; S 6.4.e

Aplicar la gran idea (pág. 383)

8. Acepte cualesquiera tres de los siguientes. Latitud: Los climas de regiones cercanas al ecuador por lo general son más cálidos que los climas de regiones más alejadas del ecuador. Altitud: Las regiones a mayores altitudes por lo general son más frías que las regiones en latitudes similares pero a menores altitudes. Grandes cuerpos de agua: Los grandes cuerpos de agua causan que los climas en la tierra circundante sean menos extremos. Corrientes oceánicas: Las corrientes superficiales cálidas producen climas más cálidos en una región. Las corrientes superficiales frías causan que los climas en las tierras cercanas sean más fríos. Vientos predominantes: Los vientos que soplan hacia la tierra desde océanos o lagos grandes producen climas húmedos en regiones cercanas. Cordilleras: Las montañas causan que caiga precipitación en sus lados de barlovento. En sus lados de sotavento, los climas con frecuencia son calientes y secos. Vientos estacionales: Los vientos estacionales afectan la cantidad de precipitación que cae en una región climática. S 6.4.d, 6.4.e

Evaluación de la Unidad 3

Tiempo meteorológico y clima

Conexión de las grandes ideas (pág. 385)

Respuestas

1. d
2. b
3. a
4. Los factores que afectan al clima incluyen altitud, latitud, cordilleras y distancia del océano. El Valle de la Muerte es muy seco y extremadamente caliente en el verano. Aun en el invierno, nunca es muy frío. Recibe poca lluvia debido a que está en la sombra de lluvia de las montañas de la Sierra Nevada que están al occidente. Tahoe tiene una gran elevación, lo cual le da un clima más frío. Eureka y Santa Bárbara están ambas cerca del océano, lo cual mantiene la temperatura bastante constante durante todo el año en esos lugares. Eureka tiene temperaturas promedio más frías que Santa Bárbara debido a que está en una latitud más al norte.

Unidad 4

Ecología y recursos

Capítulo 10 Ecosistemas

Verifica lo que sabes (pág. 387)
Esta pregunta evalúa la comprensión de los estudiantes sobre el Sol como la principal fuente de energía para la vida. (S 6.5.a)

Respuestas y explicaciones posibles
Respuesta correcta: El Sol es la fuente de energía de esta comunidad. Si al kelp se le sacara de la marisma, el pulpo terminaría por irse en busca de otra fuente de alimento o moriría, ya que los cangrejos se habrían mudado en busca de otra fuente de alimento o morirían. *Respuestas incorrectas posibles:* La fuente de energía se divide entre los cangrejos y el kelp y el Sol. Si se sacara al kelp de la marisma, el pulpo se comería al kelp.

Desarrollar el vocabulario de Ciencias

¡Aplícalo! (pág. 388)
1. apresan
2. depredador
3. predatorios

Cómo leer en Ciencias

¡Aplícalo! (pág. 390)
Pida a los estudiantes que también repasen el párrafo sobre el ciclo del agua a medida que responden a las preguntas. Respuestas de ejemplo:
1. Muestra visualmente cómo pasa el agua de un estado a otro en un ciclo continuo.
2. Cae como precipitación, fluye por arroyos hacia los mares.

Sección 1 Los seres vivos y el medio ambiente
(págs. 392–396)

Objetivos
Al terminar esta lección, los estudiantes serán capaces de:
- 10.1.1 Identificar las necesidades que debe satisfacer el entorno de un organismo.
- 10.1.2 Identificar las partes biótica y abiótica de un hábitat.
- 10.1.3 Describir los niveles de organización en un ecosistema.

Preparación para los estándares

¿De qué depende? (pág. 392)

Reflexiónalo Los estudiantes deben indicar que los seres vivos necesitan agua y aire y que las plantas también necesitan luz solar.

Examina tu avance

Respuestas
Verificar la lectura (pág. 393) Diferentes tipos de organismos tienen diferentes necesidades de supervivencia. Sus hábitats deben satisfacer estas necesidades.

Verificar la lectura (pág. 393) Los estudiantes deben mencionar otro organismo vivo como sería una persona, un árbol, un perro, un ave, el pasto o una flor.

Actividad Inténtalo

¿Con sal o sin sal? (pág. 395)
Resultado esperado Vaso de precipitados A, no se incubaron los huevos; vaso de precipitados B, se incubaron bien los huevos; vaso de precipitados C, se incubaron menos bien los huevos; vaso de precipitados D, poca o ninguna incubación.

Examina tu avance

Respuestas
Figura 2 (pág. 394) Las respuestas podrían incluir: oxígeno, agua, temperatura, luz solar.

Verificar la lectura (pág. 394) Los factores bióticos son seres vivos; los factores abióticos no son seres vivos.

Examina tu avance

Respuesta

Verificar la lectura (pág. 396) La ecología es el estudio de la forma como los seres vivos interactúan entre sí y con su medio ambiente.

Evaluación

Destreza de vocabulario
Usar palabras relacionadas (pág. 396) hábitat

Repasar los conceptos clave (pág. 396)
1. **a.** Un hábitat proporciona comida, agua, refugio y otras cosas que necesita un organismo para crecer y reproducirse. **b.** El organismo podría morir.
2. **a.** Los factores bióticos son las partes vivas de un hábitat con las que interactúa un organismo; los factores abióticos son las partes no vivas. **b.** Biótico: pasto, aves, serpiente, tejón, hurón, marmotas de la pradera; abiótico: suelo, aire, temperatura, luz solar **c.** Todos los organismos necesitan agua. Las plantas y las algas necesitan luz solar para elaborar alimento. Otros organismos dependen directa o indirectamente de las plantas y las algas como alimento.

3. **a.** Organismo, población, comunidad, ecosistema **b.** Una comunidad, puesto que una comunidad consta de diferentes poblaciones que viven juntas **c.** Respuesta de ejemplo: Si disminuye una población que es fuente de alimento para otra población, entonces la segunda población puede disminuir por hambre.

Laboratorio de destrezas

Un mundo en una botella

Analiza y concluye (pág. 398)

1. Factores bióticos: plantas, cualquier organismo microscópico en la tierra; factores abióticos: grava, tierra, carbón, agua, aire, luz
2. Sí, luz, un factor abiótico
3. Respuesta de ejemplo: El insecto probablemente no sobreviviría porque se comería las plantas con mayor rapidez con la que éstas podrían crecer.
4. Los párrafos deben explicar que el modelo muestra cómo interactúan los factores bióticos y abióticos dentro de un ecosistema. El modelo es cerrado, no tan complejo, contiene menos organismos que un ecosistema.

Sección 2 Poblaciones
(págs. 399–403)

Objetivos

Al terminar esta lección, los estudiantes serán capaces de:

10.2.1 Explicar las causas de los cambios en la tasa demográfica.

10.2.2 Identificar los factores que limitan el crecimiento demográfico.

Preparación para los estándares

¿Cómo puede cambiar la tasa demográfica?
(pág. 399)

Reflexiónalo La población aumentó durante tres años. Luego la población general disminuyó.

Matemáticas Destrezas

Desigualdades (pág. 400)

Respuestas

1. $5 > -6$
2. $0.4 < 3/5$
   $2/5 < 3/5$
   $0.4 < 0.6$
3. $-2 - (-8) > 7 - 1.5$
   $6 > 5.5$

Examina tu avance

Respuestas

Figura 6 (pág. 401) Al cuarto año del estudio; cerca de 850,000

Verificar la lectura (pág. 400) La emigración reduce la tasa demográfica.

Examina tu avance

Respuestas

Figura 8 (pág. 403) La temperatura, la cantidad de lluvia (demasiada o muy poca), las tormentas, las inundaciones

Verificar la lectura (pág. 403) Una ola de frío a finales de la primavera, un huracán o una inundación pueden matar a gran parte de una población o destruir su hábitat.

Evaluación

Destreza de vocabulario

Usar palabras relacionadas (pág. 403)
limitante; limitar

Repasar los conceptos clave (pág. 403)

1. **a.** Se unen: nacimiento, inmigración; la abandonan: muerte, emigración. **b.** 500 ratones **c.** Algunos ratones tal vez hayan inmigrado a la población.
2. **a.** Alimento y agua, espacio, luz, composición del suelo, tiempo meteorológico **b.** Cualquiera de los siguientes: Una población no puede crecer más allá de la cantidad que puede mantener con la cantidad de alimento y agua disponibles; si los organismos no tienen el espacio suficiente, algunos no serán capaces de reproducirse o sobrevivir; las condiciones meteorológicas severas pueden matar a los miembros de una población. **c.** Respuesta de ejemplo: Un invierno severamente frío podría matar a grandes cantidades de palomas y reducir la población.
3. Si la tasa demográfica > la capacidad de carga, entonces la tasa demográfica disminuirá. La capacidad de carga es la población más grande que un área puede mantener. Si hay más individuos de los que puede mantener un área, no todos sobrevivirán, de modo que la población disminuirá.

Sección 3 El flujo de energía en los ecosistemas
(págs. 404–409)

Objetivos

Al terminar esta lección, los estudiantes serán capaces de:

10.3.1 Mencionar y describir los papeles de energía que desempeñan los organismos en un ecosistema.

10.3.2 Explicar cómo se desplaza la energía a través de un ecosistema.

10.3.3 Describir cuánta energía está disponible en cada nivel de una pirámide de la energía.

Preparación para los estándares

¿De dónde proviene tu cena? (pág. 404)
Reflexiónalo Las respuestas pueden variar dependiendo de los alimentos consumidos. Excepto en el caso de los estudiantes cuyas familias son estrictamente vegetarianas y no consumen productos animales de ningún tipo, la mayoría de los estudiantes quizá mencionen fuentes vegetales y animales y posiblemente hongos, protistas o moneras.

Examina tu avance

Respuestas

Figura 9 (pág. 405) Los descomponedores descomponen los residuos y organismos muertos y reciclan estos materiales.

Verificar la lectura (pág. 405) Tanto los herbívoros como los carnívoros son consumidores: se alimentan de otros organismos.

Actividad Inténtalo

Tejer una red alimentaria (pág. 406)
Resultado esperado La cantidad de organismos afectados dependerá de la red alimentaria que usen los estudiantes y del organismo que eliminen. Sin embargo, en todos los casos, los estudiantes deben reconocer que toda o la mayor parte de la red alimentaria se ve afectada.

Examina tu avance

Respuestas

Figura 10 (pág. 407) Herbívoros: hormiga carpintera, saltamontes, ratón de campo, conejo común; carnívoros: pájaro carpintero, ratón de campo, musaraña, culebra listonada, zorro rojo.

Verificar la lectura (pág. 406) Los primeros organismos en una cadena alimentaria desempeñan el papel de productor.

Examina tu avance

Respuesta

Figura 11 (pág. 408) Hay 100 veces más energía disponible a nivel del productor.

Evaluación

Destreza de vocabulario

Usar palabras relacionadas (pág. 409) productor; produce.

Repasar los conceptos clave (pág. 409)

1. **a.** Productores, consumidores y descomponedores **b.** Los productores usan la energía, por lo común la luz solar, para elaborar su propio alimento; los consumidores se comen a otros organismos; los descomponedores descomponen los desechos y residuos de otros organismos. **c.** Algas: productores; renacuajo y garza: consumidores.
2. **a.** Una cadena alimentaria es una serie de sucesos en los que un organismo se come a otro y obtiene energía; una red alimentaria consta de numerosas cadenas alimentarias superpuestas. **b.** Porque casi todos los organismos forman parte de muchas cadenas alimentarias superpuestas.
3. **a.** La cantidad de energía que pasa de un nivel alimenticio a otro en una red alimentaria. **b.** La cantidad de energía disponible en un nivel de la pirámide de energía es 10 veces mayor que la disponible en el siguiente nivel superior. **c.** Como se pierde demasiada energía de un nivel al siguiente nivel superior, la energía disponible en el nivel superior puede mantener a pocos organismos.

Sección 4 Interacciones entre los seres vivos
(págs. 410–416)

Objetivos

Al terminar esta lección, los estudiantes serán capaces de:

10.4.1 Explicar cómo lo ayudan a sobrevivir las adaptaciones a un organismo.

10.4.2 Describir los principales tipos de interacción entre los organismos en un ecosistema.

10.4.3 Identificar los tres tipos de relaciones simbióticas.

Preparación para los estándares

¿Puedes esconder una mariposa? (pág. 410)
Reflexiónalo Las mariposas que se funden bien con su entorno escaparán a los depredadores y

sobrevivirán para reproducirse, aumentando con ello la población.

Examina tu avance

Respuesta

Figura 13 (pág. 411) Respuesta posible: El mochuelo hace su nido en el cactus; el pájaro carpintero come insectos

Matemáticas Analizar datos

Matemáticas: Estadística, análisis de datos y probabilidades 6.3.2

Interacciones Depredador-Presa (pág. 413)

Respuestas

1. Año; cantidad de lobos y alces
2. La población de alces aumentó y luego disminuyó; la población de lobos aumentó.
3. Cuando aumentó la población de alces, la población de lobos dispuso de más alimento y aumentó.
4. La población de lobos aumentó.
5. La enfermedad generaría una disminución en la población de lobos, de modo que serían menos los alces que se comerían y la población de alces podría aumentar.

Examina tu avance

Respuestas

Figura 14 (pág. 412) Cada especie se alimenta en un lugar diferente del árbol.

Verificar la lectura (pág. 412) Si dos especies ocupan el mismo nicho, competirán directamente una contra otra y una especie terminaría por desaparecer.

Actividad Destrezas

Clasificar (pág. 415)

Resultado esperado Pez rémora / tiburón: comensalismo; el pez rémora se beneficia. Murciélago vampiro / caballos: parasitismo; el murciélago se beneficia y los caballos resultan lesionados. Bacterias / vacas: mutualismo; las bacterias reciben alimento y un lugar donde vivir, y las bacterias ayudan a las vacas a digerir su alimento.

Examina tu avance

Respuestas

Figura 16 (pág. 414) Las patas y las alas del saltamontes le ayudan a huir rápidamente.

Verificar la lectura (pág. 414) Respuestas posibles: Algunos pueden correr muy rápido; algunos producen venenos que paralizan o matan a su presa, algunos ven por la noche, algunos producen ondas sonoras e interpretan los ecos.

Examina tu avance

Respuestas

Figura 18 (pág. 416) La garrapata es el parásito; perjudicará a su huésped

Verificar la lectura (pág. 416) Si un parásito aniquila a su huésped, el parásito ya no tendrá una fuente de alimento.

Evaluación

Destreza de vocabulario

Usar palabras relacionadas (pág. 416)
depredación.

Repasar los conceptos clave (pág. 416)

1. **a.** Las adaptaciones son los comportamientos y características físicas que permiten a los organismos vivir exitosamente en su ambiente. **b.** Los dientes filudos permiten que la serpiente muerda a su presa. **c.** Las serpientes con dientes más filudos podrían capturar a más presas y por tanto estar en posibilidades de sobrevivir y reproducirse. Transmiten este rasgo, dientes filudos, a sus descendientes.
2. **a.** Competencia, depredación y simbiosis. **b.** Respuestas posibles: Competencia: dos especies de aves que comen el mismo tipo de insectos; depredación: una serpiente que se come a un ratón; simbiosis: nidos de hormigas cortadoras en una acacia.
3. **a.** Mutualismo, comensalismo y parasitismo. **b.** Mutualismo: ambas especies se benefician; comensalismo: una especie se beneficia y la otra resulta perjudicada y no recibe ayuda; parasitismo: una especie recibe ayuda y la otra resulta perjudicada. **c.** El parasitismo es el más probable. Una especie sale perjudicada (la planta).

Sección 5 Ciclos de la materia
(págs. 417–421)

Objetivos

Al terminar esta lección, los estudiantes serán capaces de:

10.5.1 Mencionar y describir los procesos que intervienen en el ciclo del agua.
10.5.2 Explicar cómo se reciclan el carbón y el oxígeno en un ecosistema.
10.5.3 Definir y describir el ciclo del nitrógeno.

Preparación para los estándares

¿Qué es la materia? (pág. 417)

Reflexiónalo La sustancia es agua; proviene del vapor de agua que exhalan los estudiantes.

Actividad Inténtalo

Azules de carbono y de oxígeno (pág. 418)
Resultado esperado La solución que contiene la *Elodea* aparecerá azul porque la planta ha ingerido dióxido de carbono; la solución sin la *Elodea* aparecerá amarilla.

Examina tu avance

Respuestas
Figura 21 (pág. 419) Las actividades humanas como quemar combustible y despejar los bosques hacen que se eleven los niveles de dióxido de carbono. Cuando hay menos árboles, se produce menos oxígeno.

Verificar la lectura (pág. 418) Los productores toman dióxido de carbono y, por medio de la fotosíntesis, liberan oxígeno y proporcionan carbón a los consumidores a manera de fuentes de alimento.

Examina tu avance

Respuestas
Figura 22 (pág. 420) Las bacterias liberan nitrógeno en el aire, y los descomponedores descomponen desechos y residuos, regresándolos a la tierra.

Verificar la lectura (pág. 421) Algunas bacterias que fijan el nitrógeno viven en nódulos en las raíces de las plantas.

Evaluación

Destreza clave de lectura

Ordenar en serie (pág. 421) Revise la precisión de los diagramas de los estudiantes. Asegúrese de que los ciclos estén completos.

Repasar los conceptos clave (pág. 421)

1. **a.** *Evaporación*: El agua líquida se convierte en vapor de agua. *Condensación*: El vapor de agua se enfría y se convierte en agua líquida. *Precipitación*: Las gotas de agua caen como lluvia, nieve, aguanieve o granizo. **b.** La energía del Sol hace que el agua se evapore, lo que inicia los procesos del ciclo del agua.
2. **a.** Carbón y oxígeno. **b.** Durante la fotosíntesis, los productores usan el carbón del dióxido de carbono para crear moléculas alimentarias y éstas liberan oxígeno. Los consumidores usan el oxígeno para funciones vitales, y consumen las moléculas alimentarias de los productores, liberando dióxido de carbono. **c.** Los ciclos se detendrían porque los consumidores no dispondrían de oxígeno o dióxido de carbono.
3. **a.** Para crear proteínas y otras moléculas complejas. **b.** Las bacterias en los nódulos de las raíces de las plantas fijan nitrógeno libre del aire; los organismos toman y usan el nitrógeno fijado; los descomponedores descomponen compuestos de nitrógeno complejos de los desechos y residuos de los organismos, devolviendo el nitrógeno a la tierra y al aire. **c.** Los consumidores no sobrevivirían porque dependen del nitrógeno fijado para elaborar compuestos que necesitan para sus procesos vitales, y el ciclo del nitrógeno se detendría.

Sección 6 Cambios en las comunidades (págs. 422–425)

Objetivo
Al terminar esta lección, los estudiantes serán capaces de:
10.6.1 Describir las diferencias entre la sucesión primaria y la sucesión secundaria.

Preparación para los estándares

¿Qué sucedió aquí? (pág. 422)

Reflexiónalo Las plantas pequeñas comenzaron a crecer de nuevo; los árboles existentes se recuperaron. Las preguntas de los estudiantes variarán. Preguntas de ejemplo: ¿Qué tipos de plantas regresan primero?, ¿La zona se verá alguna vez como se vio antes del incendio?, ¿Cuánto tiempo se llevará eso?

Examina tu avance

Respuestas
Figura 24 (pág. 423) Las primeras especies en una zona deben estar en posibilidades de sobrevivir a las condiciones estériles y con frecuencia las lleva ahí el viento o el agua. Las especies particulares que llegan dependen del bioma de la zona.

Verificar la lectura (pág. 423) Líquenes y musgos

Examina tu avance

Respuesta
Verificar la lectura (pág. 424) Respuestas posibles: incendios, huracanes y tornados.

Evaluación

Destreza clave de lectura

Ordenar en serie (pág. 425) La sucesión secundaria ocurre sólo tras una perturbación natural, de modo que sería imposible mostrar un ciclo completo en un diagrama. Sin embargo, un diagrama de flujo mostraría claramente las cuatro etapas del proceso.

Repasar los conceptos clave (pág. 425)

1. **a.** La sucesión primaria es la serie de cambios que ocurren en una zona donde no existen tierra u organismos. La sucesión secundaria es la serie de cambios que ocurren tras una perturbación en un ecosistema existente. **b.** Antes de la sucesión primaria, ni siquiera hay tierra presente, de modo que el proceso es relativamente lento. La sucesión secundaria ocurre en general más rápidamente que la sucesión primaria. **c.** Sucesión secundaria; antes de que se construyera la vereda, había tierra presente y un ecosistema había existido ahí.

Laboratorio de destrezas

Cambio en una comunidad microscópica

Analiza y concluye (pág. 427)

1. Al principio, los estudiantes por lo común esperan ver diversos microorganismos, incluidos los tres que se presentaron. Luego, posiblemente vean diminutos animales acuáticos.
2. Los estudiantes probablemente identifiquen algas en la muestra.
3. Los consumidores probablemente incluyan protistas parecidos a animales y pequeños invertebrados, como dafnias.
4. La solución tal vez se haya puesto turbia. Aparecieron pequeños protistas, seguidos por grandes protistas, como algas verdes, paramecios y amibas. Las pulgas de agua y los rotíferos se hicieron visibles posteriormente.
5. Los factores abióticos incluyen la cantidad de luz, la temperatura del agua y el espacio disponible. Los factores bióticos incluyen la depredación de algunos organismos por parte de otros organismos. Conforme se multiplicaron los organismos más pequeños, constituyeron alimento para los organismos más grandes, que luego aumentaron en número.
6. Respuesta de ejemplo: algas unicelulares $\rightarrow$ protista parecido a animal $\rightarrow$ pulga de agua $\rightarrow$ pez.

Repaso y evaluación (págs. 429–430)

Destreza clave de lectura

Ordenar en serie a. Las bacterias "fijan" el nitrógeno en los nódulos de la raíz. **b.** Los descomponedores descomponen los desechos en compuestos de nitrógeno simples. **c.** Las bacterias liberan nitrógeno libre en el aire.

Revise la precisión de los organizadores gráficos de los estudiantes. Remita a los estudiantes a la Figura 22 si necesitan hacer alguna corrección.

Repasar los términos clave (pág. 429)

1. b
2. c
3. b
4. d
5. c
6. un ambiente que proporciona las cosas que necesita un organismo para vivir, crecer y reproducirse
7. partes vivas de un hábitat
8. las muchas cadenas alimentarias superpuestas en un ecosistema
9. forma de vida
10. la lucha por la supervivencia entre los organismos cuando tratan de usar los mismos recursos limitados

Verificar los conceptos (pág. 430)

11. Respuesta de ejemplo: biótico: árboles, aves; abiótico: luz solar, tierra
12. Las plantas y las algas usan la energía de la luz solar para combinar agua y dióxido de carbono para elaborar su propio alimento durante la fotosíntesis. Todos los consumidores en ese ecosistema se alimentan directa o indirectamente de plantas y algas.
13. El espacio limitado puede hacer que sea imposible que todos los miembros de una población encuentren lugares para reproducirse o hacer nidos.
14. Cualquier par de opciones: Camuflaje: el organismo se confunde con su entorno, lo que hace que resulte difícil que lo vean los depredadores. Cubierta protectora: las espinas, concha u otras cubiertas externas del organismo hacen que resulte doloroso o difícil para los depredadores comérselo. Coloración de advertencia: un organismo venenoso tiene colores brillantes para advertir a los depredadores que no se lo coman. Mimetismo: un organismo inofensivo se ve como otro organismo que los depredadores han aprendido

a no consumir. Coloración falsa: los "ojos" falsos u otras estructuras pueden engañar a los depredadores y ahuyentarlos.

15. Los productores captan la energía de la luz solar para elaborar su propio alimento. Los consumidores obtienen energía comiéndose a otros organismos. Los descomponedores obtienen energía descomponiendo los desechos y a organismos muertos.
16. Una cadena alimentaria es un una serie de sucesos en los que un organismo se come a otro. Una red alimentaria es una combinación de cadenas alimentaria interconectadas y superpuestas.

Razonamiento crítico (pág. 430)

17. productores: plantas; consumidores: pez, caracoles
18. Las bacterias que fijan el nitrógeno convierten el nitrógeno libre de la atmósfera en nitrógeno que contiene moléculas que otros organismos pueden usar.
19. El Sol o la luz solar, porque proporciona energía para la fotosíntesis, la cual permite que los productores elaboren su alimento, y los productores sostienen a los consumidores.
20. Sucesión primaria; no hay tierra presente y sólo se muestran organismos pioneros.

Matemáticas práctica (pág. 430)

21. Si la tasa de natalidad > la tasa de mortalidad, la tasa demográfica aumenta. Si la tasa de mortalidad > la tasa de natalidad, la tasa demográfica disminuye. Si la inmigración > la emigración, la tasa demográfica aumenta. Si la inmigración < la emigración, la tasa demográfica disminuye.

Aplicar destrezas (pág. 430)

22. Pasto
23. Ratón, conejo y ciervo: consumidores de primer nivel; serpiente y puma: consumidores de segundo nivel.
24. Los productores (pasto)
25. Ejemplo: Las poblaciones de serpientes y pumas disminuirían porque habría para ellos menos organismos de presa que comer. Las poblaciones de ciervos probablemente disminuirían al principio cuando los pumas hambrientos tomaran como presas a los ciervos. Posteriormente, al disminuir las poblaciones de pumas, aumentaría la población de ciervos. Además, los ciervos tendrían menos competencia por el pasto.

Práctica de estándares (pág. 431)

1. C; S 6.5.a
2. A; S 6.5.e
3. A; S 6.5.c
4. D; S 6.5.c
5. A; S 6.5.c
6. D; S 6.5.b
7. B; S 6.2.d

Aplicar la gran idea (pág. 431)

8. Respuesta de ejemplo: Los productores toman gas de dióxido de carbono del aire durante la fotosíntesis y elaboran moléculas alimentarias. Cuando los consumidores se comen a los productores, toman estas moléculas que contienen carbón. Cuando los consumidores descomponen estas moléculas para obtener energía, liberan dióxido de carbono y agua como desechos. Los descomponedores descomponen los restos de los productores y consumidores muertos, y algunos descomponedores liberan dióxido de carbono.

Capítulo 11 Recursos vivientes

Verifica lo que sabes (pág. 433)

Esta pregunta evalúa la comprensión de los estudiantes en el sentido de que los recursos disponibles y los factores abióticos en un ecosistema determinan la cantidad y el tipo de organismos que puede sustentar el ecosistema. (S 6.5.e)

Respuestas y explicaciones posibles

Respuesta correcta: Las plantas son similares en cuanto a que tienen tallos gruesos, o troncos, y hojas pequeñas. Crecen en ambientes secos, y estas formas son adaptaciones que conservan el agua. *Explicación posible*: Los tallos gruesos son similares a un cactus, y los cactus viven en el desierto. *Respuestas incorrectas posibles:* Las plantas son diferentes porque crecen en el Hemisferio Norte. *Explicación posible*: Diferentes clases de plantas viven en distintas partes del mundo.

Desarrollar el vocabulario de Ciencias

¡Aplícalo! (pág. 434)

1. recurso
2. distintas
3. sostener
4. fuente

Cómo leer en Ciencias

¡Aplícalo! (pág. 436)

1. Los ecosistemas de agua dulce son hábitats de una increíble diversidad de organismos.

2. Las lagunas son hogar de libélulas, tortugas y ranas. El agua abierta de lagos y lagunas da sustento al pez luna.

Sección 1 Biomas
(págs. 438–447)

Objetivo
Al terminar esta lección, los estudiantes serán capaces de:
11.1.1 Mencionar y describir los factores que determinan el bioma que se encuentra en una zona.
11.1.2 Mencionar los seis principales biomas que se encuentran en la Tierra.

Preparación para los estándares

¿Cuánta lluvia hay? (pág. 438)

Reflexiónalo La cantidad de precipitación influye en qué especie de planta puede sobrevivir en un determinado bioma, y las plantas a su vez determinan las especies de consumidores que ahí se hallan.

Actividad Inténtalo

Supervivencia en el desierto (pág. 439)
Resultado esperado Los estudiantes deben observar que a diferencia de casi todas las otras plantas, los cactus tienen espinas afiladas u otras proyecciones, no hojas anchas, y tienen una cubierta cerosa externa. El interior de un cactus es carnoso y húmedo. La falta de hojas anchas y la cubierta cerosa externa ayudan a conservar el agua en el desierto caliente y seco; el núcleo carnoso interno puede almacenar la humedad.

Examina tu avance

Respuesta
Figura 1 (pág. 439) Los desiertos normalmente son calientes durante el día y muy secos, ya que reciben menos de 25 centímetros de lluvia al año.

Examina tu avance

Respuesta

Verificar la lectura (pág. 441) Un sotobosque es una capa de árboles pequeños y enredaderas que se forman bajo una bóveda arbórea de árboles altos en un bosque tropical.

Examina tu avance

Respuestas
Figura 4 (pág. 443) Los bosques tropicales reciben mucha lluvia, y las temperaturas y la luz solar son ahí bastante constantes todo el año. Los bosques caducifolios reciben menos lluvia, y las temperaturas varían en cada estación.

Verificar la lectura (pág. 442) Una sabana

Actividad Destrezas

Inferir (pág. 444)
Resultado esperado Estas aves en sus respectivos hábitats boreales desempeñan el papel de depredadores y se hallan en la parte superior de la cadena alimentaria. Se alimentan de herbívoros.

Examina tu avance

Respuestas
Figura 6 (pág. 445) La temporada de crecimiento corta y fría y el permagélido no permiten que crezcan árboles altos.

Verificar la lectura (pág. 444) Las agujas impiden que el agua se evapore del árbol.

Verificar la lectura (pág. 445) El permagélido es el suelo que permanece congelado todo el año.

Examina tu avance

Respuestas
Figura 8 (pág. 447) La pradera es más calida y la zona alpina es más fría porque la temperatura disminuye con el aumento de la elevación.

Verificar la lectura (pág. 446) Diferentes elevaciones tienen climas distintos, y en cada clima suelen vivir diferentes plantas.

Evaluación

Destreza de vocabulario
Palabras académicas de uso frecuente
(pág. 447) Los caribúes son la fuente alimenticia de los lobos en la tundra.

Repasar los conceptos clave (pág. 447)
1. **a.** Temperatura y precipitación **b.** Se encuentran en latitudes muy diferentes, la tundra mucho más al norte. **c.** Porque las diferencias de clima determinadas por la altitud hacen que las condiciones cambien desde la base hasta la cima de una montaña.
2. **a.** Bosques tropicales, desierto, pradera, bosques caducifolios, bosque boreal y tundra **b.** Todos tienen árboles altos y muchos hábitats para los organismos. Los estudiantes deben mencionar las diferencias de ubicación

(latitud), la temperatura, la cantidad de luz solar, la cantidad de precipitación y los tipos específicos de plantas y otros organismos.
c. El bioma de la tundra.

Laboratorio de destrezas

Biomas en miniatura

Analiza y concluye (pág. 449)

1. En general, el centeno y la lima crecerán mejor en el bioma de la pradera, y las alegrías crecerán mejor en el bioma de los bosques caducifolios. Es probable que ninguna de las semillas crezca bien en las condiciones secas del bioma del desierto.
2. La luz solar se modeló controlando la cantidad de horas que un bioma recibía diariamente luz directa e indirecta. El agua se modeló controlando el contenido de humedad de la tierra. La temperatura se modeló indirectamente, como resultado de horas de luz por día.
3. En general, las semillas brotarán más rápidamente cuando el agua sea abundante. Cada tipo de planta está adaptado para sobrevivir en un conjunto específico de condiciones de tierra, luz y agua, de modo que cada uno de los tres tipos de plantas en este laboratorio prosperó en uno o dos biomas solamente. En la naturaleza, los mismos factores abióticos limitan los tipos de plantas que pueden sobrevivir en un determinado bioma.
4. Los factores abióticos limitan los tipos de plantas que pueden crecer en un determinado bioma, lo que a su vez determina los tipos de animales y otros consumidores que pueden sobrevivir en ese bioma.
5. Las respuestas reflejarán los resultados individuales de los estudiantes. Los biomas en miniatura deben modelar los biomas reales, para lo cual deben cultivarse las plantas predichas por las condiciones climáticas de ese bioma. Los estudiantes deben analizar los éxitos o desafíos del modelo de agua, luz solar y tipo de tierra.

Sección 2 Ecosistemas acuáticos
(págs. 450–455)

Objetivos
Al terminar esta lección, los estudiantes serán capaces de:

11.2.1 Enumerar los factores abióticos que influyen en los ecosistemas acuáticos.
11.2.2 Identificar los principales tipos de ecosistemas acuáticos.
11.2.3 Describir los papeles ecológicos de los organismos en las redes alimentarias acuáticas.

Preparación para los estándares

¿Qué hay en el agua de la laguna? (pág. 450)
Reflexiónalo Los estudiantes podrían utilizar el movimiento o el consumo de partículas más pequeñas como criterios para decidir si los elementos están vivos. El agua de laguna contiene diversas cosas vivas y no vivas.

Examina tu avance

Respuestas
Figura 10 (pág. 451) Tiene patas largas para caminar en el agua y un pico puntiagudo y un cuello flexible para pescar peces.

Verificar la lectura (pág. 451) Una masa grande de agua tranquila.

Examina tu avance

Respuesta
Verificar la lectura (pág. 453) El mar abierto consta de la zona superficial y la zona profunda.

Actividad Inténtalo

Modelo de red alimentaria (pág. 454)
Resultado esperado Las relaciones alimentarias son complejas. La mayor parte de los organismos tendrán más de una relación alimentaria.

Examina tu avance

Respuestas
Figura 12 (pág. 454) La ballena beluga y la foca anillada se alimentan directamente del bacalao ártico. El oso polar depende indirectamente del bacalao porque come focas.

Verificar la lectura (pág. 454) Los carroñeros (como los bentos), las bacterias y los gusanos son descomponedores.

Evaluación

Destreza clave de lectura

Identificar ideas principales (pág. 455)
Idea principal: en el océano, los organismos se unen mediante cadenas alimentarias y redes alimentarias. Detalles de ejemplo: los productores son algas en lugar de plantas; la mayor parte de las algas son plancton; cada organismo en una red alimentaria depende directa o indirectamente del alimento producido por el plancton de las algas.

Repasar los conceptos clave (pág. 455)

1. **a.** Luz solar, temperatura, oxígeno, contenido de sal **b.** La luz solar es necesaria para la fotosíntesis en el agua. **c.** Como sólo hay luz suficiente para la fotosíntesis cerca de la superficie o en aguas poco profundas, sería improbable hallar muchos organismos viviendo en el fondo de un lago profundo.
2. **a.** Zona intermareal, zona nerítica, zona de mar abierto **b.** Intermareal, nerítica, mar abierto **c.** La zona nerítica probablemente tenga la mayor variedad de seres vivos debido a que las aguas poco profundas permiten que la luz solar penetre de modo que las plantas y las algas puedan realizar la fotosíntesis.
3. **a.** El plancton son pequeños organismos que flotan en el agua. **b.** El plancton de las algas son productores, una fuente de alimentación para muchos organismos. **c.** La ballena es un consumidor primario y secundario debido a que parte del plancton es plancton de las algas (productores) y el otro plancton es plancton animal (consumidores primarios).

Laboratorio de destrezas

Reciclar papel

Analiza y concluye (pág. 456)

1. Fibras
2. Las fibras están hechas de material vegetal. Provienen de las plantas usadas para elaborar papel.
3. Cuando el papel se moja y se muele, las fibras se rompen. Cuando la pulpa se aplana y se seca, las fibras se entrelazan. Cada vez que se rompen las fibras, el resultado es un papel más débil, lo que limita la cantidad de veces que puede reciclarse.
4. El papel es un recurso renovable. Puede reciclarse.

Sección 3 Bosques y pesquerías
(págs. 457–461)

Objetivos

Al terminar esta lección, los estudiantes serán capaces de:

11.3.1 Describir cómo se pueden administrar los bosques como recursos renovables.
11.3.2 Describir cómo se pueden manejar las pesquerías para un rendimiento sostenible.

Preparación para los estándares

¿Qué pasó con el atún? (pág. 457)
Reflexiónalo La población de atún aumentó de 1970 a 1975, y luego disminuyó en forma sostenida de 1975 a 1980. Desde 1980 hasta hoy la población ha permanecido casi igual. La disminución posiblemente se haya debido a la pesca excesiva de atún. La estabilización tal vez haya sido resultado de las limitaciones a la pesca de atún.

Examina tu avance

Respuestas

Figura 13 (pág. 458) La tala selectiva es la práctica de talar sólo algunos de los árboles de un bosque y dejar una mezcla de tamaños de árboles y especies.

Verificar la lectura (pág. 459) Una cantidad de un recurso renovable que se puede cosechar regularmente sin reducir el suministro futuro.

Actividad Destrezas

Calcular (pág. 460)
Resultado esperado China: 24.4 ÷ 112.9 = .216 ó 21.6%; Japón: 6.0%; Estados Unidos: 5.0%; Perú: 7.9%

Examina tu avance

Respuestas

Figura 16 (pág. 461) La acuicultura proporciona una fuente de alimentación muy necesaria. Las lagunas artificiales y las bahías construidas para la acuicultura con frecuencia sustituyen hábitats naturales, y mantener las granjas puede generar contaminación y propagar enfermedades en poblaciones naturales.

Verificar la lectura (pág. 461) La acuicultura es la práctica de cultivar peces y otros organismos que viven en el agua con fines de alimentación.

Evaluación

Destreza de vocabulario

Palabras académicas de uso frecuente
(pág. 461) *Sostener* significa "mantener algo". La silvicultura (ciencia forestal) sostenible es un sistema o proceso en el que los árboles se cosechan y se plantan árboles jóvenes. De este modo, el bosque "se mantiene".

Repasar los conceptos clave (pág. 461)

1. **a.** Como pueden replantarse árboles nuevos para reemplazar a los árboles talados, los bosques se consideran recursos renovables. **b.** Durante la tala total, se elimina el crecimiento completo de árboles en una zona. Durante la tala selectiva, se cortan los árboles de una especie y/o tamaño en particular pero

permanecen otros árboles. **c.** Respuesta posible: Sin las raíces de los árboles que conserven el agua y la tierra en su lugar, grandes cantidades de tierra se deslavaron en el arroyo durante la tormenta. La tierra en el agua ha hecho que resulte más difícil la vida para los peces y otros organismos acuáticos.

2. **a.** Pueden imponerse límites a la pesca; pueden modificarse los métodos de pesca; la acuicultura puede sustituir a la pesca de peces silvestres; pueden hallarse nuevos recursos. **b.** Las leyes pueden limitar las especies, la cantidad y el tamaño de los peces que pueden atraparse. Pueden regularse los métodos de pesca. Las leyes permiten que la población de peces se reproduzca y mantenga su tamaño. **c.** Si se atrapa a todos los peces grandes en una región, el tamaño promedio de los peces puede reducirse con el tiempo.

Sección 4 Biodiversidad
(págs. 462–467)

Objetivos

Al terminar esta lección, los estudiantes serán capaces de:

11.4.1 Explicar el valor de la biodiversidad.
11.4.2 Identificar los factores que afectan la biodiversidad.
11.4.3 Mencionar algunas actividades humanas que amenazan la biodiversidad.
11.4.4 Enumerar algunas formas de proteger la biodiversidad.

Preparación para los estándares

¿Cuánta variedad hay? (pág. 462)

Reflexiónalo La amplia variedad de especies de árboles que hay en un bosque tropical sostiene a una variedad mucho más amplia de otros organismos que dependen de los árboles como hábitat y alimento.

Examina tu avance

Respuestas

Figura 18 (pág. 463) La diversidad de nichos es muy probablemente responsable de la biodiversidad de los arrecifes de coral. El clima es muy probablemente responsable de la biodiversidad de los bosques tropicales.

Verificar la lectura (pág. 463) Una especie clave es una especie que influye en la supervivencia de muchas otras especies en un ecosistema.

Examina tu avance

Respuesta

Verificar la lectura (pág. 464) Una especie en peligro de extinción es aquella que está en peligro de extinguirse en el futuro cercano.

Matemáticas Analizar datos

Repasar matemáticas: Estadística, análisis de datos y probabilidades 6.3.2

Recuperación del halcón peregrino de California (pág. 466)

Respuestas

1. El intervalo de tiempo en años está en el eje x. La cantidad de parejas reproductivas de halcones peregrinos está en el eje y.
2. La población creció en forma sostenida, excepto por un breve descenso que hubo alrededor de 1980, hasta 1994, cuando la cantidad de parejas reproductivas permaneció igual durante los siguientes cuatro años.
3. Sólo hubo unas cuantas parejas reproductivas al principio, de modo que sólo pudieron reproducirse unas cuantas crías. Conforme fueron más las parejas que llegaron a la edad reproductiva, fueron cada vez más las crías que pudieron reproducirse.
4. La gráfica probablemente se habría inclinado hacia abajo de izquierda a derecha, llegando posiblemente a cero parejas reproductivas.

Evaluación

Destreza clave de lectura

Identificar ideas principales (pág. 467) Idea principal: varios factores influyen en la biodiversidad, entre los que se hallan el área, el clima, la diversidad de nichos y las especies clave. Detalles: las zonas más grandes tienen más especies; las zonas cálidas tienen más especies que las zonas frías.

Repasar los conceptos clave (pág. 467)

1. **a.** El área, el clima, la diversidad de nichos. **b.** Mayor área, mayor diversidad de nichos, y temporadas de crecimiento todo el año y lluvia abundante generan mayor diversidad. **c.** No; la temporada de crecimiento en la tundra es demasiado corta como para que pueda constituir una fuente de alimento todo el año para los organismos.
2. **a.** La destrucción de hábitats, la caza ilegal, la contaminación y la introducción de especies exóticas **b.** El desarrollo de viviendas proporciona un nuevo nicho a los osos.

3. **a.** La reproducción en cautiverio, las leyes y tratados, la preservación del hábitat **b.** La reproducción en cautiverio es costosa. Es difícil hacer cumplir las leyes y tratados. Los hábitats preservados deben tener características de ecosistemas diversos. **c.** Respuesta de ejemplo: Hacer que visitantes, campistas y navegantes de lanchas no introduzcan por accidente ciertas especies exóticas, limitar los recorridos en automóvil para reducir la contaminación y reducir al mínimo la cantidad de carreteras.

Repaso y evaluación (págs. 469–470)

Destreza clave de lectura

Identificar ideas principales Detalles de ejemplo: reproducción en cautiverio, leyes y tratados, preservación del hábitat

Repasar los términos clave (pág. 469)

1. b
2. b
3. c
4. a
5. a
6. recibe menos de 25 centímetros de lluvia al año
7. tierra congelada
8. la región oceánica poco profunda por debajo de la línea de mareas bajas que se extiende sobre la plataforma continental
9. organismos pequeños que flotan en el agua del océano
10. está en peligro de extinguirse en el futuro cercano

Verificar los conceptos (pág. 470)

11. La abundante vida silvestre ofrece diversos hábitats para los organismos y una abundante provisión de alimento.
12. Los herbívoros grandes viven en las praderas, incluidas las sabanas. Cuando pastan, mantienen las praderas impidiendo que broten árboles jóvenes y arbustos.
13. La luz solar, la temperatura, el oxígeno y el contenido de sal son factores abióticos importantes para los ecosistemas acuáticos.
14. Para obtener un rendimiento sostenible en la silvicultura, después de cosechar los árboles, se plantan árboles jóvenes. En las pesquerías, los rendimientos pueden mantenerse usando estrategias como establecer límites, modificar los métodos de pesca, desarrollar la acuicultura y encontrar nuevos recursos.
15. Las especies pierden los lugares en que se alimentaban, reproducían y hacían sus nidos. Si no pueden hallar un nicho sustituto, deben mudarse a un nuevo sitio o no sobrevivirán.

Razonamiento crítico (pág. 470)

16. La distribución de los osos polares está limitada por el clima. El pelaje aislante y grueso de los osos polares les dificultaría la vida en un ambiente más cálido; el pelaje blanco haría que destacaran en relación con la tierra que no estuviera cubierta de hielo y nieve.
17. Semejanzas: Ambos bosques soportan el crecimiento de árboles, plantas y animales. Diferencias: Los bosques boreales tienen un clima mucho más frío y árboles coníferos; los bosques caducifolios tienen un clima más cálido y en su mayor parte árboles caducifolios.
18. Respuesta de ejemplo: La destrucción de las algas afectaría la cadena alimentaria, ya que las algas son los principales productores en mar abierto y constituyen alimento para muchos animales marinos.
19. Se muestra la tala total. La tala total suele ser más rápida y barata, pero modifica el ecosistema. Expone la tierra al viento y la lluvia, lo que puede dar como resultado la erosión. La tala selectiva suele ser menos perjudicial.

Aplicar destrezas (pág. 470)

20.

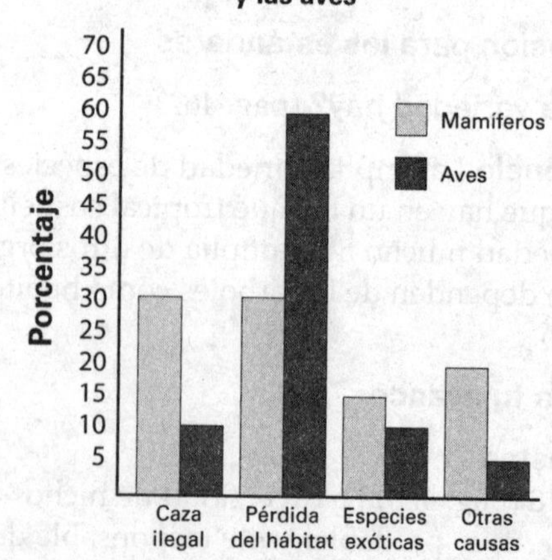

21. La pérdida del hábitat es la principal causa para las aves y los mamíferos. La caza ilegal es casi tan significativa como la pérdida del hábitat para los mamíferos.
22. Según los datos, leyes mucho más estrictas en contra de la caza ilegal beneficiarían más a los

mamíferos, debido a que la caza ilegal es una amenaza más importante para los mamíferos.

23. Respuesta de ejemplo: Probablemente aumentaría el porcentaje de mamíferos en peligro de extinción debido a la competencia por alimento y refugio.
24. La pérdida del hábitat es una causa mucho más importante de extinción para las aves que para los mamíferos debido a que la mayor parte de las aves dependen de los árboles, y los bosques se han talado rápidamente. La caza ilegal puede ser una amenaza más importante para los mamíferos que para las aves debido a que es más difícil atrapar a la mayor parte de las aves que a la mayor parte de los mamíferos.

Práctica de estándares (pág. 471)

1. A; S 6.5.d
2. D; S 6.6.c
3. C; S 6.5.e
4. B; S 6.5.b
5. B; S 6.6.b
6. A; S 6.6.b
7. C; S 6.5.e

Aplicar la gran idea (pág. 471)

8. Respuesta de ejemplo: Los recursos y los factores abióticos en el desierto incluyen luz solar abundante, poca precipitación y grandes cambios en la temperatura en el transcurso del día. Los recursos y factores abióticos en el bosque tropical incluyen un clima cálido y húmedo con mucha lluvia. La biodiversidad es mayor en el bosque tropical debido a que las condiciones climáticas ahí permiten que crezca una enorme diversidad de árboles y plantas. Como resultado de esta diversidad, el bosque tropical contiene muchos nichos diferentes. Con el tiempo, las especies han desarrollado adaptaciones para poder ocupar estos nichos. S 6.5.e

Capítulo 12 La energía y los recursos materiales

Verifica lo que sabes (pág. 473)
Esta pregunta evalúa la comprensión de los estudiantes sobre la capacidad de usar el poder del viento como fuente de energía. (S 6.6.b)

Respuestas y explicaciones posibles
Respuesta correcta: El viento puede aprovecharse y usarse para generar electricidad. *Respuestas incorrectas posibles:* Por desgracia, este recurso de energía no puede usarse de ninguna otra forma. *Explicación posible:* Algunos estudiantes tal vez no se den cuenta de que el viento es una fuente de energía que puede usarse para diversos propósitos, incluida la generación de electricidad.

Desarrollar el vocabulario de Ciencias

¡Aplícalo! (pág. 474)
Reciclaje significa recuperar materias primas para crear nuevos productos.

Cómo leer en Ciencias

¡Aplícalo! (pág. 476)
Pida a los estudiantes que tomen la información de la tabla para responder a las preguntas. Respuestas de ejemplo:

1. carbón, petróleo y gas natural
2. ventajas y desventajas
3. la primera columna

Sección 1 Combustibles fósiles
(págs. 478–484)

Objetivos
Al terminar esta lección, los estudiantes serán capaces de:

12.1.1 Explicar cómo proveen energía los combustibles.

12.1.2 Mencionar los tres principales combustibles fósiles.

12.1.3 Explicar por qué los combustibles fósiles se consideran recursos no renovables.

Preparación para los estándares

¿Qué hay en un pedazo de carbón? (pág. 478)

Reflexiónalo La textura del lignito, la acodadura y los fósiles (si están presentes) pueden verse con más claridad con una lupa. Si los fósiles son visibles, los estudiantes deben estar en posibilidades de inferir que el carbón está hecho de restos vegetales.

Examina tu avance

Respuestas
Figura 1 (pág. 479) Cuando se quema combustible, la energía química se convierte en energía térmica (calor), parte de la cual se convierte en la energía mecánica del vapor en movimiento que activa turbinas, convirtiendo la energía mecánica en energía eléctrica.

Verificar la lectura (pág. 479) La ignición (energía eléctrica) desencadena la explosión del combustible (energía química) para crear calor (energía térmica), que activa los pistones que encienden el árbol del cigüeñal (energía mecánica).

Actividad Destrezas

Hacer una gráfica (pág. 480)
Resultado esperado Transporte 96º; Industria 137º; Hogares y oficinas 127º.

Examina tu avance

Respuestas

Figura 2 (pág. 481) Respuestas posibles: La turba tiene una textura muchos más floja, es de color mucho más ligero y su composición está más mezclada. El carbón se ha enterrado mucho más profundamente y por tanto es mucho más grande que la turba. El carbón es un combustibles más eficaz que la turba.

Verificar la lectura (pág. 480) Compuestos químicos ricos en energía que contienen átomos de carbono y de hidrógeno.

Matemáticas Analizar datos

Matemáticas: Estadística, análisis de datos y probabilidades 6.3.2

Combustibles y electricidad (pág. 483)

Respuestas

1. El porcentaje de electricidad en los Estados Unidos que se produce usando la fuente de energía rotulada
2. Carbón
3. 70.8% (59.3% de carbón, 9.3% de gas natural, 2.2% de petróleo)
4. Las respuestas podrían incluir: El carbón, el petróleo y el gas natural podrían disminuir porque las reservas son limitadas; las fuentes de energía nuclear, hidroeléctrica y otras podrían aumentar para sustituir a los combustibles fósiles.

Examina tu avance

Respuesta

Verificar la lectura (pág. 483) Respuesta de ejemplo: El gas natural puede transportarse por medio de gasoductos o barcos, y produce niveles más bajos de muchos contaminantes del aire que el carbón o el petróleo.

Evaluación

Destreza de vocabulario

Prefijos (pág. 484) *Hidro-* significa "agua". Durante la combustión, los hidrocarburos se combinan con el oxígeno y forman dióxido de carbono y agua y producen calor y luz.

Repasar los conceptos clave (pág. 484)

1. **a.** Una sustancia que proporciona energía como resultado de un cambio químico. **b.** La energía química almacenada se convierte en otras fuentes de energía. **c.** La energía térmica del combustible quemado se usa para hervir el agua, lo que produce vapor. La energía mecánica del vapor activa una turbina conectada a un generador y el generador produce energía eléctrica.
2. **a.** Carbón, petróleo y gas natural **b.** Respuesta posible: El carbón es fácil de transportar, pero contamina el aire más que otros combustibles fósiles. El petróleo proporciona grandes cantidades de energía, pero sus reservas están limitadas. El gas natural produce menos contaminantes del aire pero es sumamente inflamable. **c.** Las respuestas se basarán en las ventajas y desventajas identificadas en la pregunta 2b.
3. **a.** Les llevó cientos de miles de años formarse. **b.** Respuesta de ejemplo: Tomar el transporte público, apagar las luces que no se usan, manejar autos eficientes en su consumo de combustible.

Sección 2 Fuentes de energía renovable
(págs. 485–491)

Objetivos

Al terminar esta lección, los estudiantes serán capaces de:

12.2.1 Explicar las formas de energía proporcionadas por el Sol.

12.2.2 Identificar y describir varios recursos de energía renovables.

Preparación para los estándares

¿Puedes atrapar la energía solar? (pág. 485)

Reflexiónalo La temperatura del agua permaneció igual en la bolsa bajo la oscuridad o la sombra, mientras que la temperatura del agua aumentó en la bolsa colocada bajo la luz solar. El agua en la bolsa absorbió la energía del Sol.

Examina tu avance

Respuestas

Figura 6 (pág. 486) El desierto australiano recibe luz solar intensa y constante en una región amplia.

Verificar la lectura (pág. 486) Convierten la energía solar en energía eléctrica.

Actividad Inténtalo

Soplar en el viento (pág. 488)

Resultado esperado Los estudiantes deben reconocer que los ventiladores representan el viento; los molinetes actúan como turbinas de molinos de viento.

Examina tu avance

Respuestas

Figura 8 (pág. 488) Todos derivan su energía directa o indirectamente del Sol y son renovables, pero los combustibles de biomasa se reabastecen más lentamente.

Verificar la lectura (pág. 488) La energía hidroeléctrica es la electricidad que se produce mediante la corriente de agua.

Examina tu avance

Respuestas

Figura 9 (pág. 490) La energía geotérmica es un recurso ilimitado, pero sólo llega a la superficie de la Tierra en unos cuantos lugares.

Verificar la lectura (pág. 490) La energía geotérmica calienta el agua, creando vapor que puede activar una turbina.

Evaluación

Destreza clave de lectura

Comparar y contrastar (pág. 491) Revise la precisión de las tablas de los estudiantes. Los estudiantes deben incluir información sobre aspectos ambientales, limitaciones de diseño, disponibilidad y costos.

Repasar los conceptos clave (pág. 491)

1. **a.** Calor y luz **b.** La energía solar sólo está disponible cuando el Sol ilumina; debe recogerse desde un área muy grande. **c.** Los estudiantes tal vez sugieran que la energía solar podría usarse para complementar el uso de combustibles fósiles, pero no debe ser la única fuente de energía porque en días nublados no podría captarse la energía solar suficiente para satisfacer las necesidades del centro comercial.
2. **a.** Viento, agua, biomasa, energía geotérmica, mareas **b.** La energía del viento y el agua debido a que la energía del agua depende del ciclo del agua, que se rige por el Sol, y la energía del viento depende del calentamiento irregular de la Tierra por parte del Sol; la biomasa porque el Sol es necesario para la fotosíntesis **c.** Las respuestas reflejarán la comprensión que los estudiantes tengan del clima, la geografía y los recursos locales.

Laboratorio de tecnología

Diseñar y construir una cocina solar

Analiza y concluye (pág. 493)

1. Donde no hay recursos naturales disponibles que puedan usarse como combustible, o cuando los individuos necesitan viajar con una cocina (científicos, exploradores, campistas) y no pueden transportar una fuente de combustible pesada.
2. Aunque las situaciones específicas pueden variar, los estudiantes deben haber determinado qué forma proporcionó el cambio mayor en la temperatura y haber rediseñado sus cocinas en consecuencia.
3. Los problemas variarán en función de la forma de la cocina, pero probablemente incluyan dificultades para enfocar eficazmente la luz solar y para calentar la comida de manera uniforme.
4. El rediseño probablemente dé por resultado cocinas curvas (en forma de U) que enfoquen la luz solar en el centro y cocinen más rápidamente.
5. Esas cocinas podrían constituir una fuente de cocción para personas que no pueden darse el lujo de pagar la electricidad o materiales especiales.
6. Los dispositivos accionados por energía solar exigen costos de construcción iniciales, pero no una fuente de energía continua; pueden usarse en forma más económica y diseñarse con la sencillez suficiente para poderlos transportar a zonas remotas. Están limitados por la disponibilidad de luz solar constante.

Sección 3 Energía nuclear
(págs. 494–498)

Objetivos

Al terminar esta lección, los estudiantes serán capaces de:

12.3.1 Describir lo que sucede durante una reacción de fisión nuclear.

12.3.2 Explicar cómo produce electricidad una planta de energía nuclear.

12.3.3 Describir lo que ocurre en una reacción de fusión nuclear.

Preparación para los estándares

¿Por qué se caen? (pág. 494)
Reflexiónalo Retirar la tercera fila detendría la producción de energía después de cierto momento.

Actividad Destrezas

Calcular (pág. 495)
Resultado esperado Serían necesarias cerca de 8 bolitas.

Examina tu avance

Respuestas
Figura 11 (pág. 495) Un neutrón choca con un núcleo de uranio.

Verificar la lectura (pág. 495) En una reacción nuclear en cadena, la fisión ocurre en forma repetida y la cantidad de energía liberada aumenta rápidamente con cada paso en la cadena.

Examina tu avance

Respuestas
Figura 13 (pág. 497) La cuba de reactor.

Verificar la lectura (pág. 496) Las varillas de control reducen las reacciones en cadena.

Examina tu avance

Respuesta
Figura 14 (pág. 498) Un neutrón más energía.

Evaluación

Destreza clave de lectura

Comparar y contrastar (pág. 498) Revise la precisión de las tablas de los estudiantes. Los estudiantes deben incluir información sobre las tecnologías y los aspectos ambientales relacionados con cada proceso.

Repasar los conceptos clave (pág. 498)

1. **a.** La división del núcleo de un átomo en dos núcleos más pequeños. **b.** Un neutrón choca con un núcleo U-235, que se divide en dos núcleos más pequeños y libera dos o más neutrones y energía. **c.** No renovable porque el nuevo uranio no se produce.
2. **a.** Reacción en cadena controlada de la fisión nuclear. **b.** La energía térmica liberada por la reacción de una fisión se usa para hervir el agua, lo que produce vapor que activa las hélices de una turbina para generar electricidad. **c.** El calor excesivo podría generar una fusión, lo que generaría explosiones y la liberación de material radiactivo.
3. **a.** Dos núcleos se combinan para crear un núcleo único más grande. **b.** La masa perdida se convierte en energía.

Sección 4 Conservación de la energía
(págs. 499–502)

Objetivo
Al terminar esta lección, los estudiantes serán capaces de:

12.4.1 Mencionar dos maneras de preservar nuestros recursos energéticos.

Preparación para los estándares

¿Qué foco es más eficiente? (pág. 499)
Reflexiónalo La potencia de luz varía entre los focos. El foco fluorescente es alrededor de cuatro veces más eficiente (825 lúmenes / 15 vatios en comparación con los 900 lúmenes / 60 vatios). El foco incandescente es menos eficiente porque convierte mucha de la energía en calor.

Examina tu avance

Respuesta

Verificar la lectura (pág. 501) La fibra de vidrio y el aire atrapado en las ventanas

Examina tu avance

Respuesta

Verificar la lectura (pág. 502) Respuesta de ejemplo: Caminar o usar la bicicleta para recorridos cortos en lugar de ir en coche; reciclar

Evaluación

Destreza de vocabulario

Prefijos (pág. 502) Preservar la energía o reducir el uso de la energía.

Repasar los conceptos clave (pág. 502)

1. **a.** aumentar la eficiencia energética y reducir el uso de energía **b.** El aislante reduce la cantidad de calor perdido en el exterior en clima frío y ayuda a mantener afuera el calor en clima cálido, reduciendo la cantidad de combustible necesario para calentar y enfriar los edificios. Compartir el auto da por resultado menos autos en las calles y, por tanto, una reducción en la cantidad de gas utilizado.

c. El edificio con luces incandescentes debido a que son mucho meno eficientes que los fluorescentes; la mayor parte de la energía eléctrica que utilizan se libera como calor.

Laboratorio del consumidor

Mantenerse cómodo

Analiza y concluye (pág. 503)

1. Las temperaturas y los tiempos variarán. El calor fluyó del agua caliente al agua fría, como lo muestran los cambios de temperatura.
2. *Habitaciones*: agua fría; *tiempo meteorológico del exterior*: agua caliente; *paredes*: vaso de papel
3. *Manipuladas*: material del recipiente; *de respuesta*: la temperatura del agua en el vaso; *constantes*: la temperatura inicial del agua en el vaso de precipitados.
4. *Más efectivo:* espuma de plástico; *menos efectivo*: metal. El agua fría permaneció cercana a su temperatura inicial durante el período más largo con la espuma de plástico; la temperatura aumentó más rápido con el metal.
5. En el párrafo debe analizarse las elecciones de materiales de construcción en términos de la conservación de la energía usada para calentar y enfriar.

Tecnología y sociedad

El coche híbrido

Tú decides (pág. 505)

1. Los estudiantes podrían mencionar las nuevas regulaciones federales y estatales respecto a las normas de emisiones y el ahorro de combustible.
2. La información podría incluir ventajas como el ahorro de combustible y lo favorable para el ambiente; las desventajas podrían incluir procesos de producción más complicados y reducción de la capacidad de la cajuela en algunos modelos.
3. Aliente a los estudiantes a que consideren toda la información que han reunido antes de que escriban sus opiniones. Recuérdeles que sustenten sus opiniones con hechos.

Sección 5 Reciclaje de los recursos de la materia (págs. 506–511)

Objetivos

Al terminar esta lección, los estudiantes serán capaces de:

12.5.1 Mencionar tres métodos de manejo de los desechos sólidos.

12.5.2 Identificar formas en que las personas pueden ayudar a controlar el problema de los desechos sólidos.

Preparación para los estándares

¿Qué hay en la basura? (pág. 506)
Reflexiónalo Papel y desechos del jardín.

Examina tu avance

Respuesta

Figura 16 (pág. 507) 10%

Actividad Destrezas

Hacer una gráfica (pág. 509)
Resultado esperado *(Rellenos = 202°, Reciclaje = 97°, Incineración = 61°; Título posible: Métodos para manejar los desechos en los Estados Unidos)*

Examina tu avance

Respuestas

Figura 18 (pág. 509) El suministro de aluminio se habría vuelto cada vez más escaso.

Verificar la lectura (pág. 508) Parques y áreas para campos deportivos.

Actividad Inténtalo

Está en los números (pág. 510)
Resultado esperado Los plásticos pueden almacenarse en por lo menos cuatro o cinco grupos de acuerdo con el color, la claridad y la rigidez de los plásticos.

Examina tu avance

Respuestas

Figura 20 (pág. 511) El compostaje permite que los desechos biodegradables se descompongan en forma natural en lugar de incinerarse o enterrarse en un relleno.

Verificar la lectura (pág. 511) El compostaje es el proceso que permite que los desechos biodegradables se descompongan de manera natural.

Evaluación

Destreza de vocabulario

Prefijos (pág. 511) El prefijo *bio-* significa "vida". Un material biodegradable pueden descomponerlo seres vivos, como bacterias y otros descomponedores.

Repasar los conceptos clave (pág. 511)

1. **a.** Quemar, enterrar, reciclar. **b.** Respuestas posibles: La incineración puede usarse para generar electricidad, pero puede contaminar el aire. Enterrar los desechos en un relleno sanitario posiblemente contamine el agua subterránea, pero la tierra posteriormente puede usarse para crear parques y campos deportivos. El reciclaje conserva los recursos no renovables, pero en algunas ciudades, no siempre es rentable. **c.** El vertedero tal vez haya producido una filtración que contaminó el arroyo, matando a todos los peces.
2. **a.** Reducir, reutilizar, reciclar **b.** Respuesta posible: Usar menos servilletas de papel para hacer un trabajo; reutilizar los recipientes de plástico para alimento para guardar otros artículos de la casa; construir una pila de abono orgánico.

Repaso y evaluación (págs. 513–514)

Destreza clave de lectura

Comparar y contrastar (pág. 513) Revise la precisión de las tablas de los estudiantes. Los estudiantes deben incluir factores como costo, disponibilidad e impacto ambiental en su análisis de las ventajas y desventajas.

Repasar los términos clave (pág. 513)

1. b
2. c
3. a
4. d
5. b
6. transformación de la energía, liberación de energía química como calor y luz
7. compuesto hecho del petróleo
8. el calor intenso del interior de la Tierra
9. se redujo el uso de energía
10. permite que los desechos biodegradables se descompongan en forma natural

Verificar los conceptos (pág. 514)

11. Cuando las plantas mueren y se pudren, sus restos se apilan y entierran por capas de arena, rocas y lodo. Con el tiempo, el calor y la presión transforman los restos en descomposición en carbón.
12. El gas natural es una mezcla de metano y otros gases. Se transporta por medio de gasoductos o en barco.
13. Entre las respuestas posibles se hallan: salientes para dar sombra a las ventanas en el verano, grandes ventanas en los lados sur y oeste, celdas solares en el techo para proporcionar electricidad y una fuente de energía de reserva.
14. El viento puede impulsar una turbina.
15. Poniendo varillas de control hechas de cadmio entre las varillas de combustible para reducir las reacciones en cadena
16. El rendimiento energético es el porcentaje de energía que se usa realmente para realizar trabajo; *ejemplos*: aislante, luces fluorescentes, revestimiento de ventanas, hornos de microondas.
17. *Reducir* se refiere al acto básico de crear menos desechos. *Reutilizar* se refiere a encontrar otro uso para un objeto en lugar de deshacerse de él. *Reciclar* se refiere a recuperar materas primas para crear productos nuevos.

Razonamiento crítico (pág. 514)

18. *Semejanzas*: Reciclar el papel y el metal reduce el volumen de desechos sólidos y ahorra energía. *Diferencias*: El metal no es biodegradable, pero el papel sí. La mayor parte de los productos de papel puede reciclarse sólo unas cuantas veces. La calidad del papel disminuye cada vez que se recicla.
19. Los estudiantes deben sustentar sus predicciones con referencias al clima local, incluida la frecuencia de días soleados y días con temperaturas extremas.
20. El carbón no es renovable porque se lleva mucho tiempo en formar. La energía solar es renovable porque su suministro es ilimitado. El gas natural no es renovable porque es un combustible fósil y se lleva cientos de millones de años en formar. La energía hidroeléctrica es renovable porque la producen los flujos de agua, cuyo suministro se renueva constantemente por medio del ciclo del agua.
21. Acepte las respuestas en las que los estudiantes estén "de acuerdo" y "en desacuerdo". Los estudiantes deben sustentar sus puntos de vista con explicaciones que mencionen las ventajas y desventajas de la energía nuclear como fuente de energía.
22. El núcleo se dividirá, formando dos núcleos más pequeños y liberando más neutrones y una gran cantidad de energía.

Aplicar destrezas (pág. 514)

23. Aumentó de 7,828 unidades a 15,290 unidades.

24. *1973*: 2.6%; *actualmente*: 17%.
25. *Renovable*: hidroeléctrica; *no renovable*: carbón, gas natural, nuclear, petróleo.
26. Desde 1973, la energía hidroeléctrica ha aumentado en más del doble, ya que representa sólo un porcentaje ligeramente mayor de la producción total de energía (1973: 16.6%; actualmente: 17.7%).
27. Las respuestas de los estudiantes variarán, pero deben sustentarse con información del capítulo. Algunos estudiantes tal vez sugieran que la dependencia de los combustibles fósiles disminuirá conforme se desarrollen nuevas tecnologías para usar otros recursos energéticos.

Práctica de estándares (pág. 515)

1. C; S 6.3.b
2. D; S 6.6.c
3. A; S 6.6.a
4. C; S 6.6.a
5. C; S 6.6.a
6. A; S 6.3.a
7. C; S 6.6.b
8. C; S 6.6.a, 6.6.b
9. A; S 6.6.a

Aplicar la gran idea (pág. 515)

10. El carbón es un recurso de energía no renovable porque se lleva millones de años formarse. Este combustible fósil existe en cantidades abundantes, produce mucha energía, es barato y es fácil de transportar. Entre las desventajas se hallan la contaminación del aire, la erosión de la tierra por la extracción del carbón y los peligros de la minería. La energía solar es un recurso de energía renovable. La energía solar no produce contaminación y no se agotará durante miles de millones de años. Entre las desventajas se encuentran el hecho de que la energía solar no puede aprovecharse a menos que brille el Sol. Los sistemas de almacenamiento son costosos. S 6.6.a, 6.6.b

Evaluación de la Unidad 4

Ecología y recursos

Conexión de las grandes ideas (pág. 517)

Respuestas

1. d
2. c
3. b
4. El carbón es barato, pero produce contaminación del aire, lo que podría hacer que el pantano sea más ácido. La energía del viento no produce contaminación del aire y no es costoso manejarla. Sin embargo, tienen que construirse turbinas y eso sí es costoso. Además, hay el riesgo de que algunas de las aves del pantano mueran si entran en las turbinas. La energía nuclear no produce contaminación del aire, pero es costosa. También genera la liberación de agua caliente, lo que modificaría la temperatura del pantano, provocando un aumento en algunos organismos y una disminución en otros.

Capítulo 1 ¿Qué son las ciencias de la vida?

Piensa como un científico

1. observación, b; observaciones cuantitativas, a;
   observaciones cualitativas, c
2. b
3. inferencia
4. a, c
5. predicción
6. a, b, c
7. clasificación
8. verdadero
9. modelo
10. verdadero
11. b, c

El estudio de la vida

1. ciencias biológicas o biología
2. falso
3. a, c
4. similar
5. a, c
6. falso
7. **a.** estructura **b.** funciones
8. verdadero
9. b, c

La investigación científica

1. investigación científica
2. c
3. hipótesis
4. verdadero

Seguridad en el laboratorio

1. a
2. c
3. a, c
4. c
5. falso

Capítulo 2 Los usos de la luz

Las ondas y el espectro electromagnético

1. verdadero
2. falso
3. vibración
4. verdadero
5. **a.** longitud de onda **b.** frecuencia **c.** amplitud
6. c
7. falso
8. 300,000 km por segundo
9. **a.** Ondas de radio **b.** Rayos gamma

La luz visible y los colores

1. falso
2. c
3. es absorbida
4. verdadero
5. a
6. se refleja
7. c
8. **a.** amarillo, cian, magenta **b.** rojo, verde, azul
9. a
10. absorben
11. falso

Reflexión y refracción

1. reflejan
2. falso
3. a, b
4. verdadero
5. convexa

Cómo vemos la luz

1. c
2. falso
3. **a.** retina **b.** cerebro
4. **a.** miope **b.** Convexa
5. verdadero

Herramientas ópticas

1. lente
2. verdadero
3. **a.** telescopio reflector **b.** telescopio refractor
4. verdadero
5. microscopio óptico, b; microscopio electrónico,
   a, c

Capítulo 3 Estructura y función celular

Descubrimiento de las células

1. **a.** estructuras **b.** funciones
2. falso
3. b
4. b, c
5. **a.** unicelular **b.** multicelular

Observar las células por dentro

1. **a.** Células animales **b.** pared celular
2. verdadero
3. a, c
4. b
5. mitocondria, c; ribosomas, a; cloroplastos, b

6. b
7. verdadero
8. falso

Compuestos químicos en las células

1. elemento
2. b, c
3. almidón
4. falso
5. lípidos
6. aminoácidos, c; encimas, a; proteínas, b
7. a
8. **a.** núcleo **b.** contribuye a la formación de proteínas

La célula en su ambiente

1. verdadero
2. a
3. a
4. **a.** se agranda **b.** se encoge
5. **a.** no **b.** superior
6. activo

Capítulo 4 Procesos celulares y energía

Fotosíntesis

1. b
2. cebra
3. falso
4. primera etapa, c; segunda etapa, a, b
5. **a.** Agua **b.** Azúcar o alimento

Respiración

1. falso
2. primera etapa, b, c; segunda etapa, a, c, d
3. **a.** oxígeno **b.** dióxido de carbono
4. a
5. **a.** levadura **b.** dióxido de carbono

División celular

1. a
2. **a.** ciclo celular **b.** interfase **c.** replicación
3. verdadero
4. b
5. a, b
6. falso
7. Las alumnas y alumnos deben hacer un círculo alrededor de los "peldaños" de la escalera del ADN.
8. c
9. **a.** se separa **b.** bases **c.** moléculas de ADN

Diferenciación de las células

1. **a.** diferenciación **b.** tejidos **c.** funciones
2. falso
3. a, c
4. células madre
5. verdadero

Capítulo 5 Genética: La ciencia de la herencia

El trabajo de Mendel

1. **a.** herencia **b.** genética
2. c
3. **a.** bajo **b.** alto **c.** alto y bajo
4. verdadero
5. **a.** mayúscula, *T* **b.** oculto por otros alelos
6. a

Probabilidad y herencia

1. c
2. a
3. **a.** *Rr* **b.** *rr*
4. c
5. b
6. fenotipo, b; genotipo, d; heterocigoto, a; homocigoto, c
7. b

La célula y la herencia

1. b, c
2. b
3. **a.** dos **b.** cuatro
4. c
5. **a.** cromosomas **b.** genes
6. verdadero

Genes, ADN y proteínas

1. a, c
2. b
3. falso
4. **a.** núcleo **b.** uno **c.** uracilo
5. El ARN de transferencia tiene un código de tres letras y un aminoácido.
6. c
7. falso

Capítulo 6 Genética moderna

Herencia humana

1. b, c
2. grupo sanguíneo humano, b; altura, c; pico de viuda, a
3. **a.** niño **b.** X
4. La hija o hijo único daltoniano es X^cY.
5. a
6. verdadero
7. b

Trastornos genéticos humanos

1. b, c
2. a, c
3. c
4. **a.** hombre **b.** portador
5. b
6. **a.** cariotipo **b.** asesor genético
7. falso

Adelantos en genética

1. cruce selectivo
2. b
3. falso
4. **a.** terapia génica **b.** ingeniería genética
5. genoma, b; gemelos idénticos, a

Capítulo 7 Cambios con el tiempo

Teoría de Darwin

1. falso
2. **a.** fósil **b.** especies
3. verdadero
4. b
5. verdadero
6. **a.** teoría científica **b.** evolución
7. selección natural
8. b
9. competición, b; sobreproducción, c; variación, a

Evidencia de evolución

1. a, b
2. molde, a; vestigios fósiles, d; fósil petrificado, c; vaciado, b
3. paleontólogos
4. a,b,c
5. verdadero
6. paleontólogos
7. a, b, c

La evolución de las especies

1. a, b
2. verdadero
3. c
4. verdadero
5. macho o hembra
6. **a.** especies **b.** desarrollo
7. extinto
8. falso

Clasificación de los organismos

1. **a.** ancestro **b.** clasificación
2. a, c
3. verdadero
4. ocho
5. a, b, d
6. procariotas
7. Eucaria

Árboles ramificados

1. características derivadas compartidas
2. verdadero
3. ancestro en común

Capítulo 8 La historia de la Tierra

El ciclo de las rocas

1. **a.** erosión **b.** uniformismo
2. falso
3. ígnea, c; sedimentaria, b; metamórfica, a
4. **a.** Roca ígnea **b.** Erosión **c.** Roca sedimentaria **d.** Roca metamórfica

La edad relativa de las rocas

1. **a.** Capa A **b.** Capa D **c.** Fósil 2
2. falla
3. extrusión, a; intrusión, b
4. verdadero
5. **a.** Fósil y **b.** Capa 3

Datación radiactiva

1. desintegración radioactiva, b; elemento, a; vida media, c
2. verdadero
3. datación radiactiva
4. a, b
5. carbono-14
6. falso
7. a, c

El movimiento de las placas de la Tierra

1. **a.** tectónica de placas **b.** deriva continental
2. verdadero
3. b, c

La escala geocronológica

1. escala geocronológica
2. b
3. falso
4. organismos unicelulares
5. invertebrados
6. vertebrados
7. Devónico
8. Pangea
9. mamíferos
10. verdadero
11. verdadero

Capítulo 9 Virus, bacterias, protistas y hongos

Virus

1. verdadero
2. virus, b; parásito, c; huésped, a
3. B
4. b
5. virus activo, a, b; virus oculto, a, c
6. falso
7. b, c
8. vacuna

Bacterias

1. **a.** B **b.** A
2. falso
3. **a.** autotrófica **b.** respiración **c.** energía
4. c
5. **a.** Asexual **b.** Fisión binaria **c.** Conjugación
6. **a.** perjudicial **b.** útil **c.** perjudicial **d.** útil

Protistas

1. a, b
2. falso
3. Las alumnas y alumnos deben hacer un círculo alrededor de los protozoarios de la derecha.
4. **a.** autótrofos **b.** algas marrones **c.** algas verdes
5. falso
6. verdadero
7. a, b
8. falso

Hongos

1. c
2. Las alumnas y alumnos deben dibujar flechas que señalen las estructuras tubulares expuestas en el tallo y las que se encuentran bajo tierra.
3. asexual, a, c; sexual, a, b
4. a, c

Capítulo 10 Estructura y funciones de las plantas

El reino de las plantas

1. fotosíntesis, c; tejido, b; brotación, a
2. a
3. b, c
4. **a.** cigoto **b.** fertilización **c.** cutícula
5. no vascular
6. **a.** no **b.** alto
7. **a.** gametofito **b.** cigoto **c.** esporofito

Plantas sin semillas

1. verdadero
2. c
3. **a.** etapa de gametofito **b.** etapa de esporofito
4. hepática, b, c; callosa, a, d
5. tubos
6. b, c
7. gametofitos
8. a, b
9. Las alumnas y alumnos deben hacer un círculo alrededor de una hoja entera.
10. falso
11. verdadero

Características de las plantas con semillas

1. falso
2. floema, b; xilema, a; polen, c
3. **a.** cotiledón **b.** germinación
4. **a.** Viento **b.** Agua (en cualquier orden)
5. a, c

Raíces, tallos y hojas

1. a
2. pelos radicales, b; xilema, a; polen, c
3. a, b
4. falso
5. verdadero
6. a, b

La reproducción de las plantas con semillas

1. a
2. falso
3. coníferas
4. escama, b; cono macho, a; cono hembra, c
5. a
6. **a.** conos **b.** polinización **c.** viento
7. b
8. **a.** flor **b.** pétalo
9. **a.** estambres **b.** pistilo
10. polinizar
11. b
12. **a.** monocotiledóneas **b.** dicotiledóneas

Capítulo 11 Estructura y funciones de los invertebrados

¿Qué es un animal?

1. **a.** Tejidos **b.** Órganos
2. b
3. a, c
4. verdadero
5. **a.** reproducción asexual **b.** reproducción sexual
6. **a.** simetría radial **b.** simetría bilateral
7. verdadero

Esponjas y cnidarios

1. b
2. a, b
3. **a.** pólipo **b.** medusa
4. b, c
5. falso

Gusanos y moluscos

1. a, c
2. falso
3. autónomo, a; parásito, c; planaria, b
4. huésped
5. falso
6. boca, ano
7. b, c
8. **a.** pie **b.** manto
9. b, c
10. verdadero
11. a, b, c

Artrópodos

1. a, b, c
2. exoesqueleto
3. a, b
4. b, c
5. ciempiés, b; milpiés, a
6. **a.** cabeza **b.** tórax
7. falso
8. a, b
9. **a.** ninfa **b.** pupa

Equinodermos

1. b, c
2. verdadero
3. Pies ambulacrales
4. **a.** Estrellas de mar **b.** Estrellas de mar quebradizas **c.** Pepinos de mar

Capítulo 12 Estructura y funciones de los vertebrados

¿Qué es un vertebrado?

1. a, b, c
2. falso
3. **a.** Notocordio **b.** Cordón nervioso
4. a, b, c
5. b, c
6. **a.** ectotermo **b.** endotermo **c.** ectotermo
7. falso

Peces

1. **a.** escamas **b.** aleta
2. falso
3. b
4. tiburones
5. branquias

Anfibios

1. anfibio, a; renacuajo, c; metamorfosis, b
2. **a.** Los renacuajos empollan. **b.** Las patas traseras crecen. **c.** La cola desaparece.
3. **a.** salamandra **b.** larva
4. falso
5. b, c
6. a, c
7. **a.** aletas **b.** branquias **c.** pulmones

Reptiles

1. b
2. **a.** escamas **b.** dinosaurios **c.** mandíbulas
3. b, c
4. falso
5. falso
6. c

Aves

1. a, b
2. a, b
3. **a.** Plumones **b.** Junto al cuerpo **c.** Pluma remera **d.** Alas y cola
4. verdadero
5. **a.** Buche **b.** Molleja
6. alimento
7. verdadero

Mamíferos

1. Las alumnas y alumnos deben hacer un círculo alrededor de **a.** endotermo, **b.** vertebrado, **c.** corazón de cuatro cámaras, **d.** pelaje o pelo.
2. a, c
3. **a.** carne **b.** plantas
4. **a.** diafragma **b.** grasa **c.** sentidos
5. c
6. verdadero
7. **a.** Marsupiales **b.** Monotremas **c.** Mamíferos placentarios
8. falso

Capítulo 13 Huesos y músculos

Sistemas de órganos y homeostasis

1. célula
2. verdadero
3. tejido nervioso, c; tejido muscular, b; tejido epitelial, d; tejido conectivo, a
4. **a.** sistema digestivo **b.** sistema excretorio **c.** sistema tegumentario
5. **a.** esfuerzo **b.** homeostasis

El sistema esquelético

1. esqueleto
2. verdadero
3. a
4. falso
5. **a.** articulación **b.** ligamentos **c.** cartílago
6. b
7. falso
8. a

El sistema muscular

1. músculo esquelético, c; músculo liso, a; músculo cardíaco, b
2. voluntario
3. falso
4. Músculo A

Las máquinas y el cuerpo

1. verdadero
2. **a.** fuerza **b.** máquina
3. a, b
4. fulcro, b; palanca, a
5. falso
6. a
7. fulcros

Capítulo 14 Circulación y respiración

El sistema de transporte del cuerpo

1. cardiovascular
2. a, b, c
3. **a.** corazón **b.** marcapasos
4. verdadero
5. músculos
6. verdadero
7. venas
8. verdadero

Sangre y linfa

1. plasma
2. falso
3. oxígeno
4. **a.** Glóbulo blanco **b.** Plaqueta **c.** Plasma
5. b
6. a, c
7. falso
8. falso
9. **a.** sistema linfático **b.** ganglio linfático
10. verdadero

El sistema respiratorio

1. verdadero
2. oxígeno
3. **a.** alvéolos **b.** bronquios **c.** pulmones
4. b
5. intercambio de gases
6. falso
7. cuerdas vocales

Enfermedades cardiovasculares y respiratorias

1. verdadero
2. monóxido de carbono
3. **a.** enfisema **b.** cáncer de pulmón **c.** bronquitis **d.** arteriosclerosis (en cualquier orden)
4. verdadero
5. Asma
6. verdadero
7. verdadero

Capítulo 15 El sistema nervioso

Cómo funciona el sistema nervioso

1. verdadero
2. a, b, c
3. neurona sensorial, b; interneurona, a; neurona motora, c
4. falso
5. **a.** Interneurona **b.** Neurona motora
6. sinapsis

Divisiones del sistema nervioso

1. **a.** Central **b.** Periférico (en cualquier orden)
2. verdadero
3. falso
4. **a.** Cerebelo **b.** Tronco encefálico
5. **a.** Somático **b.** Autónomo
6. reflejo
7. verdadero
8. contusión
9. a

Vista y oído

1. verdadero
2. **a.** retina **b.** pupila **c.** lente
3. a, c
4. falso

Olfato, gusto y tacto

1. verdadero
2. b, c
3. piel
4. falso

El alcohol y otras drogas

1. falso
2. **a.** adicción **b.** tolerancia
3. sustancia depresora, c; estimulante, a; esteroide anabólico, b
4. verdadero
5. alcoholismo

Capítulo 16 El sistema endocrino y la reproducción

El sistema endocrino

1. endocrino
2. b
3. verdadero
4. b, c
5. falso
6. **a.** pituitaria **b.** hipotálamo
7. a
8. Glándula pituitaria

Sistemas reproductores masculino y femenino

1. falso
2. fecundación
3. **a.** testículos **b.** pene
4. testosterona
5. a, b
6. falso
7. **a.** Ovario **b.** Útero
8. Ovulación
9. c

Embarazo, desarrollo y nacimiento

1. verdadero
2. cigoto, b; embrión, c; feto, a
3. **a.** placenta **b.** saco amniótico
4. **a.** Parto **b.** Secundinas
5. verdadero
6. adolescencia
7. a, c

Unidad 1

Observación de las células

Capítulo 1 ¿Qué son las ciencias de la vida?

Verifica lo que sabes (pág. 1)
Esta pregunta evalúa la comprensión de los estudiantes sobre la investigación científica. (S 7.7)

Respuestas y explicaciones posibles

Respuesta correcta: Las preguntas *a.* y *c.* pueden responderse con investigaciones científicas.
Explicación posible: Las otras dos preguntas no son objetivas. Sus respuestas dependen de las opiniones de una persona, no de hechos o datos.
Respuestas incorrectas posibles: Preguntas *b.* y *d.*
Explicación posible: Es posible responder cualquier pregunta realizando una investigación científica.

Desarrollar el vocabulario de Ciencias

¡Aplícalo! (pág. 2)

1. concepto
2. investigación
3. evidencia

Cómo leer en Ciencias

¡Aplícalo! (pág. 4)
Pida a los estudiantes que usen oraciones completas a medida que respondan a las preguntas 2 y 3. Respuestas de ejemplo:

1. ramas, ciencias de la vida
2. ¿Cuáles son las ramas de las ciencias de la vida?
3. Una rama conduce a otras ramas.

Sección 1 Pensar como un científico
(págs. 6–12)

Objetivo
Al terminar esta lección, los estudiantes serán capaces de:
1.1.1 Identificar las destrezas que usan los científicos para aprender acerca del mundo.

Preparación para los estándares

¿Qué tan agudos son tus sentidos? (pág. 6)

Reflexiónalo Algunos estudiantes podrían enumerar dos o tres detalles, mientras que otros podrían mencionar muchos más. Los estudiantes podrían informar que usaron la vista, el oído y el olfato para reunir información.

Examina tu avance

Respuesta

Verificar la lectura (pág. 7) La vista, el oído, el tacto, el gusto y el olfato

Matemáticas Analizar datos

Repasar matemáticas: Álgebra y funciones 6.2.0

Comida para chimpancés (pág. 9)

Respuestas

1. Frutas, semillas, hojas, carne, insectos, brotes y otros alimentos
2. Semillas
3. 95%
4. Los insectos componen una parte mucho mayor de la dieta de los chimpancés, mientras que los otros alimentos disminuyen de manera proporcional.

Examina tu avance

Respuestas

Figura 2 (pág. 8) Respuesta de ejemplo: El chimpancé está hambriento. El chimpancé usa una roca como herramienta para abrir la nuez. El chimpancé come nueces.

Figura 3 (pág. 9) Respuesta de ejemplo: El chimpancé parece enfadado y podría agredir o atacar. (Un chimpancé también muestra los dientes cuando está agitado o asustado.)

Verificar la lectura (pág. 8) Explicar o interpretar una observación

Examina tu avance

Respuestas

Figura 5 (pág. 11) La distancia es de unos 1,500 metros.

Verificar la lectura (pág. 10) Clasificar objetos nos permite organizarlos y encontrarlos con facilidad para usarlos más adelante.

Examina tu avance

Respuesta

Verificar la lectura (pág. 12) Una escala sirve para determinar la relación entre el modelo y el objeto que representa.

Evaluación

Destreza de vocabulario

Palabras académicas de uso frecuente (pág. 12) Respuesta de ejemplo: Clasificar es un proceso en el cual los objetos o las ideas se ordenan o agrupan según sus semejanzas.

Repasar los conceptos clave (pág. 12)

1. **a.** Observar, inferir, predecir, clasificar y hacer modelos. **b.** Las observaciones son información que se reúne usando uno o más de los sentidos. Las inferencias son explicaciones o interpretaciones de las cosas observadas. **c.** Esto es una inferencia porque no describe una observación. Por el contrario, es una interpretación racional del comportamiento del gato.

Sección 2 El estudio de la vida (págs. 13–17)

Objetivos

Al terminar esta lección, los estudiantes serán capaces de:

1.2.1 Explicar cómo están relacionadas las ramas de las ciencias de la vida.

1.2.2 Identificar algunas de las grandes ideas de las ciencias de la vida.

Preparación para los estándares

¿Cómo se relaciona la estructura con la función? (pág. 13)

Reflexiónalo Algunos estudiantes podrán inferir correctamente que esta ave (un martín pescador norteño) se alimenta de peces que sujeta o lancea con su largo y afilado pico. En caso necesario, explique que el pico del ave no está adaptado para comer flores o manzanas.

Examina tu avance

Respuesta

Verificar la lectura (pág. 15) El desarrollo hace que un organismo se vuelva cada vez más complejo con la edad. Crecimiento es el proceso por el cual un organismo se vuelve más grande.

Examina tu avance

Respuesta

Figura 9 (pág. 16) La estructura del ojo de cada animal está adaptada a la forma como vive el animal. Sus ojos les ayudan a evitar a los depredadores y a buscar comida en su ambiente

Evaluación

Destreza clave de lectura

Examinar la estructura del texto (pág. 17) Las preguntas deben parecerse a la siguiente: *¿Qué cambia con el tiempo?* o *¿Cómo cambian los organismos a través del tiempo?* y las respuestas deben ser parecidas a *Generaciones de organismos cambian con el tiempo*, o *Grupos de organismos cambian gradualmente o evolucionan con el tiempo.*

Repasar los conceptos clave (pág. 17)

1. **a.** El estudio de los seres vivos. **b.** Respuesta de ejemplo: Biología molecular: las moléculas que componen a los seres vivos; genética: cómo pasa la información de los organismos de los padres a sus hijos; ecología: cómo interactúan los organismos entre sí y con su ambiente. **c.** Los distintos campos de estudio a menudo se traslapan y dependen de los hallazgos realizados en otros campos.
2. **a.** Los organismos son distintos, pero tienen características similares. Los grupos de organismos cambian con el tiempo. La estructura y función de los organismos son complementarias. Los organismos funcionan con los mismos principios físicos que el resto del mundo natural. **b.** Respuesta de ejemplo: Ambos están compuestos de células y tienen composiciones químicas similares. Los dos organismos se reproducen, crecen, se desarrollan y necesitan energía. Difieren en que el gato es un animal con pelaje que puede moverse de un lugar a otro y obtiene la energía que necesita de su alimento. El árbol no puede moverse de un lugar a otro y obtiene su energía de la luz solar que usa para producir su propio alimento.

Sección 3 La investigación científica
(págs. 18–22)

Objetivos

Al terminar esta lección, los estudiantes serán capaces de:

1.3.1 Explicar en qué consiste la investigación científica.

1.3.2 Describir cómo se desarrolla una hipótesis.

Preparación para los estándares

¿Qué puedes aprender de los gusanos de la harina? (pág. 18)

Reflexiónalo Preguntas de ejemplo: ¿Qué sucede cuando iluminas un gusano de la harina? ¿Qué sucede cuando lo pones en el refrigerador? ¿Qué sucede cuando lo tocas suavemente? Analice y apruebe los planes para hallar las respuestas.

Examina tu avance

Respuestas

Figura 10 (pág. 19) Respuesta de ejemplo: Tal vez hubo más grillos esa noche.

Verificar la lectura (pág. 19) Una explicación posible para un conjunto de observaciones o una respuesta a una pregunta científica.

Actividad Destrezas

Controlar variables (pág. 20)
Resultado esperado La variable manipulada es el tipo de semilla (girasol o mijo); la variable respuesta es la cantidad de semillas consumidas. Las variables que se deben controlar incluyen especie de ave, cantidad de aves, forma como se proporcionan las semillas (por ejemplo, tipo de contenedor, ubicación del contenedor), y el tiempo que las aves tendrán acceso a las semillas.

Examina tu avance

Respuestas

Figura 12 (pág. 21) Sí; la tabla de datos; sólo la tabla de datos proporciona información sobre grillos individuales.

Verificar la lectura (pág. 20) Una parte de un experimento que se usa en una comparación

Evaluación

Destreza de vocabulario

Palabras académicas de uso frecuente
(pág. 22) Respuesta de ejemplo: La evidencia ayuda a apoyar o refutar una hipótesis.

Repasar los conceptos clave (pág. 22)

1. **a.** La investigación científica se refiere a las distintas maneras como los científicos estudian el mundo natural y proponen explicaciones basados en las evidencias que reúnen. **b.** Sí podría, porque es posible poner a prueba una hipótesis. **c.** El crecimiento comparativo de las plantas de guisantes y las plantas de maíz.
2. **a.** Los investigadores deben tener la posibilidad de realizar investigaciones y reunir evidencias que apoyen o refuten la hipótesis. **b.** Respuesta de ejemplo: Estudiar para un examen mientras escucho música clásica mejora los resultados en el examen.

Sección 4 La seguridad en el laboratorio
(págs. 23–26)

Objetivos

Al terminar esta lección, los estudiantes serán capaces de:

1.4.1 Explicar por qué la preparación es importante para realizar investigaciones científicas en el laboratorio y en el campo.

1.4.2 Describir lo que se debe hacer si ocurre un accidente.

Preparación para los estándares

¿Dónde está el equipo de seguridad en tu escuela? (pág. 23)

Reflexiónalo Respuesta de ejemplo: Es importante porque, en caso de emergencia, puede no haber tiempo para preguntar al maestro o buscar el equipo.

Examina tu avance

Respuestas

Figura 14 (pág. 24) Tres de los siguientes: usar gafas de protección, usar guantes resistentes al calor, asegurar que los cables eléctricos no se encuentren enredados y que no estorben el paso, usar delantal, mantener limpia y despejada el área de trabajo, usar zapatos cerrados, tratar con cuidado las plantas y los animales vivos, usar guantes de hule, sujetarse el pelo largo.

Verificar la lectura (pág. 25) Limpiar el área de trabajo; apagar y desconectar el equipo y regresarlo a su lugar; eliminar los desechos como lo indique el maestro; lavarse bien las manos.

Examina tu avance

Respuesta

Verificar la lectura (pág. 26) Porque permite responder a los accidentes de una manera rápida y adecuada.

Evaluación

Destreza clave de lectura

Examinar la estructura del texto (pág. 26)
Si las notas de los estudiantes no son lo bastante extensas para responder a las preguntas de evaluación, pídales que repasen la sección y agreguen más detalles a sus notas.

Repasar los conceptos clave (pág. 26)

1. **a.** Ayuda a garantizar la seguridad. **b.** Acepte dos de las siguientes: Leer todo el procedimiento; leer el Apéndice A; pedir al maestro que explique cualquier cosa que no se haya entendido. **c.** Respuesta de ejemplo: Correría el riesgo de tener un accidente; podría no obtener resultados confiables.
2. **a.** Avisar al maestro. **b.** No. Debió cubrir la herida con un vendaje limpio y presionar para detener el sangrado. **c.** Pudo haber evitado cortarse si hubiera prestado atención a los símbolos de rotura de objetos y/u objetos afilados.

Diseña tu laboratorio

Conservar frescas las flores

Analiza y concluye (pág. 27)

1. Respuesta de ejemplo: Hipótesis: Poner flores cortadas en agua azucarada sirve para mantener frescas las flores. La hipótesis se basa en haber visto que el jardinero ponía azúcar en el agua de un florero.
2. Variable manipulada: la presencia de azúcar en el agua; variable respuesta: frescura de las flores; las variables controladas incluyen cantidad de agua y luz solar, y la temperatura del aire.
3. Las gráficas pueden variar dependiendo de la variable respuesta elegida. Las gráficas pueden mostrar la cantidad de pétalos que caen o la cantidad de días que las flores permanecieron frescas. Una gráfica típica incluirá dos barras o líneas, una para cada flor (o ramo de flores), una puesta en agua con azúcar y la otra puesta en agua simple.
4. Los estudiantes deberán concluir que el azúcar del agua mantiene frescas las flores.
5. Respuesta de ejemplo: Lo más difícil fue reunir los datos sobre la frescura de las flores cortadas

Repaso y evaluación (págs. 29–30)

Destreza clave de lectura (pág. 29)
Revise los organizadores de los estudiantes para determinar si formularon las preguntas adecuadas y las respondieron correctamente.

Repasar los términos clave (pág. 29)

1. c
2. b
3. d
4. d
5. d
6. el estudio de los seres vivos
7. ayuda a un organismo a sobrevivir
8. es una observación de una cantidad
9. cualquier tipo de evidencia reunida mediante observaciones
10. es compartir información con otros

Verificar los conceptos (pág. 30)

11. Observar, inferir, predecir, clasificar y hacer modelos
12. Cuando observas algo, usas uno o más de tus sentidos para reunir información.
13. Los modelos permiten estudiar y comprender cosas complejas o que no pueden observarse directamente.
14. Respuesta de ejemplo: Los seres vivos están compuestos de muchas partes que tienen diferentes funciones. Esas partes y funciones obedecen las leyes naturales de la física.
15. Una hipótesis es una explicación posible para un conjunto de observaciones o la respuesta a una pregunta científica. Una hipótesis debe ser comprobable para reunir evidencias que apoyen o refuten la hipótesis.
16. Al mantener iguales todas las variables, excepto una (la variable manipulada), el investigador sabe que cualquier respuesta experimental se debe al cambio en la variable manipulada.
17. Leer con cuidado el procedimiento; repasar las reglas generales de seguridad del Apéndice A; si algo no queda claro, pedir al maestro que explique.

Razonamiento crítico (pág. 30)

18. Respuesta de ejemplo: Los dedos pueden doblarse para sujetar objetos. Las muñecas se

mueven de distintas maneras para que las manos puedan realizar diversos movimientos.

19. Los dos tipos de observaciones se obtienen usando los sentidos. Las observaciones cualitativas son las que no usan números. Las observaciones cuantitativas incluyen números o cantidades.
20. Respuesta de ejemplo: El gatito trataba de atrapar al pez y cayó en la pecera. Cuando se mojó, el gatito dejó de perseguir al pez y trató de salir de la pecera.
21. Respuesta de ejemplo: Sólo se debe cambiar la marca del pegamento. Los objetos a pegar y la cantidad de pegamento usado deben ser iguales para cada tipo de pegamento utilizado en la prueba.

Aplicar destrezas (pág. 30)

22. La variable manipulada es el tipo de actividad (en reposo, caminata, carrera); la variable respuesta es la frecuencia cardiaca.
23. Respuesta de ejemplo: La frecuencia cardiaca de una persona que corre es mayor que la frecuencia cardiaca de una persona que camina.
24. Sus frecuencias cardiacas disminuirían al descansar después de una carrera larga.
25. Respuesta de ejemplo: La variable manipulada es el tipo de actividad: saltar la cuerda o hacer planchas. La variable respuesta es la frecuencia cardiaca. Las variables controladas incluyen realizar la prueba a la misma persona, hora del día, temperatura, humedad y nivel de esfuerzo físico antes de la actividad.
26. Los datos indican que la frecuencia cardiaca aumenta conforme la actividad física se incrementa (se vuelve más vigorosa).

Práctica de estándares (pág. 31)

1. C; S 7.7
2. D; S 7.7.c
3. A; S 7.7.c
4. B; S 7.7
5. B; S 7.7.c
6. C; S 7.5

Aplicar la gran idea (pág. 31)

7. Respuestas de ejemplo: **I.** Sí; Los perros pueden ver en la oscuridad. Poner perros en una habitación oscura y ver si pueden encontrar un objeto que no tenga olor. **II.** Sí; Los perros mascota están relacionados con los perros salvajes porque comparten características similares. Observar a los perros mascota y los perros salvajes, y comparar y contrastar sus características. **III.** No; Esta pregunta es un asunto de gusto personal y no puede responderse de manera objetiva. **IV.** Sí; La cola del perro le ayuda a comunicarse con otros seres vivos. Exponer a los perros a distintos seres vivos y objetos inanimados, y comparar los resultados. S 7.7

Capítulo 2 Los usos de la luz

Verifica lo que sabes (pág. 33)

Esta pregunta evalúa la comprensión de los estudiantes acerca del cambio de la luz blanca en color cuando pasa por filtros de colores. (S 3.2.c)

Respuestas y explicaciones posibles

Respuesta correcta: No saldrá luz del filtro rojo. *Explicación posible:* El filtro rojo sólo transmite la luz roja, de modo que el filtro absorbe por completo la luz azul. *Respuestas incorrectas posibles:* La luz azul saldrá del filtro como luz roja (o morada). *Explicación posible:* La luz que pasa por un filtro siempre cambia al color del filtro.

Desarrollar el vocabulario de Ciencias

¡Aplícalo! (pág. 34)

1. reflexión; es cuando la luz se curva y regresa
2. translúcido; del latín *lucere*, que significa iluminar

Cómo leer en Ciencias

¡Aplícalo! (pág. 36)

Pida a los estudiantes que usen oraciones completas a medida que respondan a las preguntas 2 y 3. Respuestas de ejemplo:

1. ¿Cuál es el tema de esta ilustración? Es conveniente hacer esta pregunta para comprender mejor el significado del texto y el tema.
2. ¿Qué significa el rótulo Cresta? Significa el punto más alto de una onda. ¿Qué significa el rótulo Valle? Significa el punto más bajo de una onda.
3. Preguntas de ejemplo para la Figura 22: ¿Cuál es el tema de esta ilustración? ¿Cómo se corrige la hipermetropía? Preguntas de ejemplo para la Figura 25: ¿Cuál es el tema de esta ilustración? ¿Cuál es la función del objetivo? ¿Qué hace el espejo?

Sección 1 Las ondas y el espectro electromagnético (págs. 38–45)

Objetivos

Al terminar esta lección, los estudiantes serán capaces de:

2.1.1 Explicar qué causa las ondas.
2.1.2 Describir las propiedades básicas de las ondas.
2.1.3 Establecer en qué consiste una onda electromagnética.
2.1.4 Nombrar las ondas que forman el especto electromagnético.

Preparación para los estándares

¿Qué es la luz blanca? (pág. 38)

Reflexiónalo La banda de colores muestra la gama de colores que componen la luz blanca.

Examina tu avance

Respuesta

Verificar la lectura (pág. 39) Una vibración es un movimiento repetido hacia adelante y hacia atrás o hacia arriba y hacia abajo.

Matemáticas Destrezas

Ángulos (pág. 41)

Respuestas

1. Puedo dibujar cuatro ángulos rectos dentro de un círculo.
2. Dos ángulos rectos contienen 180 grados.

Examina tu avance

Respuestas

Figura 2 (pág. 40) Se podría aumentar la amplitud sacudiendo la cuerda con más fuerza. Se podría aumentar la frecuencia sacudiendo la cuerda con más rapidez.

Verificar la lectura (pág. 41) La frecuencia se mide en hercios (Hz).

Examina tu avance

Respuestas

Figura 3 (pág. 42) 90 grados

Verificar la lectura (pág. 43) La gama completa de ondas electromagnéticas ordenadas de menor a mayor frecuencia.

Examina tu avance

Respuestas

Figura 5 (pág. 44) Las ondas de radio

Verificar la lectura (pág. 44) Rojo, anaranjado, amarillo, verde, azul, índigo, violeta.

Evaluación

Destreza clave de lectura

Examinar visuales (pág. 45) Revise la precisión de los organizadores gráficos de los estudiantes antes de asignar las preguntas.

Repasar los conceptos clave (pág. 45)

1. **a.** Una perturbación que transfiere energía de un lugar a otro. **b.** Las ondas mecánicas se producen cuando una fuente de energía hace vibrar un medio. **c.** Las ondas de agua requieren de un medio. Las ondas electromagnéticas no necesitan un medio.
2. **a.** Longitud de onda, frecuencia, amplitud, rapidez. **b.** Los diagramas de los estudiantes deberán ser similares a la Figura 2. La longitud de onda determina el color de la luz. **c.** La longitud de onda y la amplitud son distancias. La frecuencia y la rapidez se miden con respecto al tiempo.
3. **a.** Una onda que consiste de campos eléctricos y magnéticos que vibran y se mueven en el espacio a la velocidad de la luz. **b.** Puede transferir energía sin requerir de un medio.
4. **a.** Ondas de radio, microondas, rayos infrarrojos, luz roja, luz anaranjada, luz amarilla, luz verde, luz azul, luz índigo, luz violeta, rayos ultravioleta, rayos X, y rayos gamma. **b.** Algunas ondas llevan más energía que otras.
   c. Cocinar: microondas, rayos infrarrojos; comunicaciones: ondas de radio, microondas; ver el interior del cuerpo: rayos X; curar enfermedades: rayos gamma, rayos ultravioleta; leer un libro: luz visible; calentar las manos: rayos infrarrojos.

Sección 2 La luz visible y los colores (págs. 46–50)

Objetivos

Al terminar esta lección, los estudiantes serán capaces de:

2.2.1 Describir cómo interactúa la luz blanca con un objeto.

2.2.2 Describir qué determina el color de un objeto opaco.

2.2.3 Explicar cómo difiere la mezcla de pigmentos de la mezcla de los colores de la luz.

Preparación para los estándares

¿Cómo se mezclan los colores? (pág. 46)

Reflexiónalo La rueda parece de color blanco grisáceo cuando gira rápido. Algunos estudiantes podrían predecir este resultado.

Examina tu avance

Respuestas

Figura 6 (pág. 47) La pajilla se ve con claridad a través de un vaso transparente. En un vaso traslúcido parece borrosa.

Verificar la lectura (pág. 47) Se refleja o absorbe.

Examina tu avance

Respuesta

Figura 7 (pág. 48) Roja.

Examina tu avance

Respuesta

Verificar la lectura (pág. 50) Verdiazul, magenta, amarillo y negro.

Evaluación

Destreza de vocabulario

Palabras derivadas del latín (pág. 50) *Trans* significa "a través de" y *luc* significa "luz", así que traslúcido describe un objeto que permite el paso de la luz.

Repasar los conceptos clave (pág. 50)

1. **a.** La luz puede reflejarse, transmitirse o absorberse. **b.** La mayor parte de la luz que choca contra un plástico claro se transmite y otra parte se refleja. Al chocar contra un papel de aluminio, la mayor parte de la luz se refleja y otra parte se absorbe. Cuando la luz choca contra un pañuelo desechable, se transmite, refleja y absorbe parcialmente. **c.** Las persianas deben estar hechas de un material opaco para que no transmita la luz.
2. **a.** El color de un objeto opaco está determinado por el color de la luz que refleja. **b.** El reflector que no contiene luz roja o azul, porque estos colores de luz no se reflejan, por tanto, el color del reflector debe ser verde.
3. **a.** Los colores primarios de la luz son rojo, azul y verde. Los colores primarios de los pigmentos son verdiazul, amarillo y magenta. **b.** Si se mezclan cantidades iguales de los colores primarios de los pigmentos se obtiene pigmento negro. Si se mezclan los colores primarios de la luz en cantidades iguales se produce luz blanca. **c.** Magenta y verdiazul.

Laboratorio de destrezas

Colores cambiantes

Analiza y concluye (pág. 51)

1. Un filtro rojo absorbe la luz verde y azul, pero pero permite el paso de la luz roja. El objeto rojo se veía rojo porque la luz que reflejaba pasó por el filtro. El objeto azul parecía negro porque el filtro absorbió la luz que reflejaba. El objeto amarillo parecía rojo o anaranjado, dependiendo del filtro.
2. Un filtro azul absorbe luz roja y verde y transmite luz azul. Los objetos amarillos y verdes parecían negros porque el filtro absorbió la luz que reflejan. El objeto azul se veía azul.
3. Rojo: rojo; verde: verde; azul: azul
4. Los estudiantes podrían predecir que un objeto blanco tendrá el mismo color que el celofán.
5. Los estudiantes podrían predecir que el objeto rojo aparecerá como negro. Sus diagramas deberán mostrar que la luz que refleja el objeto rojo es absorbida por el celofán amarillo.
6. Se espera que los diagramas de los estudiantes muestren que cada filtro de color transmite la luz de su mismo color.

Sección 3 Reflexión y refracción (págs. 52–60)

Objetivos

Al terminar esta lección, los estudiantes serán capaces de:

2.3.1 Enunciar la ley de reflexión.

2.3.2 Explicar por qué los rayos de luz se curvan al entrar en cierto ángulo en un nuevo medio.

2.3.3 Explicar qué determina los tipos de imágenes que forman las lentes cóncavas y convexas.

Preparación para los estándares

¿Cómo bota una pelota? (pág. 52)

Reflexiónalo La pelota rebotó de la pared en el mismo ángulo en que golpeó la pared.

Examina tu avance

Respuestas

Figura 11 (pág. 53) El ángulo de reflexión aumenta en la misma proporción.

Verificar la lectura (pág. 53) Reflexión es el rebote de un objeto o una onda al chocar contra una superficie que no puede pasar.

Examina tu avance

Respuestas

Figura 12 (pág. 54) En la imagen, el brazo alzado parece ser el derecho, pero en realidad es el brazo izquierdo.

Figura 14 (pág. 55) Una imagen real.

Verificar la lectura (pág. 54) Una imagen en un espejo plano parece estar ubicada detrás del espejo.

Examina tu avance

Respuestas

Figura 15 (pág. 56) Los rayos se dispersan al alejarse del espejo.

Verificar la lectura (pág. 56) En los espejos de los autos del lado del pasajero y en los espejos de seguridad.

Matemáticas Analizar datos

Matemáticas: Razonamiento matemático 7.2.5

Curvar la luz (pág. 57)

Respuestas

1. El diamante causa el mayor cambio en la dirección de un rayo de luz que viaja en el aire.
2. Según la tabla, la mayor parte de los sólidos curvan la luz más que los líquidos.
3. No esperaría que la luz se curvara al entrar formando un ángulo en el aceite de maíz después de pasar por el glicerol, porque el aceite de maíz y el glicerol tienen el mismo valor en el índice de refracción.

Examina tu avance

Respuestas

Figura 17 (pág. 58) Rojo, anaranjado, amarillo, verde, azul, índigo y violeta.

Verificar la lectura (pág. 58) La reflexión y la refracción en las gotas de agua separan los colores de la luz.

Actividad Inténtalo

Formar una imagen (pág. 59)

Resultado esperado En el paso 1, la lente proyecta una imagen real en el papel. En el paso 2, forma una imagen virtual agrandada y vertical. El estudiante advierte que, en el paso 3, al observar las letras con la lente, la impresión parece torcida e invertida.

Examina tu avance

Respuestas

Figura 20 (pág. 60) Porque los rayos de luz paralelos que atraviesan la lente nunca se encuentran.

Verificar la lectura (pág. 60) Una lente cóncava es más delgada en el centro que en los bordes.

Evaluación

Destreza de vocabulario

Palabras derivadas del latín (pág. 60) Porque *planus* significa plano y el espejo es plano.

Repasar los conceptos clave (pág. 60)

1. **a.** El rebote de una onda en una superficie. **b.** El ángulo de incidencia es igual al ángulo de reflexión. **c.** un ángulo de 30°.
2. **a.** La curvatura de los rayos de luz provocada por un cambio en la velocidad. **b.** Los rayos de luz cambian de velocidad. **c.** Sí, porque el índice de refracción del vidrio es distinto del índice de refracción del agua.
3. **a.** Una pieza de vidrio u otro material transparente curvado que se usa para refractar la luz. **b.** Una lente convexa es más gruesa en el centro; una lente cóncava en más gruesa en los bordes. **c.** Si el objeto está más alejado de la lente que del punto de enfoque, se formará una imagen real. Si el objeto está más cerca de la lente que del punto de enfoque, se formará una imagen virtual.

Laboratorio de destrezas

Mirar imágenes

Analiza y concluye (pág. 61)

1. Los estudiantes mantuvieron constante la longitud de enfoque y la posición de las lentes. Manipularon la posición del foco y el cartón. Las variables respuesta fueron el tamaño y la ubicación de la imagen.
2. Cuando el foco se movió hacia la lente, la imagen se alejó de la lente.

3. No; la imagen se redujo cuando el objeto se alejó de la lente a más del doble de la longitud de enfoque.
4. Los estudiantes podrían predecir que no se proyectaría una imagen en el papel, debido a que la imagen es virtual cuando el objeto se encuentra en esa posición.
5. Se espera que los estudiantes hagan diagramas mostrando los rayos del foco refractados a través de una lente convexa cuando el objeto se coloca a diferentes distancias de la lente. Pueden usar los diagramas para explicar sus resultados.

Sección 4 Cómo vemos la luz
(págs. 62–64)

Objetivos
Al terminar esta lección, los estudiantes serán capaces de:
2.4.1 Explicar cómo vemos los objetos.
2.4.2 Identificar los tipos de lentes usados para corregir problemas de la vista.

Preparación para los estándares

¿Cómo viaja un haz de luz? (pág. 62)

Reflexiónalo En el paso 4, al mover la tarjeta se bloqueó el paso de la luz. Los estudiantes podrían inferir que la luz viaja en línea recta y no puede atravesar una tarjeta.

Examina tu avance

Respuestas
Figura 21 (pág. 63) El iris.

Verificar la lectura (pág. 63) En la retina.

Evaluación

Destreza clave de lectura
Examinar visuales (pág. 64) Verifique la precisión de los organizadores gráficos de los estudiantes antes de asignarles preguntas.

Repasar los conceptos clave (pág. 64)
1. **a.** Córnea, pupila, cristalino, retina. **b.** Los rayos de luz que pasan por la córnea y el cristalino se refractan formando una imagen en la retina. **c.** Los conos y bastones de la retina detectan la imagen y la transforman en señales que viajan al encéfalo en el nervio óptico.
2. **a.** Las lentes cóncavas ayudan a corregir la miopía; las lentes convexas ayudan a corregir la hipermetropía. **b.** El globo ocular está muy alargado y esto ocasiona que las imágenes de objetos distantes se vuelvan borrosas. **c.** En el ojo de una persona con miopía, la imagen se forma frente a la retina. En el ojo de una persona con hipermetropía, la imagen se forma en la retina pero está fuera de foco.

Sección 5 Herramientas ópticas
(págs. 65–69)

Objetivo
Al terminar esta lección, los estudiantes serán capaces de:
2.5.1 Describir el uso de las lentes en telescopios, microscopios y cámaras.

Preparación para los estándares

¿Cómo funciona un visor con un agujero?
(pág. 65)

Reflexiónalo La imagen está invertida, es más pequeña que el objeto, y es real.

Actividad Inténtalo

¡Qué vista! (pág. 67)
Resultado esperado La imagen es real, invertida y más pequeña que el objeto. Esta combinación de lentes es similar a la del telescopio refractor.

Examina tu avance

Respuestas
Figura 23 (pág. 66) Cada rayo luminoso se refracta y luego incide en la película.

Verificar la lectura (pág. 66) La abertura del diafragma.

Verificar la lectura (pág. 67) El objetivo recoge y enfoca la luz. El ocular amplifica la imagen. Son las dos lentes de un telescopio refractor.

Actividad Destrezas

Observar (pág. 68)
Resultado esperado
1. Cámara o telescopio de baja potencia
2. Telescopio
3. Microscopio

Examina tu avance

Respuesta
Figura 25 (pág. 68) La mayor amplificación muestra mayor detalle.

Evaluación

Destreza clave de lectura

Examinar visuales (pág. 69) Revise las preguntas de los estudiantes para ver si son razonables. Revise la exactitud de las respuestas.

Repasar los conceptos clave (pág. 69)

1. **a.** Los telescopios usan lentes o espejos para recoger y enfocar la luz de objetos distantes; los microscopios usan lentes para producir y amplificar imágenes de objetos cercanos; las cámaras usan lentes para enfocar la luz y formar imágenes en una película. **b.** Los tres producen imágenes invertidas y un ocular. El telescopio refractor tiene una segunda lente que recoge luz y el telescopio reflector usa espejos. Los dos tipos de telescopios enfocan grandes objetos distantes, mientras que el microscopio enfoca objetos cercanos y pequeños. **c.** Telescopio refractor.
2. **a.** Lente, diafragma, abertura, obturador, disparador del obturador y película. **b.** Ambas son orificios por los que pasa la luz y ambas pueden ajustarse para controlar la cantidad de luz que pasa. **c.** La película debe recibir la cantidad adecuada de luz.
3. **a.** Permite ver objetos diminutos. **b.** La capacidad de hacer que las cosas parezcan más grandes de lo que son en realidad. **c.** 500 veces **d.** Los microscopios ópticos usan un rayo de luz para producir una imagen. Los microscopios electrónicos usan un rayo de electrones en vez de un rayo de luz.

Repaso y evaluación (págs. 71–72)

Destreza clave de lectura

Examinar visuales (pág. 71)

a. Cómo se refleja la luz
b. La luz que incide en el espejo
c. Se mueve en una dirección distinta.

Repasar los términos clave (pág. 71)

1. a
2. d
3. d
4. c
5. b
6. ondas de radio, microondas, rayos infrarrojos, rayos ultravioleta, rayos X, rayos gamma
7. sustancias de color para colorear materiales
8. una imagen vertical que se forma desde donde parece provenir la luz
9. una capa de células que recubre el interior del globo ocular
10. usa una combinación de lentes para formar imágenes amplificadas de objetos diminutos

Verificar los conceptos (pág. 72)

11. Se mide la distancia desde la posición de reposo hasta una cresta o desde la posición de reposo hasta un valle.
12. Respuestas de ejemplo: Porque la luz solar viaja a la Tierra a través de un vacío en el espacio; porque las ondas de radio van y vienen entre la Tierra y los satélites del espacio
13. Los rayos infrarrojos tienen mayores frecuencias y por tanto, más energía que las ondas de radio.
14. La luz roja tiene la mayor longitud de onda y la luz violeta tiene la longitud de onda más corta.
15. Los materiales transparentes, como el vidrio claro, transmiten la luz. Los materiales traslúcidos, como el vidrio esmerilado, transmiten y dispersan la luz. Los materiales opacos, como la madera, reflejan y/o absorben luz, pero no transmiten luz.
16. Los pétalos de la rosa reflejan luz roja y absorben luz de todos los demás colores. Las hojas reflejan luz verde y absorben luz de todos los demás colores.
17. Los diagramas de los estudiantes deben identificar correctamente el tipo de espejo y la ubicación del punto de enfoque y el eje óptico. El eje óptico debe dividir al espejo en mitad superior e inferior. El punto de enfoque debe estar sobre el eje óptico. Se encuentra por delante de un espejo cóncavo y por detrás de un espejo convexo.
18. Las imágenes reales son imágenes invertidas que se forman en el lugar donde se encuentran los rayos de luz. Los espejos cóncavos producen imágenes reales cuando el objeto se encuentra más lejos que el punto de enfoque. Las imágenes virtuales son imágenes verticales que se forman en el lugar donde los rayos de luz parecen encontrarse. Se forman con espejos planos, espejos convexos y espejos cóncavos (en el último caso, sólo cuando el objeto se encuentra más cerca que el punto de enfoque).
19. Los conos.
20. La lente del objetivo amplifica el objeto y la lente del ocular amplifica esa imagen.

Razonamiento crítico (pág. 72)

21. **a.** Onda A **b.** Onda B **c.** Onda A
22. El agua sólo sube y baja desde su posición de reposo, pero no se desplaza por el lago con la ola.
23. La neblina dispersa la luz, así que los detalles son borrosos.
24. No; la imagen siempre es virtual porque el espejo plano no puede enfocar rayos de luz.
25. Los dos tipos de espejos tienen superficies brillantes, un eje óptico y un punto de enfoque; los dos pueden producir imágenes virtuales. Los espejos cóncavos también pueden producir imágenes reales, pero los espejos convexos no. Los espejos cóncavos están curvados hacia adentro, mientras que los espejos convexos están curvados hacia afuera.
26. Las dos personas ven imágenes borrosas en las mismas condiciones. La persona con miopía puede enfocar objetos cercanos, pero no los que están lejos. La persona con hipermetropía puede enfocar objetos lejanos, pero no objetos que están cerca.
27. Se podría añadir otra lente convexa para volver a invertir la imagen.
28. Los dos pueden formar imágenes amplificadas y se enfocan moviendo una lente. Sin embargo, es posible cambiar la amplificación del microscopio al cambiar el objetivo. Los microscopios también tienen mucho mayor poder de amplificación.

Aplicar destrezas (pág. 72)

29. Se absorben todos los colores, excepto el rojo.
30. La manzana se vería negra.
31. La luz blanca contiene todos los colores del espectro visible, así que todos los objetos reflejarán sus colores verdaderos y los veremos correctamente.

Práctica de estándares (pág. 73)

1. D; S 7.6.b
2. B; S 7.6.e
3. A; S 7.6.g
4. C; S 7.6.c
5. B, S 7.6.a
6. A; S 7.5.g
7. D; S.7.6.f

Aplicar la gran idea (pág. 73)

8. La luz entra en la cámara por la lente, que enfoca la luz como la córnea y el cristalino del ojo. El diafragma de la cámara cambia el tamaño de la abertura del mismo modo que el iris del ojo cambia el tamaño de la pupila para controlar la cantidad de luz que entra. Se forma una imagen en la película en la parte posterior de la cámara, de manera similar a la imagen que se forma en la retina en la parte posterior del ojo. S 7.5.g, 7.6.d

Capítulo 3 Estructura y función celular

Verifica lo que sabes (pág. 75)

Esta pregunta evalúa la comprensión de los estudiantes acerca de la forma como los científicos eligen un instrumento para observar las células. (S 7.7.a)

Respuestas y explicaciones posibles

Respuesta correcta: Un microscopio. *Explicación posible:* Si hay un millón de organismos en una pizca de suelo, deben ser muy pequeños así que se necesitaría un instrumento de amplificación para estudiarlos. *Respuestas incorrectas posibles:* Un telescopio. *Explicación posible:* Un telescopio hace que las diminutas estrellas y los planetas parezcan más grandes, así que también haría que los organismos se vieran más grandes.

Desarrollar el vocabulario de Ciencias

¡Aplícalo! (pág. 76)

1. Verde
2. El prefijo *cito-*

Cómo leer en Ciencias

¡Aplícalo! (pág. 78)

Pida a los estudiantes que completen las oraciones a medida que responden a las preguntas. Respuestas de ejemplo:

Idea principal: Las células son las unidades básicas de estructura y función de los seres vivos.

Detalles: Las células determinan la estructura de un ser vivo. Las células realizan todas las funciones básicas de un organismo

Sección 1 Descubrimiento de las células (págs. 80–85)

Objetivos

Al terminar esta lección, los estudiantes serán capaces de:

3.1.1 Expresar qué son las células.

3.1.2 Explicar cómo la invención del microscopio contribuyó al conocimiento científico de los seres vivos.

3.1.3 Enunciar la teoría celular.

3.1.4 Explicar la organización de las células de los organismos multicelulares.

Preparación para los estándares

¿Ver para creer? (pág. 80)

Reflexiónalo En la imagen, las áreas sombreadas en blanco y gris están compuestas de minúsculos puntos de tinta individuales. Las fibras o defectos del papel pueden ser visibles. El microscopio es el mejor instrumento.

Examina tu avance

Respuestas

Figura 2 (pág. 81) Las unidades básicas de estructura y función de los seres vivos.

Verificar la lectura (pág. 81) Las células obtienen oxígeno, eliminan desechos, obtienen alimento y crecen.

Examina tu avance

Respuesta

Verificar la lectura (pág. 83) Simple

Examina tu avance

Respuestas

Figura 3 (pág. 84) De otras células

Verificar la lectura (pág. 85) Un grupo de distintos tipos de tejidos que trabajan en conjunto.

Evaluación

Destreza de vocabulario

Prefijos (pág. 85) unicelulares; multicelulares

Repasar los conceptos clave (pág. 85)

1. **a.** Estructura es lo que compone a un objeto u organismo y la forma como se unen sus partes. Una función es un proceso que permite que el organismo viva y se reproduzca. **b.** Las células forman las distintas partes de un organismo y llevan a cabo todas sus funciones. **c.** En la vista.
2. **a.** Los microscopios permiten que las personas descubran y estudien cosas muy pequeñas, como las células. **b.** Hooke vio que el corcho estaba compuesto de muchos espacios diminutos y rectangulares que llamó células. **c.** Porque el ojo humano no puede ver estructuras así de pequeñas.
3. **a.** Todos los seres vivos están compuestos de células, que son las unidades básicas de estructura y función de los seres vivos. Las células provienen de otras células. **b.** Virchow propuso que las células provienen de otras células. **c.** Las plantas de plástico no tienen células. Sus partes no producen partes parecidas de la misma forma como las células producen otras células. Por el contrario, las partes de las plantas de plástico son artificiales.
4. **a.** Los organismos multicelulares están compuestos de muchas células. Los organismos unicelulares están compuestos de una sola célula. **b.** Las células forman tejidos, los cuales forman órganos. **c.** Un órgano tendría más tipos de células especializadas. Las células de un tejido son similares.

Laboratorio de tecnología

Diseñar y construir un microscopio

Analiza y concluye (pág. 87)

1. Las imágenes obtenidas con dos lentes estaban más amplificadas.
2. Al subir la lente superior aumentó la amplificación, mientras que al bajar la lente inferior disminuyó la amplificación.
3. Cada lente estaba unida a un tubo de cartón. Luego, se introdujo un tubo dentro del otro para que las lentes pudieran acercarse o alejarse entre sí.
4. Las respuestas podrían señalar que la creciente capacidad de amplificación ha permitido que los científicos realicen estudios detallados de la estructura de las células.
5. Los estudiantes probablemente elegirán una lupa porque ese instrumento les permitiría observar a la hormiga completa mientras se mueve. El microscopio sólo mostraría una pequeña parte de la hormiga.

Sección 2 Observar las células por dentro (págs. 88–95)

Objetivos

Al terminar esta lección, los estudiantes serán capaces de:

3.2.1 Identificar la función de la pared celular y la membrana celular en la célula.

3.2.2 Identificar la función del núcleo en la célula.

3.2.3 Nombrar los organelos que se encuentran en el citoplasma y describir sus funciones.

3.2.4 Describir cómo se diferencian las células.

Preparación para los estándares

¿Qué tamaños tienen las células? (pág. 88)

Reflexiónalo No es posible ver las células del cuerpo sin un microscopio porque son muy pequeñas.

Examina tu avance

Respuestas

Figura 5 (pág. 89) Rectangular

Verificar la lectura (pág. 89) No.

Examina tu avance

Respuesta

Figura 6 (pág. 90) Cualquiera de las siguientes: Paredes celulares, cloroplastos

Examina tu avance

Respuestas

Figura 8 (pág. 93) En las células musculares y otras células activas

Verificar la lectura (pág. 92) En filamentos llamados cromatina

Actividad Inténtalo

Comparar células (pág. 94)

Resultado esperado Sólo las células vegetales tienen paredes celulares y cloroplastos. La mayor parte de las estructuras celulares restantes se encuentran tanto en las células vegetales como en las células animales.

Examina tu avance

Respuestas

Figura 11 (pág. 95) Las largas extensiones de células nerviosas transmiten información. La forma aplanada de los glóbulos rojos les permite pasar por los vasos sanguíneos.

Verificar la lectura (pág. 94) Cloroplastos

Evaluación

Destreza de vocabulario

Prefijos (pág. 95) Citoplasma.

Repasar los conceptos clave (pág. 95)

1. **a.** La membrana celular separa a la célula de su ambiente y controla las sustancias que entran y salen de la célula. La pared celular protege y da sostén a la célula. **b.** Como la celulosa es resistente, la pared celular, que está compuesta de celulosa, puede proteger a la célula y darle sostén.
2. **a.** Dirige todas las actividades de la célula. **b.** Cromatina **c.** El nucléolo se volvería más visible.
3. **a.** Los ribosomas producen proteínas. Los aparatos de Golgi distribuyen las proteínas y otros materiales a las distintas partes de la célula. **b.** El retículo endoplasmático tiene muchos conductos que transportan proteínas y otras sustancias de una parte de la célula a otra. **c.** Los ribosomas producen proteínas. El retículo endoplasmático transporta las proteínas a los aparatos de Golgi, los cuales distribuyen las proteínas a otras partes de la célula.
4. **a.** Las células difieren en su forma y los organelos que contienen. **b.** Ribosomas o retículo endoplasmático o aparatos de Golgi.

Laboratorio de destrezas

Medir una célula

Analiza y concluye (pág. 96)

1. 0.02 m ó 2 cm.
2. Las respuestas pueden variar. Los estudiantes podrían decir que usar una escala muy grande requiere de más materiales y resulta en un producto estorboso.
3. A esa escala, los ribosomas y demás organelos serían demasiado pequeños para representarlos en un modelo.
4. Las respuestas pueden variar. Algunas posibilidades incluyen una mitocondria en forma de laberinto, una montaña rusa de retículo endoplasmático, carritos chocones de cloroplasto, un núcleo en forma de teatro y demás. Sería necesario hacer modelos a la escala de los clientes y luego reducir la escala para adecuarla al proyecto.

Sección 3 Compuestos químicos en las células (págs. 97–101)

Objetivos

Al terminar esta lección, los estudiantes serán capaces de:

3.3.1 Definir elementos y compuestos.

3.3.2 Explicar la importancia del agua para el funcionamiento de las células.

3.3.3 Identificar las funciones de los carbohidratos, los lípidos, las proteínas y los ácidos nucleicos.

Preparación para los estándares

¿Qué es un compuesto? (pág. 97)

Reflexiónalo Los estudiantes podrían decir que un compuesto químico es algo que está formado de más de una sustancia.

Examina tu avance

Respuestas

Figura 12 (pág. 98) Una combinación química de dos o más elementos.

Figura 14 (pág. 99) De carbono, hidrógeno y oxígeno.

Verificar la lectura (pág. 99) Grasas, aceites y ceras.

Matemáticas Analizar datos

Repasar matemáticas: Estadísticas, análisis de datos y probabilidad 7.1.1

Compuestos de bacterias y mamíferos (pág. 100)

Respuestas

1. El porcentaje del peso celular de las células bacterianas; el porcentaje de células de un mamífero
2. Proteínas
3. Son similares, aunque las células de un mamífero tienen un menor porcentaje de ácidos nucleicos y las células bacterianas tienen menores porcentajes de lípidos y proteínas.

Examina tu avance

Respuesta

Verificar la lectura (pág. 101) ADN y ARN. El ADN es el material genético y el ARN es importante para la síntesis de proteínas.

Evaluación

Destreza de vocabulario

Identificar ideas principales (pág. 101) Las moléculas de proteínas están compuestas de moléculas más pequeñas llamadas aminoácidos.

Repasar los conceptos clave (pág. 101)

1. **a.** Dos o más elementos combinados químicamente **b.** Agua; carbohidratos, lípidos, proteínas, ácidos nucleicos
2. **a.** El agua disuelve las sustancias químicas, da a las células su forma y tamaño, y evita que la temperatura cambie rápidamente. **b.** Sin agua para disolver sustancias químicas, las enzimas no podrían acelerar las reacciones químicas.
3. **a.** Carbohidratos y lípidos **b.** Proteínas y ácidos nucleicos **c.** Podría ser un carbohidrato, pero no una proteína. Todas las proteínas contienen nitrógeno.

Sección 4 La célula en su ambiente (págs. 102–107)

Objetivos

Al terminar esta lección, los estudiantes serán capaces de:

3.4.1 Describir cómo la mayoría de las moléculas pequeñas cruzan la membrana celular.

3.4.2 Explicar la importancia de la ósmosis para las células.

3.4.3 Indicar la diferencia entre el transporte pasivo y el transporte activo.

Preparación para los estándares

¿Cómo se mueven las moléculas? (pág. 102)

Reflexiónalo Cuanto más alejado se encuentre el estudiante del maestro, más tardará en percibir el olor del aromatizante de ambiente. Los estudiantes podrían formular la hipótesis de que las partículas de rocío se desplazaron de un área de mayor concentración a un área de menor concentración.

Matemáticas Destrezas

Razones (pág. 103)

Respuesta

7 g : 1 L ó 7 g/L

Actividad Inténtalo

Ósmosis en acción (pág. 105)

Resultado esperado Añadir sal a la solución provoca que el agua salga de las células. Los estudiantes verán que el contenido celular se aglomera dentro de la célula conforme el citoplasma se encoge debido a la pérdida de agua.

Examina tu avance

Respuestas

Figura 17 (pág. 104) Las moléculas de oxígeno del interior se difundirían fuera de la célula.

Verificar la lectura (pág. 104) Difusión

Verificar la lectura (pág. 105) La ósmosis es la difusión de moléculas de agua a través de una membrana con permeabilidad selectiva.

Examina tu avance

Respuestas

Figura 19 (pág. 106) Una proteína transportadora recoge moléculas fuera de la célula y las lleva al interior de la célula, o las transporta al exterior de la misma manera.

Verificar la lectura (pág. 107) Si las células fueran muy grandes no podrían funcionar, porque las moléculas que entran en la célula tardarían demasiado en llegar al centro y lo mismo pasaría con los desechos que debe eliminar.

Evaluación

Destreza clave de lectura

Identificar ideas principales (pág. 107) La ósmosis es la difusión de moléculas a través de una membrana con permeabilidad selectiva.

Repasar los conceptos clave (pág. 107)

1. **a.** El proceso por el cual las moléculas pasan de un área de mayor concentración a un área de menor concentración **b.** Las moléculas de azúcar se disuelven y pasan del área cercana al cubo, donde la concentración de azúcar es muy alta, al resto del té, donde la concentración es baja.
2. **a.** La difusión de moléculas de agua a través de una membrana con permeabilidad selectiva **b.** Las moléculas de agua pasan del lado de la membrana celular que tiene mayor concentración de agua al lado que tiene menor concentración de agua. **c.** Las moléculas de agua pasan por ósmosis de B a A.
3. **a.** El transporte activo requiere de energía celular; el transporte pasivo no. **b.** Proteínas de la membrana celular que llevan moléculas del exterior de la célula al interior, usando energía **c.** Porque desplazan moléculas del área de menor concentración a un área de mayor concentración.
4. 20 g/L
5. 60 g : 3 L ó 20 g : 1 L

Repaso y evaluación (págs. 109–110)

Destreza clave de lectura

Identificar ideas principales (pág. 109) Revise la exactitud de los organizadores gráficos de los estudiantes.

Repasar los términos clave (pág. 109)

1. d
2. c
3. d
4. d
5. a
6. cromatina
7. convierten la energía de las moléculas de alimento en energía que las células pueden usar para realizar sus funciones
8. dos o más elementos combinados químicamente
9. acelera la descomposición de almidones
10. el proceso por el cual las moléculas pasan de un área de mayor concentración a un área de menor concentración

Verificar los conceptos (pág. 110)

11. El microscopio permitió que los científicos observaran las células que componen a los seres vivos. Con los años, descubrieron que todos los seres vivos están compuestos de células.
12. La pared celular ayuda a proteger y dar sostén a las células vegetales y algunos otros organismos.
13. Un elemento es cualquier sustancia que no pueda descomponerse en sustancias más simples. Un compuesto está hecho de dos o más elementos.
14. Las enzimas aceleran las reacciones químicas de los seres vivos. Sin enzimas, muchas de las reacciones químicas necesarias para la vida serían muy lentas o no ocurrirían.
15. El ADN es el material genético que contiene la información de un organismo y que pasa de padres a hijos. La información también dirige todas las funciones de la célula. El ARN tiene un papel importante en la producción de proteínas.
16. El agua disuelve sustancias que participan en las reacciones químicas de los seres vivos y también participa en muchas reacciones químicas. Ayuda a dar forma y tamaño a las células, mantiene estable su temperatura y transporta sustancias dentro y fuera de las células.
17. La difusión es el proceso por el cual las moléculas pasan de un área de mayor concentración a un área de menor concentración. La difusión ayuda a las células a tomar las sustancias que necesita y a desechar las que no necesita.
18. Al aumentar el tamaño de la célula, más citoplasma se aleja de la membrana celular. Cuanto más alejado esté el citoplasma de la

membrana celular, más tardan las sustancias en llegar al citoplasma. Una célula más pequeña funciona mejor que una célula grande porque puede movilizar materiales y desechos entre todas las partes del citoplasma con más rapidez.

Razonamiento crítico (pág. 110)

19. Son vegetales; la célula tiene cloroplastos y paredes celulares rígidas y rectangulares.
20. Ribosomas, retículo endoplasmático, aparato de Golgi
21. La célula no podría producir proteínas. Las proteínas componen muchas partes de la célula y algunas funcionan como enzimas que aceleran las reacciones químicas de la célula. Sin proteínas, la célula carecería de estructuras importantes y no podría llevar a cabo muchas de sus funciones. Es probable que la célula muriera.
22. La ósmosis es una forma pasiva de transporte que no requiere de energía celular, mientras que el transporte activo requiere de energía para llevarse a cabo. Además, la ósmosis se refiere específicamente al paso de moléculas de agua a través de la membrana celular, mientras que el transporte activo utiliza otros tipos de moléculas.

Practicar matemáticas (pág. 110)

23. 24 g/2 L ó 12 g/1 L ó 12 g : 1 L
24. 8 g/0.5 L ó 16 g/1 L ó 16 g : 1 L

Aplicar destrezas (pág.110)

25. Las células de la planta se hicieron más pequeñas.
26. La ósmosis, o el movimiento de agua por difusión, provocaría cambios en las células de la planta. En B, el agua ha salido de la célula por ósmosis.
27. Respuesta de ejemplo: Si la planta B se regara con agua dulce, volvería a su tamaño original porque recuperaría agua por ósmosis.

Práctica de estándares (pág. 111)

1. A; S 7.1.a
2. C; S 7.1
3. C; S 7.1.b
4. D; S 7.5
5. C; S 7.1.b
6. B; S 7.1.c
7. D; S 7.1.d

Aplicar la gran idea (pág. 111)

8. Ambas tienen los mismos tipos de organelos, excepto porque las células vegetales poseen paredes celulares y cloroplastos, y las animales no. Núcleo: dirige todas las actividades de la célula; mitocondrias: producen energía para las células vegetales y animales; retículo endoplasmático: proporciona un sistema de transporte interno a las células vegetales y animales; ribosomas: producen proteínas en las células vegetales y animales; aparatos de Golgi: empaquetan y distribuyen las proteínas producidas en las células vegetales y animales; cloroplastos: producen alimento para las células vegetales; vacuolas: son áreas de almacenamiento en las células vegetales y algunas células animales; lisosomas: contienen sustancias químicas que descomponen las partículas de alimento en las células vegetales y en las células animales. S 7.5

Capítulo 4 Procesos celulares y energía

Verifica lo que sabes (pág. 113)

Esta pregunta evalúa lo que saben los estudiantes acerca de cómo las células obtienen la energía que necesitan para realizar su trabajo. (S 7.1.d)

Respuestas y explicaciones posibles

Respuesta correcta: Los carbohidratos proporcionan energía para que las células lleven a cabo sus funciones. El néctar es una fuente de energía para los colibríes. *Explicación posible:* Los animales, como el colibrí, obtienen alimento de otros organismos. Las plantas producen su propio alimento. Plantas y animales obtienen energía (directa o indirectamente) de la luz solar atrapada durante la fotosíntesis. *Respuestas incorrectas posibles:* El néctar proporciona alimento a las células del colibrí. *Explicación posible:* El néctar *es* alimento; el alimento proporciona una fuente de energía.

Desarrollar el vocabulario de Ciencias

¡Aplícalo! (pág. 114)

Autótrofo y heterótrofo; *auto* significa "mismo", hace su propia comida. *Hetero* significa "diferente", obtiene alimento de otros organismos

Cómo leer en Ciencias

¡Aplícalo! (pág. 116)

Pida a los estudiantes que usen las palabras del bosquejo para responder a las preguntas. Respuestas de ejemplo:

1. Respiración; con un número romano
2. Dos; Descomponer moléculas simples como el azúcar y liberar la energía de las moléculas.

Sección 1 Fotosíntesis (págs. 118–122)

Objetivos

Al terminar esta lección, los estudiantes serán capaces de:

4.1.1 Explicar cómo proporciona el Sol la energía que necesitan los seres vivos.

4.1.2 Describir qué sucede durante el proceso de la fotosíntesis.

Preparación para los estándares

¿De dónde procede la energía? (pág. 118)

Reflexiónalo La energía para hacer que funcione la calculadora proviene de la luz solar.

Examina tu avance

Respuestas

Figura 1 (pág. 119) La cebra come pasto, el cual utiliza la energía de la luz solar para producir su propio alimento.

Verificar la lectura (pág. 119) Organismos que producen su propio alimento

Actividad Inténtalo

Observar pigmentos (pág. 121)

Resultado esperado El alcohol disuelve los pigmentos de las plantas y los deposita en la tira de papel. El aspecto de la tira de papel revela que las hojas contienen varios pigmentos.

Examina tu avance

Respuestas

Figura 3 (pág. 120) La Etapa 1.

Verificar la lectura (pág. 121) Los cloroplastos contienen el pigmento verde llamado clorofila.

Examina tu avance

Respuesta

Verificar la lectura (pág. 122) Produce

Evaluación

Desarrollar el vocabulario de Ciencias

Palabras derivadas del griego (pág. 122) El vocablo griego *photo* significa "luz".

Repasar los conceptos clave (pág. 122)

1. **a.** Todos los seres vivos están compuestos de células, las cuales necesitan energía para llevar a cabo sus funciones. **b.** Las plantas capturan la energía de la luz del Sol durante la fotosíntesis y utilizan la energía para producir azúcares. Después, las plantas descomponen los azúcares y liberan su energía para que la célula pueda utilizarla. **c.** La hoja ha almacenado alimento que la planta produjo con la energía del Sol durante el proceso de la fotosíntesis.
2. **a.** 6 CO_2 (dióxido de carbono) + 6 H_2O (agua) + (energía luminosa) → $C_6H_{12}O_6$ (un azúcar) + 6 O_2 (oxígeno) **b.** Dióxido de carbono y agua; azúcar y oxígeno **c.** Una planta produciría más oxígeno en un día soleado, porque tendría más luz solar para llevar a cabo la fotosíntesis

Sección 2 Respiración (págs. 123–127)

Objetivos

Al terminar esta lección, los estudiantes serán capaces de:

4.2.1 Describir lo que sucede durante la respiración.

4.2.2 Indicar qué es la fermentación.

Preparación para los estándares

¿Cuál es un producto de la respiración? (pág. 123)

Reflexiónalo Las burbujas del tubo de ensayo que tenía azúcar fueron producidas por algún proceso en el que participaron la levadura y el azúcar.

Actividad Destrezas

Predecir (pág. 124)

Resultado esperado Los estudiantes podrían predecir que la velocidad de la respiración celular disminuirá cuando el animal esté hibernando porque su cuerpo ya no necesita llevar a cabo muchas de las actividades que requieren energía.

Examina tu avance

Respuestas

Figura 7 (pág. 125) La segunda etapa

Verificar la lectura (pág. 124) El proceso por el cual las células obtienen energía de la glucosa

Examina tu avance

Respuestas

Figura 8 (pág. 126) La respiración usa oxígeno. La fotosíntesis usa dióxido de carbono.

Verificar la lectura (pág. 126) La respiración

Verificar la lectura (pág. 127) La fermentación alcohólica

Evaluación

Destreza clave de lectura

Hacer bosquejos (pág. 127) Los estudiantes deben usar sus bosquejos para responder a las preguntas.

Repasar los conceptos clave (pág. 127)

1. **a.** Las células descomponen moléculas simples, como el azúcar, y liberan la energía que contienen. **b.** $C_6H_{12}O_6$ (azúcar) + 6 O_2 (oxígeno) → 6 CO_2 (dióxido de carbono) + 6 H_2O (agua) + energía **c.** Ambas utilizan los mismos compuestos químicos, pero son procesos invertidos. Las sustancias iniciales de un proceso son los productos del otro proceso. **d.** La respiración celular produce dióxido de carbono, mientras que la fotosíntesis usa dióxido de carbono.
2. **a.** Fermentación **b.** Si los músculos de un atleta se quedaran sin oxígeno y no hubiera fermentación, el atleta no podría continuar con la actividad. **c.** Es más probable que ocurra la fermentación durante una carrera corta y rápida que durante una larga caminata. En la carrera corta, el atleta hace trabajar mucho los músculos para correr rápido, de modo que los músculos agotan el oxígeno más pronto. (Algunos estudiantes podrían decir que la fermentación puede ocurrir durante una caminata prolongada que sea agotadora para una persona.)

Diseña tu laboratorio

Exhalar dióxido de carbono

Analiza y concluye (pág. 128)

1. Entre 25 y 45 segundos
2. El ejercicio redujo el tiempo necesario para que la solución cambiara de color.
3. Se produjo más dióxido de carbono durante el ejercicio. Si los estudiantes predijeron que el tiempo disminuiría después del ejercicio, la predicción es correcta.
4. Respuestas posibles: El volumen de la solución de azul de bromotimol; la fuerza utilizada para exhalar por el popote; tipo, intensidad y duración del ejercicio; cantidad de tiempo transcurrido entre el final del ejercicio y el inicio de la exhalación por el popote
5. Los párrafos deberán explicar que al aumentar la respiración celular se incrementa la producción de dióxido de carbono.

Sección 3 División celular (págs. 129–136)

Objetivos

Al terminar esta lección, los estudiantes serán capaces de:

4.3.1 Identificar lo que ocurre durante las tres etapas del ciclo celular.

4.3.2 Explicar cómo la estructura del ADN permite que se copie por sí solo.

Preparación para los estándares

¿Qué hacen las células de levadura? (pág. 129)

Reflexiónalo Los estudiantes podrían decir que las células están dividiéndose y formular la hipótesis de que las células de levadura se dividen en dos al reproducirse.

Actividad Inténtalo

Modelar la mitosis (pág. 130)

Resultado esperado Profase: Unir por el centro los limpiapipas de cada par. Agrupar los pares de limpiapipas. Metafase: Alinear los pares de limpiapipas en el centro. Anafase: Separar los limpiapipas de cada par y colocarlos en los extremos opuestos. Telofase: Mover los limpiapipas separados a los extremos opuestos. El modelo ayuda a los estudiantes a visualizar la mitosis como un proceso continuo.

Examina tu avance

Respuesta

Figura 11 (pág. 131) Profase

Examina tu avance

Respuesta

Figura 12 (pág. 132) Los cromosomas se alinean en el centro de la célula durante la metafase, mientras que se desplazan a los polos opuestos de la célula durante la anafase.

Matemáticas Analizar datos

Matemáticas: Álgebra y funciones 7.1.5 (pág. 134)

Duración del ciclo celular

Respuestas

1. Las tres etapas del ciclo celular; la flecha curvada más larga representa la interfase de la

célula; la más corta representa la citocinesis; y la intermedia representa la mitosis.
2. Interfase
3. 10 horas
4. Interfase

Examina tu avance

Respuestas

Figura 13 (pág. 134) La placa celular desarrolla nuevas membranas celulares.

Verificar la lectura (pág. 134) Telofase

Examina tu avance

Respuesta

Verificar la lectura (pág. 136) Citosina

Evaluación

Desarrollar el vocabulario de ciencias

Palabras derivadas del griego (pág. 136) La membrana celular se pellizca y desplaza el contenido de la célula original hacia las dos células nuevas.

Repasar los conceptos clave (pág. 136)

1. **a.** Interfase, mitosis y citocinesis **b.** En la profase, la cromatina se condensa formando cromosomas. En la metafase, los cromosomas se alinean en el centro de la célula y se unen a las fibras del huso. En la anafase, las cromátidas se separan y cada una se desplaza a un extremo opuesto de la célula. En la telofase, los cromosomas comienzan a estirarse y pierden su aspecto de filamentos.
2. **a.** Adenina, timina, citosina y guanina **b.** La adenina se une a la timina y la citosina se une a la guanina. **c.** TCTAAG.

Laboratorio de destrezas

Multiplicación por división

Analiza y concluye (pág. 137)

1. El tejido de la raíz tenía una alta tasa de crecimiento. Se observaron muchas células en las distintas etapas de la mitosis. La respuesta más probable es interfase.
2. Las respuestas pueden variar dependiendo de los datos de los estudiantes. Las respuestas para los datos del ejemplo son: interfase, 641 minutos; profase, 50 minutos; metafase, 14 minutos; anafase, 7 minutos; telofase, 7 minutos.
3. Con base en los datos del ejemplo, la cantidad de tiempo utilizado en la mitosis es de 11%. Las respuestas de los estudiantes pueden variar.

Tabla de datos de ejemplo			
Etapa del ciclo celular	**Primera muestra**	**Segunda muestra**	**Cantidad total**
Interfase	43	46	89
Mitosis: Profase	3	4	7
Metafase	1	1	2
Anafase	1	0	1
Telofase	0	1	1
Total de células contadas			100

Sección 4 Diferenciación de las células (págs. 138–141)

Objetivos

Al terminar esta lección, los estudiantes serán capaces de:

4.4.1 Indicar qué es la diferenciación celular.

4.4.2 Identificar los factores que influyen en cómo y cuándo se diferencian las células dentro de distintos organismos.

Preparación para los estándares

¿De qué manera es diferente? (pág. 138)

Reflexiónalo Basados en las observaciones de los cambios estructurales que ocurren durante el desarrollo de la planta, los estudiantes probablemente dirán que diferenciación significa "volverse diferente".

Examina tu avance

Respuestas

Figura 16 (pág. 139) No, porque las células de la raíz no tienen cloroplastos.

Verificar la lectura (pág. 139) Células con estructuras y funciones especializadas que se agrupan para formar tejidos, órganos y sistemas.

Examina tu avance

Respuestas

Figura 17 (pág. 140) Glóbulo rojo: células circulares lisas con el centro deprimido; glóbulo blanco: esfera de superficie irregular.

Verificar la lectura (pág. 140) Células sanguíneas especializadas.

Evaluación

Destreza clave de lectura

Hacer bosquejos (pág. 141) Los estudiantes deben usar sus bosquejos para responder a las preguntas.

Repasar los conceptos clave (pág. 141)

1. **a.** Las células cambian de estructura y se vuelven capaces de realizar funciones especializadas. **b.** Las células con la misma estructura y función se agrupan formando tejidos. Grupos de tejidos forman los órganos. **c.** Ejemplo: Diferentes células realizan "trabajos" distintos.
2. **a.** Acepte dos de las siguientes: El ADN de la célula, su función, el tipo de organismo. **b.** La necesidad del cuerpo de células sanguíneas nuevas que sustituyan a las células más viejas estimula las células troncales humanas para que se diferencien en células sanguíneas especializadas. **c.** En las plantas y los humanos, las células diferenciadas se especializan y forman tejidos. Muchas plantas adultas pueden crecer durante toda su vida debido a que en las raíces y los tallos tienen células cuyo desarrollo no se ha definido. En el humano adulto, la mayoría de las células pierde la capacidad para convertirse en otro tipo de células una vez que se han diferenciado.

Repaso y evaluación (págs. 143–144)

Destreza clave de lectura

Hacer bosquejos (pág. 143) Revise la precisión de los bosquejos de los estudiantes

Repasar los términos clave (pág. 143)

1. b
2. d
3. c
4. b
5. c
6. se encuentra en los cloroplastos, atrapa energía luminosa y la usa para dar energía a la segunda etapa de la fotosíntesis.
7. obtiene alimento comiendo otros organismos
8. un proceso que libera energía y no requiere de oxígeno
9. la célula se divide para formar dos células
10. las células troncales pueden responder a ciertas necesidades del cuerpo volviéndose células especializadas

Verificar los conceptos (pág. 144)

11. Durante la fotosíntesis, la energía de la luz del Sol se transforma en energía química que se utiliza para convertir dióxido de carbono y agua en azúcares y oxígeno.
12. Los organismos necesitan llevar a cabo la respiración celular para proporcionar energía para todos los procesos celulares.
13. Los dos procesos liberan energía que la célula puede usar. La respiración requiere de oxígeno. La fermentación no.
14. Los organismos crecen produciendo más células mediante la división celular.
15. Durante la interfase, la célula crece, el ADN se replica y la célula se prepara para la división.
16. Durante la interfase, se producen copias exactas del ADN. Durante la mitosis, el ADN y los organelos celulares se dividen en partes iguales entre las células hijas.
17. La mayor parte de las células del cuerpo están diferenciadas y no pueden producir nuevos tipos de células. Las células troncales pueden diferenciarse y formar nuevos tipos de células.

Razonamiento crítico (pág. 144)

18. La falta de Sol impediría que las plantas llevaran a cabo la fotosíntesis para producir alimento. Las plantas morirían y los animales y otros organismos que obtienen energía de las plantas morirían también.
19. La respiración pulmonar introduce oxígeno en el cuerpo para la respiración celular. La respiración celular utiliza el oxígeno para descomponer el alimento y proporcionar energía para las necesidades del cuerpo.
20. Sí, las plantas necesitan llevar a cabo la respiración para obtener la energía que necesitan para sus procesos celulares. La fotosíntesis proporciona azúcares, los cuales se usan en la respiración para generar energía.
21. Las bases del otro filamento serían TGCAGC.
22. La diferenciación celular es necesaria para que los organismos multicelulares desarrollen estructuras especializadas y células que puedan llevar a cabo distintas funciones.

Aplicar destrezas (pág. 144)

23. Las gráficas deben tener 12 barras. Las barras pueden estar agrupadas por organismo (3 grupos de 4 barras) o por base nitrogenada (4 grupos de 3 barras). El eje vertical debe tener una escala de 0 a por lo menos 30%.
24. Los porcentajes de adenina y timina son iguales. Los porcentajes de guanina y citosina también son iguales.
25. Ejemplo: En todos los organismos, la adenina forma par con la timina y la guanina forma par con la citosina.
26. El porcentaje de citosina debe ser igual al porcentaje de guanina de modo que, tomadas en conjunto, representan 56%. El porcentaje de las cuatro debe sumar 100%. El porcentaje de

timina y adenina debe ser la mitad de las bases restantes, ó 44%. Por consiguiente, el porcentaje de las bases nitrogenadas que son timina sería de 22%.

Práctica de estándares (pág. 145)

1. C; S 7.1.d
2. D; S 7.2.e
3. D; S 7.1.e
4. A; S 7.1.f
5. C; S 7.2.e
6. B; S 7.1.e
7. B; S 7.1.e

Aplicar la gran idea (pág. 145)

8. Ejemplo: Las materias primas para la fotosíntesis son agua y dióxido de carbono. Los productos son azúcares y oxígeno. Las materias primas para la respiración son azúcares y oxígeno. Los productos de la respiración son dióxido de carbono y agua. Son procesos opuestos. S 7.1.d

Evaluación de la Unidad 1

Introducción a las ciencias de la vida

Conexión de las grandes ideas (pág. 147)

Respuestas

1. c
2. a
3. a
4. b
5. El dibujo del portaobjetos A representa células de la mejilla. No tiene pared celular, así que no puede ser una célula vegetal. Las observaciones proporcionan evidencia de mitosis. No todas las células estaban dividiéndose en el momento en que se preparó el portaobjetos.

Unidad 2

Genética y evolución

Capítulo 5 Genética: La ciencia de la herencia

Verifica lo que sabes (pág. 149)

Esta pregunta evalúa la comprensión de los estudiantes sobre qué determina la herencia de los rasgos (S 7.2.c)

Respuestas y explicaciones posibles

Respuesta correcta: Es posible inferir que los padres tenían una combinación de pelaje rojo, negro y blanco. Los códigos de ADN de los padres para las proteínas que producen pelaje rojo, negro y blanco. *Explicación posible:* Los padres pueden tener una combinación de pelaje rojo, negro y blanco. O tal vez uno de los padres es blanco y negro y el otro es rojo y blanco. *Respuestas incorrectas posibles:* No es posible inferir algo por la apariencia de los padres. *Explicación posible:* Los rasgos pasan de padres a hijos, pero no es posible determinar cuáles rasgos pasan de cada uno de los padres.

Desarrollar el vocabulario de Ciencias

¡Aplícalo! (pág. 150)

1. *-ado;* Rayado significa que tiene rayas.
2. Aflicción significa que tiene dolor.

Cómo leer en Ciencias

¡Aplícalo! (pág. 152)

Pida a los estudiantes que completen las oraciones a medida que responden a las preguntas.

Respuestas de ejemplo:

1. Un cromosoma de cada par proviene de cada uno de los progenitores.
2. ¿Qué les sucede a los cromosomas después de la fecundación?

Sección 1 El trabajo de Mendel
(págs. 154–159)

Objetivos

Al terminar esta lección, los estudiantes serán capaces de:

5.1.1 Describir los resultados de los experimentos de Mendel.

5.1.2 Identificar qué controla la herencia de los rasgos en los organismos.

Preparación para los estándares

¿Qué aspecto tiene el padre? (pág. 154)

Reflexiónalo Es posible que los estudiantes infieran que el padre tenía pelaje anaranjado. Podrían inferir que el gatito heredó su color del padre.

Examina tu avance

Respuesta

Figura 1 (pág. 155) Quitó a la flor las estructuras productoras de polen (estambres).

Examina tu avance

Respuestas

Figura 3 (pág. 157) Dominante

Verificar la lectura (pág. 156) La forma "perdida" del rasgo volvió a aparecer en la cuarta parte de las plantas.

Actividad Destrezas

Predecir (pág. 158)

Resultado esperado Las crías F_1 tendrán alas largas. La generación F_2 producirá tres cuartos con alas largas y un cuarto con alas cortas.

Examina tu avance

Respuestas
Figura 4 (pág. 158) Dos alelos recesivos.

Verificar la lectura (pág. 159) Que es un alelo dominante.

Evaluación

Destreza de vocabulario

Sufijos (pág. 159) Proceso de

Repasar los conceptos clave (pág. 159)

1. **a.** Alta y corta **b.** Todas las plantas de la generación F_1 eran altas. Podría esperarse que algunas hijas fueran cortas como una de las plantas progenitoras. **c.** La generación F_2 era 75% alta y 25% corta, mientras que la F_1 era 100% alta. Hay factores individuales o conjuntos de información genética que deben controlar la herencia de rasgos en los guisantes. Esos factores se presentan en pares. Cada progenitor contribuye un factor. Y un factor puede ocultar al otro.
2. **a.** Alelo dominante: un alelo con el que siempre se presenta el rasgo cuando el alelo está presente; alelo recesivo: un alelo con el cual se enmascara un rasgo cuando está presente un alelo dominante **b.** Si la planta tiene dos alelos dominantes para altura de tallo (*TT*), entonces es alta. Si la planta tiene dos alelos recesivos para altura del tallo (*tt*), es baja. Si la planta es híbrida (*Tt*), será alta. **c.** No, una planta baja tiene dos alelos recesivos (*tt*); las híbridas tienen dos alelos distintos para un rasgo (*Tt*). El híbrido sería alto porque el alelo para tallo alto es dominante.

Laboratorio de destrezas

Hacer un estudio de la clase

Analiza y concluye (pág. 161)

1. Un rasgo controlado por un alelo dominante que suele ser más común es el de lóbulos sueltos. Algunos rasgos controlados por alelos recesivos que suelen ser más comunes incluyen barbilla no partida, pelo lacio, ausencia de pico de viuda y ausencia de vello en el dedo medio. Sin embargo, los resultados de cualquier clase pueden variar de los patrones generales de población debido a que la muestra es pequeña.
2. Las respuestas pueden variar, pero casi siempre pocos o ningún estudiante obtendrán los mismos resultados al estudiar seis rasgos. Cuanto mayor sea la cantidad de rasgos a considerar, menor será la probabilidad de que dos personas de la clase obtengan la misma cifra. Incluso los hermanos, excepto los gemelos idénticos, tienen diferentes combinaciones de rasgos.
3. Las respuestas pueden variar, pero deben incluir ejemplos del laboratorio explicando que ninguno de los rasgos controlados por alelos dominantes y ninguno de los rasgos controlados por alelos recesivos se vuelven, automáticamente, más comunes en una población.
4. Los párrafos de los estudiantes deben indicar la enorme cantidad de combinaciones que puede surgir cuando se consideran muchos rasgos

Sección 2 Probabilidad y herencia
(págs. 162–167)

Objetivos
Al terminar esta lección, los estudiantes serán capaces de:

5.2.1 Definir probabilidad y describir cómo ayuda a explicar los resultados de las cruzas genéticas.

5.2.2 Explicar qué significan genotipo y fenotipo.

5.2.3 Indicar qué es codominancia.

Preparación para los estándares

¿Cuál es la probabilidad? (pág. 162)

Reflexiónalo Para la mayoría de los estudiantes, los resultados fueron un poco distintos de sus predicciones. Los datos combinados de la clase deberán aproximarse a la proporción esperada de una "cara" por una "cruz". Los estudiantes podrían inferir que la diferencia se debe a la probabilidad o a que al lanzar la moneda más veces, más se aproximarán al resultado que predijeron.

Matemáticas Destrezas

Porcentaje (pág. 163)

Respuesta 25%

Examina tu avance

Respuesta

Verificar la lectura (pág. 163) Un número que describe la posibilidad de que ocurra un suceso.

Actividad Inténtalo

Cruza de monedas (pág. 164)
Resultado esperado 5 *TT*, 10 *Tt*, 5 *tt*; Todas las plantas *TT* y *Tt* serán altas, alrededor de 15 ó 75%. Todas las plantas *tt* serán bajas, aproximadamente 5 ó 25%. Algunos estudiantes podrían observar que sus resultados son semejantes a los de Mendel.

Examina tu avance

Respuestas
Figura 8 (pág. 165) 0%

Verificar la lectura (pág. 164) Una gráfica que muestra todas las combinaciones posibles de alelos que pueden resultar de una cruza genética

Matemáticas Analizar datos

Matemáticas: Álgebra y funciones 7.1.5

¿Qué son los genotipos? (pág. 166)

Respuestas

1. 6,000 amarillas; 2,000 verdes
2. 8,000; 75% tienen guisantes amarillos y 25% tienen guisantes verdes
3. Es probable que los dos progenitores fueran heterocigotos, con genotipo *Yy*. El alelo para semillas amarillas (*Y*) es dominante sobre el alelo para semillas verdes (*y*).

Examina tu avance

Respuestas
Figura 9 (pág. 166) Dos
Figura 10 (pág. 167) Heterocigotas; tienen alelos para plumas blancas y negras.

Verificar la lectura (pág. 167) En letras mayúsculas con superíndice.

Evaluación

Destreza de vocabulario

Sufijos (pág. 167) El sufijo *-ancia* significa "condición de" y es un sustantivo. El sufijo *-ante* significa "posibilidad de" y es el adjetivo que describe a *codominancia*.

Repasar los conceptos clave (pág. 167)

1. **a.** Un número que describe la posibilidad de que ocurra un suceso **b.** Un cuadrado de Punnett muestra todas las combinaciones posibles de alelos que pueden resultar de una cruza genética. **c.** 50%; el cuadrado de Punnett mostraría dos posibilidades *Rr* y dos posibilidades *rr*.
2. **a.** Genotipo: la composición genética de un organismo; fenotipo: la apariencia física de un organismo **b.** Un organismo heterocigoto tendrá el mismo fenotipo que un organismo homocigoto para un alelo dominante. Por ejemplo, las plantas de guisantes altas pueden ser heterocigotas u homocigotas. **c.** *TT* o *Tt*.
3. **a.** Un patrón de herencia en el que los alelos para un rasgo no son dominantes ni recesivos. Por ejemplo, los alelos para pollos con plumas blancas y negras son codominantes porque se presentan los dos colores. **b.** Plumas negras y blancas

Matemáticas Práctica (pág. 167)

1. $\frac{13}{25}$ y $\frac{12}{25}$
2. 52% y 48%

Laboratorio de destrezas

Apostar a lo seguro

Analiza y concluye (pág. 169)

1. Cuadrado de Punnett para la Parte 1:

	b	*b*
B	*Bb*	*Bb*
B	*Bb*	*Bb*

Cuadrado de Punnett para la Parte 2:

	B	*b*
B	*BB*	*Bb*
B	*BB*	*Bb*

Cuadrado de Punnett para la Parte 3:

	B	*b*
B	*BB*	*Bb*
b	*Bb*	*bb*

2. Sólo puede haber crías heterocigotas azules (*Bb*). El cuadrado de Punnett muestra los mismos resultados.
3. Los resultados de los estudiantes podrían producir respuestas un poco distintas. Conforme aumente el número de pruebas, lo más probable es que los resultados muestren que el 50 por ciento de las crías sea homocigoto (*BB*), en tanto que el 50 por ciento restante es heterocigoto (*Bb*). El cuadrado de Punnett muestra que 50 por ciento será homocigoto y que 50 por ciento será heterocigoto.
4. Los resultados de los estudiantes pueden variar debido a la posibilidad, pero todos habrán de observar que es posible obtener tres genotipos distintos: *BB*, *Bb* y *bb*. Según el cuadrado de Punnett, los estudiantes pueden predecir que 25 por ciento probablemente será *BB*, 50 por ciento probablemente será *Bb* y 25 por ciento probablemente será *bb*. Tal vez el modelo de canicas no coincida completamente con el cuadrado de Punnett debido a la posibilidad.
5. Es probable; conforme aumente el número de pruebas, los resultados se aproximarán más a los predichos en el cuadrado de Punnett debido a la posibilidad.
6. Respuesta de ejemplo: El modelo de canicas y el cuadrado de Punnett muestran los genotipos de padres e hijos y demuestran que un padre puede donar uno de los dos alelos posibles a sus hijos. El cuadrado de Punnett proporciona todos los genotipos posibles para los hijos y las probabilidades de que ocurran. El modelo presenta los genotipos de los hijos basado en la posibilidad, de manera muy parecida a la combinación real de alelos en una verdadera cruza genética.

Sección 3 La célula y la herencia
(págs. 170–174)

Objetivos

Al terminar esta lección, los estudiantes serán capaces de:

5.3.1 Describir el papel que desempeñan los cromosomas en la herencia.

5.3.2 Identificar lo que ocurre durante la meiosis.

5.3.3 Explicar la relación entre cromosomas y genes.

Preparación para los estándares

Identificar cromosomas (pág. 170)

Reflexiónalo Los genes se encuentran en los cromosomas, los cuales deben dividirse y separarse para que los hijos tengan sólo un cromosoma, o un alelo, de cada progenitor.

Examina tu avance

Respuestas

Figura 12 (pág. 171) Los cromosomas pasan los genes de padres a hijos.

Verificar la lectura (pág. 171) Los pares de alelos van en los pares de cromosomas.

Examina tu avance

Respuesta

Figura 13 (pág. 172) Se copia cada cromosoma de la célula.

Examina tu avance

Respuesta

Figura 15 (pág. 174) Homocigoto: C, e, F, G, I; Heterocigoto: A, B, D, H

Evaluación

Destreza clave de lectura

Tomar notas (pág. 174) Revise la precisión de las notas de los estudiantes antes de asignarles preguntas.

Repasar los conceptos clave (pág. 174)

1. **a.** Las células somáticas tienen el doble de cromosomas (24) que las células sexuales (12).
   b. El óvulo fecundado recibe 24 cromosomas.
   c. Así como los hijos reciben un alelo de cada progenitor por cada gen, los hijos reciben la mitad de sus cromosomas de un progenitor y la mitad del otro progenitor.

2. **a.** El proceso por el cual el número de cromosomas se reduce a la mitad para formar las células sexuales. **b.** Meiosis I: Los cromosomas duplicados se dividen entre dos células, cada cual con la mitad de los cromosomas. Meiosis II: Las dos células vuelven a dividirse para producir células sexuales que tienen la mitad de los cromosomas que hay en las células somáticas. **c.** En la meiosis I, los miembros de cada par de cromosomas se separan y terminan en distintas células.
3. **a.** Están ordenados como cuentas en un hilo. **b.** Tienen el mismo orden en los dos cromosomas.

Sección 4 Genes, ADN y proteínas
(págs. 175–181)

Objetivos
Al terminar esta lección, los estudiantes serán capaces de:

5.4.1 Explicar qué forma el código genético.

5.4.2 Describir cómo produce proteínas una célula.

5.4.3 Identificar cómo pueden afectar las mutaciones a un organismo.

Preparación para los estándares

¿Puedes descifrar el código? (pág. 175)

Reflexiónalo Los estudiantes podrían definir *código* como un conjunto de símbolos con significados específicos que sirve para enviar mensajes. Algunos diccionarios definen *código* como un sistema de símbolos, letras o palabras a las que se confiere un significado arbitrario y se utiliza para transmitir mensajes secretos o breves.

Actividad Destrezas

Sacar conclusiones (pág. 177)
Resultado esperado El filamento es parte de una molécula de ADN porque contiene timina.

Examina tu avance

Respuestas
Figura 16 (pág. 176) En el núcleo

Verificar la lectura (pág. 177) El ARN tiene un solo filamento; tiene una molécula de azúcar distinta; en vez de timina, contiene uracilo.

Examina tu avance

Respuestas
Figura 17 (pág. 178) En el ribosoma

Verificar la lectura (pág. 179) Transportar aminoácidos y añadirlos a la cadena de proteína en formación

Examina tu avance

Respuestas
Figura 18 (pág. 180) Estas mutaciones afectan bases individuales en vez de cromosomas completos; la cantidad de cromosomas de la célula no cambia con este tipo de mutación.

Verificar la lectura (pág. 181) Mutaciones que afectan sólo unas cuantas bases; las que ocurren cuando los cromosomas no se separan correctamente

Evaluación

Destreza clave de lectura

Tomar notas (pág. 181) Revise la precisión de las notas de los estudiantes antes de asignarles las preguntas.

Repasar los conceptos clave (pág. 181)
1. **a.** Un gen es la parte de una molécula de ADN que codifica cierta proteína. **b.** La secuencia de bases de la molécula de ADN codifica la secuencia de bases en el ARN mensajero, el cual codifica la secuencia de los aminoácidos de una proteína. **c.** No, cada código de tres letras especifica un tipo de aminoácido particular.
2. **a.** El ARN mensajero se produce utilizando como patrón un filamento de ADN y luego entra en el citoplasma donde se une a un ribosoma. Allí, cada código de tres letras del ARN mensajero se pega con el ARN de transferencia que corresponde al aminoácido especificado. Los aminoácidos se pegan en la secuencia adecuada para formar una molécula de proteína. **b.** Es el ARN que copia el mensaje codificado del ADN del núcleo y lleva el mensaje al ribosoma del citoplasma. **c.** En el citoplasma; lleva aminoácidos al ribosoma y "lee" el ARN mensajero.
3. **a.** Una base puede ser sustituida por otra; pueden eliminarse una o más bases; pueden agregarse más bases. **b.** El fenotipo del organismo podría ser distinto a causa de una proteína incorrecta.

Repaso y evaluación (págs. 183–184)

Destreza clave de lectura

Tomar notas (pág. 183) Revise las preguntas de los estudiantes para asegurar que sean representativas del contexto.

Repasar los términos clave (pág. 183)

1. a
2. c
3. b
4. c
5. d
6. el alelo recesivo causa semillas rugosas
7. los alelos son distintos, uno dominante y otro recesivo
8. un gráfico que muestra todas las variaciones posibles entre las crías
9. la manifestación física de un raso
10. cambia el significado del código de ADN

Verificar los conceptos (pág. 184)

11. Toda la primera generación de hijas fue alta.
12. Hay una probabilidad de 1 en 2, ó 50%, de que la moneda caiga de cara en el sexto lanzamiento, porque cada lanzamiento de la moneda es un suceso independiente. El resultado de un lanzamiento no afecta los siguientes lanzamientos de la moneda.
13. Hay 50 por ciento (2 de 4) de probabilidad de que los hijos tengan pelaje blanco (*bb*). El cuadrado de Punnett tendría el aspecto siguiente.

	b	*b*
B	*Bb*	*Bb*
b	*bb*	*bb*

14. El ARN de transferencia lleva el aminoácido que corresponde al código del ARN mensajero y lo agrega a la cadena de proteína en formación.
15. Las mutaciones pueden ocasionar que una célula produzca una proteína incorrecta durante la síntesis de proteínas, ya sea sustituyendo una sola base por otra o bien, agregando o quitando una o más bases de una sección del ADN.

Razonamiento crítico (pág. 184)

16. El progenitor de un solo color debe ser homocigoto para el alelo recesivo (*ss*) y el progenitor de pelaje moteado probablemente es homocigoto para el alelo dominante (*SS*). Si el progenitor de pelaje moteado fuera heterocigoto (*Ss*), entonces 50% de las crías probablemente habría sido de un solo color.
17. B, D, F
18. El pelaje más grueso sería una mutación útil en un ambiente muy frío, porque proporciona aislamiento adicional para que el ratón conserve su calor.
19. Seis
20. Las mutaciones en las células somáticas no afectan a las células sexuales. Sólo las células sexuales pasan alelos a los hijos.

Practicar matemáticas (pág. 184)

21. 25% tienen tallos cortos y 75% tiene tallos altos.

Aplicar destrezas (pág. 184)

22. 75% vainas verdes; 25% vainas amarillas
23. Vainas amarillas: *gg;* vainas verdes: *GG* o *Gg*.
24. Los dos progenitores son *Gg*. Si los dos progenitores fueran *GG*, entonces ninguna de las hijas tendría vainas amarillas. Si uno de los progenitores fuera *GG* y el otro *Gg*, nuevamente ninguna de las hijas tendría vainas amarillas. Ninguno de los progenitores pudo ser *gg* porque los dos tienen vainas verdes y *g* es el alelo recesivo para vainas amarillas.

Práctica de estándares (pág. 185)

1. C; S 7.2.b
2. C; S 7.2.d
3. B; S 7.1.a
4. D; S 7.2.d
5. C; S 7.1.d
6. D; S 7.2.d
7. B; S 7.1.a

Aplicar la gran idea (pág. 185)

8. Respuesta de ejemplo: Los pares de cromosomas se alinean en el centro de la célula y luego cada par se separa. Se forman dos células, cada una con la mitad del número de cromosomas. En las células nuevas, los cromosomas se desplazan hacia el centro de la célula. A continuación, se separan las dos cromátidas de cada cromosoma. Al concluir la meiosis, se han formado cuatro nuevas células. Cada célula tiene sólo la mitad de los cromosomas que tenía la célula madre original. S 7.2.b

Capítulo 6 Genética moderna

Verifica lo que sabes (pág. 187)
Esta pregunta evalúa la comprensión de los estudiantes sobre cómo pasan los rasgos de padres a hijos (S 7.2.d)

Respuestas y explicaciones posibles
Respuesta correcta: La madre y el padre son heterocigotos para las pecas, *Ff. Explicación posible:* Mi amigo no tiene pecas porque los alelos recesivos se unieron, *ff. Respuestas incorrectas posibles:* Los padres de mi amigo son homocigotos para las pecas, *FF. Explicación posible:* Si los estudiantes creen que los padres son homocigotos para las pecas, es posible que no hayan leído detenidamente la pregunta. El amigo no puede carecer de pecas si los dos progenitores son homocigotos para el rasgo.

Desarrollar el vocabulario de Ciencias

¡Aplícalo! (pág. 188)
1. afectar
2. técnica
3. normal

Cómo leer en Ciencias

¡Aplícalo! (pág. 190)
Pida a los estudiantes que completen las oraciones mientras responden a las preguntas. Respuestas de ejemplo:
1. No siempre hay una relación de uno a uno entre gen y rasgo.
2. Algunos rasgos son controlados por genes con más de dos alelos. Algunos rasgos están controlados por muchos genes que actúan juntos

Sección 1 Herencia humana (págs. 192–198)

Objetivos
Al terminar esta lección, los estudiantes serán capaces de:

6.1.1 Identificar algunos patrones de herencia en los humanos.

6.1.2 Describir las funciones de los cromosomas sexuales.

6.1.3 Explicar la relación entre los genes y el medio ambiente.

Preparación para los estándares

¿Cuál es tu estatura? (pág. 192)

Reflexiónalo Los estudiantes podrían inferir que la estatura de los seres humanos está controlada por más de un gen, debido a que la gráfica de las estaturas de los estudiantes tiene más barras que la gráfica de dos barras que habría utilizado Mendel para los rasgos que estudió.

Examina tu avance

Respuesta
Figura 2 (pág. 193) *VV, Vv* y *vv;* 25% posiblemente tendrá el genotipo *VV,* 50% tendrá el genotipo *Vv* y 25% el genotipo *vv.*

Examina tu avance

Respuestas
Figura 5 (pág. 195) Masculino

Verificar la lectura (pág. 194) Los rasgos están controlados por muchos genes.

Actividad Inténtalo

Ver el rojo (pág. 197)
Resultado esperado El genotipo de daltonismo de los estudiantes será: femenino X^cX^c (homocigotos para el alelo recesivo); masculino X^cY. Los estudiantes con visión normal tendrán el genotipo X^CY (masculino) o X^CX^C (femenino).

Examina tu avance

Respuestas
Figura 7 (pág. 197) X^cX^c

Verificar la lectura (pág. 197) Femenino

Examina tu avance

Respuesta

Verificar la lectura (pág. 198) Una dieta deficiente impediría que una persona alcanzara la estatura genéticamente determinada.

Evaluación

Destreza clave de lectura

Identificar ideas principales (pág. 198) Idea principal: Los cromosomas sexuales son el único par de cromosomas que no siempre hacen juego. Los detalles incluyen: las mujeres tienen dos cromosomas X; los hombres tienen un cromosoma X y un cromosoma Y.

Repasar los conceptos clave (pág. 198)

1. **a.** Genes únicos con dos alelos: pico de viuda; genes únicos con alelos múltiples: tipo sanguíneo; y genes múltiples: color de la piel **b.** Cuatro: A, B, AB y O; los alelos de los tipos sanguíneos A y B son codominantes y el alelo para el tipo sanguíneo O es recesivo. Tipo sanguíneo A: *AA* o *Ai;* tipo sanguíneo B: *BB* o *Bi;* tipo O: *ii.* **c.** No; el tipo sanguíneo AB tiene el genotipo I^AI^B, mientras que el tipo sanguíneo O tiene el genotipo *ii.* Cada uno de los progenitores aportó un alelo *i,* de modo que ninguno pudo tener el tipo sanguíneo AB.
2. **a.** Transmitir los genes que determinan si una persona será hombre o mujer y transmitir también otros rasgos. **b.** El cromosoma Y es mucho más pequeño que el cromosoma X. Las mujeres tienen dos cromosomas X y los hombres tienen un cromosoma X y un cromosoma Y. **c.** El daltonismo rojo-verde está determinado por un alelo recesivo en el cromosoma X. Es más común en los hombres porque los varones sólo tienen que heredar un alelo recesivo para expresar el rasgo, mientras que las mujeres necesitan dos.
3. **a.** No; los genes y el medio ambiente interactúan para determinar muchas de las características de un individuo. **b.** La constitución atlética y la coordinación pueden ser capacidades heredades que trabajan conjuntamente con los factores ambientales de práctica, instrucción y ejercicios para fortalecer los músculos.

Sección 2 Trastornos genéticos humanos
(págs. 199–203)

Objetivos
Al terminar esta lección, los estudiantes serán capaces de:

6.2.1 Identificar las dos causas importantes de los trastornos genéticos en los humanos.

6.2.2 Explicar qué hacen los genetistas para seguir el rastro de la herencia de los rasgos.

6.2.3 Describir cómo se diagnostican y tratan los trastornos genéticos.

Preparación para los estándares

¿Cuántos cromosomas hay? (pág. 199)

Reflexiónalo Los estudiantes podrían decir, acertadamente, que el cromosoma adicional es un defecto de los cromosomas al separarse durante la meiosis.

Actividad Destrezas

Predecir (pág. 200)

Resultado esperado La probabilidad de que el niño tenga la enfermedad de células falciformes es de 50%.

Examina tu avance

Respuestas

Figura 10 (pág. 201) El varón de la segunda generación en la extrema izquierda

Verificar la lectura (pág. 200) Codifica una hemoglobina de forma distinta que el alelo normal.

Examina tu avance

Respuestas

Figura 11 (pág. 202) Dos

Verificar la lectura (pág. 202) Ayudan a las parejas a comprender sus probabilidades de tener un hijo con un trastorno genético particular.

Evaluación

Destreza de vocabulario

Palabras académicas de uso frecuente (pág. 203) Respuesta de ejemplo: Las personas con hemofilia no tiene una de las proteínas necesarias para la coagulación. Los hemofílicos tienen mayor riesgo de sufrir una hemorragia interna ocasionada por pequeños golpes y magulladuras.

Repasar los conceptos clave (pág. 203)

1. **a.** Mutaciones en el ADN o cambios en la estructura general o la cantidad de cromosomas. **b.** Un cambio en la cantidad total de cromosomas. **c.** Cada una de las células de una persona con síndrome de Down tiene tres copias del cromosoma 21; las células normales tienen dos copias del cromosoma 21.
2. **a.** Una tabla que sigue el rastro de los miembros de una familia que presentan un rasgo particular. **b.** Una genealogía permite que científicos y consejeros genéticos infieran cómo se transmite un trastorno genético de una generación a otra. **c.** Los cuadrados de Sam deben estar completamente sombreados, indicando que tiene la enfermedad. La mitad del círculo de la madre debe estar sombreado, indicando que es la portadora. Los cuadrados del padre y el hermano de Sam deben estar en blanco.

3. **a.** Una imagen de todos los cromosomas de una célula, organizados en pares **b.** No; la enfermedad de células falciformes no está relacionada con la cantidad de cromosomas que hay en una célula.

Laboratorio de destrezas

Rompecabezas familiar

Analiza y concluye (pág. 204)

1. Los padres de Joshua son heterocigotos (*Nn*); los genotipos de los padres de Bella no pueden determinarse con certeza, pero al menos uno de ellos debe ser heterocigoto y el otro podría ser heterocigoto u homocigoto para el alelo normal (*NN*).
2. Como ambos progenitores son heterocigotos (*Nn*), hay 25 por ciento de probabilidad de que cada hijo herede dos alelos *n* y tenga fibrosis quística
3. Los consejeros genéticos pocas veces pueden sacar conclusiones definitivas sobre un padecimiento hereditario con información de sólo una o dos generaciones; más de un patrón de herencia ayudaría a explicar un problema cuando la información es limitada. Por ejemplo, los rasgos ligados al sexo y los rasgos recesivos pueden saltarse una generación.

Sección 3 Adelantos en genética
(págs. 205–210)

Objetivos

Al terminar esta lección, los estudiantes serán capaces de:

6.3.1 Describir tres maneras de producir organismos con rasgos deseados.

6.3.2 Identificar dos aplicaciones de la tecnología del ADN en la genética humana.

Preparación para los estándares

¿Qué revelan las huellas dactilares? (pág. 205)

Reflexiónalo Las huellas dactilares de cada persona son únicas. Igual que las huellas dactilares, el ADN de cada organismo es único. El ADN se encuentra en la sangre y otros tejidos. Esto significa que pequeños rastros de ADN en la sangre o tejido sirven para identificar organismos individuales, incluidas las personas.

Matemáticas Analizar datos

Matemáticas: Estadísticas, análisis de datos y probabilidad 7.1.0

Modificar la producción de arroz (pág. 207)

Respuestas

1. La producción de arroz aumentó (se duplicó).
2. 2 en 1965; 4 en 2000
3. 2 toneladas métricas/hectárea
4. Respuesta posible: adelantos genéticos, fertilizantes, mejores métodos para cosechar

Examina tu avance

Respuestas

Figura 14 (pág. 206) Respuestas posibles: Sabor, tiempo de caducidad, resistencia a los insectos

Verificar la lectura (pág. 206) Producir un organismo con los mejores rasgos de ambos progenitores.

Verificar la lectura (pág. 207) Puede producirse cultivando un recorte de la planta original.

Examina tu avance

Respuestas

Figura 16 (pág. 208) Se extrae un gen humano de un cromosoma y se coloca en los extremos abiertos de un plásmido cortado dentro de una célula bacteriana para formar un anillo cerrado.

Verificar la lectura (pág. 209) Se introducen genes humanos en células de vacas para que éstas produzcan leche con las proteínas de coagulación.

Evaluación

Destreza de vocabulario

Palabras académicas de uso frecuente

(pág. 210) Hibridación es una técnica que consiste en cruzar dos individuos genéticamente diferentes.

Repasar los conceptos clave (pág. 210)

1. **a.** Cruce selectivo, clonación e ingeniería genética **b.** Cruce selectivo: cruzar dos individuos para obtener características particulares; clonación: producir un organismo con los mismos genes que otro organismo; ingeniería genética: transferir genes de un organismo al ADN de otro **c.** Clonación; muchas plantas domésticas pueden clonarse con sólo cortar el tallo de una planta y ponerlo en la tierra.
2. **a.** Estudiar el genoma humano y la dactilografía de ADN. **b.** Respuesta de ejemplo: Sí, porque el ADN de cada persona es único, así que los científicos podrían identificar a los

individuos implicados en un crimen si descubrieran muestras de ADN.

Laboratorio de destrezas

¿Culpable o inicente?

Analiza y concluye (pág. 211)

1. Sí: el sospechoso cuya muestra de ADN corresponde a la muestra de ADN tomada en la escena del crimen.
2. No existen dos personas, excepto los gemelos idénticos, que tengan la misma secuencia de bases en el ADN.
3. Sería imposible concluir cuál de los gemelos estuvo en la escena del crimen.
4. Los estudiantes podrían responder que no, porque las evidencias de ADN sólo identifican quién estuvo en la escena del crimen y no a quién cometió el crimen. Los estudiantes también podrían señalar que puede haber errores en el análisis de las evidencias de ADN.

Tecnología y sociedad

Dactilografía de ADN

Evalúa el efecto (pág. 213)

1. los estudiantes podrían idear una situación usando un ejemplo del artículo. Otras situaciones incluyen averiguar el parentesco entre varias personas y diagnosticar un trastorno genético.
2. Pida a los estudiantes que accedan por lo menos a tres fuentes para desarrollar sus respuestas.
3. Los párrafos deben incluir situaciones específicas en las que se usa la dactilografía de ADN, así como las limitaciones de la dactilografía de ADN para esa aplicación.

Repaso y evaluación (págs. 215–216)

Destreza clave de lectura

Identificar ideas principales (pág. 215) La idea principal: Las características de un organismo están determinadas por la herencia y el medio ambiente. Segundo detalle: El medio ambiente puede afectar las destrezas humanas.

Repasar los términos clave (pág. 215)

1. b
2. d
3. a
4. d
5. a
6. el sexo de una persona
7. en vez de un par de cromosomas, la persona tiene tres copias del cromosoma 21
8. se seleccionan organismos con rasgos deseados para que sean los progenitores de la siguiente generación
9. los individuos seleccionados para la endogamia poseen características similares
10. los genes de un organismo se transfieren al ADN de otro organismo

Verificar los conceptos (pág. 216)

11. El color de la piel en los humanos está controlado por muchos genes.
12. Los varones sólo necesitan heredar un alelo para expresar el rasgo, mientras que las mujeres necesitan heredar dos alelos.
13. La enfermedad de células falciformes es un trastorno genético en el cual los glóbulos rojos contienen una forma anormal de hemoglobina. Las personas que padecen la enfermedad heredan una copia de un alelo recesivo de cada progenitor.
14. Una genealogía es una tabla que sigue el rastro de los miembros de una familia que presentan un rasgo particular. Los genetistas utilizan genealogías para seguir el rastro de la herencia de rasgos.
15. Respuesta de ejemplo: La terapia física puede ayudar a eliminar el moco de los pulmones de personas con fibrosis quística. Las personas que padecen la enfermedad de células falciformes toman ácido fólico para ayudar a sus cuerpos a producir glóbulos rojos.
16. El criador de caballo sólo aparearía caballos con pelaje dorado. El criador siempre elegiría crías con pelaje dorado para que fueran los progenitores de la siguiente generación.
17. Los doctores sustituirían el alelo defectuoso del cromosoma X con una copia de un alelo normal.
18. El Proyecto Genoma Humano es un estudio de investigación que pretende identificar la secuencia de ADN de cada gen del genoma humano.

Razonamiento crítico (pág. 216)

19. La madre tiene visión en color normal, pero es portadora del alelo de daltonismo. Su genotipo es X^CX^c. El padre es daltónico. Su genotipo es X^cY.
20. El padre no tiene el alelo para hemofilia en su cromosoma X, así que no contribuye el rasgo. Si la madre es portadora de hemofilia, uno de sus cromosomas X tiene el alelo para

coagulación normal y el otro tiene el alelo para hemofilia. El hijo tiene 50 por ciento de probabilidades de heredar un cromosoma X con el alelo para hemofilia y en consecuencia, desarrollar hemofilia. Nota: La pregunta sólo se refiere a los hijos varones, así que sólo hay dos genotipos posibles, en vez de cuatro.

21. Emily tiene fibrosis quística. La madre, el padre y Sarah son portadores.

Aplicar destrezas (pág. 216)

22. La probabilidad es de 0%; el padre no puede contribuir el alelo recesivo para distrofia muscular, así que es imposible que una hija reciba dos cromosomas X con el alelo recesivo.
23. La probabilidad es de 50%; la madre es portadora de distrofia muscular, así que uno de sus cromosomas X tiene el alelo para salud normal y el otro cromosoma X tiene el alelo para distrofia muscular. Un hijo varón tiene 50% de probabilidades de heredar un cromosoma X que tenga el alelo para distrofia muscular y, por consiguiente, padecer de distrofia muscular.
24. Es posible que una mujer presente distrofia muscular si su padre padece la enfermedad y su madre es portadora. Se trata de un trastorno recesivo, así que tendría que heredar el alelo de distrofia muscular en los cromosomas X de ambos progenitores.

Práctica de estándares (pág. 217)

1. B; S 7.2.e
2. D; S 7.2.d
3. C; S 7.2.b
4. C; S 7.2.c
5. A; S 7.2.d
6. C; S 7.2.d

Aplicar la gran idea (pág. 219)

7. Esta pregunta evalúa la comprensión de los estudiantes sobre la reproducción sexual y el hecho de que los descendientes de organismos que se reproducen sexualmente heredan la mitad de sus genes de cada progenitor. (S 2.2.b)

Capítulo 7 Cambios con el tiempo

Verifica lo que sabes (pág. 219)

Esta pregunta evalúa la comprensión de los estudiantes sobre cómo pasan los rasgos de padres a hijos (S 7.2.d)

Respuestas y explicaciones posibles

Respuesta correcta: La variación genética explica estas diferencias. *Explicación posible:* Cada semilla de zinia es producto de la reproducción sexual. Las semillas no son genéticamente idénticas entre sí. *Respuestas incorrectas posibles:* Cada semilla produce flores del mismo color que el progenitor. *Explicación posible:* Cada semilla es genéticamente idéntica a su planta madre.

Desarrollar el vocabulario de Ciencias

¡Aplícalo! (pág. 220)

1. teoría (significado científico)
2. teoría (significado cotidiano)

Cómo leer en Ciencias

¡Aplícalo! (pág. 222)

Pida a los estudiantes que usen las ideas de la Sección 2 para completar el organizador gráfico. Respuestas de ejemplo:

1. Semejanzas en la estructura corporal
2. Semejanzas en el desarrollo temprano
3. Semejanzas en el ADN y las proteínas

Sección 1 Teoría de Darwin (págs. 224–231)

Objetivos

Al terminar esta lección, los estudiantes serán capaces de:

7.1.1 Describir las observaciones importantes que Darwin hizo durante su viaje.

7.1.2 Indicar cómo explicó Darwin las diferencias entre especies similares.

7.1.3 Explicar cómo la selección natural condujo a la evolución.

Preparación para los estándares

¿Cómo varían los seres vivos? (pág. 224)

Reflexiónalo Las semillas de cada muestra pueden diferir en algunos rasgos y parecerse en otros. Según la composición de sus muestras, los estudiantes podrían agrupar semillas semejantes por tamaño, forma, color, cantidad de rayas u otros rasgos.

Examina tu avance

Respuestas

Figura 1 (pág. 224) Las islas Galápagos

Verificar la lectura (pág. 225) Restos o vestigios preservados de un organismo que vivió en el pasado

Actividad Inténtalo

Adaptaciones de los picos de las aves (pág. 227)

Resultado esperado Algunos objetos son más adecuados para recoger semillas y otros para recoger pasas. Del mismo modo, algunos picos son mejores para las semillas y otros para los insectos.

Examina tu avance

Respuestas

Figura 2 (pág. 226) Una iguana es verde y vive en un árbol y la otra iguana es gris y rojo y vive en las rocas.

Figura 3 (pág. 227) Los picos difieren en su agudeza y tamaño. Las especies 1 y 2 tienen picos más gruesos que las especies 3 y 4. La especie 3 tiene el pico corto y la especie 4 tiene un pico largo y angosto.

Verificar la lectura (pág. 227) Diferían en tamaño y forma. Algunos eran delgados y en forma de aguja, mientras que otros eran fuertes y anchos.

Actividad Destrezas

Hacer modelos (pág. 229)

Resultado esperado Es probable que los estudiantes recojan más botones negros. Una variación, como el color, puede afectar la selección natural haciendo que un organismo se vuelva más o menos visible a un depredador.

Examina tu avance

Respuestas

Figura 5 (pág. 229) Respuesta de ejemplo: Caparazones duros, capacidad para nadar rápidamente y agudeza visual.

Verificar la lectura (pág. 228) Un concepto bien comprobado que explica una amplia gama de observaciones.

Examina tu avance

Respuesta

Figura 6 (pág. 230) Respuesta de ejemplo: Tamaño, color, capacidad para nadar rápidamente.

Evaluación

Destreza de vocabulario

Identificar significados múltiples (pág. 231) Para el científico, competencia se refiere a la lucha entre organismos por los recursos. Otro significado sería tratar de vencer a otros competidores en una carrera o un juego.

Repasar los conceptos clave (pág. 231)

1. **a.** La diversidad de seres vivos, los fósiles y las características de los organismos de las islas Galápagos **b.** Las iguanas de las Galápagos tenían grandes garras que les permitían asirse a las resbalosas rocas. Las garras de las iguanas sudamericanas eran más pequeñas y las usaban para trepar árboles. **c.** Un rasgo que ayuda a un organismo a sobrevivir y reproducirse; las iguanas de las Galápagos poseen garras que les permiten aferrarse a las rocas para comer algas. Las iguanas sudamericanas tienen garras que les permiten trepar árboles para comer hojas.
2. **a.** Formuló la hipótesis de que las especies cambiaban a lo largo de muchas generaciones y se volvían mejor adaptadas a sus nuevas condiciones. **b.** Igual que la selección natural, el cruce selectivo cambia los rasgos de una especie a lo largo de muchas generaciones.
3. **a.** Variación: cualquier diferencia entre individuos de una misma especie; selección natural: proceso por el cual los individuos mejor adaptados a su medio ambiente tienen mayores probabilidades de sobrevivir y reproducirse que otros miembros de la misma especie **b.** Debido a la variación, los miembros de una especie tendrán diferentes rasgos. Según el medio ambiente, una variación puede permitir que algunos organismos sobrevivan mejor que otros. **c.** Respuesta de ejemplo: Las plantas que pudieron crecer en un suelo que contenía cobre sobrevivieron y produjeron más plantas como ellas.

Laboratorio de destrezas

Naturaleza en acción

Analiza y concluye (pág. 233)

1. Las respuestas dependerán de los genotipos de los ratones de cada generación y del orden en que se extraigan las tarjetas de ratones y acontecimientos. En los datos del ejemplo, había 18 ratones blancos en la primera generación, de los cuales murieron dos, lo que produjo una tasa de mortalidad de 11% para los ratones blancos. También hubo 7 ratones pardos en la primera generación, de los cuales murieron 5, lo que produjo una tasa de mortalidad de 71% para los ratones pardos.
2. La población de ratones debería contener cada vez más ratones de pelaje blanco.
3. En la parte 2, la población contiene más ratones pardos en cada generación porque los ratones blancos sufrieron una selección negativa, mientras que en la parte 1 la población consiste de más ratones blancos en cada

generación porque los ratones pardos sufrieron una selección negativa.

4. Si se aumentara la cantidad de tarjetas "C", la selección natural contra los ratones que contrastan con el medio ambiente habría sido más fuerte y la cantidad de ratones de color contrastante disminuiría rápidamente. Si se redujera la cantidad de tarjetas "C", la selección natural contra los ratones que contrastan con el medio ambiente sería menor y la cantidad de ratones de color contrastante disminuiría con más lentitud.
5. Esta investigación hace un modelo de la selección natural ya que las posibilidades de supervivencia y reproducción de un organismo dependen tanto de los rasgos heredados del organismo como del medio ambiente en que vive. La selección natural difiere del modelo debido a que otros factores ambientales, además de los depredadores y las enfermedades, y otros rasgos, además del color del pelaje, influyen en las posibilidades de supervivencia y reproducción de un organismo.

Tabla de datos de ejemplo

Tipo de ambiente: Arena blanca				
Generación	Ratones blancos	Ratones pardos	Muertes de ratones blancos	Muertes de ratones pardos
1	18	7	2	5
2	16	2	2	1
3	14	1	1	1

Sección 2 Evidencia de evolución
(págs. 234–240)

Objetivos
Al terminar esta lección, los estudiantes serán capaces de:

7.2.1 Indicar las evidencias que apoyan la teoría de la evolución.

7.2.2 Describir cómo se forman los fósiles.

7.2.3 Explicar qué aprenden los científicos de los fósiles.

Preparación para los estándares

¿Qué puedes aprender de los fósiles?
(pág. 234)

Reflexiónalo Los estudiantes podrían decir que el fósil está relacionado con los insectos o cangrejos modernos debido a que sus características físicas con parecidas.

Actividad Destrezas

Sacar conclusiones (pág. 235)

Resultado esperado Es posible que los estudiantes respondan que los cocodrilos tienen un antepasado común con aves, delfines y perros debido a la estructura similar de los huesos de las patas.

Examina tu avance

Respuestas

Figura 8 (pág. 235) Respuesta de ejemplo: Todos se encuentran en la misma posición con respecto de los huesos de otras extremidades; todos son relativamente cortos y gruesos comparados con los huesos de otras extremidades.

Verificar la lectura (pág. 235) Estructuras que las especies relacionadas heredaron de un antepasado común.

Actividad Inténtalo

Conservación en hielo (pág. 236)

Resultado esperado La fruta congelada está bien conservada, mientras que la fruta que estuvo descubierta empieza a pudrirse. La congelación impide que las partes blandas se resequen y/o pudran.

Examina tu avance

Respuestas

Figura 9 (pág. 236) Minerales.

Verificar la lectura (pág. 237) En alquitrán, en ámbar y por congelación.

Examina tu avance

Respuesta

Figura 10 (pág. 238) El cuerpo del murciélago pudo haber caído en el barro cuando el animal murió. Acepte todas las respuestas razonables.

Evaluación

Destreza clave de lectura

Identificar evidencia de apoyo (pág. 240) Revise la precisión de los organizadores gráficos de los estudiantes antes de asignar las preguntas.

Repasar los conceptos clave (pág. 240)

1. **a.** Estructuras corporales semejantes, patrones de desarrollo temprano, estructura molecular y fósiles **b.** La comparación de estructuras de distintos organismos; al observar las semejanzas en la estructura corporal, los científicos

pueden inferir relaciones evolutivas. **c.** Respuesta de ejemplo: todos tienen un hueso en la parte superior de la extremidad que toca los dos huesos de la parte inferior de la extremidad.

2. **a.** Los sedimentos son partículas de tierra y roca. La mayoría de los fósiles se forma cuando los organismos mueren y quedan enterrados bajo sedimentos. **b.** Molde, vaciado, fósiles petrificados, vestigios fósiles, restos preservados. **c.** Restos preservados: organismos que quedaron atrapados en alquitrán, fueron preservados en ámbar o congelados.
3. **a.** Un paleontólogo es un científico que estudia fósiles. **b.** Pueden aprender sobre la historia de la vida, la historia de los ambientes del pasado y la velocidad con que ha ocurrido la evolución. **c.** Es probable que el área estuviera cubierta de agua.

Sección 3 La evolución de las especies
(págs. 241–246)

Objetivos

Al terminar esta lección, los estudiantes serán capaces de:

7.3.1 Identificar los factores que han contribuido a la diversidad de las especies.

7.3.2 Explicar cómo se forman las nuevas especies.

7.3.3 Explicar cómo infieren los científicos las relaciones evolutivas entre especies.

7.3.4 Explicar qué causa la extinción de una especie.

Preparación para los estándares

¿Cuál es el pariente más cercano? (pág. 241)

Reflexiónalo Es probable que los estudiantes mencionen el ADN y los patrones de desarrollo. La estructura de las proteínas también sirve para comparar las especies vivas. Los fósiles sirven para comparar especies extintas.

Examina tu avance

Respuestas

Figura 11 (pág. 242) Si los guepardos tienen poca variación, están en riesgo debido a los cambios ambientales.

Verificar la lectura (pág. 243) La separación pudo deberse a ríos, volcanes o montañas.

Examina tu avance

Respuestas

Figura 14 (pág. 245) Osos

Verificar la lectura (pág. 245) La mayoría de las especies fósiles se ha extinguido.

Evaluación

Destreza de vocabulario

Identificar significados múltiples (pág. 246)

En *reserva de genes,* la palabra reserva se refiere a toda la variación genética de una especie. Un significado más común de *reserva* es una colección de recursos.

Repasar los conceptos clave (pág. 246)

1. **a.** Diferentes ambientes y variación genética **b.** Diferencias en los rasgos debido a alelos diferentes **c.** Un cambio ambiental puede matar a muchos miembros de una especie. Pero si la reserva de genes es diversa, algunos miembros de la especie podrán sobrevivir al cambio ambiental y mantener viva la especie reproduciéndose y transmitiendo la variación útil.
2. **a.** El aislamiento hace que parte de una especie quede separada del resto de la especie. Al estar en lugares separados, los dos grupos pueden evolucionar distintos rasgos. **b.** Tal vez no, porque un camino no es una barrera geográfica lo bastante ancha para separar por completo a los dos grupos.
3. **a.** Evidencias del ADN, estructura de proteínas, fósiles, desarrollo temprano y estructura corporal **b.** Tal vez los más confiables sean el ADN y la estructura de las proteínas, porque muestran patrones definidos y específicos que pueden compararse con facilidad
4. **a.** Un cambio en el medio ambiente **b.** La cacería por parte de los humanos y el cambio a un clima más templado **c.** En la selección natural, el medio ambiente determina cuáles individuos sobrevivirán y cuáles morirán. En la extinción, el cambio ambiental ocasiona la muerte de todos los individuos de la especie.

Laboratorio de destrezas

Moléculas reveladoras

Analiza y concluye (pág. 247)

1. El burro; fue similar en todas las posiciones de los aminoácidos, excepto en la posición 47.

2. El burro es el más estrechamente relacionado; la tortuga y la serpiente son las menos estrechamente relacionadas.
3. Son muy similares.
4. Conforme dos especies evolucionan de un mismo antepasado común, sus ADN pueden sufrir diversas mutaciones que ocasionan cambios en los aminoácidos que componen las proteínas comunes. A menor diferencia en los aminoácidos, más estrecha la relación entre especies.

Sección 4 Clasificación de los organismos (págs. 248–254)

Objetivos
Al terminar esta lección, los estudiantes serán capaces de:

7.4.1 Explicar por qué los biólogos clasifican organismos.

7.4.2 Relacionar los niveles de clasificación con las relaciones entre organismos.

7.4.3 Enumerar las características que se usan para clasificar organismos en grupos, incluyendo dominios y reinos.

Preparación para los estándares

¿Puedes organizar un cajón de cachivaches? (pág. 248)

Reflexiónalo Cada sistema de clasificación tendrá fortalezas y debilidades. Los criterios de utilidad pueden variar. Las posibilidades incluyen sistemas para resaltar funciones similares o que permiten hallar objetos con rapidez.

Examina tu avance

Respuestas
Figura 17 (pág. 249) Ejemplo: Forma general del cuerpo, tamaño, forma de la cabeza y de las antenas, color.

Verificar la lectura (pág. 249) Taxonomía.

Examina tu avance

Respuestas
Figura 18 (pág. 250) Garras afiladas y retráctiles, y conductas como cazar animales

Verificar la lectura pág. 250) Un nombre único de dos partes

Actividad Destrezas

Clasificar (pág. 253)
Resultado esperado Cuanto más se aproxime al nivel de especie, más larga será la lista de características compartidas. *(Reino: heterótrofos multicelulares; Clase: heterótrofos multicelulares con alas, plumas, pico y garras que sujetan; Género: forma del cuerpo similar, penachos de plumas, pico curvado, cara plana y circular, ojos que miran hacia el frente, garras)*

Examina tu avance

Respuestas
Figura 20 (pág. 252) Con los búhos; los petirrojos y los búhos son aves y por ello, los petirrojos comparten muchos más niveles de clasificación con los búhos que con los leones.

Verificar la lectura (pág. 253) Una región densa de la célula que contiene ácidos nucleicos

Examina tu avance

Respuesta
Figura 22 (pág. 254) Todos los organismos eucariotas tienen células con núcleos.

Evaluación

Destreza de vocabulario

Identificar significados múltiples (pág. 254)
En su significado común, un reino es un país que gobierna un monarca. Desde el punto de vista de la clasificación, un reino es un amplio grupo de organismos que tienen ciertas características comunes.

Repasar los conceptos clave (pág. 254)

1. **a.** Para facilitar el estudio de los organismos **b.** Respuestas posibles: Cuatro patas, pelaje, garras afiladas y retráctiles, caza otros animales
2. **a.** Dominio, reino, fílum, clase, orden, familia, género, especie **b.** Con las ardillas, porque los organismos de la misma familia son más similares entre sí que con los organismos de familias diferentes
3. **a.** Bacteria, Archaea, Eukarya **b.** Bacteria y Archaea **c.** En la estructura y composición química de sus células

Sección 5 Árboles ramificados (págs. 255–257)

Objetivo
Al terminar esta lección, los estudiantes serán capaces de:
7.5.1 Explicar cómo un diagrama de árbol ramificado muestra las relaciones evolutivas.

Preparación para los estándares

¿Cuál es primero? (pág. 255)
Reflexiónalo Muchos estudiantes pensarán que C es el antepasado de los demás. C es el más simple, mientras que los otros muestran un creciente nivel de complejidad. Acepte cualquier respuesta razonable.

Examina tu avance

Respuesta
Figura 23 (pág. 255) Los reptiles están más estrechamente relacionados con los peces.

Matemáticas Analizar datos

Matemáticas: Estadísticas, análisis de datos y probabilidad 7.1.1

Datos para un diagrama ramificado de árbol (pág. 256)

Respuestas
1. No
2. El manzano.
3. Los organismos se ramificarán en el orden mencionado, con el musgo ramificándose en la parte inferior y el manzano en la parte superior.
4. Con el manzano

Examina tu avance

Respuesta
Verificar la lectura (pág. 256) Un diagrama que muestra las relaciones evolutivas probables entre organismos

Evaluación

Destreza de vocabulario

Identificar significados múltiples (pág. 257) Un diagrama o una gráfica que se ramifica; una gran planta leñosa

Repasar los conceptos clave (pág. 257)
1. **a.** Según sus características derivadas compartidas **b.** Respuesta de ejemplo: Los anfibios tienen columna vertebral y cuatro extremidades. **c.** Necesitaría saber si pone huevos con cascarón.

Repaso y evaluación (págs. 259–260)

Destreza clave de lectura
Identificar evidencia de apoyo (pág. 259) Estructura de proteínas, fósiles, desarrollo temprano, estructura corporal

Repasar los términos clave (pág. 259)
1. b
2. b
3. d
4. c
5. d
6. un concepto bien comprobado que explica una amplia gama de observaciones
7. la estructura de diferentes organismos
8. ya no hay miembros vivos de la especie
9. agrupar seres vivos con base en sus semejanzas
10. grupos de organismos según sus características derivadas compartidas

Verificar los conceptos (pág. 260)
11. La sobreproducción de descendientes provoca una competencia en la que sólo los organismos mejor adaptados pueden sobrevivir y reproducirse.
12. Deberían buscar semejanzas en el ADN o la estructura de las proteínas de los organismos, así como semejanzas en el desarrollo temprano
13. Según el gradualismo, la evolución ocurre lentamente aunque de manera constante. Según el equilibrio puntuado, las especies evolucionan con rapidez en períodos relativamente cortos.
14. Puede formarse una nueva especie cuando un grupo de individuos queda aislado geográficamente del resto de la especie durante el tiempo suficiente para reproducirse por separado y evolucionar rasgos distintos. El aislamiento geográfico puede deberse a la formación de accidentes como ríos y cordilleras.
15. Una especie se considera extinta cuando todos sus miembros han muerto. Cuando hay un cambio ambiental, las características de la especie pueden impedirle sobrevivir en el medio ambiente modificado.
16. Gracias a los nombres científicos, todos pueden utilizar el mismo nombre para referirse al mismo organismo.
17. Todos los organismos de un grupo comparten una característica, casi siempre una estructura homóloga.

Razonamiento crítico (pág. 260)

18. Las islas se caracterizaban por una enorme diversidad de ambientes donde había especies que manifestaban distintas adaptaciones para cada ambiente particular. Esto llevó a Darwin a desarrollar su teoría.

19. Los insectos que parecen ramitas se ocultan entre las ramas para evitar que los depredadores los detecten. Si el rasgo aumenta las probabilidades de supervivencia y reproducción, entonces los insectos con el rasgo serían más comunes que los insectos sin el rasgo.

20. El diente de león es el que menos probabilidad tiene de convertirse en fósil, porque carece de partes duras como huesos, dientes o caparazón.

21. Las semejanzas del ADN y las semejanzas en la secuencia de aminoácidos de las proteínas: el ADN y las proteínas poseen estructuras altamente específicas

22. Los dos consisten en la transmisión de rasgos deseados a la siguiente generación de organismos. En el cruce selectivo, los humanos eligen los rasgos y organismos que cruzarán o aparearán. En la selección natural, el proceso ocurre mediante competencia y supervivencia del más apto.

Aplicar destrezas (pág. 260)

23. Escamas y plumas.

24. Tanto los reptiles como las aves tienen escamas. Ambos estan arriba del rótulo *escamas.*

25. Los reptiles.

Práctica de estándares (pág. 261)

1. A; S 7.3.b
2. C; S 7.3.a
3. C; S 7.3.c
4. B; S 7.3.a
5. C; S 7.3.d
6. A; S 7.3.d
7. B; S 7.4.e

Aplicar la gran idea (pág. 261)

8. Cuando hay poca variación genética, casi todos los miembros de la especie son vulnerables a las mismas condiciones. Si todos los individuos de la especie carecieran de características que les ayudaran a sobrevivir al cambio climático, morirían y la especie se extinguiría. S 7.3.e.

Capítulo 8 La historia de la Tierra

Verifica lo que sabes (pág. 263)

Esta pregunta evalúa la comprensión de los estudiantes sobre la forma como los fósiles muestran que las condiciones ambientales han cambiado. (S 7.4.e)

Respuestas y explicaciones posibles

Respuesta correcta: Alguna vez el área estuvo cubierta de agua. *Explicación posible:* Las almejas viven en el agua, no en tierra firme, de modo que este organismo quizá vivió en un cuerpo de agua que ya no está en ese lugar. *Respuestas incorrectas posibles:* El ambiente era igual que hoy. *Explicación posible:* La Tierra se formó hace mucho tiempo, por consiguiente las áreas de tierra firme se formaron antes que la almeja tuviera vida.

Desarrollar el vocabulario de Ciencias

¡Aplícalo! (pág. 264)

1. La edad relativa es la edad de alguien o algo comparado con la edad de otra persona u objeto.
2. Se compara con la edad de un hermano mayor o una hermana menor.

Cómo leer en Ciencias

¡Aplícalo! (pág. 266)

Pida a los estudiantes que busquen las respuestas a las dos primeras preguntas en el bosquejo. Respuestas de ejemplo:

1. La gran idea de Hutton
2. Geología, Erosión y Uniformismo
3. Se parecen porque, en esencia, dan la misma definición aunque el significado del bosquejo es más breve, más compacto y está expresado en las palabras del lector.

Sección 1 El ciclo de las rocas (págs. 268–271)

Objetivos

Al terminar esta lección, los estudiantes serán capaces de:

8.1.1 Explicar qué es el uniformismo.

8.1.2 Describir el ciclo de las rocas.

Preparación para los estándares

¿Cómo afecta la presión a las partículas de roca? (pág. 268)

Reflexiónalo La textura del pan es más densa que antes. Una predicción común sugeriría que la presión afecta a las rocas de manera parecida.

Examina tu avance

Respuestas

Figura 1 (pág. 269) El área donde se formó el sedimento probablemente tenía agua corriente

Verificar la lectura (pág. 269) James Hutton, un doctor y agricultor escocés.

Examina tu avance

Respuesta

Figura 2 (pág. 270) Presión, sustancias químicas en el agua

Evaluación

Destreza clave de lectura

Hacer bosquejos (pág. 271) Pida a los estudiantes que revisen sus bosquejos antes de responder a las preguntas.

Repasar los conceptos clave (pág. 271)

1. **a.** Los procesos geológicos que operan hoy también operaron en el pasado. **b.** Al comprender los procesos que ocurren en la actualidad, los geólogos pueden inferir los cambios que sufrió la Tierra en el pasado. **c.** Es probable que ocurrieran, ya que suceden en la actualidad.
2. **a.** Sedimentaria, ígnea y metamórfica **b.** El ciclo de las rocas es una serie de procesos sobre y debajo de la superficie de la Tierra que lentamente cambia las rocas de un tipo a otro. **c.** Los procesos del ciclo de las rocas han ocurrido desde hace millones de años y han formado las rocas que podemos ver en la actualidad.

Sección 2 La edad relativa de las rocas (págs. 272–277)

Objetivos

Al terminar esta lección, los estudiantes serán capaces de:

8.2.1 Enunciar la ley de la superposición.

8.2.2 Describir cómo determinan los geólogos la edad relativa de las rocas.

8.2.3 Explicar la utilidad de los indicadores fósiles para los geólogos.

Preparación para los estándares

¿Qué capa es la más antigua? (pág. 272)

Reflexiónalo La capa más antigua se encuentra en el anillo exterior, tocando el tazón.

Examina tu avance

Respuestas

Figura 4 (pág. 273) La piedra arenisca de Supai y la pizarra del ermitaño, porque están en la parte inferior

Verificar la lectura (pág. 273) El sedimento que forma la roca sedimentaria se deposita en capas.

Actividad Inténtalo

Muestreo de un sándwich (pág. 274)

Resultado esperado La más antigua se encuentra en la parte inferior; la más reciente es la superior. Las muestras de núcleo dan información sobre las capas de roca.

Examina tu avance

Respuestas

Figura 6 (pág. 275) Erosión y formación de la capa de roca.

Verificar la lectura (pág. 275) Es un hueco en el registro geológico de la superficie donde las capas nuevas de roca se encuentran con la superficie de roca más antigua debajo de ellas.

Examina tu avance

Respuestas

Figura 7 (pág. 276) Revelan la edad relativa de las capas de roca en que se encuentran.

Figura 8 (pág. 277) Los trilobites de la capa A

Verificar la lectura (pág. 276) Deben estar distribuidos de forma extensa y deben haber existido durante un período de tiempo corto.

Evaluación

Destreza de vocabulario

Usar pistas para determinar el significado (pág. 277) Lava que se endurece; en la superficie.

Repasar los conceptos clave (pág. 277)

1. **a.** La edad relativa determina si algo es más joven y más antiguo que otra cosa. La edad absoluta es la edad en años. **b.** En las capas horizontales de roca sedimentaria, la capa más

antigua se encuentra en la parte inferior y cada capa es más joven que la que se encuentra por debajo. **c.** La del fondo; fue la primera que formaron los depósitos.

2. **a.** Acepte tres de las siguientes: intrusiones y extrusiones de roca ígnea, fallas, discordancias e inclusiones. **b.** Las dos se forman a partir de material fundido. La lava que se endurece en la superficie es una extrusión. El magma que se enfría bajo la superficie es una intrusión. **c.** La extrusión; las intrusiones siempre son más jóvenes que las capas de roca que atraviesan.
3. **a.** Un fósil que permite determinar la edad relativa de las rocas. **b.** No. Porque han vivido con pocos cambios durante mucho tiempo.

Laboratorio de destrezas

Hallar claves para las capas de roca

Analiza y concluye (pág. 278)

1. Los fósiles de animales marinos en las capas A y B indican que hubo un ambiente marino. Las huellas de dinosaurio y la hoja sugieren que un ambiente terrestre formó la capa D.
2. Según la ley de la superposición, la capa A es la más antigua porque está debajo de todas las otras capas.
3. Según la ley de la superposición, la capa G se formó más recientemente porque está por arriba de todas las otras capas.
4. Las capas C y E son extrusiones de roca ígnea, donde no pueden formarse fósiles.
5. Los fósiles de dinosaurio, planta y ave.
6. La capa B.
7. Las capas de roca que faltan en la secuencia del Sitio 2 proporcionan claves de una discordancia. Las capas E y D están ausentes entre las capas X y Y, lo que sugiere que la frontera entre Y y X es una discordancia. También falta la capa A, lo que indica que hay una discordancia por debajo de W.
8. La capa Y es la más antigua porque una intrusión siempre es más joven que la capa que atraviesa.
9. El medio ambiente original probablemente fue un ambiente oceánico. Las extrusiones volcánicas cubrieron el ambiente a lo largo de muchos años y finalmente crearon un ambiente de pantano donde vivieron los dinosaurios.

Sección 3 Datación radiactiva
(págs. 279–282)

Objetivos
Al terminar esta lección, los estudiantes serán capaces de:

8.3.1 Explicar qué sucede durante la desintegración radiactiva.

8.3.2 Describir lo que puede aprenderse de la datación radiactiva.

8.3.3 Establecer la edad probable de la Tierra.

Preparación para los estándares

¿Hace cuánto tiempo se fue? (pág. 279)

Reflexiónalo La pieza de arcilla restante sería muy pequeña, tal vez demasiado pequeña para volver a cortarla por la mitad con el cuchillo.

Matemáticas Destrezas

Porcentaje (pág. 281)

Respuesta
3.125%

Examina tu avance

Respuestas
Figura 11 (pág. 280) 0.5g ó 1/8

Verificar la lectura (pág. 280) El tiempo que le toma desintegrarse a la mitad de los átomos radiactivos de un elemento

Evaluación

Destreza de vocabulario

Usar pistas para determinar el significado (pág. 282)
Los estudiantes deberán identificar pistas cercanas como *desintegración* e *inestable.* Los estudiantes deberán explicar que la desintegración radiactiva es el proceso por el cual los átomos de un elemento se desintegran formando átomos de otro elemento.

Repasar los conceptos clave (pág. 282)

1. **a.** un elemento inestable que se descompone y libera partículas y energía **b.** Disminuye la cantidad del elemento radiactivo. Aumenta la cantidad del nuevo elemento. **c.** La rapidez de desintegración es constante: nunca cambia.
2. **a.** Datación radiactiva **b.** La composición de las partículas de las rocas sedimentarias es distinta a diferentes edades. **c.** El científico podría utilizar la datación radiactiva para

determinar la edad de dos extrusiones ígneas. La edad de la roca sedimentaria quedaría entre esas dos edades.

3. **a.** Alrededor de 4 mil 600 millones de años de antigüedad **b.** Alrededor de 4 mil 600 millones de años de antigüedad **c.** Infieren que la Tierra es sólo un poco más antigua que la luna
4. 0.78125%

Sección 4 El movimiento de las placas de la Tierra (págs. 283–285)

Objetivos

Al terminar esta lección, los estudiantes serán capaces de:

8.4.1 Usar la teoría de la tectónica de placas para explicar el movimiento de las masas continentales de la Tierra.

8.4.2 Describir cómo el movimiento de las placas de la Tierra ha afectado a los organismos.

Preparación para los estándares

¿Dónde se hallan los fósiles? (pág. 283)

Reflexiónalo Los estudiantes quizá no esperen encontrar fósiles del mismo organismo en dos continentes distintos, porque el océano separa a los continentes.

Examina tu avance

Respuestas

Figura 15 (pág. 284) Australia quedó aislada de los demás continentes al acercarse más al ecuador.

Verificar la lectura (pág. 284) La deriva continental es el movimiento muy lento de los continentes.

Evaluación

Destreza de vocabulario

Usar pistas para determinar el significado (pág. 285) La Figura 15 muestra que los continentes están moviéndose, o derivando, hacia nuevos lugares.

Repasar los conceptos clave (pág. 285)

1. **a.** tectónica de placas **b.** El continente de América del Norte se alejó del ecuador debido al movimiento de placas. **c.** Respuesta de ejemplo: Tal vez no. El movimiento de placas continuará y los continentes seguirán desplazándose.
2. **a.** La deriva continental es el movimiento muy lento de los continentes. **b.** Los mamíferos de Australia evolucionaron de manera distinta. La mayor parte de los mamíferos de Australia son marsupiales. **c.** No, porque Australia ya no quedaría aislada. Los animales suramericanos emigrarían hacia Australia.

Sección 5 La escala geocronológica (págs. 286–297)

Objetivos

Al terminar esta lección, los estudiantes serán capaces de:

8.5.1 Explicar por qué se usa la escala geocronológica para mostrar la historia de la Tierra.

8.5.2 Describir cómo eran los primeros organismos precámbricos.

8.5.3 Describir los sucesos importantes de las eras paleozoica, mesozoica y cenozoica.

Preparación para los estándares

Tu escala cronológica (pág. 286)

Reflexiónalo Si los estudiantes se apegan a las divisiones sugeridas, los sucesos más importantes de sus vidas probablemente quedarán dentro de los años de la escuela intermedia porque pueden recordarlos con mayor claridad que los sucesos de los primeros años de sus vidas.

Examina tu avance

Respuesta

Figura 17 (pág. 287) Hace 245 millones de años

Matemáticas Analizar datos

Repasar matemáticas: Estadísticas, análisis de datos y probabilidad 7.1.2

Extinciones en masa (pág. 291)

Respuestas

1. El eje x muestra el tiempo en millones de años antes del presente; el eje y muestra la cantidad de familias de animales del océano.
2. Hace poco más de 50 millones de años
3. La que ocurrió hace alrededor de 230 millones de años
4. La cantidad de familias de animales del océano cayó inmediatamente, pero luego aumentó

Examina tu avance

Respuestas

Figura 21 (pág. 290) Anfibios, reptiles, insectos, helechos y plantas coníferas

Verificar la lectura (pág. 291) Un supercontinente que se formó hace unos 260 millones de años cuando los continentes de la Tierra se unieron.

Examina tu avance

Respuesta
Figura 22 (pág. 292) Los peces

Examina tu avance

Respuestas
Figura 23 (pág. 294) Tiene pico, cola y garras en las alas.

Verificar la lectura (pág. 294) Un vertebrado de sangre caliente que alimenta a sus crías con leche materna

Actividad Inténtalo

La vida y el tiempo (pág. 296)
Resultado esperado Orden de sucesos: se forman los fósiles más antiguos hace 3 mil 500 millones de años; se da la "explosión" de invertebrados hace 544 millones de años; aparición de los primeros peces hace 400 millones de años; se forma Pangea hace 260 millones de años; se extinguen los dinosaurios hace 65 millones de años; aparecen los humanos primitivos hace 3 mil 500 millones de años; retirada de los glaciares continentales hace 20,000 años. El tiempo de la extinción de los dinosaurios es relativamente reciente.

Examina tu avance

Respuesta

Verificar la lectura (pág. 297) El clima se enfrió.

Evaluación

Destreza clave de lectura

Hacer bosquejos (pág. 297) Revise la exactitud de los bosquejos de los estudiantes antes de asignar las preguntas.

Repasar los conceptos clave (pág. 297)

1. **a.** Un registro de las formas de vida y los sucesos geológicos de la historia de la Tierra **b.** Evidencias de las capas de rocas y los fósiles
2. **a.** Hace unos 3 mil 500 millones de años **b.** Provocaron que aumentara la cantidad de oxígeno en el aire.
3. **a.** Cámbrico, Ordovícico, Silúrico, Devónico, Carbonífero, Pérmico **b.** Hubo una "explosión" de invertebrados a medida que aparecieron muchas nuevas formas de vida. **c.** El cambio climático provocado por la deriva continental.
4. **a.** Los reptiles **b.** Respuestas posibles: Los mamíferos comían organismos más pequeños que ellos, como insectos, así que no competían por alimento con los dinosaurios. Los mamíferos eran lo bastante pequeños para ocultarse de los dinosaurios. **c.** Los animales herbívoros fueron alimento para los animales carnívoros. Cuando se extinguieron los herbívoros, se agotaron las fuentes de alimento para los carnívoros y por ello también se extinguieron.
5. **a.** La Edad de los Mamíferos **b.** Los dinosaurios se habían extinguido, y esto permitió la evolución de los mamíferos. Las hierbas evolucionaron y proporcionaron fuentes de alimento a los animales más grandes que pastaban.

Laboratorio de destrezas

Al pasar el tiempo

Analiza y concluye (pág. 299)

1. Las respuestas variarán dependiendo de la altura del salón de clase. La altura promedio de un salón de clase es de 2.5 m ó 250 cm. Se necesitarían alrededor de 55 resmas de papel, con una anchura de 4.5 cm cada una, para alcanzar el techo. Eso representaría 55 millones de años. En la resma del interior del salón de clase sólo entrarían dos sucesos, la última glaciación y la evolución de las ballenas.
2. Las respuestas variarán dependiendo de la cantidad obtenida en la pregunta 1. Con 55 resmas por salón de clase, harían falta alrededor de 84 salones de clase (4,600 ÷ 55) para representar la edad de la Tierra. Se necesitarían alrededor de 9.5 salones de clase (530 ÷ 55) para representar la época en que aparecieron los vertebrados.
3. El grosor de la pila tendría que ser 20 veces mayor (4,600 ÷ 225).
4. La respuesta común podría sugerir el uso de papeles de distintos colores para cada una de las eras y señalar las divisiones entre los períodos usando separadores de cartón. Los sucesos principales podrían mostrarse con banderines encajados en la pila.
5. La mayoría de los estudiantes pensará que la escala no es práctica. Las ventajas del modelo a 1 m incluyen que sería fácil de colocar en la pared y usarlo como referencia rápida. Las

desventajas incluyen que la longitud del tiempo para representar del inicio de la era Paleozoica hasta el presente sería demasiado corta para incluir muchos de los acontecimientos importantes relativamente recientes.

Repaso y evaluación (págs. 301–302)

Destreza clave de lectura

Hacer un esquema (pág. 301) Revise los bosquejos de los estudiantes para asegurarse de que hayan incluido todos los subtemas y detalles importantes de la sección. Ejemplos de detalles sobre las placas de la Tierra:

A. Placas: grandes fragmentos de la capa exterior de la Tierra
B. Teoría de la tectónica de placas: las placas de la Tierra se mueven lentamente.
C. Deriva continental: movimiento lento de los continentes

Repasar los términos clave (pág. 301)

1. c
2. b
3. b
4. c
5. d
6. que los procesos geológicos que operan en la actualidad también operaron en el pasado.
7. la edad de una roca comparada con las edades de otras rocas.
8. los elementos se descomponen o desintegran liberando partículas y energía.
9. las placas de la Tierra se mueven lentamente en distintas direcciones.
10. muchos tipos de seres vivos se extinguen al mismo tiempo.

Verificar los conceptos (pág. 302)

11. Se forma una roca ígnea cuando el material fundido que está por debajo de la superficie de la Tierra se enfría y endurece.
12. A veces, capas de roca enterradas a gran profundidad se elevan hasta la superficie de la Tierra. Una vez en la superficie, la roca expuesta se erosiona. Luego, los sedimentos se depositan encima de la superficie erosionada de las rocas más antiguas y se endurecen formando capas de roca. El lugar donde la antigua superficie erosionada entra en contacto con una nueva capa de roca se conoce como discordancia.
13. Un científico usaría la datación radiactiva para determinar la edad absoluta.
14. Han encontrado fósiles de *braquiosaurio* en distintos continentes porque la tectónica de placas cambió la posición de las masas continentales y redistribuyó organismos y fósiles de organismos.
15. La atmósfera primitiva de la Tierra estaba compuesta principalmente de nitrógeno, dióxido de carbono y vapor de agua. Había muy poco oxígeno.
16. Durante el período Terciario, los climas de la Tierra eran generalmente calurosos y templados. Durante el período Cuaternario, el clima de la Tierra se enfrió y provocó una serie de glaciaciones.

Razonamiento crítico (pág. 302)

17. Los paleontólogos podrían concluir que las dos capas de roca se formaron más o menos al mismo tiempo.
18. El Tiempo Precámbrico inicia con la formación de la Tierra hace 4 mil 600 millones de años y termina hace 544 millones de años. El carbono 14 no serviría para la datación del fósil porque su vida media es muy corta. Por consiguiente, sería mejor usar uranio 235.
19. Los anfibios pasan parte de su vida en el agua y los reptiles son animales terrestres. Cuando el clima se volvió más seco, los anfibios tuvieron menos agua. Por consiguiente, el clima más seco favorecería a los reptiles.
20. La película no tendría precisión científica porque los dinosaurios se extinguieron al final de la era Mesozoica y los humanos empezaron a evolucionar en una época muy avanzada de la era Cenozoica, más de 60 millones de años después.

Practicar matemáticas (pág. 302)

21. Después de 9 vidas medias, quedaría 0.1953125 por ciento de un elemento radiactivo.

Aplicar destrezas (pág. 302)

22. Según la ley de la superposición, la capa 1 es la más antigua y la capa 4 es la más joven. La capa 1 se encuentra en el fondo y la capa 4 es la superior.
23. Un científico debe haber utilizado la datación radiactiva para determinar las edades de la intrusión y de la extrusión.
24. La capa 3 es más joven que la intrusión de 60 millones de años de antigüedad, pero más antigua que la intrusión de 34 millones de años de antigüedad.

25. La capa 4 es más joven que la intrusión de 34 millones de años de antigüedad, pero más antigua que la intrusión de 20 millones de años de antigüedad.

Práctica de estándares (pág. 303)

1. B; S 7.4.a
2. D; S 7.4.f
3. C; S 7.4.c
4. A; S 7.4.c
5. D; S 7.4.g
6. D; S 7.4.b

Aplicar la gran idea (pág. 303)

7. Respuesta posible: Los científicos estudian la posición de las capas de roca sedimentaria para determinar las edades relativas de las rocas, basándose en el lugar donde se encuentran unas en relación con otras. Según la ley de la superposición, las rocas de las capas superiores suelen ser más jóvenes que las rocas de las capas que hay debajo de ellas. También se usan indicadores fósiles para la datación de capas de roca. Los científicos utilizan el proceso de la desintegración radiactiva para determinar las edades absolutas de la roca ígnea. Identifican y miden la cantidad de un elemento radiactivo de la roca y determinan su vida media. S 7.4.d

Evaluación de la Unidad 2

Genética y evolución

Conexión de las grandes ideas (pág. 305)

Respuestas

1. a
2. c
3. b
4. c
5. Los científicos comparan especies para ver cómo son similares y cómo son diferentes. Las evidencias científicas incluyen información sobre ADN, estructura de las proteínas, estructura corporal, fósiles y desarrollo temprano.

Unidad 3

Estructura y función en los sistemas de los seres vivos

Capítulo 9 Virus, bacterias, protistas y hongos

Verifica lo que sabes (pág. 313)

Esta pregunta evalúa la comprensión de los estudiantes sobre la presencia de células en todos los organismos vivos. (S 7.1)

Respuestas y explicaciones posibles

Respuesta correcta: Esperaría ver células. Las algas marinas son unicelulares o multicelulares. *Explicación posible:* Todos los organismos están compuestos de células, desde una hasta varios billones. *Respuestas incorrectas posibles:* Esperaría encontrar mohos. *Explicación posible:* Algunos mohos viven en el agua o en lugares húmedos.

Desarrollar el vocabulario de Ciencias

¡Aplícalo! (pág. 314)

1. Dos
2. Los descomponen en partes más pequeñas
3. Poner juntos, unidos

Desarrollar el vocabulario de Ciencias

¡Aplícalo! (pág. 316)

Pida a los estudiantes que completen las oraciones a medida que responden a las preguntas. Respuestas de ejemplo:

1. Ambas son frutas jugosas
2. Las naranjas tienen color anaranjado y sabor dulce. Los limones son amarillos y tienen sabor amargo.

Sección 1 Virus (págs. 318–323)

Objetivos

Al terminar esta lección, los estudiantes serán capaces de:

9.1.1 Enumerar las características de los virus y establecer las razones por las cuales los virus se consideran partículas no vivas.

9.1.2 Describir los componentes de la estructura básica de un virus.

9.1.3 Explicar cómo se multiplican los virus activos y ocultos.

9.1.4 Comentar cómo se tratan las enfermedades virales.

Preparación para los estándares

¿En qué cerradura entra la llave? (pág. 318)

Reflexiónalo Un organismo invasor no podría "entrar" en la célula a menos que tuviera una "llave" única que encajara en la "cerradura" de la superficie de la célula.

Examina tu avance

Respuesta

Verificar la lectura (pág. 319) Instrucciones para crear nuevos virus

Examina tu avance

Respuesta

Verificar la lectura (pág. 321) En el material genético de la célula huésped

Examina tu avance

Respuestas

Figura 4 (pág. 322) Como los miembros de una familia comparten el mismo espacio, pueden infectarse fácilmente tocando objetos contaminados por un miembro de la familia enfermo o con diminutas gotas de humedad que el familiar enfermo expulsa al estornudar.

Verificar la lectura (pág. 323) Porque los virus que contienen han sido debilitados o alterados

Evaluación

Destreza clave de lectura

Comparar y contrastar (pág. 323) Los estudiantes deben usar la información de la página 318 para comparar sus diagramas.

Repasar los conceptos clave (pág. 323)

1. **a.** Una partícula no viva que invade una célula y usa las estructuras de la célula para reproducirse **b.** Los dos se multiplican. **c.** Los virus no habrían podido existir antes que aparecieran los organismos, porque los virus sólo pueden reproducirse dentro de las células vivas.
2. **a.** Todos los virus tienen una cubierta de proteínas que envuelve un núcleo interno de material genético **b.** Fijan las proteínas en la superficie de la célula huésped. Esas proteínas deben encajar perfectamente para que el virus pueda invadir a la célula huésped.
3. **a.** El virus se pega a la célula, inyecta material genético viral, produce proteínas virales y material genético. Se forman nuevos virus. La célula revienta liberando los virus. **b.** El material genético viral se convierte en parte del material genético de la célula. Después, el material genético del virus se separa del material genético de la célula y se vuelve activo. **c.** El virus del resfriado es activo. Poco después de "pescarlo" de otra persona, aparecen los síntomas.
4. **a.** Descanso, beber abundantes líquidos, comer una dieta bien balanceada **b.** Las vacunas disparan las defensas naturales del cuerpo para que destruya al virus invasor antes que cause una enfermedad.

Laboratorio de destrezas

¿Cuántos virus caben en un alfiler

Analiza y concluye (pág. 324)

1. Unos 20 millones
2. Pida a los estudiantes que expliquen si sus predicciones estaban fundamentadas en el razonamiento o si simplemente fue una suposición.
3. Al amplificarla, la cabeza del alfiler era muy grande mientras que el tamaño del virus siguió siendo muy pequeño.
4. El modelo ampliado les ayuda a comprender detalles de escala y estructura.

Sección 2 Bacterias (págs. 325–333)

Objetivos

Al terminar esta lección, los estudiantes serán capaces de:

9.2.1 Nombrar y describir las estructuras, formas y tamaños de una célula bacteriana.

9.2.2 Comparar bacterias autótrofas y heterótrofas, y explicar cómo se libera energía mediante la respiración.

9.2.3 Describir las condiciones en que las bacterias pueden desarrollarse y reproducirse con frecuencia.

9.2.4 Explicar la función de las bacterias en la producción de oxígeno y alimento, en el reciclaje y la limpieza ambiental, y en la salud y la medicina.

Preparación para los estándares

¿Qué tan rápido se multiplican las bacterias? (pág. 325)

Reflexiónalo Los estudiantes inferirán que la cantidad aumenta rápidamente porque una bacteria puede duplicarse cada 20 minutos.

Actividad Inténtalo

Bacterias para el desayuno (pág. 327)
Resultado esperado Las bacterias se ven como puntos azul oscuro contra un fondo borroso azul claro.

Examina tu avance

Respuestas
Figura 6 (pág. 326) Flagelos

Verificar la lectura (pág. 327) Oxígeno

Matemáticas Analizar datos

Repasar matemáticas: Álgebra y funciones 7.1.5

Explosión poblacional (pág. 329)

Respuestas
1. Tiempo (minutos); cantidad de células bacterianas
2. 2 células después de 20 minutos; 8 células después de 1 hora; 64 células después de dos horas
3. La cantidad de células se duplica con cada división.

Examina tu avance

Respuesta

Verificar la lectura (pág. 329) En condiciones desfavorables como temperatura extrema o falta de alimento

Examina tu avance

Respuestas
Figura 10 (pág. 332) Nada se descompondría. Los desechos se acumularían cada vez más. A la larga, nada podría crecer.

Verificar la lectura (pág. 332) Descomponen organismos muertos en sustancias químicas básicas que otros organismos pueden reutilizar.

Evaluación

Destreza de vocabulario

Prefijos (pág. 333) La reproducción sexual requiere de dos progenitores. La reproducción asexual ocurre con un solo progenitor.

Repasar los conceptos clave (pág. 333)
1. **a.** En el citoplasma **b.** Los flagelos ayudan a moverse a las células bacterianas.
2. **a.** Producen alimento con la energía solar, usan la energía de las sustancias químicas del medio ambiente y consumen otros organismos o el alimento que producen otros organismos **b.** Las bacterias obtienen energía del alimento, sin importar que sean autótrofas o heterótrofas. **c.** Es probable que produzcan alimento a partir de las sustancias químicas de la comida que está en las latas selladas.
3. **a.** Una forma de reproducción asexual; una célula se divide para formar dos células idénticas **b.** Cuando abunda la comida, la temperatura es adecuada y las condiciones restantes son correctas **c.** Estas bacterias contendrían nuevas combinaciones de material genético.
4. **a.** Muchas bacterias son útiles. Las bacterias participan en la producción de oxígeno y alimento, en el reciclaje y la limpieza ambiental, y en la conservación de la salud y la producción de medicamentos. **b.** Las bacterias que viven en las raíces de las plantas de guisantes pueden convertir el aire en nitrógeno que las plantas necesitan para crecer.

Sección 3 Protistas (págs. 334–343)

Objetivos
Al terminar esta lección, los estudiantes serán capaces de:
9.3.1 Describir las características de los protistas semejantes a animales y dar ejemplos.

9.3.2 Describir las características de los protistas semejantes a plantas y dar ejemplos.

9.3.3 Describir las características de los protistas semejantes a hongos y dar ejemplos.

Preparación para los estándares

¿Qué vive en una gota de agua de estanque? (pág. 334)
Reflexiónalo Los estudiantes probablemente relacionarán el movimiento con la vida.

Examina tu avance

Respuesta
Figura 14 (pág. 335) En su estructura; en que son organismos unicelulares o multicelulares; en su hábitat

Examina tu avance

Respuesta

Verificar la lectura (pág. 337) Proyecciones celulares en forma de cabello que se desplazan con un movimiento ondular

Actividad Inténtalo

Cómo observar a los protistas (pág. 339)
Resultado esperado Se forman vacuolas alimentarias verdes en el interior de los paramecios conforme ingieren la *Chlorella.* Los estudiantes habrán de concluir que los paramecios son heterótrofos, en tanto que las *Chlorella* son autótrofas.

Examina tu avance

Respuestas
Figura 17 (pág. 338) Para eliminar del agua la *Giardia* y otros organismos dañinos que causan enfermedades

Verificar la lectura (pág. 338) Una relación estrecha en la que se beneficia al menos una de las especies

Actividad Destrezas

Predecir (pág. 340)
Resultado esperado Los estudiantes probablemente predecirán que las euglenas se movieron hacia la luz porque necesitan luz para producir alimento. El resultado del experimento confirmará esta predicción. El área cubierta ya no será verde, porque las euglenas se han desplazado al área descubierta donde hay luz.

Examina tu avance

Respuestas
Figura 20 (pág. 340) La mancha ocular ayuda a la euglena a buscar la luz y el flagelo le permite moverse hacia la luz.
Figura 22 (pág. 341) Los zarcillos parecen raíces y las hojas son alargadas.

Verificar la lectura (pág. 341) Café, verde, amarillo y anaranjado

Examina tu avance

Respuesta

Verificar la lectura (pág. 343) En el agua o en lugares húmedos

Evaluación

Destreza de vocabulario

Prefijos (pág. 343) *Seudópodo* significa "pie falso", así que la raíz *podo-* significa "pie".

Repasar los conceptos clave (pág. 343)

1. **a.** Protozoarios con seudópodos, protozoarios con cilios, protozoarios con flagelos, protozoarios que son parásitos **b.** Semejanzas con los animales: son heterótrofos que pueden moverse de un lugar a otro; diferencias: son unicelulares. **c.** Como un protozoario con seudópodos.
2. **a.** Son autótrofos. **b.** Los protistas semejantes a plantas varían en tamaño, cantidad de células y color. **c.** Las euglenas son unicelulares mientras que las algas pardas son multicelulares y tienen órganos diferenciados. Las euglenas tienen clorofila. Además de clorofila, las algas pardas tienen pigmentos café, amarillo y anaranjado. Las euglenas y las algas pardas son autótrofos.
3. **a.** Mohos del limo, mohos del agua y mildeus aterciopelados **b.** Son heterótrofos, tienen paredes celulares y usan esporas para reproducirse

Sección 4 Hongos (págs. 344–349)

Objetivos
Al terminar esta lección, los estudiantes serán capaces de:
9.4.1 Nombrar las características que comparten los hongos.
9.4.2 Explicar cómo se reproducen los hongos.
9.4.3 Describir la función de los hongos en la naturaleza.

Preparación para los estándares

¿Se parecen todos los mohos? (pág. 344)

Reflexiónalo Los mohos probablemente tendrán un aspecto parecido a hilos y órganos fructíferos, pero quizá serán de distintos colores.

Examina tu avance

Respuestas
Figura 25 (pág. 345) Sirven para anclar y absorben sustancias.

Verificar la lectura (pág. 345) Consisten de hifas.

Actividad Inténtalo

Propagar esporas (pág. 346)
Resultado esperado Las "esporas" deberán salir expulsadas de los globos y caerán en muchas direcciones, bastante lejos de los globos. Los estudiantes deberán explicar que, así como el aire dispersó las pelotas de algodón, las corrientes de aire atrapan y transportan esporas a grandes distancias y diferentes lugares.

Examina tu avance

Respuestas
Figura 27 (pág. 346) Es genéticamente idéntica.
Verificar la lectura (pág. 346) Una forma de reproducción asexual; no produce esporas

Examina tu avance

Respuestas
Figura 29 (pág. 348) Una asociación en la que ambos organismos se benefician: mutualismo

Verificar la lectura (pág. 349) Hongo; alga o bacteria

Evaluación

Destreza clave de lectura

Comparar y contrastar (pág. 349) Las hifas del champiñón están muy apiñadas. Las hifas del moho del pan están más separadas. Las hifas transportan sustancias a todo el hongo.

Repasar los conceptos clave (pág. 349)
1. **a.** Cualesquiera tres de las siguientes: eucariotas, tienen paredes celulares, se reproducen mediante esporas, heterótrofos que se alimentan de manera similar, viven en lugares tibios y húmedos. **b.** Las células de los hongos están organizadas en hifas. Las hifas del moho del pan están enredadas de manera bastante holgada; las hifas del champiñón están muy apiñadas. **c.** Las hifas con forma de hilo crecen en la fuente de alimento y luego liberan sustancias químicas que lo descomponen.
2. **a.** Las esporas son las células reproductoras que se transforman en nuevos hongos. **b.** Las hifas de dos hongos se unen e intercambian material genético; a la larga, las hifas unidas desarrollan una estructura reproductora que produce esporas; las esporas se transforman en nuevos hongos. **c.** Aumenta la probabilidad de que más esporas sobrevivan para convertirse en hongos
3. **a.** Recicladores, fuentes de alimento, causan enfermedades, combaten enfermedades, organismos que viven asociados con las raíces de las plantas, uno del par de organismos que forman un liquen. **b.** Estaría lleno de plantas y animales muertos.

Laboratorio de destrezas

¿Qué hay para el almuerzo?

Analiza y concluye (pág. 351)
1. Los globos C y D cambiaron durante el laboratorio. El globo C se llenó un poco y el globo D se llenó mucho.
2. Algunos globos se inflaron con dióxido de carbono. Otros globos no sufrieron cambios porque la levadura no produjo dióxido de carbono.
3. El globo de la botella C no se infló tanto como el globo de la botella D. Cuando la levadura dispone de menos azúcar (225 mL en la botella C contra 50 mL en la botella D), la levadura despide menos dióxido de carbono. Sin la botella E, habría sido imposible saber si el gas se produjo sólo por el azúcar al disolverse en el agua.
4. Usa el azúcar. La botella B, que contenía sal, no produjo gas, lo que indica que la levadura no estaba activa.
5. Las respuestas de los estudiantes deberán explicar que las células de levadura usan el azúcar como fuente de alimento y que producen dióxido de carbono al descomponer el alimento. La alimentación y la producción de dióxido de carbono quedan demostradas por la forma como se inflaron los globos de las botellas que contenían azúcar, sobre todo en la botella que tenía más azúcar.

Repaso y evaluación (págs. 353–354)

Destreza clave de lectura

Comparar y contrastar (pág. 353) Respuestas de ejemplo:
a. cambia de forma al moverse; tiene un solo núcleo
b. heterótrofo
c. tiene forma definida; posee un núcleo grande y un núcleo pequeño

Repasar los términos clave (pág. 353)
1. b
2. a
3. a
4. c

5. b
6. organismos que viven dentro o sobre un huésped y pueden causarle daño
7. en la fisión binaria una célula se divide para producir dos células idénticas
8. recoge el agua adicional y luego la expulsa de la célula
9. los dos organismos se benefician viviendo juntos
10. los tubos con forma de hilos ramificados que componen el cuerpo de los hongos multicelulares

Verificar los conceptos (pág. 354)

11. Las proteínas de la capa del virus sólo encajan con ciertas proteínas de la superficie de una célula.
12. Después que un virus oculto entra en una célula huésped, su material genético se vuelve parte del material genético de la célula. Cuando la célula huésped se divide, el material genético del virus se copia junto con el material genético del huésped. Cuando ciertas condiciones provocan que se active el material genético del virus, éste toma el control de las funciones de la célula.
13. La mayoría de las bacterias se reproduce asexualmente por fisión binaria, sobre todo cuando las condiciones son favorables. Algunas bacterias pueden reproducirse sexualmente por conjugación.
14. Ayudan a digerir alimentos, producen vitaminas e impiden que otras bacterias dañinas vivan en los tejidos.
15. Los antibióticos matan bacterias sin dañar las células del cuerpo. Por ejemplo, la penicilina debilita las paredes celulares de algunas bacterias y hace que estallen.
16. Una amiba extiende sus seudópodos alrededor de la partícula de alimento para envolverla.
17. Los protistas semejantes a animales y semejantes a hongos son heterótrofos. Los protistas semejantes a plantas son autótrofos, aunque algunos también pueden ser heterótrofos.
18. En la reproducción sexual, dos hifas crecen juntas, intercambian material genético y producen un órgano fructífero.

Razonamiento crítico (pág. 354)

19. Los dos invaden la célula huésped y la hacen producir nuevos virus. El virus activo toma el control de la célula inmediatamente después de entrar en ella. En el caso del virus oculto, el material genético del virus se incorpora al material genético de la célula y pueden transcurrir muchos años antes que el virus controle activamente la célula.
20. Una sustancia que tenga células vivas, porque los virus necesitan infectar células vivas para multiplicarse.
21. El organismo A es una amiba, que envuelve su alimento con seudópodos. El organismo B es un paramecio, que utiliza cilios para empujar el agua que contiene alimento hasta su garganta oral.
22. Es probable que también desaparecieran casi todas las otras formas de vida. Las algas proporcionan alimento y oxígeno a los animales acuáticos y ayudan a conservar el oxígeno de la atmósfera.
23. Los hongos tienen muchas funciones benéficas, en especial la de descomponedores. Matar a los hongos permitiría la acumulación de organismos muertos. Además, los hongos ayudan a muchas plantas a sobrevivir.

Aplicar destrezas (pág. 354)

24. Alrededor de 38 °C
25. La levadura debe estar activa y producir dióxido de carbono para que suba la masa y es más activa en agua caliente.
26. No. Porque la mayor parte de la masa no seguiría subiendo debido a que las levaduras suelen permanecer inactivas a esa temperatura.
27. El margen de temperatura óptimo para la actividad de las levaduras es entre 30 °C y 45 °C. A cualquier temperatura por arriba o por debajo de este margen, disminuye marcadamente la cantidad de dióxido de carbono que producen.

Práctica de estándares (pág. 355)

1. A; S 7.1
2. D; S 7.5.a
3. B; S 7.2.a
4. B; S 7.2.a
5. D; S 7.1
6. D; S 7.5.a
7. D; S 7.2.a

Aplicar la gran idea (pág. 355)

8. Respuesta de ejemplo: Tamaño: Los virus son más pequeños que las células. Las bacterias también son muy pequeñas, pero son más grandes que los virus y podemos verlas con un microscopio óptico.

Estructura: Los virus tienen dos partes, una cubierta de proteínas que protege al virus y un núcleo interno compuesto de material genético. Las bacterias tienen pared celular, membrana celular, citoplasma que contiene ribosomas y material genético, y pueden tener un flagelo.

Métodos de reproducción: Los virus entran en la célula huésped y su material genético toma el control de muchas funciones de la célula. Indica a la célula que produzca proteínas y material genético viral. Las bacterias pueden multiplicarse por reproducción asexual o sexual, o mediante la formación de endosporas. S 7.2.a

Capítulo 10 Estructura y función de las plantas

Verifica lo que sabes (pág. 357)
Esta pregunta evalúa la comprensión de los estudiantes sobre la forma como los cloroplastos atrapan la energía de la luz solar para usarla en la fotosíntesis (S 7.1.d)

Respuestas y explicaciones posibles
Respuesta correcta: Como no está expuesta a la luz, la planta no podría producir alimento. *Explicación posible:* La planta dejaría de crecer e incluso podría morir. *Respuestas incorrectas posibles:* No afectaría el crecimiento de la planta. *Explicación posible:* La planta seguirá creciendo mientras tenga agua.

Desarrollar el vocabulario de Ciencias

¡Aplícalo! (pág. 358)

1. supervivencia
2. transportar
3. consiste

Cómo leer en Ciencias

¡Aplícalo! (pág. 360)
Pida a los estudiantes que usen oraciones completas a medida que respondan a las preguntas.
Respuestas de ejemplo:

1. Las semillas forman flores.
2. El esporofito produce esporas. Las esporas se transforman en gametofitos. Los gametofitos producen óvulos y espermatozoides.

Gimnospermas: Los árboles producen conos masculinos y femeninos. Los conos masculinos producen espermatozoides. Los conos femeninos producen óvulos. El viento dispersa los granos de polen y algunos se unen con óvulos. El espermatozoide fecunda al óvulo. El óvulo se transforma en semilla con un embrión. El viento dispersa las semillas de pino. Las semillas crecen hasta convertirse en un árbol.
Angiospermas: El árbol produce flores. Las células de otro árbol producen granos de polen. Los granos de polen están adheridos al estigma. El espermatozoide se desplaza por el interior de un tubo y fecunda un óvulo. El óvulo se convierte en semilla que contiene un embrión. Se desarrolla un fruto que envuelve las semillas y ayuda a dispersarlas. Las semillas crecen hasta convertirse en un nuevo árbol.

Sección 1 El reino de las plantas
(págs. 362–369)

Objetivos
Al terminar esta lección, los estudiantes serán capaces de:

10.1.1 Identificar las características que comparten todas las plantas.

10.1.2 Nombrar las cosas que necesita una planta para vivir adecuadamente en la tierra.

10.1.3 Comparar las plantas no vasculares y las plantas vasculares.

10.1.4 Describir las etapas del ciclo de vida de las plantas.

Preparación para los estándares

¿Qué revelan las hojas sobre las plantas? (pág. 362)

Reflexiónalo Los estudiantes habrán de inferir que la planta con hojas pequeñas, gruesas y carnosas vive en el desierto o algún clima caluroso y soleado, y que la planta con hojas más grandes, delgadas y planas vive en un área donde hay suficiente lluvia. Es probable que los estudiantes digan que las hojas gruesas parecen contener agua.

Examina tu avance

Respuesta
Figura 1 (pág. 363) Las diferentes células se especializan en proteger la hoja, llevar a cabo la fotosíntesis y transportar alimento y agua.

Matemáticas Analizar datos

Repasar matemáticas: Estadísticas, análisis de datos y probabilidad 7.1.2

Pérdida de agua en las plantas (pág. 364)

Respuestas

1. Eje horizontal: hora del día; eje vertical: pérdida de agua
2. Más: mediodía; menos: por la noche.
3. La planta parecía perder más agua durante la parte más soleada o calurosa del día.
4. La gráfica lineal descendería durante la noche y volvería a subir por la mañana, porque la pérdida de agua es menor durante la noche, cuando no hay Sol.

Examina tu avance

Respuesta

Verificar la lectura (pág. 365) Porque necesitan agua para sobrevivir; podrían secarse con facilidad.

Examina tu avance

Respuesta

Figura 4 (pág. 366) Plantas vasculares sin semillas, gimnospermas y angiospermas.

Examina tu avance

Respuestas

Figura 6 (pág. 369) En la etapa de gametofito.

Verificar la lectura (pág. 368) En la etapa de esporofito.

Evaluación

Destreza clave de lectura

Ordenar los sucesos en serie (pág. 369) Los estudiantes deberán usar el diagrama terminado del ciclo de vida de la planta para responder a la pregunta.

Repasar los conceptos clave (pág. 369)

1. **a.** Son organismos multicelulares, eucariotas autótrofos y tienen paredes celulares **b.** Las células vegetales tienen pared celular, cloroplastos y vacuolas. **c.** Respuesta de ejemplo: No podría producir alimento.
2. **a.** Deben obtener agua y otros materiales de su medio ambiente, conservar la humedad, sostener sus cuerpos, transportar sustancias por todo el cuerpo y reproducirse. **b.** Como las algas viven en el agua, tienen menos problemas con la pérdida de agua.
3. **a.** Las plantas vasculares tienen tejidos para transportar agua y otras sustancias a toda la planta; las plantas no vasculares carecen de esos tejidos. **b.** Las plantas vasculares pueden transportar agua y alimento rápidamente a todo el cuerpo de la planta. **c.** Sí; debido a la escasez de agua en el desierto, la planta alta debe tener tejido vascular para proporcionar agua a sus células. Las plantas no vasculares son de poca altura y no tienen raíces para absorber agua.
4. **a.** Esporofito y gametofito **b.** El cigoto se transforma en esporofito. El esporofito produce esporas que se transforman en gametofito. El gametofito produce óvulos y espermatozoides, el óvulo y el espermatozoide se unen para formar un cigoto y el ciclo continúa.

Sección 2 Plantas sin semillas
(págs. 370–374)

Objetivos

Al terminar esta lección, los estudiantes serán capaces de:

10.2.1 Nombrar algunas plantas no vasculares y enumerar las características que comparten.

10.2.2 Nombrar algunas plantas vasculares sin semillas y enumerar las características que comparten.

Preparación para los estándares

¿Absorben agua los musgos? (pág. 370)

Reflexiónalo Algunos estudiantes podrían predecir que el musgo estagnal absorberá más agua y otros podrían predecir que la arena absorberá más agua. Los estudiantes deben concluir que el musgo absorbe bien el agua, y que lo hace mejor que la arena.

Examina tu avance

Respuestas

Figura 7 (pág. 371) Los rizoides

Verificar la lectura (pág. 371) Parecen pequeños cuernos.

Actividad Inténtalo

Examen de un helecho (pág. 373)

Resultado esperado Los estudiantes deberán señalar que las raíces anclan la planta al suelo y absorben agua. La cutícula de la parte superior reduce la pérdida de agua.

Examina tu avance

Respuestas

Figura 9 (pág. 373) En la parte inferior de la fronda.

Verificar la lectura (pág. 373) Ambos necesitan crecer en ambientes húmedos.

Examina tu avance

Respuestas

Figura 10 (pág. 374) El licopodio.

Verificar la lectura (pág. 374) En bosques húmedos y cerca de los arroyos

Evaluación

Destreza de vocabulario

Palabras académicas de uso frecuente

(pág. 374) Las hepáticas son más diversas porque hay más hepáticas que ceratofiláceas.

Repasar los conceptos clave (pág. 374)

1. **a.** Crecen a poca altura y viven en ambientes húmedos donde pueden absorber agua y nutrientes directamente del medio ambiente. **b.** Las plantas no vasculares no pueden transportar nutrientes a través de un cuerpo grande, así que se quedan pequeñas y cerca del suelo y viven en ambientes húmedos que proporcionan rápidamente lo que necesitan. **c.** Todas son plantas no vasculares. El musgo crece en la tierra, en rocas y en los árboles. Las hepáticas viven en áreas muy húmedas cerca de los arroyos. Las ceratofiláceas viven en suelos húmedos. Los esporofitos de musgos y hepáticas son visibles; los esporofitos de las ceratofiláceas son demasiado pequeños para observarlos a simple vista.
2. **a.** Tienen tejido vascular verdadero y usan esporas para reproducirse **b.** Difieren de los musgos en que poseen tejido vascular y los musgos no. Se parecen en que todos crecen en lugares húmedos. **c.** Para que las esporas que liberan puedan convertirse en gametofitos y los espermatozoides puedan nadar hasta los óvulos.

Sección 3 Características de las plantas con semillas (págs. 375–379)

Objetivos

Al terminar esta lección, los estudiantes serán capaces de:

10.3.1 Identificar las características que comparten las plantas con semillas.

10.3.2 Explicar cómo las semillas se convierten en plantas nuevas.

Preparación para los estándares

¿Cuál es la historia del interior de la semilla? (pág. 375)

Reflexiónalo Los estudiantes podrían sugerir que se consulten los diagramas de la Figura 14 o consultar libros de referencia para buscar información detallada sobre las estructuras de otras semillas. .

Examina tu avance

Respuestas

Figura 11 (pág. 376) El tejido vascular tiene células en forma de tubo.

Figura 13 (pág. 377) El embrión usa el alimento almacenado hasta que puede producir el suyo.

Verificar la lectura (pág. 377) Una hoja germinal

Examina tu avance

Respuesta

Verificar la lectura (pág. 379) Humedad y la temperatura correcta

Evaluación

Destreza de vocabulario

Palabras académicas de uso frecuente

(pág. 379) La forma como se dispersa la semilla mejora sus posibilidades de *supervivencia*.

Repasar los conceptos clave (pág. 379)

1. **a.** Tienen tejido vascular y utilizan polen y semillas para reproducirse. **b.** Tienen estructuras que llevan agua y nutrientes a todas las partes de la planta y no necesitan agua para que ocurra la fecundación.
2. **a.** Embrión, alimento almacenado, tegumento seminal **b.** Dispersión, absorción de agua, germinación, el embrión empieza a crecer, se desarrollan las hojas de la planta **c.** Tendría que competir por luz, agua y minerales con el árbol progenitor.

Sección 4 Raíces, tallos y hojas (págs. 380–385)

Objetivo

Al terminar esta lección, los estudiantes serán capaces de:

10.4.1 Describir las funciones de las raíces, los tallos y las hojas.

Preparación para los estándares

¿Qué parte de la planta es? (pág. 380)

Reflexiónalo Los alimentos deben clasificarse como raíces, tallos u hojas.

Examina tu avance

Respuestas
Figura 17 (pág. 381) Aumentan la cantidad de agua y minerales que absorbe la planta.

Verificar la lectura (pág. 381) Cubre y protege la punta de la raíz.

Examina tu avance

Respuestas
Figura 20 (pág. 383) Entre la corteza interna y la albura.

Verificar la lectura (pág. 383) Protege las células internas de las plantas leñosas.

Examina tu avance

Respuestas
Figura 22 (pág. 385) Entra dióxido de carbono en la hoja y salen vapor de agua y oxígeno.

Verificar la lectura (pág. 385) Se absorbe en las raíces y viaja por el tallo hasta la hoja a través del xilema.

Evaluación

Destreza de vocabulario

Palabras académicas de uso frecuente (pág. 385) El floema de una planta transporta alimento de las hojas a las raíces.

Repasar los conceptos clave (pág. 385)

1. **a.** Anclar la planta al suelo, absorber agua y minerales del suelo, almacenar alimento **b.** Entran en los espacios que hay entre las partículas de suelo para absorber agua y minerales. **c.** La profundidad de la raíz la ha anclado fuertemente al suelo. Las raíces profundas también permiten que la maleza absorba gran cantidad de agua y minerales, haciendo que escaseen para otras plantas.
2. **a.** Dar sostén a la planta, producir ramas, hojas y flores, transportar sustancias entre las raíces y las hojas **b.** Duramen, albura, cámbium, corteza interna con floema vivo, corteza externa
3. **a.** Para la fotosíntesis **b.** Están situados en las capas superficiales de la hoja, donde obtiene la mayor cantidad de luz. **c.** En la superficie superior

Diseña tu laboratorio

Échale un ojo a la fotosíntesis

Analiza y concluye (pág. 387)

1. La fotosíntesis
2. Era un control, para comprobar si las burbujas estaban directamente relacionadas con la planta.
3. Respuesta de ejemplo: La variable manipulada fue la presencia o ausencia de luz solar. La variable respuesta fue la producción de oxígeno. Mi experimento fue controlado porque no cambié las otras variables de los dos tubos de ensayo.
4. Sí. Las respuestas de los estudiantes deberán revelar que no se formaron burbujas cuando la planta no quedó expuesta a una fuente de dióxido de carbono.
5. Las respuestas de los estudiantes dependerán de los procedimientos, pero habrán de resaltar que los factores más importantes para la fotosíntesis son la luz y la presencia de dióxido de carbono y agua.
6. Los párrafos de los estudiantes variarán, pero todos deberán concluir que la fotosíntesis requiere de dióxido de carbono, agua y luz solar. Los estudiantes habrán de respaldar sus afirmaciones citando sus observaciones en las partes 1, 2 y 3 del laboratorio.

Sección 5 La reproducción de las plantas con semillas (págs. 388–397)

Objetivos
Al terminar esta lección, los estudiantes serán capaces de:

10.5.1 Identificar las características de las gimnospermas y describir cómo se reproducen.

10.5.2 Describir las características de las angiospermas y sus flores.

10.5.3 Explicar cómo se reproducen las angiospermas.

10.5.4 Describir los dos tipos de angiospermas.

Preparación para los estándares

¿Qué es un fruto? (pág. 388)

Reflexiónalo Definición posible: Los frutos tienen semillas y una parte carnosa comestible. Varían en color, forma y la cantidad de semillas que contienen.

Examina tu avance

Respuesta

Verificar la lectura (pág. 389) Cicadáceas, coníferas, ginkgos y gnetofitos

Actividad Inténtalo

Cucharada de conos (pág. 390)
Resultado esperado Es probable que las escamas protejan las semillas en desarrollo contra el viento, la lluvia y temperaturas muy frías.

Examina tu avance

Respuestas
Figura 24 (pág. 391) En los conos femeninos

Verificar la lectura (pág. 390) El polen se produce en los conos masculinos

Examina tu avance

Respuestas
Figura 25 (pág. 392) Semillas encerradas en frutos

Verificar la lectura (pág. 392) Casi en cualquier parte de la Tierra

Verificar la lectura (pág. 393) Masculinas: estambre (antera y filamento); femeninas: pistilo (estigma, estilo, ovario)

Examina tu avance

Respuestas
Figura 27 (pág. 394) En la cabeza, las patas y la espalda de la abeja
Figura 29 (pág. 395) En una semilla

Verificar la lectura (pág. 394) El ovario

Matemáticas Destrezas

Múltiplos (pág. 396)

Respuesta 12 y 16

Examina tu avance

Respuestas
Figura 30 (pág. 396) Las hojas de las monocotiledóneas tienen venas paralelas y las hojas de las dicotiledóneas tienen venas ramificadas.

Verificar la lectura (pág. 396) Las monocotiledóneas tienen pétalos en múltiplos de tres; las dicotiledóneas tienen pétalos en múltiplos de cuatro o cinco.

Verificar la lectura (pág. 397) Cualesquiera dos de las siguientes: papel, madera para construcción, trementina, rayón, colofonia

Evaluación

Destreza clave de lectura

Ordenar los sucesos en serie (pág. 397) Los diagramas de sucesos de los estudiantes deberán proporcionar información que les permita responder a las preguntas sobre las gimnospermas.

Repasar los conceptos clave (pág. 397)

1. **a.** Producen semillas que no están protegidas; muchas tienen hojas como agujas o escamas y profundos sistemas de raíces. **b.** Un cono es la estructura reproductora de una gimnosperma. Los conos masculinos producen polen; los conos femeninos contienen óvulos. **c.** Es improbable, porque las semillas no están encerradas en frutos que atraigan a los animales.
2. **a.** Producen flores y semillas encerradas en frutos. **b.** Su función es reproductora.
3. **a.** Estigma **b.** El polen cae en un estigma. El espermatozoide y el óvulo se unen y se desarrolla un cigoto, que se convierte en el embrión de la semilla. La semilla madura, queda envuelta en un fruto y la semilla se dispersa, a menudo con ayuda de los animales.
4. **a.** Monocotiledóneas y dicotiledóneas
b. Monocotiledóneas: un cotiledón, hojas con venas paralelas, haces de tejido vascular dispersos por el tallo, partes florales en grupos o múltiplos de tres; dicotiledóneas: dos cotiledones, hojas con venas ramificadas, haces de tejido vascular dispuestos en anillo dentro del tallo, partes florales en grupos o múltiplos de cuatro o cinco **c.** Pertenecen a una monocotiledónea; las hojas tienen venas paralelas y seis es un múltiplo de tres.
5. 6, 12, 15; 8, 12
6. No; 12 es múltiplo de 3 y 4

Laboratorio de destrezas

Un acercamiento a las flores

Analiza y concluye (pág. 399)

1. En círculos en el siguiente orden: los sépalos en el exterior, luego los pétalos, luego los estambres, el pistilo en el centro.
2. Los sépalos protegen a la flor durante su desarrollo y sostienen la base de la flor. Los pétalos pueden llamar la atención de los animales mediante su color o aroma. Los estambres producen polen, que libera espermatozoides. Los pistilos contienen óvulos.
3. Las respuestas variarán. Respuestas posibles: Los pétalos de colores sugieren que la flor está polinizada por organismos que son atraídos por el color. Un pistilo más alto que los estambres podrían sugerir que la flor no se autopoliniza. La estructura floral con anteras y estigma situados muy dentro de la flor sugiere que la polinización se debe a pequeños polinizadores, como insectos o colibríes.
4. Las partes florales de las monocotiledóneas suelen formarse en grupos o múltiplos de tres. Las partes florales de las dicotiledóneas suelen formarse en grupos o múltiplos de cinco o cuatro.
5. Las respuestas dependerán de las observaciones de los estudiantes. Los párrafos habrán de indicar que el examen de las partes de la flor puede determinar cómo están organizadas las estructuras de una flor, relacionar las funciones de las partes de la flor, el medio de polinización más probable e identificar si la flor es monocotiledónea o dicotiledónea.

Repaso y evaluación (págs. 401–402)

Destreza clave de lectura (pág. 401)

Revise la precisión de los diagramas de los estudiantes. Asegúrese de que hayan incluido todas las etapas del ciclo de vida.

Repasar los términos clave (pág. 401)

1. b
2. c
3. c
4. d
5. c
6. capaz de mover materiales con rapidez y eficacia a través de todo el cuerpo del árbol
7. anclar al musgo y absorber agua y nutrientes del suelo
8. el agua se evapora de las hojas de una planta
9. una estructura que contiene una plántula dentro de una cubierta protectora
10. la parte reproductora femenina de una flor

Verificar los conceptos (pág. 402)

11. Raíz, tallo y hoja
12. Respuesta de ejemplo: una manera de conservar agua; una manera de obtener agua y nutrientes del suelo; sostén para su cuerpo
13. Los musgos son plantas no vasculares; los licopodios son plantas vasculares. Los dos necesitan crecer en ambientes húmedos porque se reproducen mediante esporas.
14. Las semillas pueden dispersarse en el viento, el agua o por medio de los animales. Algunas plantas disparan sus semillas.
15. Los estomas se abren y permiten que el dióxido de carbono entre en la hoja, y también que escapen al aire el vapor de agua y el oxígeno producidos durante la fotosíntesis. Los estomas se cierran y retienen agua en las células de la hoja cuando aumenta la temperatura.
16. Los conos femeninos están cubiertos de escamas que contienen por lo menos un óvulo cada una.
17. Los frutos atraen a los animales, quienes los comen y ayudan a dispersar las semillas, aumentando así el área en que habitan las angiospermas.

Razonamiento crítico (pág. 402)

18. La generación del esporofito produce las esporas. Las esporas se desarrollan hasta la etapa de gametofito, en que se producen dos tipos de gametos: espermatozoides y óvulos.
19. Los estudiantes deberán indicar que su amigo probablemente esté equivocado. Los musgos son plantas no vasculares y no pueden alcanzar más de unos cuantos centímetros de altura.
20. La parte interna de la corteza es el floema. Si se arranca una tira de corteza alrededor de toda la base de un árbol, se pierde todo el floema de esa zona. El alimento que producen las hojas ya no puede llegar a las partes inferiores del árbol, así que esas células mueren y en consecuencia, muere todo el árbol.
21. Si los insectos útiles mueren a causa del pesticida, las plantas que dependen de esos insectos para la polinización no podrían ser polinizadas.
22. La planta B es una monocotiledónea porque tiene venas paralelas y seis pétalos (los pétalos de las monocotiledóneas se desarrollan en

grupos de tres). La planta A es una dicotiledónea porque tiene venas ramificadas y diez pétalos (los pétalos de las dicotiledóneas se desarrollan en grupos de cuatro o cinco).

Practicar matemáticas (pág. 402)

23. Una flor de nueve pétalos es una monocotiledónea porque podemos dividir 9 entre 3 para obtener un número entero (9 ÷ 3 = 3). Una flor con 10 pétalos es dicotiledónea porque podemos dividir 10 entre 5 para obtener un número entero (10 ÷ 5 = 2).

Aplicar destrezas (pág. 402)

24. La transpiración alcanza su máximo alrededor de las 2 p.m. La absorción de agua es más alta alrededor de las 5:30 p.m.
25. La tasa de transpiración aumenta durante la mañana hasta las primeras horas de la tarde y luego empieza a disminuir porque casi toda la evaporación ocurre hacia la mitad del día, cuando hay más calor. Poca agua se evapora durante la noche, que es fresca.
26. Respuestas de ejemplo: La cantidad máxima de transpiración ocurre unas pocas horas antes que el máximo de absorción de agua. Conforme el árbol pierde agua debido a la transpiración, responde a la pérdida de agua aumentando la absorción. Cuando disminuye la pérdida de agua durante la noche, disminuye también la absorción de agua.

Práctica de estándares (pág. 403)

1. D; S 7.2.a
2. B; S 7.1.d
3. D; S 7.5.a
4. A; S 7.5.f
5. C; S 7.5.a
6. D; S 7.2.a

Aplicar la gran idea (pág. 403)

7. Respuesta de ejemplo: Las plantas terrestres tienen raíces que absorben agua y minerales. Una cutícula cerosa ayuda a evitar que la planta pierda agua. El tejido vascular transporta materiales a toda la planta. S 7.5.a

Capítulo 11 Estructura y funciones de los invertebrados

Verifica lo que sabes (pág. 405)

Esta pregunta evalúa la comprensión de los estudiantes sobre la relación entre herencia y reproducción sexual. (S 7.2.2.b)

Respuestas y explicaciones posibles

Respuesta correcta: Los alelos de los genes proceden de dos progenitores. *Explicación posible:* Como los huevos son producto de la reproducción sexual, los dos progenitores aportaron alelos para los genes. *Respuestas incorrectas posibles:* Los alelos de los genes provienen sólo de la madre. *Explicación posible:* Como la madre pone los huevos, los genes (alelos) son suyos.

Desarrollar el vocabulario de Ciencias

¡Aplícalo! (pág. 406)

1. Ejemplo: Un pólipo es un cnidario en forma de jarrón.
2. La oración 3
3. La última oración me dice que tiene una boca que se abre en la parte superior y está rodeada de tentáculos que se extienden.

Cómo leer en Ciencias

¡Aplícalo! (pág. 408)

Pida a los estudiantes que usen el formato dado para completar sus notas. Se presenta un ejemplo de respuesta para *Las funciones de los animales:*

1. Respuesta de ejemplo: ¿Cuáles son las funciones principales de los animales?
2. Notas de ejemplo: Funciones de los animales: obtener alimento y oxígeno, mantener estable sus condiciones internas, moverse y reproducirse.
3. Oración de resumen: Los animales funcionan de distintas formas para obtener alimento y oxígeno, mantenerse estables, moverse y reproducirse.

Sección 1 ¿Qué es un animal? (págs. 410–416)

Objetivos

Al terminar esta lección, los estudiantes serán capaces de:

11.1.1 Describir los niveles de organización de los cuerpos de los animales.

11.1.2 Identificar las funciones que permiten que los animales satisfagan sus necesidades básicas.

11.1.3 Definir simetría.

11.1.4 Explicar cómo se clasifica a los animales.

Preparación para los estándares

¿Es un animal? (pág. 410)

Reflexiónalo Los estudiantes podrían señalar características de comportamiento como la forma de alimentación, o características físicas como boca, pelo o extremidades.

Examina tu avance

Respuestas
Figura 1 (pág. 411) Célula, tejido, órgano, sistema de órganos, organismo completo

Verificar la lectura (pág. 411) Un grupo de varios tejidos diferentes que trabajan en conjunto para realizar una función compleja.

Actividad Inténtalo

A moverse (pág. 413)
Resultado esperado Los modelos pueden parecer animales conocidos con adaptaciones como extremidades largas.

Examina tu avance

Respuestas
Figura 4 (pág. 413) Reproducción sexual

Verificar la lectura (pág. 413) La reproducción asexual es un proceso por el cual un organismo por sí solo produce un nuevo organismo idéntico a sí mismo.

Examina tu avance

Respuestas
Figura 6 (pág. 415) Los platelmintos se relacionan más estrechamente con las ascárides.

Verificar la lectura (pág. 414) En sus extremos frontales

Evaluación

Destreza clave de lectura

Tomar notas (pág. 416) Revise la precisión de las notas de los estudiantes y la cobertura del contenido de la sección.

Repasar los conceptos clave (pág. 416)

1. **a.** La célula **b.** Célula, tejido, órgano, sistema de órganos, organismo completo
2. **a.** Obtener alimento y oxígeno, mantener estable sus condiciones internas, moverse y reproducirse **b.** Mediante la reproducción sexual y asexual **c.** Reproducción sexual; La reproducción sexual consiste en la unión de un espermatozoide masculino y un óvulo femenino. La unión da origen a una combinación de características de los dos progenitores.
3. **a.** La simetría es un orden equilibrado de partes corporales característico de muchos animales. **b.** En la simetría bilateral hay un eje que divide al animal en mitades que son imágenes en espejo. La simetría radial tiene muchos ejes de simetría, cada uno de los cuales divide al animal en dos mitades idénticas. **c.** Es probable que el animal tenga simetría bilateral. Los animales con simetría bilateral se mueven más rápido y tienen órganos sensoriales en sus extremos frontales que les permiten reunir información de lo que hay delante de ellos.
4. **a.** Los vertebrados son animales con columna vertebral. **b.** Los biólogos clasifican a los animales según sus estructuras corporales, la forma como se desarrollan y su ADN. **c.** Los reptiles están más estrechamente relacionados con los mamíferos. En el diagrama, los reptiles están más cerca de los mamíferos que los peces.

Sección 2 Esponjas y cnidarios
(págs. 417–421)

Objetivos
Al terminar esta lección, los estudiantes serán capaces de:
11.2.1 Identificar las características de las esponjas.

11.2.2 Describir las características de los cnidarios.

Preparación para los estándares

¿Cómo se comparan las esponjas naturales y sintéticas? (pág. 417)

Reflexiónalo Ambas tienen poros, retienen líquido y son suaves. Son diferentes en cuanto a material, color, textura y forma.

Actividad Inténtalo

¿Hacer hidras? (pág. 419)
Resultado esperado Las hidras responderán enroscando los tentáculos alrededor del mondadientes. La hidra es un pólipo. Se mueve de un lugar a otro dando saltos mortales.

Examina tu avance

Respuestas
Figura 8 (pág. 418) Las células gelatinosas

Figura 9 (pág. 419) Los pólipos tienen bocas dirigidas hacia arriba; las bocas de las medusas están dirigidas hacia abajo.

Verificar la lectura (pág. 418) Las células collar desplazan agua por toda la esponja y atrapan el alimento.

Examina tu avance

Respuestas

Figura 10 (pág. 420) Atrapar a las presas

Verificar la lectura (pág. 420) Gemación

Evaluación

Destreza clave de lectura

Tomar notas (pág. 421) Revise la precisión de las notas de los estudiantes y la cobertura del contenido de esta sección.

Repasar los conceptos clave (pág. 421)

1. **a.** Las esponjas son invertebrados que carecen de simetría corporal, tejidos y órganos. **b.** Las esponjas se reproducen sexualmente, pero no tienen sexos separados. Una esponja produce espermatozoides y óvulos. Libera los espermatozoides en el agua y entran en otra esponja, fecundando sus óvulos.
2. **a.** Células punzantes **b.** Las células punzantes del cnidario atrapan a la presa. Luego, los tentáculos arrastran a la presa hasta la boca del cnidario. Después, la presa entra en la cavidad corporal central donde es digerida. **c.** Un cnidario puede moverse para escapar del peligro o usar sus células punzantes para defenderse de otros animales que quieran depredarlo.

Ciencias y sociedad

Arrecifes de coral en peligro

¿Qué harías? (pág. 423)

1. El problema es que muchos arrecifes de coral, que ofrecen hogar y protección a muchas especies marinas y protegen las costas contra inundaciones, están en peligro, dañados o amenazados por la destrucción. Los buzos pueden ocasionar daños a los arrecifes.
2. Las respuestas de los estudiantes deben incluir soluciones alternativas. Habrán de reconocer las consecuencias de prohibir el acceso a los arrecifes y tomarlas en consideración al formular sus soluciones.
3. Los estudiantes deben responsabilizarse de proporcionar documentación comprobable para justificar sus opiniones.

Sección 3 Gusanos y moluscos
(págs. 424–432)

Objetivos

Al terminar esta lección, los estudiantes serán capaces de:

11.3.1 Identificar las principales características de los gusanos.

11.3.2 Describir las principales características del fílum de gusanos.

11.3.3 Identificar las principales características de los moluscos.

11.3.4 Identificar los principales grupos de moluscos.

Preparación para los estándares

¿Cómo se ve un platelminto? (pág. 424)

Reflexiónalo Sugiera a los estudiantes que consulten la Sección 2. Los planarios tienen simetría bilateral y extremos de cabeza y cola bien definidos. Las esponjas son asimétricas y no tienen extremos de cabeza o cola.

Examina tu avance

Respuestas

Figura 13 (pág. 425) Los tres tipos de gusanos tienen el cuerpo alargado y sin patas.

Verificar la lectura (pág. 425) Simetría bilateral

Examina tu avance

Respuestas

Figura 14 (pág. 426) Un organismo autónomo no vive dentro o sobre otros organismos ni toman su alimento de estos organismos huéspedes.

Verificar la lectura (pág. 427) Los carroñeros se alimentan de cadáveres o materia en descomposición

Matemáticas Analizar datos

Matemáticas: Álgebra y funciones 7.1.5

Números de ascárides (pág. 428)

Respuestas

1. En el primer centímetro
2. Alrededor de 87%
3. Cuanto más profundo es el suelo, hay menos ascárides.

Examina tu avance

Respuestas

Figura 17 (pág. 429) Respuestas de ejemplo: Sistema nervioso, sistema digestivo, sistema circulatorio

Verificar la lectura (pág. 428) Boca y ano

Actividad Destrezas

Clasificar (pág. 431)

Resultado esperado Las siguientes características ayudarán a los estudiantes a determinar el principal grupo de moluscos al que pertenece el animal: concha sencilla o doble concha, presencia o ausencia de rádula, y presencia o ausencia de tentáculos.

Examina tu avance

Respuestas

Figura 19 (pág. 431) La rádula, que sirve para obtener alimento, posee pequeños dientes para arrancar alimento de las rocas.

Verificar la lectura (pág. 430) Las branquias obtienen oxígeno del agua.

Verificar la lectura (pág. 431) Filtran diminutos organismos del agua.

Evaluación

Destreza de vocabulario

Usar pistas para determinar el significado (pág. 432) La palabra *parásito* se refiere a un organismo que vive dentro o sobre otro organismo y le causa daño. Las pistas del párrafo son *toma alimento de su huésped, lo debilita, daña los tejidos u órganos del huésped.*

Repasar los conceptos clave (pág. 432)

1. **a.** Son invertebrados que tienen cuerpos largos y estrechos sin patas. **b.** Los gusanos se reproducen sexual y asexualmente. **c.** Casi siempre dos individuos hermafroditas se aparean e intercambian espermatozoides, fecundando cada cual los óvulos del otro.
2. **a.** Platelmintos, ascárides y gusanos segmentados **b.** Los platelmintos autónomos tienen un sistema digestivo con una abertura. Los platelmintos parásitos absorben su alimento del sistema digestivo del huésped, las ascárides y los gusanos segmentados poseen un sistema digestivo con dos orificios. La comida viaja en una dirección y la digestión se lleva a cabo en etapas ordenadas a lo largo del trayecto. **c.** No. Los platelmintos y los trematodos son parásitos. Las planarias expulsan desechos a través de sus tubos de alimentación.
3. **a.** Un molusco es un invertebrado de cuerpo suave y no segmentado, casi siempre protegido por una concha. Un molusco posee un manto que cubre sus órganos internos y también tiene un pie. **b.** El manto suele producir la concha dura.
4. **a.** Gasterópodos, bivalvos y cefalópodos. **b.** Los gasterópodos no tienen concha o sólo una y usan una rádula para obtener alimento. Los bivalvos poseen dos conchas. Los cefalópodos tienen un pie adaptado para formar tentáculos. **c.** Caracol y almeja: lo usan para moverse; cefalópodo: adaptado como tentáculos y lo usan para capturar presas

Laboratorio de destrezas

Respuestas de las lombrices

Analiza y concluye (pág. 433)

1. Respuesta de ejemplo: Los gusanos respondieron favorablemente a los ambientes húmedos y oscuros.
2. El encéfalo (parte del sistema nervioso) dirigió las respuestas de las lombrices. Si estuviera dañado, las lombrices no habrían podido reconocer las condiciones ambientales ni habrían podido moverse para responder a ellas.
3. Los párrafos deberán explicar que el tejido muscular permite que la lombriz se mueva acortando y alargando su cuerpo.

Sección 4 Artrópodos (págs. 434–441)

Objetivos

Al terminar esta lección, los estudiantes serán capaces de:

11.4.1 Describir las características generales de los artrópodos.

11.4.2 Describir las estructuras distintivas de crustáceos, arácnidos, ciempiés, milpiés e insectos.

Preparación para los estándares

¿Se doblará y moverá? (pág. 434)

Reflexiónalo Las articulaciones del esqueleto permiten el movimiento.

Examina tu avance

Respuestas

Figura 23 (pág. 435) Los artrópodos deben mudar su exoesqueleto para crecer.

Verificar la lectura (pág. 435) Un esqueleto externo

Examina tu avance

Respuestas

Figura 24 (pág. 436) Los arácnidos

Figura 24 (pág. 437) Permiten que el langostino capture su alimento y se defienda.

Verificar la lectura (pág. 436) Una antena percibe el ambiente

Actividad Destrezas

Hacer una gráfica (pág. 439)

Resultado esperado Hormigas, abejas, avispas: 13%; Escarabajos y gorgojos: 39%; Mariposas y palomillas: 20%; Moscas y mosquitos: 12%; Otros: 16%.

Examina tu avance

Respuestas

Figura 27 (pág. 438) Un par

Verificar la lectura (pág. 438) Dos

Verificar la lectura (pág. 439) Cabeza, tórax y abdomen

Evaluación

Destreza de vocabulario

Usar pistas para determinar el significado (pág. 441) La palabra *tórax* se refiere a la sección intermedia del insecto, la parte donde patas y alas se articulan. La Figura 28 también muestra que el *tórax* es la sección intermedia.

Repasar los conceptos clave (pág. 441)

1. **a.** Los artrópodos son invertebrados con esqueletos externos, cuerpos segmentados y articulaciones llamadas apéndices. **b.** El exoesqueleto **c.** Los insectos son animales terrestres que necesitan esta ayuda para no resecarse.
2. **a.** Crustáceos, arácnidos, ciempiés, milpiés e insectos **b.** Crustáceos: 2 ó 3; arácnidos ciempiés y milpiés: 2; insectos: 3 **c.** Cabeza, sistema nervioso.
3. **a.** Gradual: huevo, ninfa, adulto; completa: huevo, larva, pupa, adulto **b.** La metamorfosis completa consiste de cuatro etapas muy distintas; en la metamorfosis gradual, la ninfa es muy parecida al adulto.

Laboratorio de destrezas

Invertebrados en las ramas

Analiza y concluye (pág. 442)

1. La mariposa, las cuatro
2. Son artrópodos
3. La tarántula; ambos tienen exoesqueleto, pero no tienen tres secciones corporales
4. La mariposa y la lombriz de tierra. No tienen características derivadas compartidas en común. En el diagrama de árbol ramificado, la mariposa y la lombriz de tierra son los animales que están más separados

Sección 5 Equinodermos (págs. 443–445)

Objetivos

Al terminar esta lección, los estudiantes serán capaces de:

11.5.1 Enumerar las características principales de los equinodermos.

11.5.2 Nombrar los principales grupos de equinodermos.

Preparación para los estándares

¿Cómo se sujetan las estrellas de mar? (pág. 443)

Reflexiónalo Las estrellas de mar podrían usar sus estructuras de succión para capturar presas.

Examina tu avance

Respuestas

Figura 30 (pág. 444) A través de un orificio en una placa circular que está cerca del centro del cuerpo.

Verificar la lectura (pág. 444) Se adhieren a la superficie por debajo del equinodermo y le permiten moverse y capturar su alimento.

Evaluación

Destreza de vocabulario

Usar pistas para determinar el significado (pág. 445) La frase *esqueleto interno*.

Repasar los conceptos clave (pág. 445)

1. **a.** Invertebrados con simetría radial, esqueleto interno y un sistema vascular de agua. **b.** La hembra libera sus óvulos y el macho libera espermatozoides para fecundarlos. Los óvulos fecundados se transforman en larvas,

las cuales sufren una metamorfosis para convertirse en adultos. **c.** No. Los óvulos y los espermatozoides se liberan en el agua y las larvas nadan en el agua.

2. **a.** Estrellas de mar, estrellas quebradizas, erizos de mar y pepinos de mar **b.** Las estrellas de mar usan sus pies ambulacrales para abrir moluscos, luego introducen su estómago en el molusco y digieren sus tejidos; los erizos de mar raspan y cortan el alimento usando estructuras parecidas a dientes. **c.** Sin sus pies ambulacrales, las estrellas de mar no podrían abrir a los animales protegidos con conchas duras.

Repaso y evaluación (págs. 447–448)

Destreza clave de lectura (pág. 448)

Tomar notas Revise la precisión de los organizadores gráficos de los estudiantes.

Repasar los términos clave (pág. 447)

1. b
2. b
3. c
4. a
5. c
6. c
7. en forma de jarrón con la boca en la parte superior y los tentáculos extendidos alrededor de la boca
8. sólo se desplaza dentro de una red de tubos conectados llamados vasos sanguíneos
9. órgano flexible con diminutos dientes
10. esqueleto exterior o externo
11. cuatro etapas distintas: huevo, larva, pupa y adulto

Verificar los conceptos (pág. 448)

12. Los tejidos están compuestos de células similares que trabajan en conjunto para realizar una tarea específica. Los órganos están compuestos de diferentes tipos de tejidos.
13. Las funciones de los animales son obtener alimento y oxígeno, mantener estables sus condiciones internas, moverse y reproducirse.
14. En un sistema digestivo unidireccional, el alimento entra por un extremo, se digiere a lo largo del trayecto y los desechos se expulsan por el extremo opuesto.
15. Las branquias tienen pequeñas estructuras filamentosas, llamadas cilios, las cuales extraen oxígeno del agua y lo introducen en la sangre. Al mismo tiempo, transportan el dióxido de carbono de la sangre al agua.
16. Los ojos compuestos permiten que los insectos vean sus alrededores y detecten movimientos. Los ojos simples distinguen entre luz y oscuridad.
17. Un endoesqueleto es un esqueleto interno. Un endoesqueleto da sostén al cuerpo del animal.

Razonamiento crítico (pág. 448)

18. El título es engañoso. Los animales de la Tierra incluyen tanto a vertebrados como invertebrados; de hecho, 97% de los animales de la Tierra son invertebrados.
19. Las anémonas marinas tienen simetría radial; las esponjas no tienen simetría; peces, seres humanos y mariposas tienen simetría bilateral.
20. *B:* ascáride; *A:* esponja; *C:* cnidario. Las esponjas no tienen simetría y carecen de tejidos y órganos. Los cnidarios tienen simetría radial y células punzantes, así como una boca que se abre a una cavidad corporal central. Las ascárides tienen simetría bilateral, un sistema digestivo con dos aberturas y cuerpos largos y cilíndricos con extremos en punta.
21. Semejanzas: Los bivalvos y los cefalópodos tienen un manto que cubre los órganos internos; sus cuerpos son blandos; viven en el agua. Diferencias: Los bivalvos tienen dos conchas exteriores, pero muchos cefalópodos pueden o no tener una concha interior; el pie del cefalópodo está adaptado en forma de tentáculos; los cefalópodos tienen un sistema circulatorio cerrado, mientras que el sistema circulatorio de los bivalvos es abierto; los cefalópodos usan tentáculos para capturar presas, en tanto que los bivalvos se alimentan por filtración; los cefalópodos poseen sistemas nerviosos complejos, pero los bivalvos no.
22. El cachorro se parece al león adulto desde el momento en que nace. Aunque aumenta de tamaño, su forma no cambia.
23. El cangrejo había mudado la concha. La muda es necesaria para que el cangrejo crezca.
24. No, los insectos tienen seis patas y un par de antenas.
25. Ambos son artrópodos con dos secciones corporales y muchas patas. Los ciempiés tienen un par de patas articulado a cada uno de los numerosos segmentos, los milpiés tienen dos pares de patas articulados a cada uno de los numerosos segmentos.

Aplicar destrezas (pág. 448)

26. Revise la precisión de las gráficas de los estudiantes.

27. El abejorro tiene la tasa de aleteo más alta. La palomilla picaflor es la que vuela más rápido.
28. Los datos no revelan una tendencia que relacione la tasa de aleteo con la velocidad de vuelo. Otros factores que afectan la velocidad de vuelo incluyen masa y forma del insecto, así como la forma de sus alas.

Práctica de estándares (pág. 449)

1. A; S 7.5.b
2. B; S 7.5.a
3. D; S 7.5.a
4. C; S 7.2.a
5. D; S 7.3.d
6. D; S 7.2.a

Aplicar la gran idea (pág. 449)

7. Los tubos del sistema se contraen empujando el agua hacia unas estructuras llamadas pies ambulacrales. Al llenarse de agua, los pies hacen las veces de ventosas. Los pies ambulacrales son pegajosos y junto con la succión de las ventosas, se adhieren a la superficie que está por debajo de la estrella de mar. S 7.5.b.

Capítulo 12 Estructura y funciones de los vertebrados

Verifica lo que sabes (pág. 451)
Esta pregunta evalúa la comprensión de los estudiantes sobre la estructura del cuerpo de los animales y la definición de *animal.* (S 7.5.a)

Respuestas y explicaciones posibles
Respuesta correcta: Los peces son animales. *Explicación posible:* Como otros animales, los peces son organismos multicelulares que obtienen alimento comiendo otros organismos. *Respuestas incorrectas posibles:* No, los peces no son animales. *Explicación posible:* Los animales tienen cuatro extremidades y los peces no tienen extremidades.

Desarrollar el vocabulario de Ciencias

¡Aplícalo! (pág. 452)

1. Un animal que pasa parte de su vida en tierra y parte en el agua, es un animal que lleva una doble vida.
2. Ejemplo: cuerda
3. Un *ectotermo* es un animal cuyo cuerpo no produce mucho calor interno. En contraste, un *endotermo* es un animal cuyo cuerpo produce calor interno para conservar su temperatura.

Cómo leer en Ciencias

¡Aplícalo! (pág. 454)
Pida a los estudiantes que completen las oraciones a medida que responden a las preguntas. Respuestas:

1. Peces, anfibios y reptiles son ectotermos.
2. La temperatura corporal de los ectotermos está más afectada por la temperatura del medio ambiente que la de los endotermos.

Sección 1 ¿Qué es un vertebrado?
(págs. 456–460)

Objetivos
Al terminar esta lección, los estudiantes serán capaces de:

12.1.1 Describir las características de los cordados y los vertebrados.

12.1.2 Explicar cómo han podido inferir los científicos las relaciones de los principales grupos de vertebrados.

12.1.3 Describir cómo difieren los vertebrados en la forma de controlar la temperatura corporal.

Preparación para los estándares

¿En qué se parece un paraguas a un esqueleto? (pág. 456)

Reflexiónalo Las varillas del paraguas dan sostén y forma al paraguas, igual que los huesos dan sostén y forma al cuerpo humano. Las varillas del paraguas son diferentes de los huesos humanos en cuanto a que se encuentran cerca de la superficie, en vez de estar dentro del cuerpo y cubiertas de tejidos blandos.

Examina tu avance

Respuestas
Figura 2 (pág. 457) No. Si las vértebras estuvieran fusionadas, la espina dorsal sería demasiado rígida para doblarse

Verificar la lectura (pág. 457) Un notocordio es un eje flexible que sostiene el lomo del cordado durante una parte o toda su vida.

Examina tu avance

Respuestas
Figura 4 (pág. 459) Las aves.

Verificar la lectura (pág. 458) El endoesqueleto da forma al cuerpo, proporciona un marco al que se unen los músculos y protege al encéfalo, el corazón, los pulmones y otros órganos internos.

Examina tu avance

Respuesta

Figura 5 (pág. 460) El pingüino

Evaluación

Destreza de vocabulario

Palabras derivadas del griego (pág. 460) Un endotermo conserva la temperatura corporal mediante el calor que genera en el interior de su cuerpo. La temperatura del ectotermo depende de la temperatura que haya fuera de su cuerpo.

Repasar los conceptos clave (pág. 460)

1. **a.** Notocordio, cordón nervioso que recorre su lomo, hendiduras en el área de la garganta **b.** Columna vertebral **c.** Las articulaciones entre las vértebras dan flexibilidad a la columna vertebral.
2. **a.** Fósiles y otras evidencias, como ADN **b.** Tres **c.** Peces óseos.
3. **a.** Un ectotermo no produce mucho calor interno y su temperatura corporal cambia con la temperatura del medio ambiente. Un endotermo regula su temperatura corporal controlando el calor interno que produce. **b.** Los endotermos; su temperatura corporal constantemente elevada les permite permanecer activos cuando la temperatura ambiental se enfría. Los ectotermos se volverían menos activos porque sus temperaturas corporales bajarían.

Laboratorio de destrezas

Modelo de columna vertebral

Analiza y concluye (pág. 461)

1. Respuesta de ejemplo: La columna vertebral que construí no era flexible. Resolví el problema aflojando un poco el hilo con que ensarté la pasta.
2. Respuesta de ejemplo: Las vértebras y los trozos de pasta son grupos de forma parecida, móviles y están alineados en fila. Los trozos de pasta están hechos de harina, mientras que las vértebras son huesos.
3. Las cartas deben describir el experimento y lo aprendido sobre la columna vertebral.

Sección 2 Peces (págs. 462–467)

Objetivos

Al terminar esta lección, los estudiantes serán capaces de:

12.2.1 Mencionar las principales características de los peces.

12.2.2 Nombrar los principales grupos de peces y describir sus diferencias.

Preparación para los estándares

¿Cómo fluye el agua por las branquias de un pez? (pág. 462)

Reflexiónalo La boca y los opérculos se abren al mismo tiempo. La boca permite que entre agua en el pez y pase a las branquias, las cuales toman oxígeno del agua. Los opérculos permiten que salga el agua.

Examina tu avance

Respuesta

Figura 6 (pág. 463) Conforme el agua fluye por las branquias, el oxígeno pasa del agua a la sangre de los peces.

Examina tu avance

Respuestas

Figura 10 (pág. 465) Los peces sin mandíbulas

Verificar la lectura (pág. 464) La aleta tiene una delgada membrana que se extiende sobre soportes óseos.

Verificar la lectura (pág. 465) Cartílago

Examina tu avance

Respuestas

Figura 12 (pág. 467) Las aletas ayudan al pez a conservar su equilibro y le dan poder natatorio.

Verificar la lectura (pág. 466) La vejiga natatoria

Examina tu avance

Evaluación

Destreza clave de lectura

Comparar y contrastar (pág. 467) Revise la precisión de las tablas de comparar y contrastar de los estudiantes, antes de asignar las preguntas.

Repasar los conceptos clave (pág. 467)

1. **a.** Vertebrados; viven en el agua; se mueven por medio de aletas; la mayoría son ectotermos; obtienen oxígeno por la branquias; y

tienen escamas **b.** Los peces tienen branquias para obtener oxígeno. **c.** La carpa dorada no podría obtener oxígeno del agua porque el agua entra por la boca antes de pasar por las branquias.

2. a. Peces sin mandíbula, cartilaginosos y óseos **b.** En el de peces cartilaginosos. **c.** Los tiburones se reproducen por fecundación interna.

Sección 3 Anfibios (págs. 468–471)

Objetivos

Al terminar esta lección, los estudiantes serán capaces de:

12.3.1 Describir el ciclo de vida de un anfibio.

12.3.2 Examinar cómo están adaptados los anfibios adultos a la vida en la tierra.

Preparación para los estándares

¿Cuál es la ventaja de ser verde? (pág. 468)

Reflexiónalo Como tienen un color que se confunde con su medio ambiente, las ranas se vuelven difíciles de detectar para los depredadores y, por consiguiente, tienen mayores probabilidades de sobrevivir y reproducirse.

Examina tu avance

Respuestas

Figura 13 (pág. 469) Durante la metamorfosis, el desarrollo de extremidades y pulmones permite que las ranas vivan en tierra firme.

Verificar la lectura (pág. 469) Renacuajo.

Examina tu avance

Respuestas

Figura 14 (pág. 470) La sangre de la aurícula derecha tiene poco oxígeno.

Figura 15 (pág. 471) La destrucción del hábitat y las sustancias químicas del medio ambiente.

Verificar la lectura (pág. 471) El medio ambiente específico donde vive un animal

Evaluación

Destreza de vocabulario

Palabras derivadas del griego (pág. 471) Es probable que los estudiantes respondan que *amphi-* significa "dos" o "doble" debido a las dos diferentes etapas del ciclo de vida de un anfibio.

Repasar los conceptos clave (pág. 471)

1. a. Un anfibio es un vertebrado ectotérmico que pasa la primera etapa de su vida en el agua. **b.** Los estudiantes deberán nombrar, en orden, el huevo, la larva, el adulto y el regreso del adulto al agua para desovar. **c.** Los renacuajos obtienen oxígeno mediante branquias, mientras que los adultos obtienen oxígeno con sus pulmones y a través de la piel.

2. a. Acepte tres de las siguientes: Pulmones, sistema circulatorio de doble circuitoy corazón de tres cámaras, camuflaje para acechar a sus presas en tierra, esqueleto fuerte y patas musculosas para moverse en la tierra **b.** Respuesta de ejemplo: La sangre sale del ventrículo y viaja a los pulmones, donde recoge oxígeno. Luego, la sangre regresa al ventrículo a través de la aurícula izquierda. Después pasa al cuerpo y deposita oxígeno en las células corporales. Por último, regresa al ventrículo derecho a través de la aurícula derecha y vuelve a empezar el ciclo. **c.** Un pez tiene una aurícula y un ventrículo, y su circulación es un circuito único. La rana tiene dos aurículas y un ventrículo. Su circulación tiene dos circuitos, uno que va al cuerpo y otro a los pulmones.

Sección 4 Reptiles (págs. 472–479)

Objetivos

Al terminar esta lección, los estudiantes serán capaces de:

12.4.1 Identificar las adaptaciones que permiten a los reptiles vivir en la tierra.

12.4.2 Contrastar las características de cada uno de los tres principales grupos de reptiles.

12.4.3 Describir un cambio ambiental que podría haber ocasionado la extinción de los dinosaurios.

Preparación para los estándares

¿Cómo se alimentan las serpientes? (pág. 472)

Reflexiónalo Los estudiantes deberán inferir que la capacidad de la serpiente para separar las mandíbulas le permite comer presas más grandes de lo que sería posible si tuviera las mandíbulas firmemente unidas de una lagartija.

Examina tu avance

Respuesta

Verificar la lectura (pág. 473) Protección y conservar el agua dentro del cuerpo.

Examina tu avance

Respuestas

Figura 17 (pág. 474) El cascarón; el líquido dentro de la membrana que envuelve al embrión

Figura 18 (pág. 475) Lagartos: cuatro patas, algunos son herbívoros, todos tienen dos pulmones y párpados móviles; Serpientes: no tienen patas, todas son carnívoras, la mayoría sólo tiene un pulmón, carecen de párpados.

Verificar la lectura (pág. 475) Con largos y curvados dientes frontales o colmillos, y veneno

Examina tu avance

Respuesta

Verificar la lectura (pág. 477) El caimán tiene un hocico amplio y redondo, con unos cuantos dientes visibles cuando cierra la boca. El hocico del cocodrilo es puntiagudo y casi todos sus dientes son visibles cuando cierra la boca

Matemáticas Analizar datos

Repasar matemáticas: Sentido numérico 6.1.2

La proporción sexual de los caimanes recién incubados (pág. 478)

Respuestas

1. A 29.4 °C
2. Si la temperatura de incubación es más elevada, la proporción de machos es mayor.
3. Según la gráfica, de los 50 caimanes incubados a 31.7 °C, 38 (ó 76%) fueron machos. Por ello, esperaría que 76% de los 100 huevos (76 huevos) fueran machos.

Examina tu avance

Respuestas

Figura 21 (pág. 479) Respuesta de ejemplo: El cuello largo debió permitir que el *Brachiosaurus*, que era herbívoro, alcanzara las hojas de los árboles más altos.

Verificar la lectura (pág. 478) Tortugas terrestres

Evaluación

Destreza de vocabulario

Palabras derivadas del griego (pág. 479) Un gran reptil carnívoro podría recibir el nombre de "lagarto terrible".

Repasar los conceptos clave (pág. 479)

1. **a.** Los reptiles son vertebrados ectotérmicos de piel escamosa que ponen huevos en la tierra. **b.** Piel seca y escamosa; huevo amniótico; riñones que concentran orina **c.** Se secaría.
2. **a.** Lagartos y serpientes, caimanes y cocodrilos, tortugas **b.** En el grupo de los lagartos **c.** El geco atrapa a su presa saltando sobre ella. Así es como cazan los lagartos.
3. **a.** Hace 65 millones de años **b.** Un cambio climático debido a la actividad volcánica o al impacto de un objeto enorme procedente del espacio

Sección 5 Aves (págs. 480–485)

Objetivo

Al terminar esta lección, los estudiantes serán capaces de:

12.5.1 Identificar las características comunes de las aves.

Preparación para los estándares

¿Cómo son las plumas? (pág. 480)

Reflexiónalo Las barbas se juntan otra vez con facilidad. Esto permite que el ave arregle rápidamente sus plumas para volar o nadar.

Examina tu avance

Respuestas

Figura 22 (pág. 481) No tienen dientes y sus huesos están casi huecos

Verificar la lectura (pág. 481) Las plumas remeras tienen ejes centrales y muchas barbas. Los plumones son cortos, esponjosos, suaves y flexibles.

Examina tu avance

Respuestas

Figura 23 (pág. 482) La sangre rica en oxígeno permanece separada de la sangre pobre en oxígeno.

Figura 24 (pág. 483) Al buche.

Verificar la lectura (pág. 483) La molleja es una parte muscular de paredes gruesas del estómago que muele el alimento de las aves.

Actividad Inténtalo

Examinar huevos (pág. 484)
Resultado esperado Paso 2, bolsa de aire entre el cascarón y la membrana; Paso 3, el cascarón retiene agua; Paso 4, la yema proporciona alimento. Los diagramas habrán de identificar el punto blanco, el cascarón, la yema, la clara de huevo y la membrana. El huevo y el cascarón ayudan a conservar agua en el interior, protegen al embrión y proporcionan alimento.

Examina tu avance

Respuesta

Verificar la lectura (pág. 484) Para obtener energía para volar y mantener la temperatura corporal.

Evaluación

Destreza de vocabulario

Palabras derivadas del griego (pág. 485) Se cree que el *Archaeopteryx* vivió hace 145 millones de años, así que podría considerársele un antiguo animal alado o un ave antigua.

Repasar los conceptos clave (pág. 485)

1. **a.** Todas las aves son vertebrados endotermos, con plumas, corazón de cuatro cámaras y todas ponen huevos. **b.** Las adaptaciones para el vuelo incluyen huesos modificados en las extremidades anteriores para formar alas, huesos ligeros, carencia de dientes, grandes músculos en el pecho y plumas. **c.** Las aves necesitan mucho oxígeno para liberar la energía del alimento que requieren para volar. Los sacos aéreos permiten que las aves obtengan más oxígeno de cada respiración que otros animales. El corazón de cuatro cámaras mantiene separadas la sangre rica en oxígeno y la sangre pobre en oxígeno, de modo que la sangre que llega a las células tiene más oxígeno que si estuviera mezclada.
2. **a.** Se posa en los huevos para conservar el calor. **b.** Los huevos de las aves sólo se desarrollan a una temperatura cercana a la temperatura corporal del ave madre.

Sección 6 Mamíferos (págs. 486–494)

Objetivos
Al terminar esta lección, los estudiantes serán capaces de:
12.6.1 Describir las características que comparten todos los mamíferos.
12.6.2 Enumerar los principales grupos de mamíferos y explicar las diferencias en su reproducción.

Preparación para los estándares

¿Cómo son los dientes de los mamíferos? (pág. 486)

Reflexiónalo Los dientes de diferentes formas están adaptados para distintas funciones. Una variedad de dientes permite comer una variedad de alimentos.

Examina tu avance

Respuestas

Figura 27 (pág. 487) Los leones son carnívoros; los impalas son herbívoros

Verificar la lectura (pág. 487) Los caninos

Actividad Inténtalo

Mamíferos aislados (pág. 488)
Resultado esperado La mano enguantada sin manteca percibiría primero el frío. El guante con manteca, que actúa como aislante, mantiene el calor de la mano igual que la grasa animal conserva el calor corporal del animal.

Examina tu avance

Respuestas

Figura 28 (pág. 488) El grueso pelaje del lobo sugiere que vive en un medio ambiente frío; el hipopótamo tiene muy poco pelo, así que vive en un ambiente caluroso.

Verificar la lectura (pág. 489) Acepte cualesquiera tres de las siguientes: correr, saltar, balancearse, nadar, volar o deslizarse

Matemáticas Analizar datos

Repasar matemáticas: Álgebra y funciones 7.1.5

Diversidad de los mamíferos (pág. 491)

Respuestas

1. 21.8 por ciento
2. 78.2 por ciento
3. La barra del grupo con la mayor cantidad de especies, los roedores, sería la más alta.
4. 100; no; en una gráfica circular exacta, toda la gráfica representa el 100 por ciento de los elementos contados, en este caso, las especies de mamíferos.

Examina tu avance

Respuestas

Figura 32 (pág. 490) Los monotremas ponen huevos. Los marsupiales nacen, no son incubados, y luego se arrastran hasta la bolsa de su madre para continuar el desarrollo.

Verificar la lectura (pág. 490) Un marsupial es un mamífero cuyas crías nacen en una etapa temprana de su desarrollo y continúan desarrollándose en la bolsa de la madre.

Verificar la lectura (pág. 491) Un órgano de las hembras preñadas de los mamíferos que pasa sustancias entre la madre y el embrión en desarrollo.

Examina tu avance

Respuesta

Verificar la lectura (pág. 494) Las crías están indefensas; a veces no tienen pelaje, no pueden abrir los ojos ni comer por sí solas.

Evaluación

Destreza de vocabulario

Comparar y contrastar (pág. 494) Revise la precisión de las tablas de los estudiantes antes de asignar las preguntas.

Repasar los conceptos clave (pág. 494)

1. **a.** Son endotérmicos, vertebrados, tienen corazones de cuatro cámaras, piel cubierta de pelaje o vello, producen leche **b.** Los mamíferos tienen dientes cuyas formas les permiten obtener alimento de maneras particulares. **c.** El pelaje o vello y la grasa proporcionan aislamiento para que los mamíferos puedan vivir en ambientes más fríos que los reptiles. Los mamíferos son endotermos; los reptiles son ectotermos.
2. **a.** Monotremas, marsupiales y mamíferos placentarios **b.** Los monotremas ponen huevos; los marsupiales están muy inmaduros al nacer y siguen desarrollándose en una bolsa; los mamíferos placentarios se desarrollan dentro de la madre en mayor grado que los marsupiales, gracias a una placenta. **c.** Los monotremas son mamíferos, pero sus huevos son parecidos a los de los reptiles.

Laboratorio de destrezas

Manténgase tibio

Analiza y concluye (pág. 495)

1. Los estudiantes deberán hacer una gráfica de datos con el tiempo en el eje x y la temperatura en el eje y.
2. La temperatura cambió más en el recipiente sin calcetín, luego en el recipiente con el calcetín mojado y después en el recipiente con el calcetín seco. La lana mantiene calientes a los animales aunque esté mojada.
3. Respuesta de ejemplo: Sí. Conservaría más calor con los calcetines mojados que sin calcetines.

Repaso y evaluación (págs. 497–498)

Destreza clave de lectura (pág. 497)

Comparar y contrastar

- **a.** dos
- **b.** dos
- **c.** tres
- **d.** dos
- **e.** cuatro
- **f.** dos

Repasar los términos clave (pág. 497)

1. a
2. b
3. b
4. d
5. c
6. un eje flexible que sostiene el lomo de los vertebrados
7. pasan por una metamorfosis en su ciclo de vida
8. cascarón
9. dar forma al cuerpo y ayudar al ave a conservar su equilibrio y maniobrar cuando vuela
10. pasar sustancias entre la madre y el embrión en desarrollo

Verificar los conceptos (pág. 498)

11. Fósiles y ADN
12. Los peces se reproducen sexualmente. La mayoría tiene fecundación externa.
13. Un anfibio adulto obtiene oxígeno con sus pulmones internos y a través de su piel, delgada y húmeda.
14. El huevo del reptil tiene una concha resistente y blanda, y membranas internas que protegen, nutren y permiten el intercambio de gases del embrión.

15. Sus patas estaban situadas directamente debajo de sus cuerpos. Esto les permitía moverse con facilidad.
16. Los sacos aéreos permiten que las aves obtengan más oxígeno de cada respiración que otros animales. Además, las aves tienen un corazón de cuatro cámaras donde la sangre oxigenada se encuentra completamente separada de la sangre desoxigenada.
17. El incisivo tiene un borde plano, muy adecuado para morder y cortar la comida.
18. Los mamíferos respiran y exhalan debido a la acción combinada de los músculos intercostales y el diafragma.

Razonamiento crítico (pág. 498)

19. El endoesqueleto crece conforme el animal se desarrolla. Asimismo, su fuerza da sostén al animal contra la atracción de la fuerza de gravedad.
20. El corazón bombea sangre en un circuito completo que va del corazón a las branquias, de las branquias al resto del cuerpo y de regreso al corazón; el oxígeno pasa a la sangre en las branquias.
21. Es probable que sea un pez. Los otros grupos de vertebrados no aparecieron sino hasta después.
22. Los ectotermos no producen mucho calor interno. Sus temperaturas corporales dependen de la temperatura del medio ambiente. Los ectotermos regulan su temperatura corporal mediante conductas como tomar el Sol. Los endotermos producen más calor interno y regulan internamente su temperatura corporal.

Aplicar destrezas (pág. 498)

23. La variable manipulada es la temperatura del agua. La variable respuesta es la frecuencia respiratoria de los peces.
24. La frecuencia respiratoria a 18 °C es menor que la frecuencia respiratoria a 22 °C.
25. La frecuencia respiratoria de la carpa dorada está relacionada directamente con la temperatura del agua. A mayor temperatura del agua, más rápida es la frecuencia respiratoria.

Práctica de estándares (pág. 499)

1. D; S 7.4.g
2. C; S 7.3.e
3. A; S 7.5.a
4. C; S 7.5.b
5. B; S 7.2.a
6. C; S 7.5.c
7. A; S 7.2.a

Aplicar la gran idea (pág. 499)

8. La columna vertebral del vertebrado está compuesta de muchos huesos parecidos llamados vértebras, los cuales están alineados en hileras como cuentas en un cordel. Las articulaciones entre las vértebras dan flexibilidad a la columna vertebral y permiten que el animal se doble y contorsione. S 7.5.a.

Evaluación de la Unidad 3

Estructura y función en los sistemas de los seres vivos

Conexión de las grandes ideas (pág. 501)

Respuestas

1. b
2. d
3. c
4. a
5. Las respuestas de los estudiantes variarán dependiendo del ejemplo elegido. La reproducción de los protistas es mediante división celular. La reproducción de las plantas con flores incluye polinización, fecundación, formación de semillas y frutos, y germinación de semillas. La reproducción en los animales puede incluir fecundación externa o fecundación interna. Si la fecundación es interna, el animal podría poner huevos o bien, las crías podrían desarrollarse dentro del cuerpo de la madre.

Unidad 4

Estructura y función en el cuerpo humano

Capítulo 13 Huesos y músculos

Verifica lo que sabes (pág. 503)

Esta pregunta evalúa la comprensión de los estudiantes sobre las fuerzas. (S 2.1.c)

Respuestas y explicaciones posibles

Respuesta correcta: Si el gato se retira, el extremo donde está el ratón bajará. Si el gato corriera hacia el ratón, el extremo donde está el ratón también bajaría. *Explicación posible:* Si el gato se retira, ya no empujaría ese extremo de modo que el peso del ratón haría que bajara su extremo. Si el gato corre hacia el ratón, las fuerzas en el extremo del ratón aumentarían. *Respuestas incorrectas posibles:* Si el gato se retira, el extremo del ratón quedará arriba. *Explicación posible:* El ratón es demasiado ligero para hacer que baje el balancín.

Desarrollar el vocabulario de Ciencias

¡Aplícalo! (pág. 504)

1. *Ligare* significa amarrar y un ligamento mantiene unidos los huesos.
2. Músculo voluntario y músculo involuntario. Significa decisión propia, voluntad propia

Cómo leer en Ciencias

¡Aplícalo! (pág. 506)
Pida a los estudiantes que completen las oraciones a medida que responden a las preguntas.
Respuestas de ejemplo:

1. Respuesta de ejemplo: Las células son la unidad básica de estructura y función de los seres vivos. Las células llevan a cabo procesos que permiten que un organismo viva, crezca y se reproduzca.
2. Los organismos están compuestos de células que llevan a cabo funciones importantes en los organismos.
3. Las respuestas de los estudiantes variarán, pero deberán reflejar su comprensión del concepto de preguntas y respuestas como se muestra en las notas del ejemplo.

Sección 1 Sistemas de órganos y homeostasis (págs. 508–517)

Objetivos
Al terminar esta lección, los estudiantes serán capaces de:

13.1.1 Identificar los niveles de organización del cuerpo.

13.1.2 Enumerar los sistemas del cuerpo humano y sus funciones.

13.1.3 Definir homeostasis.

Preparación para los estándares

¿Cómo responde tu cuerpo? (pág. 508)

Reflexiónalo La mayoría de los estudiantes incluirá brazos, hombros, manos, encéfalo, corazón, cabeza y músculos.

Actividad Inténtalo

¿Cómo está organizado un libro? (pág. 509)

Resultado esperado Respuesta de ejemplo: oraciones: células; subsecciones: tejidos; secciones: órganos; capítulos: sistemas de órganos

Examina tu avance

Respuestas
Figura 1 (pág. 509) La membrana celular

Verificar la lectura (pág. 509) Dirige las actividades de la célula y contiene la información que determina la forma y función de una célula.

Examina tu avance

Respuestas
Figura 2 (pág. 510) El tejido nervioso transmite y recibe información; el tejido epitelial protege y recubre estructuras.

Verificar la lectura (pág. 510) Hacer que se muevan las partes del cuerpo

Actividad Inténtalo

¡Rómpelo! (pág. 513)
Resultado esperado El aceite se desintegrará en la botella de plástico que contiene bicarbonato. El bicarbonato es un modelo de la acción de una enzima.

Examina tu avance

Respuestas
Figura 5 (pág. 513) El esófago.

Verificar la lectura (pág. 513) Eliminar desechos de la sangre y producir orina

Actividad Inténtalo

¿Cuáles piezas encajan? (pág. 514)
Resultado esperado Cada estudiante deberá encontrar sólo un trozo que encaje. Cada célula defensora reconoce sólo un tipo de patógeno.

Examina tu avance

Respuestas
Figura 6 (pág. 514) El patógeno sobreviviría en el cuerpo y causaría una enfermedad.
Figura 8 (pág. 515) Las glándulas tiroides y paratiroides.

Verificar la lectura (pág. 514) Proteger al cuerpo contra bacterias y virus que causan enfermedades.

Examina tu avance

Respuestas

Figura 9 (pág. 516) Homeostasis

Verificar la lectura (pág. 517) La reacción del cuerpo a situaciones peligrosas, difíciles o perturbadoras

Evaluación

Destreza clave de lectura

Tomar notas (pág. 517) Respuestas de ejemplo: Un órgano es una estructura compuesta de distintos tipos de tejidos y que realiza una tarea específica. Cada órgano forma parte de un sistema.

Repasar los conceptos clave (pág. 517)

1. **a.** Respuesta de ejemplo: Célula: célula ósea; tejido: tejido muscular; órgano: corazón; sistema de órganos: sistema nervioso **b.** Un tejido es un grupo de células similares que realizan la misma función. Un órgano también realiza funciones específicas, pero está compuesto de distintos tipos de tejido. Su tarea es más compleja que la de un tejido.
2. **a.** Tegumentario, esquelético, muscular, circulatorio, respiratorio, digestivo, excretor, inmunológico, reproductor, nervioso y endocrino **b.** Consulte las funciones en las páginas 511 a 515.
3. **a.** El proceso por el cual se mantiene estable el ambiente interno de un organismo a pesar de los cambios en el medio ambiente externo **b.** El estrés puede interrumpir el equilibrio del cuerpo y ocasionar que aumenten las frecuencias cardiaca y respiratoria. **c.** El estrés me pone nervioso. Mi sistema endocrino libera adrenalina en el torrente sanguíneo. Mi corazón late más de prisa y mi respiración se acelera. Después, mis frecuencias cardiaca y respiratoria vuelven a la normalidad

Sección 2 El sistema esquelético
(págs. 518–525)

Objetivos

Al terminar esta lección, los estudiantes serán capaces de:

13.2.1 Identificar las funciones del esqueleto

13.2.2 Explicar el papel de las articulaciones en el cuerpo.

13.2.3 Describir las características del hueso y cómo mantener sanos y fuertes los huesos.

Preparación para los estándares

¿Duro como una roca? (pág. 518)

Reflexiónalo Respuesta posible: Ambos son duros; el hueso no es tan denso como la roca y tiene una estructura definida. El hueso está vivo, mientras que la roca no.

Examina tu avance

Respuestas

Figura 11 (pág. 519) Como un armazón de acero, el esqueleto da forma y sostén al cuerpo. A diferencia del armazón, el esqueleto está vivo, produce los materiales que necesita y es flexible.

Verificar la lectura (pág. 519) Los huesos del resto del esqueleto están conectados de alguna manera con la columna vertebral.

Actividad Destrezas

Clasificar (pág. 521)

Resultado esperado Brazo: articulación esférica (hombro). Puerta: articulación troclear (codo), articulación de silla de montar (muñeca); articulación esférica (hombro). Libro: articulación troclear (codo), articulación de silla de montar (rodilla); Arrollidarse: articulación troclear (rodilla); Mano: articulación de silla de montar (muñeca): Cabeza: articulación de pivote (cuello)

Examina tu avance

Respuestas

Figura 12 (pág. 520) Una articulación troclear permite sólo un tipo de movimiento: hacia adelante y hacia atrás. La articulación esférica permite movimientos en muchas direcciones.

Verificar la lectura (pág. 521) Los fuertes tejidos conectivos llamados ligamentos

Actividad Inténtalo

¿Huesos blandos? (pág. 522)

Resultado esperado Los huesos remojados en vinagre perdieron el calcio y se volvieron gomosos; una dieta rica en calcio ayuda a mantener la fortaleza de los huesos.

Examina tu avance

Respuestas

Figura 13 (pág. 522) Hueso compacto, hueso esponjoso y médula; Algunos lectores más avanzados podrían decir: tejido conectivo y tejido nervioso

Verificar la lectura (pág. 522) Médula roja y médula amarilla

Examina tu avance

Respuestas

Figura 15 (pág. 525) Hacer ejercicio con regularidad y consumir una dieta con suficiente calcio.

Verificar la lectura (pág. 524) Comer una dieta bien balanceada y hacer suficiente ejercicio.

Evaluación

Destreza de vocabulario

Palabras derivadas del latín (pág. 525) *Porus* significa "pequeña abertura u orificio". Osteoporosis significa huesos llenos de orificios o huesos debilitados.

Repasar los conceptos clave (pág. 525)

1. **a.** Dar forma y sostén, permitir el movimiento, proteger los órganos, producir células sanguíneas y almacenar minerales y otras sustancias **b.** Huesos como el cráneo, las costillas y la columna vertebral, rodean los órganos y los protegen de lesiones. **c.** Respuesta de ejemplo: No podría doblar o girar la cintura. No podría realizar ciertas actividades que hago hoy, como ciertos deportes, torcer el cuerpo para tomar algo que está detrás, o levantarme de la cama como lo hago siempre.
2. **a.** Troclear, esférica, de pivote y de silla de montar **b.** Las articulaciones móviles e inmóviles unen dos huesos. Las articulaciones inmóviles permiten poco o ningún movimiento. Las articulaciones móviles permiten que el cuerpo realice una amplia variedad de movimientos. **c.** Los hombros y las caderas.
3. **a.** Hueso compacto, hueso esponjoso y médula. Los estudiantes también podrían mencionar la delgada y resistente membrana exterior. **b.** Los huesos son duros y fuertes porque contienen minerales como calcio y fósforo. El hueso compacto es duro y denso. El hueso esponjoso tiene pequeños espacios en su interior que le vuelven resistente y a la vez ligero. **c.** Una dieta bien balanceada contiene calcio y fósforo, minerales que el hueso necesita para conservar su fuerza. El ejercicio de levantar pesas ayuda a los huesos a volverse más fuertes y densos.

Sección 3 El sistema muscular
(págs. 526–530)

Objetivos

Al terminar esta lección, los estudiantes serán capaces de:

13.3.1 Identificar los tipos de músculos que hay en el cuerpo.

13.3.2 Explicar por qué los músculos esqueléticos trabajan en pares.

Preparación para los estándares

¿Cómo trabajan los músculos? (pág. 526)

Reflexiónalo Los estudiantes podrían predecir que repetir los pasos con la otra mano resultaría en el mismo patrón, aunque no podrían presionar la pinza de ropa tantas veces como en la primera prueba, porque la mano con la que escriben es más fuerte.

Examina tu avance

Respuesta

Figura 16 (pág. 527) El músculo cardiaco.

Actividad Inténtalo

Sujétate fuerte (pág. 528)

Resultado esperado Aun cuando los estudiantes dejen inmóviles las manos, algunos músculos se encuentran en acción, como demuestra el movimiento o "caminado" de la horquilla.

Examina tu avance

Respuestas

Figura 17 (pág. 529) El tríceps se contrae y el bíceps se relaja.

Verificar la lectura (pág. 528) En el interior de muchos órganos internos

Examina tu avance

Respuesta

Verificar la lectura (pág. 530) Calentar adecuadamente los músculos y luego estirarlos.

Evaluación

Destreza clave de lectura

Tomar notas (pág. 530) Respuestas de ejemplo: Los músculos trabajan en pares. El ejercicio regular es importante para conservar su fuerza y flexibilidad.

Repasar los conceptos clave (pág. 530)

1. **a.** Esquelético, liso y cardiaco **b.** Respuesta de ejemplo: Una persona puede controlar los músculos voluntarios, como los músculos esqueléticos. La persona no puede controlar los músculos involuntarios, como los músculos liso o cardiaco. Además, los músculos voluntarios se fatigan con más facilidad que los músculos involuntarios. **c.** La persona no podría mover el dedo porque el músculo no estaría unido al hueso y no podría jalar el hueso.
2. **a.** Unidas a los huesos del esqueleto; por ejemplo, en los antebrazos y los muslos **b.** Para doblar el brazo, el bíceps se contrae y jala el antebrazo hacia el hombro, mientras que el tríceps se relaja. Para estriar el brazo, el tríceps se contrae mientras que el bíceps se relaja. **c.** Respuesta de ejemplo: Como los pares de músculos deben actuar en conjunto y el ejercicio aumenta el tamaño de las células musculares individuales, es necesario ejercitar los dos músculos del par para que se desarrollen con la misma fuerza.

Laboratorio de destrezas

Un vistazo bajo la piel

Analiza y concluye (pág. 531)

1. Arriba y abajo; es similar; troclear.
2. Si los estudiantes jalaban el bíceps, doblaban el brazo en el codo. Si jalaban el tríceps, estiraban el brazo. El jalón o tirón representa la contracción muscular.
3. Esquelético
4. Los párrafos deben describir las estructuras y ubicaciones de los músculos como muestran los diagramas de los estudiantes. Los estudiantes podrían señalar que los diagramas son un registro de lo que observaron y permiten comparar estructuras que no pueden verse simultáneamente.

Sección 4 Las máquinas y el cuerpo (págs. 532–539)

Objetivos

Al terminar esta lección, los estudiantes serán capaces de:

13.4.1 Explicar la relación entre fuerza y trabajo.

13.4.2 Explicar cómo una palanca facilita el trabajo.

13.4.3 Describir la función de huesos y músculos como palancas del cuerpo.

Preparación para los estándares

¿Eres una máquina que come? (pág. 532)

Reflexiónalo La mandíbula inferior actúa como palanca. La articulación entre la mandíbula y el cráneo es una articulación troclear y el punto más alejado de la articulación es el que más se mueve.

Examina tu avance

Respuestas

Figura 21 (pág. 533) Porque se necesita una fuerza mayor.

Verificar la lectura (pág. 533) Multiplicando la fuerza por la distancia

Matemáticas Práctica

Calcular la distancia de potencia (pág. 535)

Respuestas

1. 80 N
2. 300 N

Examina tu avance

Respuesta

Figura 22 (pág. 534) Para aumentar la fuerza tanto como sea posible

Examina tu avance

Respuestas

Figura 25 (pág. 537) Las palancas de tercera clase tienen una ventaja mecánica ideal menor que 1.

Verificar la lectura (pág. 536) Tres

Matemáticas Analizar datos

Matemáticas: Álgebra y funciones 7.3.3

Ventaja mecánica (pág. 538)

Respuestas

1. Fuerza de potencia
2. 400 N
3. 5
4. En cada caso, la palanca 1 produce la mayor fuerza de resistencia porque tiene la mayor ventaja mecánica

Examina tu avance

Respuesta

Verificar la lectura (pág. 538) Es una articulación de silla de montar

Evaluación

Destreza de vocabulario

Palabras derivadas del latín (pág. 539) La fuerza de resistencia va en contra del objeto que se quiere mover.

Repasar los conceptos clave (pág. 539)

1. **a.** Lo que empuja o jala un objeto **b.** El trabajo es producto de una fuerza que hace que un objeto se mueva cierta distancia y siguiendo la dirección de la fuerza. **c.** La cantidad de trabajo realizado depende tanto de la fuerza utilizada como de la distancia que recorre el objeto. El trabajo se calcula multiplicando la fuerza por la distancia.
2. **a.** Una palanca es una barra rígida que gira libremente alrededor de un punto fijo. La palanca puede transformar una pequeña fuerza en una fuerza grande capaz de mover un objeto pesado. **b.** Es la cantidad de veces que la palanca aumenta la fuerza ejercida en ella **c.** En una palanca de primera clase, el fulcro se encuentra entre la fuerza de potencia y la fuerza de resistencia. Una palanca de primera clase cambia la dirección de la fuerza. En la palanca de segunda clase, la fuerza de resistencia se encuentra entre la fuerza de potencia y el fulcro. La palanca de segunda clase no cambia la dirección de la fuerza.
3. **a.** Cualesquiera tres de las siguientes: Mandíbula, codo, bola del pie (región metatarsiana), muñeca, hombro, rodilla, cadera **b.** Respuestas de ejemplo: El codo actúa como fulcro cuando se levanta el brazo. La fuerza de potencia es la acción del músculo del brazo y la fuerza de resistencia es el peso del antebrazo y cualquier cosa que sostenga.
4. 1 m
5. 2

Laboratorio de destrezas

Usa tus palancas

Analiza y concluye (pág. 541)

1. Las tablas de datos de los estudiantes deben mostrar que los cálculos de resistencia y potencia para una palanca determinada son iguales.
2. Los cálculos confirman la ley de la palanca porque muestran que la fuerza de potencia multiplicada por el brazo de potencia es igual a la fuerza de resistencia multiplicada por el brazo de resistencia.
3. Revise la exactitud de los cálculos de los estudiantes.
4. La ventaja mecánica dependerá de las posiciones de las fuerzas de potencia y de resistencia con respecto del fulcro. Una palanca de primera clase puede tener una ventaja mecánica mayor, igual o menor que 1. Una palanca de segunda clase tiene una ventaja mecánica mayor que 1.
5. La distancia entre el fulcro y la pesa de 100 gramos debe ser el doble de la distancia entre el fulcro y la pesa de 200 gramos.
6. Los estudiantes deberán incluir información sobre la clase de palanca, la ubicación del fulcro y cómo conferiría una ventaja al usuario.

Repaso y evaluación (págs. 543–544)

Destreza clave de lectura

Tomar notas (pág. 543) Revise la precisión de las preguntas y respuestas de los estudiantes.

Repasar los términos clave (pág. 543)

1. d
2. b
3. c
4. a
5. d
6. en descomponer la comida en moléculas más pequeñas que el cuerpo puede utilizar
7. evita que los huesos se froten entre sí
8. actúan automáticamente
9. aumenta la fuerza
10. la cantidad de veces que una palanca aumenta la fuerza ejercida en ella

Verificar los conceptos (pág. 544)

11. Una célula es la unidad básica de estructura y función de los seres vivos. Un tejido es un grupo de células similares que realizan la misma función. Un órgano está compuesto de diferentes tipos de tejidos. Un sistema de órganos consiste de varios órganos que trabajan conjuntamente para llevar a cabo una función importante.
12. Los cuatro tipos de articulaciones móviles son: esférica: permite gran variedad de movimientos hasta un círculo completo; de pivote: permite que un hueso gire sobre otro; de silla de montar: permite que un hueso se deslice sobre otro; y troclear: permite movimientos hacia adelante y hacia atrás.
13. Para mantener la fuerza de los huesos durante su crecimiento hay que comer una dieta bien balanceada que incluya suficiente calcio y fósforo. Los ejercicios que consisten en levantar pesas ayudan a que los huesos se vuelvan más fuertes y densos.
14. Como cada músculo esquelético sólo puede contraerse y, por consiguiente, jalar un hueso en una dirección, hay otro músculo unido al hueso para jalarlo en la dirección contraria.
15. Una palanca puede cambiar la cantidad de fuerza necesaria, la distancia en la cual se ejerce la fuerza o la dirección de la fuerza.
16. Respuesta de ejemplo: El brazo; el codo es un fulcro, el bíceps es la fuerza de potencia y el peso del brazo y la mano es la fuerza de resistencia.

Razonamiento crítico (pág. 544)

17. El tejido conectivo proporciona sostén al cuerpo y conecta todas sus partes. La sangre lleva nutrientes y oxígeno a todas las células el cuerpo.
18. Si los seres vivos no pudieran mantener estable su ambiente interno, no podrían llevarse a cabo las funciones corporales. Por ejemplo, si una persona no sintiera hambre y el cuerpo no recibiera un suministro continuo de alimento, las células no obtendrían los materiales que necesitan.
19. El hueso compacto lo hace fuerte y el hueso esponjoso lo vuelve ligero, de modo que es más fácil de mover.
20. Respuesta de ejemplo: La gente tendría que pasar mucho tiempo controlando conscientemente los procesos que normalmente ocurren de manera automática, como la digestión. La gente no podría dormir, porque los procesos vitales no ocurrirían automáticamente.
21. Respuesta de ejemplo: No. El calentamiento aumenta el flujo sanguíneo a los músculos y los vuelve más flexibles, reduciendo así el riesgo de sufrir lesiones.
22. El peso del niño más grande actúa sobre el brazo más corto de la palanca y el peso del niño más pequeño actúa sobre el brazo más largo de la palanca. La palanca está equilibrada porque el peso multiplicado por la longitud de la izquierda es igual al peso multiplicado por la longitud de la derecha.

Practicar matemáticas (pág. 544)

23. 0.9 m

Aplicar destrezas (pág. 544)

24. El rótulo a es el tríceps. El rótulo c es el bíceps.
25. El músculo a se haría más grueso y corto. El músculo b se haría más delgado y largo.
26. El rótulo b es el fulcro.

Práctica de estándares (pág. 545)

1. C; S 7.5.a
2. D; S 7.5.c
3. C; S 7.5.a
4. B; S 7.6.h
5. A; S 7.5.c
6. A; S 7.6.i

Aplicar la gran idea (pág. 545)

7. La pala es útil porque aumenta la distancia por la que una persona puede cargar tierra u otros objetos. Se necesita un movimiento de brazo relativamente pequeño. La pala es una palanca de tercera clase. Un ejemplo de palanca de tercera clase que se utiliza en el cuerpo es cuando doblamos el brazo para mover la mano. El codo actúa como fulcro. S 7.6.h, 7.6.i

Capítulo 14 Circulación y respiración

Verifica lo que sabes (pág. 547)

Esta pregunta evalúa la comprensión de los estudiantes sobre lo que ocurre durante el intercambio de dióxido de carbono y oxígeno en los pulmones y tejidos. (S 5.2.b)

Respuestas y explicaciones posibles

Respuesta correcta: El aire que entra en los pulmones tiene más oxígeno y menos dióxido de carbono que el aire que sale de los pulmones.
Explicación posible: Al llegar a los pulmones, parte del oxígeno del aire pasa a la sangre. El dióxido de

carbono pasa de la sangre a los pulmones y es exhalado. *Respuestas incorrectas posibles:* El aire respirado tiene más dióxido de carbono y menos oxígeno que el aire soplado dentro del globo. *Explicación posible:* Las células del cuerpo utilizan dióxido de carbono y despiden oxígeno.

Desarrollar el vocabulario de Ciencias

¡Aplícalo! (pág. 548)

1. detectar
2. regular
3. complejo
4. contribuir

Cómo leer en Ciencias

¡Aplícalo! (pág. 550)
Pida a los estudiantes que completen las oraciones a medida que llenan los recuadros. Respuestas de ejemplo:

- La sangre se bombea del corazón hacia todo el cuerpo.
- La sangre viaja de vuelta al corazón.

Sección 1 El sistema de transporte del cuerpo (págs. 552–561)

Objetivos
Al terminar esta lección, los estudiantes serán capaces de:

14.1.1 Explicar las funciones del sistema cardiovascular.

14.1.2 Describir la función y estructura del corazón.

14.1.3 Escribir en orden la trayectoria que sigue la sangre a través del sistema cardiovascular.

14.1.4 Describir las funciones y estructuras de arterias, capilares y venas.

Preparación para los estándares

¿Cuánto trabaja tu corazón? (pág. 552)
Reflexiónalo El corazón debe ser muy fuerte para que pueda bombear continuamente a la velocidad con que lo hace.

Examina tu avance

Respuestas
Figura 1 (pág. 553) Materiales necesarios: oxígeno o glucosa; producto de desecho: dióxido de carbono

Verificar la lectura (pág. 553) Transporta células que atacan microorganismos que causan enfermedades.

Examina tu avance

Respuestas
Figura 3 (pág. 555) La válvula cerrada impide que la sangre se regrese.

Verificar la lectura (pág. 555) El marcapasos envía señales que provocan la contracción del músculo cardiaco.

Actividad Destrezas

Crear tablas de datos (pág. 556)
Resultado esperado Los músculos esqueléticos necesitan oxígeno y glucosa adicionales durante el ejercicio, de manera que se ajusta la cantidad de sangre que fluye a otros órganos.

Examina tu avance

Respuesta
Figura 5 (pág. 557) Los pulmones.

Matemáticas Destrezas

Calcular una tasa (pág. 559)
Respuesta 68 latidos por minuto

Examina tu avance

Respuestas
Figura 6 (pág. 558) Por difusión a través de la pared de los capilares

Verificar la lectura (pág. 559) Los ciclos alternados de dilatación y relajación de la pared arterial

Examina tu avance

Respuestas
Figura 7 (pág. 560) En las arterias

Verificar la lectura (pág. 560) La contracción de los músculos aprieta las venas y empuja la sangre.

Evaluación

Destreza clave de lectura

Ordenar en serie (pág. 561) Las descripciones de los estudiantes habrán de incluir las siguientes estructuras en este orden: pulmones, vena de los pulmones, aurícula izquierda, ventrículo izquierdo, aorta, arterias hacia el cuerpo.

Repasar los conceptos clave (pág. 561)

1. **a.** Corazón, vasos sanguíneos y sangre
   b. Llevar todas las sustancias necesarias a las células, recoger productos de desecho en las células y transportar células que combaten enfermedades.

2. **a.** Bombear sangre por los vasos sanguíneos del sistema cardiovascular **b.** Aurícula derecha, ventrículo derecho, aurícula izquierda, ventrículo izquierdo; septo y válvulas **c.** La sangre se regresaría, del ventrículo derecho a la aurícula derecha.
3. **a.** Por la aurícula derecha **b.** Al ventrículo derecho.
4. **a.** Las arterias recogen la sangre del corazón; los capitales transportan material de intercambio entre la sangre y las células del cuerpo; las venas llevan sangre de vuelta al corazón. **b.** Las paredes de arterias y venas tienen tres capas que consisten de una capa de células epiteliales, una de músculo liso y otra de tejido conectivo. Las paredes de los capilares sólo tienen una capa de células epiteliales.
5. 58 latidos por minuto ($29 \times 2 = 58$)
6. 126 latidos por minutos ($63 \times 2 = 126$)

Laboratorio de destrezas

Latido cardiaco, latido de salud

Analiza y concluye (pág. 562)

1. Las gráficas habrán de reflejar datos similares a los que hay en las tablas de los estudiantes. Las gráficas deben estar debidamente rotuladas.
2. El pulso vuelve a la frecuencia de reposo.
3. El corazón late más rápido.
4. La tasa de pulsaciones aumenta durante el ejercicio.
5. Las respuestas deberán incluir la idea de que, para mejorar la exactitud, hay que realizar muchas mediciones y determinar un promedio.

Sección 2 Sangre y linfa (págs. 563–569)

Objetivos

Al terminar esta lección, los estudiantes serán capaces de:

14.2.1 Describir los componentes de la sangre.

14.2.2 Explicar qué determina el tipo de sangre que puede transfundirse a una persona.

14.2.3 Nombrar las estructuras y las funciones del sistema linfático.

Preparación para los estándares

¿Qué tipos de células hay en la sangre? (pág. 563)

Reflexiónalo Los estudiantes describirán tres tipos de células: circulares con el centro hundido (glóbulos rojos); células de forma irregular (glóbulos blancos); y cuerpos planos y fragmentados (plaquetas).

Actividad Destrezas

Escribir una hipótesis (pág. 564)

Resultado esperado Los estudiantes deberán reconocer que una persona que tiene muy pocos glóbulos rojos o muy poca hemoglobina tendrá dificultades para llevar oxígeno a todas las células del cuerpo. Respuesta de ejemplo: La anemia podría ocasionar que una persona se debilite o fatigue rápidamente al realizar una actividad física.

Examina tu avance

Respuestas

Figura 9 (pág. 565) Un disco con el centro hundido

Verificar la lectura (pág. 564) Una proteína rica en hierro que forma enlaces químicos con el oxígeno

Actividad Inténtalo

Atrapados en la red (pág. 566)

Resultado esperado La estopilla representa la red de fibrina, las plaquetas liberan sustancias químicas que provocan la producción de fibrina.

Examina tu avance

Respuestas

Figura 10 (pág. 566) Las plaquetas se acumulan en el sitio de una herida y liberan sustancias químicas que inician la producción de fibrina, la cual forma una red que atrapa células sanguíneas y forma un coágulo.

Figura 11 (pág. 567) A, B, AB u O.

Verificar la lectura (pág. 566) Las plaquetas tienen una función importante en la formación de coágulos sanguíneos.

Examina tu avance

Respuestas

Figura 12 (pág. 568) 16%.

Verificar la lectura (pág. 568) En los glóbulos rojos

Verificar la lectura (pág. 569) La linfa es el líquido del interior del sistema linfático y está compuesto de agua, glóbulos blancos y sustancias disueltas, como glucosa.

Evaluación

Destreza de vocabulario

Palabras académicas de uso frecuente
(pág. 569) Los glóbulos blancos deben detectar organismos patógenos para destruirlos y proteger al cuerpo de las enfermedades.

Repasar los conceptos clave (pág. 569)

1. **a.** Plasma (líquido), glóbulos rojos (célula), glóbulos blancos (célula) y plaquetas (fragmentos celulares) **b.** Las plaquetas se acumulan en el lugar de la herida y liberan sustancias químicas que ocasionan que se forme la red de fibrina. La red atrapa células sanguíneas y forma un coágulo. **c.** La sangre de las personas que padecen hemofilia no forma coágulos, de modo que podrían morir desangradas si se cortaran.
2. **a.** Una proteína de los glóbulos rojos **b.** La persona con sangre tipo O tiene proteínas aglutinantes anti A. La transfusión de sangre tipo A provocaría que la sangre se aglutinara. **c.** Sí; la sangre O negativo no tiene marcadores que puedan causar aglutinación en una persona AB negativa.
3. **a.** De un líquido que escapa de los capilares **b.** Se vacía en las venas del pecho y se reintegra al plasma de la sangre.

Sección 3 El sistema respiratorio
(570–578)

Objetivos
Al terminar esta lección, los estudiantes serán capaces de:

14.3.1 Describir las funciones del sistema respiratorio.

14.3.2 Identificar las estructuras que atraviesa el aire para llegar a los pulmones.

14.3.3 Describir lo que ocurre durante el intercambio de gases y la respiración.

Preparación para los estándares

¿Cuánto puedes inflar un globo? (pág. 570)

Reflexiónalo Los estudiantes podrían inferir que factores como fumar, la contaminación del aire, las dificultades respiratorias y los resfriados pueden afectar el volumen de aire que exhala una persona.

Matemáticas Analizar datos

Matemáticas: Estadísticas, análisis de datos y probabilidad 7.1.0

El aire que respiras (pág. 571)

Respuestas

1. Oxígeno. Se exhala menos oxígeno del que se inspira; esto significa que una parte del oxígeno se utilizó en el cuerpo.
2. Hay un mayor porcentaje de dióxido de carbono en el aire exhalado. El dióxido de carbono es un producto de desecho de la actividad celular.
3. El cuerpo no utiliza nitrógeno y por tanto, no es un producto de desecho.

Examina tu avance

Respuestas
Figura 15 (pág. 573) La faringe

Verificar la lectura (pág. 573) Los cilios barren el moco, que contiene polvo y bacterias, hacia la garganta y el moco se traga.

Actividad Inténtalo

¿Qué exhalas? (pág. 574)
Resultado esperado La solución azul del tubo de ensayo A se volverá amarilla cuando los estudiantes soplen, indicando la presencia de dióxido de carbono. Los estudiantes deben predecir que, de haber realizado ejercicio antes de la actividad, el cambio de color se habría presentado más rápidamente porque sus cuerpos habrían generado más dióxido de carbono.

Examina tu avance

Respuestas
Figura 16 (pág. 575) Los alvéolos tienen delgadas paredes y una gran área de superficie que aumenta su capacidad para intercambiar gases.

Verificar la lectura (pág. 574) La epiglotis sella la tráquea al momento de tragar.

Matemáticas Destrezas

Área de superficie (pág. 576)

Respuesta 54 cm^2

Examina tu avance

Respuestas
Figura 18 (pág. 577) Cuando el diafragma se contrae, la cavidad torácica aumenta de tamaño. Cuando se relaja, la cavidad torácica disminuye de tamaño.

Verificar la lectura (pág. 576) Oxígeno y dióxido de carbono

Verificar la lectura (pág. 577) Los músculos intercostales y el diafragma

Examina tu avance

Respuesta

Figura 19 (pág. 578) Las cuerdas vocales se extienden sobre la abertura de la laringe, en la parte superior de la tráquea.

Evaluación

Destreza clave de lectura

Ordenar en serie (pág. 578) Revise la precisión de los diagramas de flujo de los estudiantes.

Repasar los conceptos clave (pág. 578)

1. **a.** El sistema respiratorio toma oxígeno del medio ambiente exterior y lo introduce en el cuerpo, y elimina dióxido de carbono y agua del cuerpo. **b.** La respiración celular se refiere a las reacciones químicas que ocurren dentro de las células. La respiración pulmonar se refiere a la entrada y salida de aire en los pulmones. **c.** Respuesta posible: Las células no obtendrían suficiente oxígeno para funcionar adecuadamente y se acumularía el dióxido de carbono.
2. **a.** Nariz, faringe, tráquea, bronquios, pulmones **b.** La molécula de oxígeno pasa por las cavidades nasales, la faringe, la tráquea, un bronquio, ramificaciones cada vez más pequeñas del árbol bronquial y llega al alvéolo. **c.** Ayudan a expulsar moco, que contiene polvo, polen y otras partículas inhaladas.
3. **a.** Oxígeno, dióxido de carbono y agua **b.** Pasa de la sangre, a través de la delgada pared capilar y la pared del alvéolo, al interior del alvéolo. Luego se exhala y es liberado en el medio ambiente. **c.** El cuerpo recibiría menos oxígeno con cada respiración, de modo que menos oxígeno llegaría al torrente sanguíneo y tendría que respirar más rápido.
4. $4 \text{ cm} \times 4 \text{ cm} = 16 \text{ cm}^2$ y $16 \text{ cm}^2 \times 6 = 96 \text{ cm}^2$
5. Un cubo más pequeño = 24 cm^2; por consiguiente, ocho cubos = 192 cm^2. Los ocho cubos más pequeños proporcionarían mayor área de superficie; los alvéolos proporcionan una superficie mayor.

Laboratorio de destrezas

Un soplo de aire fresco

Analiza y concluye (pág. 579)

1. Botella: cavidad torácica; globo grande: diafragma; globo pequeño: pulmones; cuello de la botella: tráquea
2. El diafragma sube hacia la cavidad torácica. Los pulmones se desinflan.
3. El diafragma desciende y se aplana, y luego sube hacia su forma abovedada. Cuando baja, los pulmones se inflan. Cuando sube, los pulmones se desinflan.
4. Cuando aumenta el volumen dentro de la botella de plástico, disminuye la presión interior del aire y el globo pequeño se infla. Cuando disminuye el volumen dentro de la botella, aumenta la presión interior del aire y esto ocasiona que el globo pequeño se desinfle.

Sección 4 Enfermedades cardiovasculares y respiratorias (págs. 580–587)

Objetivos

Al terminar esta lección, los estudiantes serán capaces de:

14.4.1 Identificar algunas enfermedades del sistema cardiovascular.

14.4.2 Explicar cómo afecta el humo del tabaco al cuerpo.

14.4.3 Identificar enfermedades respiratorias provocadas por infecciones u otros padecimientos físicos.

Preparación para los estándares

¿Qué alimentos son “saludables para el corazón”? (pág. 580)

Reflexiónalo Las respuestas de los estudiantes dependerán de sus conocimientos de nutrición y el sistema cardiovascular. Los alimentos saludables para el corazón incluyen los que tienen un bajo contenido en grasas y sodio.

Actividad Inténtalo

Obstruir el flujo (pág. 581)

Resultado esperado El embudo no obstruido cumpliría mejor su función de proveer sangre, porque permite el paso de más líquido.

Examina tu avance

Respuestas

Figura 21 (pág. 581) Una dieta rica en grasas y colesterol

Verificar la lectura (pág. 581) El colesterol contribuye al engrosamiento de la pared arterial que ocurre en la arteriosclerosis

Examina tu avance

Respuestas

Figura 24 (pág. 585) Respuesta de ejemplo: Los pulmones enfermos son oscuros y parece que hubieran sido destruidos. Los pulmones de los no fumadores son rosados y parecen sanos.

Verificar la lectura (pág. 585) Destruye el tejido pulmonar.

Examina tu avance

Respuestas

Figura 25 (pág. 586) Los músculos deben relajarse.

Verificar la lectura (pág. 587) Sofocación es el insuficiente intercambio de gases en los pulmones.

Evaluación

Destreza de vocabulario

Palabras académicas de uso frecuente (pág. 587) Revise las definiciones de los estudiantes antes de asignar las preguntas.

Repasar los conceptos clave (pág. 587)

1. **a.** Arteriosclerosis es un trastorno en que las paredes arteriales se engruesan debido a la acumulación de sustancias grasas; la hipertensión es una enfermedad en que la presión sanguínea de una persona es consistentemente más elevada de lo normal **b.** Ocasionan que el corazón se esfuerce más. Si se desarrolla arteriosclerosis en las arterias coronarias, puede ocurrir un infarto cardiaco. **c.** Pueden formarse coágulos sanguíneos en los vasos afectados por la arteriosclerosis. Si un coágulo viaja a un vaso sanguíneo del cerebro, el flujo sanguíneo cerebral podría obstruirse o disminuir de manera importante y esto podría provocar apoplejía.
2. **a.** Alquitrán, monóxido de carbono, nicotina **b.** Las sustancias químicas del tabaco dañan el tejido pulmonar y ocasionan enfisema. Cuando las sustancias químicas del humo entran en la sangre, irritan las paredes de los vasos sanguíneos. Esta irritación ocasiona la acumulación de sustancias grasas, que es lo que se conoce como arteriosclerosis. **c.** La sangre podría llevar más oxígeno. Los vasos sanguíneos ya no sufrirían la irritación de las sustancias químicas del humo. La presión sanguínea podría disminuir. Podría reducirse el riesgo de arteriosclerosis, infarto cardiaco o apoplejía.
3. **a.** Resfriados, influenza, neumonía **b.** Todas estas enfermedades disminuyen la capacidad del pulmón para captar oxígeno y eliminar dióxido de carbono.

Tecnología y sociedad

Máquinas de circulación extracorpórea

Evalúa el efecto (pág. 589)

1. Una máquina de circulación extracorpórea toma la función del corazón durante una cirugía que requiere detener el corazón. La máquina bombea, proporciona oxígeno y extrae dióxido de carbono de la sangre.
2. Según las fuentes consultadas, los estudiantes encontrarán que la tasa de éxito es de 97%; las medidas para evitar la necesidad de la cirugía de derivación coronaria incluyen un estilo de vida saludable y controlar riesgos como hipertensión y colesterol elevado.
3. Los párrafos deben incluir medidas específicas que las personas pueden adoptar para reducir su riesgo de necesitar una cirugía de derivación coronaria.

Repaso y evaluación (págs. 591–592)

Destreza clave de lectura

Ordenar en serie (pág. 591) Revise los diagramas de flujo de los estudiantes para asegurar que hayan nombrado todas las estructuras correctas y que los pasos sigan el orden correcto.

Repasar los términos clave (pág. 591)

1. a
2. a
3. b
4. d
5. a
6. la fuerza con que se contraen los ventrículos
7. la hemoglobina forma enlaces químicos con las moléculas de oxígeno
8. hacen que aumente el tamaño de la cavidad torácica

9. agua, minerales disueltos y algunos glóbulos blancos
10. las células no reciben suficiente sangre y oxígeno

Verificar los conceptos (pág. 592)

11. El ventrículo izquierdo se contrae con más fuerza que el ventrículo derecho. El ventrículo izquierdo tiene que bombear sangre a todo el cuerpo, mientras que el ventrículo derecho bombea sangre sólo a los pulmones.
12. El glóbulo rojo pasará por las arterias ramificadas hacia un capilar de la pierna y luego a una vena. Después, una vena llevará el glóbulo rojo de vuelta a la aurícula derecha del corazón.
13. Los capilares tienen paredes delgadas que permiten que las sustancias pasen fácilmente.
14. La respiración pulmonar consiste en introducir aire en el cuerpo y sacarlo del cuerpo. La respiración celular es una serie de reacciones químicas de las células en que la glucosa y el oxígeno reaccionan para producir energía.
15. Como hay una enorme cantidad de alvéolos, tomados conjuntamente forman un área de superficie extremadamente grande.
16. Durante un infarto cardiaco, las células mueren porque no reciben suficiente oxígeno. El músculo cardiaco puede quedar dañado y debilitado, y ya no tendrá la capacidad para bombear suficiente sangre al cuerpo.

Razonamiento crítico (pág. 592)

17. La sangre desoxigenada del ventrículo derecho entraría en el ventrículo izquierdo y sería bombeada a todo el cuerpo, de manera que las células no obtendrían suficiente oxígeno.
18. El diagrama muestra la inhalación o respiración pulmonar. Cuando el diafragma desciende, disminuye la presión del aire en los pulmones y esto hace que entre el aire.
19. El exceso de moco puede obstruir las vías aéreas, reduciendo la cantidad de aire que llega a los pulmones. Esto dificulta la respiración.
20. El criterio de los estudiantes puede variar. Revise los argumentos de apoyo. Por ejemplo: Las farmacias son lugares donde la gente compra productos que les devuelven la salud. Por consiguiente, las farmacias no deberían vender productos derivados del tabaco, que dañan la salud.

Practicar matemáticas (pág. 592)

21. 120 latidos por minuto (30 × 4)
22. 2 cm × 2 cm = 4 cm^2; 4 cm^2 × 6 lados = 24 cm^2. 1 cm × 1 cm = 1 cm^2; 1 cm^2 × 6 lados = 6 cm^2 por cubo; 8 × 6 cm^2 = 48 cm^2. Los ocho cubos de 1 cm por lado tienen una mayor área de superficie total.

Aplicar destrezas (pág. 592)

23. Los hombres
24. Las dos líneas muestran que, en promedio, la presión sanguínea de las personas aumenta con la edad.
25. Respuesta de ejemplo: Sí. Las dos líneas parecen convergir y probablemente se interceptarán después de los 45 años.

Práctica de estándares (pág. 593)

1. A; S 7.5.a
2. D; S 7.5.a
3. B; S 7.5.b
4. D; S 7.6.j
5. A, S 7.5.b
6. B; S 7.5.a
7. A; S 7.5.b
8. C; S 7.5.b

Aplicar la gran idea (pág. 593)

9. Cuando se reduce el intercambio de gases en los pulmones, entra menos oxígeno en el torrente sanguíneo y sale menos dióxido de carbono del torrente sanguíneo. La persona respirará con más rapidez y mayor esfuerzo para introducir y sacar aire de los pulmones. El corazón bombeará más rápido y con más fuerza para desplazar la sangre por todo el cuerpo y llevar oxígeno a las células. S 7.5.b

Capítulo 15 El sistema nervioso

Verifica lo que sabes (pág. 595)

Esta pregunta evalúa la comprensión de los estudiantes sobre las funciones de los sistemas corporales humanos. (S 7.5.b)

Respuestas y explicaciones posibles

Respuesta correcta: Sistema nervioso, sistema esquelético, sistema muscular. *Explicación posible:* El sistema nervioso me permite oler, ver, oír y pensar. También controla los movimientos de los sistemas esquelético y muscular cuando camino. Estos sistemas trabajan en conjunto para responder al olor de las palomitas. *Respuestas incorrectas posibles:* El sistema nervioso es el único que responde a las palomitas. *Explicación posible:* Los sistemas muscular y esquelético funcionan independientemente de otros sistemas.

Desarrollar el vocabulario de Ciencias

¡Aplícalo! (pág. 596)

1. El sufijo es *-dad;* significa condición de o estado de.
2. Respuesta de ejemplo: Significa algo que aumenta la actividad. Definición revisada: Un estimulante es una sustancia que acelera los procesos corporales.

Cómo leer en Ciencias

¡Aplícalo! (pág. 598)

Pida a los estudiantes que usen oraciones completas mientras responden a las preguntas.

Respuestas de ejemplo:

1. Sustancias depresoras. Indica que son sustancias que disminuyen la actividad del sistema nervioso central.
2. Dificultades para responder con normalidad. Demuestra una forma como las sustancias depresoras disminuyen la actividad del sistema nervioso.

Sección 1 Cómo funciona el sistema nervioso (págs. 600–604)

Objetivos

Al terminar esta lección, los estudiantes serán capaces de:

15.1.1 Identificar las funciones del sistema nervioso.

15.1.2 Describir la estructura de una neurona.

15.1.3 Explicar cómo viajan los impulsos nerviosos de una neurona a otra.

Preparación para los estándares

¿Cómo pueden trabajar juntos los sistemas? (pág. 600)

Reflexiónalo Respuesta de ejemplo: Los órganos de los sentidos utilizados incluyen ojos y piel. Los movimientos musculares incluyen los músculos del brazo y las manos que presionan la moneda y la mueven de un lugar a otro, levantan el lápiz y trazan el círculo. Los procesos mentales implicados incluyen lectura y comprensión de las indicaciones, elegir el lugar donde colocar la moneda y seguir la secuencia de números. El sistema nervioso coordina todos estos procesos.

Examina tu avance

Respuestas

Figura 1 (pág. 601) Ajusta las frecuencias respiratoria y cardiaca para responder a sus necesidades de energía.

Verificar la lectura (pág. 601) Un cambio o una señal del medio ambiente que hace reaccionar a un organismo.

Examina tu avance

Respuestas

Figura 3 (pág. 603) A las interneuronas del encéfalo.

Verificar la lectura (pág. 602) Conducir los impulsos nerviosos fuera del cuerpo de la célula

Evaluación

Destreza clave de lectura

Identificar ideas principales (pág. 604) El sistema nervioso recibe información del interior y el exterior del cuerpo; el sistema nervioso provoca la respuesta a un estímulo; el sistema nervioso dirige la respuesta del cuerpo para mantener la homeostasis.

Repasar los conceptos clave (pág. 604)

1. **a.** Recibir información de sucesos internos y externos, responder a esa información y mantener la homeostasis **b.** Respuesta de ejemplo: El estímulo es ver la pelota que viene hacia mí. El sistema nervioso envía mensajes y el encéfalo analiza el estímulo. El cuerpo responde haciendo que el brazo se mueva para atrapar la pelota. **c.** Tendría que pensar todo el tiempo en hacer que latiera el corazón y ajustar su frecuencia para responder al cambio de situaciones. Sería difícil hacer cualquier otra cosa.
2. **a.** Neuronas sensoriales, interneuronas y neuronas motoras **b.** Una neurona sensorial detecta un estímulo y lo convierte en un impulso que viaja a las interneuronas. Las interneuronas llevan el impulso a las neuronas motoras, las cuales transmiten el impulso a un músculo o una glándula. **c.** Una neurona sensorial lleva mensajes del medio ambiente interno o externo a la médula espinal o el encéfalo. Una neurona motora transmite los mensajes de la médula espinal o el encéfalo a los músculos o las glándulas.
3. **a.** La unión donde una neurona puede transferir un impulso a otra neurona, a un músculo o a una glándula **b.** (1) El impulso nervioso

llega a la punta del axón. (2) Se liberan sustancias químicas en el espacio de la sinapsis. (3) Las sustancias químicas llevan el impulso nervioso a través de la separación y hasta la siguiente estructura.

Diseña tu laboratorio

¡Listos o no!

Analiza y concluye (pág. 605)

1. Estímulo: vista de la regla que cae; respuesta: sujetar la regla. La respuesta es voluntaria. La persona decide actuar de manera consciente.
2. El sistema nervioso y el sistema muscular.
3. Algunos estudiantes podrían aventurar la hipótesis de que la hora del día no afecta el tiempo de reacción. Otros podrían proponer que los tiempos de reacción son más cortos a una hora particular del día.
4. Que cualquier diferencia en el tiempo de reacción puede atribuirse directamente a la hora del día.
5. Respuesta de ejemplo: Sí, el tiempo de reacción varía. La investigación indica que los tiempos de reacción de un individuo varían durante el día.
6. Respuesta de ejemplo: Si los pulgares e índices se encuentran en el punto cero al momento de la caída, la distancia que caiga la regla será directamente proporcional al tiempo de reacción porque la regla siempre cae con la misma rapidez.

Sección 2 Divisiones del sistema nervioso (págs. 606–613)

Objetivos

Al terminar esta lección, los estudiantes serán capaces de:

15.2.1 Describir las estructuras y funciones del sistema nervioso central.

15.2.2 Describir las estructuras y funciones del sistema nervioso periférico.

15.2.3 Explicar qué es un reflejo.

15.2.4 Identificar dos formas como puede lesionarse el sistema nervioso.

Preparación para los estándares

¿Cómo reacciona tu rodilla? (pág. 606)

Reflexiónalo Sería una ventaja en situaciones que podrían causar lesiones, como tocar una estufa caliente.

Examina tu avance

Respuesta

Verificar la lectura (pág. 607) La médula espinal y el encéfalo

Actividad Destrezas

Controlar variables (pág. 608)

Resultado esperado Hipótesis de ejemplo: La música suave aumenta la tasa de aprendizaje. Experimento de ejemplo: Hacer dos listas de palabras con la misma cantidad de palabras, utilizando palabras de la misma longitud y el mismo grado de familiaridad.

Examina tu avance

Respuestas

Figura 6 (pág. 609) El cerebro interpreta la información de los sentidos, controla el movimiento de los músculos esqueléticos y lleva a cabo complejos procesos mentales.

Verificar la lectura (pág. 608) Las acciones involuntarias

Actividad Inténtalo

¡Pestañeaste! (pág. 611)

Resultado esperado Sin previo aviso, la mayoría de los estudiantes pestañeará automáticamente al lanzarles la bola de algodón. Los estudiantes resistirán el impulso de pestañear cuando se concentren. El parpadeo o pestañeo es una respuesta automática que evita lesiones al ojo, pero es posible controlarla con el encéfalo. Los párpados protegen al ojo.

Examina tu avance

Respuestas

Figura 8 (pág. 611) El sistema nervioso autónomo

Verificar la lectura (pág. 611) Acciones involuntarias como las contracciones del músculo liso, el latido cardiaco, la respiración.

Examina tu avance

Respuestas

Figura 9 (pág. 612) En un acto reflejo, uno responde antes de sentir dolor. El impulso nervioso para retirar la mano sólo llega a la médula espinal y regresa a la mano, pero el impulso doloroso se transmite hasta el encéfalo.

Verificar la lectura (pág. 612) Respuesta de ejemplo: Pestañear

Verificar la lectura (pág. 613) La pérdida de movimiento en alguna parte del cuerpo

Evaluación

Destreza de vocabulario

Sufijos (pág. 613) Lleno de o tener; un sistema lleno de nervios o que tiene nervios.

Repasar los conceptos clave (pág. 613)

1. **a.** El encéfalo y la médula espinal **b.** Cerebro: interpreta información sensorial, controla el movimiento y lleva a cabo procesos complejos; cerebelo: coordina la acción muscular y ayuda a mantener el equilibrio; tronco encefálico: controla las acciones involuntarias o automáticas. **c.** Pérdida del equilibrio; mala coordinación muscular.
2. **a.** Los sistemas nerviosos somático y autónomo **b.** El sistema nervioso somático controla acciones voluntarias. El sistema nervioso autónomo controla acciones involuntarias.
3. **a.** Una respuesta automática que ocurre rápidamente y sin control consciente **b.** Respuesta de ejemplo: Cuando tocamos un objeto afilado, los impulsos viajan por los nervios sensoriales del dedo hasta la médula espinal. Los impulsos pueden pasar a las interneuronas. De allí, los impulsos viajan a la mano a través de las neuronas motoras. **c.** Los reflejos permiten que el cuerpo responda con rapidez al peligro, reduciendo así posibles daños.
4. **a.** Una lesión que deja en el encéfalo algo semejante a un moretón **b.** Usar casco durante actividades en las que haya riesgo de golpearse la cabeza.

Sección 3 Vista y oído (págs. 614–620)

Objetivos

Al terminar esta lección, los estudiantes serán capaces de:

15.3.1 Explicar cómo percibe la luz el ojo.

15.3.2 Describir cómo los oídos perciben el sonido y ayudan a conservar el equilibrio.

Preparación para los estándares

¿Puedes verlo todo con un solo ojo? (pág. 614)

Reflexiónalo Preguntas de ejemplo: ¿A qué distancia desaparece la letra O? ¿Si repito la actividad mirando fijamente la O en vez de la X, desaparecerá la X?

Examina tu avance

Respuestas

Figura 11 (pág. 615) El iris

Verificar la lectura (pág. 615) Regular la cantidad de luz que entra en el ojo.

Actividad Inténtalo

Trabajar juntos (pág. 616)

Resultado esperado Cerrar un ojo afecta la capacidad para determinar distancias.

Examina tu avance

Respuestas

Figura 12 (pág. 616) La córnea y la pupila

Figura 13 (pág. 617) Los bastones

Verificar la lectura (pág. 616) Tener los dos ojos al frente de la cabeza

Matemáticas Analizar datos

Matemáticas: Sentido numérico 7.1.1

Intensidad del sonido (pág. 618)

Respuestas

1. 20 dB; 60 dB; 120 dB
2. 20 DB contra 60 dB, que es 10,000 veces más intensa
3. El concierto de rock, el despegue de un avión de propulsión a chorro

Examina tu avance

Respuesta

Figura 15 (pág. 619) Respuesta de ejemplo: Ninguna vibración llegaría al oído interno ni pasaría al encéfalo, de manera que la persona no podría oír.

Examina tu avance

Respuestas

Figura 16 (pág. 620) El líquido del canal semicircular se mueve provocando impulsos nerviosos en las neuronas sensoriales. El cerebelo analiza los impulsos para determinar cómo nos movemos y si es necesario restablecer el equilibrio.

Verificar la lectura (pág. 620) En el oído interno

Evaluación

Destreza de vocabulario

Sufijos (pág. 620) *Mareo* es la cualidad de pérdida del equilibrio.

Repasar los conceptos clave (pág. 620)

1. **a.** Córnea, iris, pupila, cristalino, cámara llena de líquido, retina **b.** La luz de un objeto se enfoca al cruzar el cristalino del ojo; luego viaja hasta la retina donde forma una imagen invertida. La luz choca contra los conos y bastones y los impulsos nerviosos viajan al encéfalo. El encéfalo endereza la imagen de cada ojo y las combina en una sola imagen. **c.** No. Mirar con un solo ojo impide determinar las distancias.
2. **a.** Oído externo, oído medio y oído interno **b.** El tímpano vibra cuando recibe el choque de la onda de sonido. Esas vibraciones pasan a los huesos del oído medio: el martillo, el yunque y el estribo. El estribo transfiere las vibraciones al oído interno, donde hacen vibrar el líquido de la cóclea. **c.** Los canales semicirculares ayudan a mantener el equilibrio, de manera que una infección podría afectar su funcionamiento y ocasionar que la persona perdiera el equilibrio.

Sección 4 Olfato, gusto y tacto (págs. 621–623)

Objetivos

Al terminar esta lección, los estudiantes serán capaces de:

15.4.1 Explicar cómo trabajan conjuntamente los sentidos del olfato y el gusto.

15.4.2 Explicar la relación entre la piel y el sentido del tacto.

Preparación para los estándares

¿Qué hay en la bolsa? (pág. 621)

Reflexiónalo Los estudiantes podrían determinar el tamaño, la forma, la textura y el peso. No podrían determinar el color, el olor o el sabor.

Actividad Destrezas

Diseñar experimentos (pág. 622)
Resultado esperado Experimento de ejemplo: Con los ojos vendados, los estudiantes podrían probar e identificar pequeños trozos de comida, y luego repetir el procedimiento con las narices apretadas.

Examina tu avance

Respuesta

Verificar la lectura (pág. 622) Dulce, ácido, salado, amargo y un sabor a carne llamado *umami.*

Evaluación

Destreza clave de lectura

Identificar ideas principales (pág. 623) Por el contrario, el sentido del tacto está presente en toda tu piel.

Repasar los conceptos clave (pág. 623)

1. **a.** Gusto y olfato **b.** El gusto responde a las sustancias químicas de la saliva, mientras que el olfato responde a las sustancias químicas del aire. Hay unos 50 olores básicos, pero sólo 5 sabores básicos. **c.** Las sustancias químicas del alimento se disuelven en la saliva. Las papilas gustativas de la lengua responden a esas sustancias químicas.
2. **a.** Receptores que perciben el contacto superficial, gran presión, dolor y cambios de temperatura **b.** Los receptores de temperatura y dolor perciben el calor y el dolor, y pueden contribuir a que se dispare una acción refleja. **c.** El encéfalo no siente dolor, pero interpreta los impulsos de los receptores del dolor de otras partes del cuerpo.

Sección 5 El alcohol y otras drogas (págs. 624–629)

Objetivos

Al terminar esta lección, los estudiantes serán capaces de:

15.5.1 Identificar el sistema inmediatamente afectado por el abuso de drogas.

15.5.2 Describir algunas drogas de mayor consumo y cómo afecta cada una al cuerpo.

15.5.3 Explicar cómo el abuso del alcohol daña al cuerpo.

Preparación para los estándares

¿Cuál es el efecto del alcohol? (pág. 624)

Reflexiónalo El consumo de alcohol disminuye la capacidad de una persona para conducir con seguridad, porque la persona responde más lentamente a los estímulos.

Examina tu avance

Respuestas

Figura 19 (pág. 625) Respuesta de ejemplo: Dejar de encubrir y justificar la conducta de una persona; hablar con la persona y expresarle mi preocupación

Verificar la lectura (pág. 625) Estado en el cual el cuerpo se vuelve físicamente dependiente de una droga.

Examina tu avance

Respuestas

Figura 21 (pág. 627) Comportamiento psicótico, pérdida de la memoria, agresión, daño cerebral y cardiaco, enfermedades bucodentales, apoplejía

Verificar la lectura (pág. 626) Las sustancias estimulantes incluyen cocaína, nicotina y anfetaminas

Examina tu avance

Respuestas

Figura 23 (pág. 629) Coagulación sanguínea inadecuada debido al daño hepático, destrucción de células cerebrales, trastornos mentales, adicción, dependencia emocional y mayor riesgo de desarrollar ciertos cánceres.

Verificar la lectura (pág. 629) El encéfalo y el hígado

Evaluación

Destreza de vocabulario

Sufijos (pág. 629) Depresor o depresora; droga que disminuye la actividad del sistema nervioso

Repasar los conceptos clave (pág. 629)

1. **a.** El encéfalo **b.** Las ventajas percibidas no compensan los efectos negativos.
2. **a.** Sustancias depresoras: dos de las siguientes: alcohol, tranquilizantes, barbitúricos, opiáceos; Sustancias estimulantes: dos de las siguientes: cocaína, nicotina, anfetaminas, metanfetaminas **b.** Las sustancias depresoras disminuyen la actividad del sistema nervioso. Relajan los músculos, hacen que la persona se sienta soñolienta y disminuye su respuesta a los estímulos. Las sustancias estimulantes aceleran los procesos corporales. Aumentan la frecuencia cardiaca y respiratoria. **c.** Las sustancias estimulantes aceleran la frecuencia cardiaca y por consiguiente, aumentan el riesgo de sufrir un infarto cardiaco.
3. **a.** Una sustancia depresora **b.** Disminuye el estado de alerta, vuelve lentos los reflejos y puede causar náusea y depresión emocional. También aumenta la frecuencia cardiaca y el flujo de sangre a la piel, provocando pérdida del calor corporal. **c.** La visión de la persona se vuelve borrosa, su tiempo de respuesta se alarga y su capacidad de juicio disminuye.

Repaso y evaluación (págs. 631–632)

Destreza clave de lectura

Identificar ideas principales (pág. 631) Idea principal: contusión es una lesión del encéfalo que parece un moretón. Detalles: ocurre cuando el tejido encefálico blando choca contra el cráneo duro; los síntomas incluyen dolor de cabeza y pérdida de la conciencia; usar un casco al practicar deportes y realizar otras actividades de alto riesgo para disminuir las probabilidades de sufrir una contusión.

Repasar los términos clave (pág. 631)

1. b
2. d
3. c
4. b
5. c
6. una reacción a un estímulo
7. la parte más grande del encéfalo
8. permite que la luz entre en el ojo
9. vibra
10. disminuye la actividad del sistema nervioso central

Verificar los conceptos (pág. 632)

11. Los axones llevan impulsos nerviosos fuera del cuerpo de la célula. Las dendritas llevan los impulsos nerviosos hacia el cuerpo de la célula. Una neurona puede tener muchas dendritas, pero sólo un axón.
12. El cerebro interpreta la información de los sentidos, controla el movimiento de los músculos de brazos y piernas, y me ayuda a recordar cómo montar en bicicleta y hacer juicios. El cerebelo coordina las acciones de brazos y piernas y me ayuda a mantener el equilibrio.
13. El sistema nervioso autónomo controla las acciones involuntarias.
14. Los impulsos nerviosos ya no pasarían por la región seccionada. Esto causaría falta de

sensibilidad y parálisis en las áreas que están por debajo de la parte seccionada.

15. Tener los dos ojos al frene de la cabeza produce imágenes un poco diferentes, que el encéfalo compara.
16. Las sustancias químicas del alimento y el aire activan los receptores de la nariz y la lengua.
17. Los esteroides anabólicos aumentan el tamaño y la fuerza de los músculos y causan cambios de estado de ánimo que pueden provocar acciones violentas.

Razonamiento crítico (pág. 632)

18. Cuando el impulso nervioso llega a la punta del axón, se liberan sustancias químicas en el espacio de la sinapsis. Las sustancias químicas cruzan este espacio y transfieren el impulso nervioso a otra neurona u otra estructura, como un músculo o una glándula.
19. La apoplejía ocurrió en el lado izquierdo del encéfalo; el lado izquierdo del encéfalo es el que controla el lado derecho del cuerpo.
20. Este proceso es un ejemplo de reflejo. Protege al hombre haciéndole levantar el pie automáticamente antes que pueda apoyarlo más y causarse más daño o dolor. La acción refleja impide rápidamente que el hombre pueda causarse más daño.
21. Habría pérdida de la audición en ese oído porque el tímpano rasgado no podría transmitir vibraciones al resto del oído.

Aplicar destrezas (pág. 632)

22. La distancia de la tabla de prueba visual está trazada en el eje *x*. El porcentaje de letras identificadas correctamente está trazado en el eje *y*.
23. Disminuye el porcentaje de letras identificadas correctamente.
24. Variable manipulada: distancia de la tabla de prueba visual; variable respuesta: porcentaje de letras identificadas correctamente.
25. Alrededor de 40 por ciento.

Práctica de estándares (pág. 633)

1. D; S 7.5.b
2. B; S 7.5.b
3. C; S 7.5.b
4. A; S 7.5.g
5. C; S 7.5.b
6. B; S 7.5.g
7. C: S 7.5.b

Aplicar la gran idea (pág. 633)

8. La luz entra en el ojo a través de la córnea y el cristalino la enfoca en la retina. Allí, las células de conos y bastones envían impulsos eléctricos por el nervio óptico al cerebro, que es parte del encéfalo. Una vez en el encéfalo, los impulsos nerviosos se interpretan como una imagen de letras y palabras: la oración. S 7.5.g

Capítulo 16 El sistema endocrino y la reproducción

Verifica lo que sabes (pág. 635)

Esta pregunta evalúa la comprensión de los estudiantes sobre la herencia y la reproducción sexual. (S 7.2.b)

Respuestas y explicaciones posibles

Respuesta correcta: Los niños heredan rasgos de los dos progenitores, quienes heredaron rasgos de sus progenitores; óvulo y espermatozoide. *Explicación posible:* El ADN se encuentra en el óvulo y el espermatozoide. El óvulo fecundado recibe la mitad de su ADN de cada progenitor. Los rasgos se transmiten junto con el ADN. *Respuestas incorrectas posibles:* Los niños heredan rasgos de sus padres imitándolos. *Explicación posible:* Algunos rasgos de conducta pueden aprenderse de los padres, pero los rasgos físicos como el color de los ojos se heredan a través del ADN.

Desarrollar el vocabulario de Ciencias

¡Aplícalo! (pág. 636)

1. la ovulación
2. ovular

Cómo leer en Ciencias

¡Aplícalo! (pág. 638)

Pida a los estudiantes que usen oraciones completas para responder a las preguntas. Respuestas de ejemplo:

1. Desarrollo del sistema inmunológico, regulación del crecimiento y mantener constante el nivel de glucosa.
2. Causa: Las hormonas de las glándulas suprarrenales; Efectos: Provocan que el cuerpo responda a situaciones de emergencia; cambian el equilibrio de sal y agua en los riñones; cambian los niveles de glucosa en la sangre.

Sección 1 El sistema endocrino (págs. 640–645)

Objetivos

Al terminar esta lección, los estudiantes serán capaces de:

16.1.1 Describir cómo controla el sistema endocrino los procesos corporales.

16.1.2 Identificar las glándulas endocrinas.

16.1.3 Explicar cómo actúa la reacción negativa para controlar los niveles hormonales.

Preparación para los estándares

¿Cuál es la señal? (pág. 640)

Reflexiónalo Ganar el juego depende de responder rápidamente a la señal; un error o una respuesta lenta dejarán fuera del juego al participante. El cuerpo utiliza impulsos nerviosos como señales. Informe a los estudiantes que aprenderán sobre otro tipo de señales en este capítulo.

Examina tu avance

Respuesta

Figura 1 (pág. 641) Hormonas

Actividad Destrezas

Hacer modelos (pág. 642)

Resultado esperado Los resultados pueden variar dependiendo de las figuras que hagan los estudiantes, aunque los modelos deben mostrar el concepto de "cerradura y llave".

Examina tu avance

Respuestas

Figura 2 (pág. 643) El sistema nervioso y el sistema endocrino

Verificar la lectura (pág. 642) Una célula que reconoce la estructura química de una hormona y responde a esa hormona.

Examina tu avance

Respuestas

Figura 4 (pág. 645) El hipotálamo indica a la glándula pituitaria que libere TSH. La TSH hace que la glándula tiroides produzca tiroxina.

Verificar la lectura (pág. 644) Impulsos nerviosos o señales hormonales del hipotálamo

Verificar la lectura (pág. 645) El aumento de tiroxina detiene la producción de TSH.

Evaluación

Destreza clave de lectura

Analizar causa y efecto (pág. 645) Ayuda al cuerpo a responder a una situación de emergencia; afecta el equilibrio de sal y agua en los riñones; afecta la cantidad de azúcar en la sangre.

Repasar los conceptos clave (pág. 645)

1. **a.** Produce sustancias químicas que controlan muchas actividades del cuerpo y regulan cambios como el crecimiento y el desarrollo **b.** Hace que el corazón lata más rápidamente **c.** Respuesta de ejemplo: Las frecuencias cardiaca y respiratoria se mantendrían aceleradas, y eso podría ser peligroso.
2. **a.** Hipotálamo, pituitaria, tiroides, timo, paratiroides, suprarrenales, páncreas, testículos (en varones), ovarios (en mujeres) **b.** La glándula pituitaria produce hormonas en respuesta a los impulsos nerviosos o a las hormonas que envía el hipotálamo. El hipotálamo regula la liberación de hormonas de la glándula pituitaria, incluyendo las hormonas del crecimiento.
3. **a.** El proceso por el cual un sistema se inactiva por la condición que produce **b.** Cuando la cantidad de una hormona alcanza el nivel sanguíneo adecuado para mantener la homeostasis, el sistema endocrino envía una señal a la glándula para que deje de producir la hormona.

Laboratorio de tecnología

Modelar la reacción negativa

Analiza y concluye (pág. 647)

1. El creciente nivel de agua en el tanque del inodoro levanta la esfera que hace que la válvula se cierre y detenga el flujo de agua dentro del tanque.
2. El globo comenzó a elevarse conforme aumentaba el nivel de agua. Cuando el globo llegó a la parte superior de la botella, el flujo de agua se interrumpió.
3. El agua ejemplifica la reacción negativa. El agua que entra hace que el nivel de agua deje de subir.
4. Respuesta de ejemplo: El modelo podría modificarse colocando una válvula de drenaje en la botella inferior para vaciarla y reciclar el agua en el reservorio de la botella superior. Luego el agua podría soltarse nuevamente en la botella inferior.

Sección 2 Sistemas reproductores masculino y femenino (págs. 648–655)

Objetivos
Al terminar esta lección, los estudiantes serán capaces de:
16.2.1 Definir la reproducción sexual.

16.2.2 Describir las estructuras y funciones del sistema reproductor masculino.

16.2.3 Describir las estructuras y funciones del sistema reproductor femenino.

16.2.4 Ordenar los sucesos que curren durante el ciclo menstrual.

Preparación para los estándares

¿Cuál es la gran diferencia? (pág. 648)

Reflexiónalo Los espermatozoides son mucho más pequeños que los óvulos y tienen una parte alargada que parece cola. Los óvulos son redondos, casi siempre mucho más grandes que los espermatozoides y no tienen colas. El tamaño pequeño de los espermatozoides permite que naden. El gran amaño del óvulo proporciona citoplasma al óvulo fecundado o cigoto.

Examina tu avance

Respuesta
Figura 5 (pág. 649) Cigoto

Verificar la lectura (pág. 649) La cantidad de cromosomas vuelve a ser de 46, el número característico de las células somáticas humanas.

Examina tu avance

Respuestas
Figura 6 (pág. 650) Salen del testículo, pasan por el conducto y luego a la uretra del pene

Verificar la lectura (pág. 651) Escroto

Actividad Destrezas

Calcular (pág. 653)
Resultado esperado El diámetro del óvulo es veinte veces mayor que el de un espermatozoide (0.1 mm / 0.005 mm).

Examina tu avance

Respuestas
Figura 7 (pág. 652) Provoca el desarrollo de algunas características femeninas adultas e interviene en el desarrollo de los óvulos

Verificar la lectura (pág. 653) Es un tubo por donde los óvulos viajan del ovario al útero y donde suele ocurrir la fecundación.

Matemáticas Analizar datos

Matemáticas: Álgebra y funciones 7.1.5

Cambios en los niveles hormonales (pág. 654)

Respuestas
1. Nivel de LH
2. Alrededor de 12, 12, 12
3. Alrededor de 56
4. En el día 13; ocurre la ovulación

Examina tu avance

Respuestas
Figura 8 (pág. 654) Por la vagina
Figura 9 (pág. 655) El óvulo y el recubrimiento uterino se desintegran y ocurre la menstruación.

Evaluación

Destreza de vocabulario

Identificar formas de palabras relacionadas (pág. 655) menstrual.

Repasar los conceptos clave (pág. 655)
1. **a.** La unión de un óvulo y un espermatozoide **b.** El óvulo y el espermatozoide se unen y el óvulo fecundado contiene toda la información necesaria para transformarse en un nuevo individuo. **c.** Una célula sexual humana contiene 23 cromosomas, mientras que el cigoto tiene 46. El cigoto se produce por la unión de un óvulo y un espermatozoide durante la fecundación.
2. **a.** Masculino: testículos, escroto, epidídimo, glándulas, conducto, uretra, pene; femenino: ovarios, trompas de Falopio, útero, cuello uterino, vagina **b.** Testículos: producen espermatozoides; escroto: bolsa de piel que contiene los testículos; epidídimo: almacena espermatozoides; glándulas: producen líquidos que se combinan con los espermatozoides y forman el semen; conducto: tubo por donde los espermatozoides se desplazan hacia la uretra; uretra: tubo del pene por donde viaja el semen; pene: órgano por el cual el semen sale del cuerpo; ovarios: producen óvulos; trompas de Falopio: conductos por donde los óvulos salen de los ovarios hacia el útero; útero: órgano muscular hueco donde puede adherirse y desarrollarse el óvulo fecundado;

cuello uterino: abertura en la base del útero; vagina: conducto por donde nace el bebé o por donde el líquido menstrual sale del cuerpo **c.** Semejanzas: ambos producen células sexuales y hormonas; diferencias: los testículos producen espermatozoides y testosterona, en tanto que los ovarios producen óvulos y estrógeno.

3. **a.** Un ciclo de cambios mensuales que ocurren en el sistema reproductor femenino **b.** Hacia la mitad del ciclo **c.** Es necesario que ocurra la ovulación para que haya un óvulo disponible para la fecundación.

Sección 3 Embarazo, desarrollo y nacimiento
(págs. 656–663)

Objetivos
Al terminar esta lección, los estudiantes serán capaces de:

16.3.1 Enumerar los cambios que ocurren en el cigoto, embrión y feto durante el desarrollo.

16.3.2 Explicar cómo se nutre y protege el embrión en desarrollo.

16.3.3 Describir qué ocurre durante el parto.

16.3.4 Identificar los cambios que ocurren de la infancia a la adultez.

Preparación para los estándares

¿Está bien protegido? (pág. 656)

Reflexiónalo Los estudiantes tendrán dificultades para aplastar el trozo de poliestireno. Acepte todas las hipótesis expresadas de manera razonable. Respuesta de ejemplo: El aire del globo actúa como colchón y protege el trozo de poliestireno.

Examina tu avance

Respuestas
Figura 10 (pág. 657) La capa intermedia

Verificar la lectura (pág. 657) Tres capas

Examina tu avance

Respuestas
Figura 11 (pág. 658) Diferenciación

Verificar la lectura (pág. 658) Entre los meses cuarto y sexto

Actividad Inténtalo

¡Cómo has crecido! (pág. 660)
Resultado esperado El orden de objetos reflejará el incremento de masa y el rango de valores que muestran los datos.

Examina tu avance

Respuestas
Figura 14 (pág. 661) Los gemelos fraternos se desarrollan a partir de dos óvulos fecundados, de modo que las probabilidades de que tengan el mismo sexo son iguales que las de otros hermanos o hermanas. Los gemelos idénticos se desarrollan a partir del mismo óvulo fecundado, así que deben tener el mismo sexo.

Verificar la lectura (pág. 661) Idénticos y fraternos

Examina tu avance

Respuestas
Figura 15 (pág. 662) Una creciente curiosidad y mayores destrezas mentales como lectura, sostener una conversación y resolver problemas

Verificar la lectura (pág. 663) La piel se arruga, disminuye la fuerza muscular, los ojos pueden enfocar mal los objetos cercanos, el pelo puede perder su color, las mujeres dejan de menstruar y ovular

Evaluación

Destreza de vocabulario
Identificar formas de palabras relacionadas (pág. 663) diferenciación

Repasar los conceptos clave (pág. 663)

1. **a.** Cigoto, embrión y feto **b.** La diferenciación da origen a células especializadas que serán parte de tejidos y órganos. **c.** La capa externa.
2. **a.** Las membranas protegen y nutren al feto **b.** La placenta permite el intercambio de sustancias entre la madre y el feto. El cordón umbilical conecta al embrión con su madre. **c.** El alcohol y las sustancias del humo del tabaco pueden llegar al feto atravesando la placenta.
3. **a.** Trabajo de parto, parto y alumbramiento **b.** Las contracciones uterinas hacen que el cuello uterino se agrande en preparación para el parto.
4. **a.** Físicos: cualquiera de los siguientes: aumento de tamaño, coordinación; mentales: cualquiera de los siguientes: capacidad para comunicarse, resolver problemas complejos **b.** Durante la pubertad, el cuerpo adquiere la capacidad para reproducirse. Las niñas

empiezan a ovular y menstruar. Los niños comienzan a producir espermatozoides. Los dos sexos experimentan cambios físicos.

Repaso y evaluación (págs. 665–666)

Destreza clave de lectura

Analizar causa y efecto (pág. 665) La piel se arruga. Los ojos pierden su capacidad para enfocar objetos cercanos. El pelo pierde su color.

Repasar los términos clave (pág. 665)

1. d
2. b
3. a
4. d
5. a
6. la información sobre el estado que produce el sistema
7. la unión de un espermatozoide y un óvulo
8. un órganos muscular hueco
9. las células embrionarias se transforman en células especializadas
10. un órgano por el cual pasan nutrientes, oxígeno y otras sustancias de la madre al feto, y por donde los desechos del feto pasan a la madre

Verificar los conceptos (pág. 666)

11. La glándula pituitaria libera hormonas que regulan otras glándulas endocrinas y regula directamente algunas actividades del cuerpo, como el crecimiento.
12. La reacción negativa; el hipotálamo percibe que las células tienen suficiente energía, así que envía una señal a la glándula pituitaria para que deje de producir TSH, lo que a su vez hace que el tiroides deje de producir tiroxina.
13. Los testículos producen espermatozoides y testosterona.
14. El óvulo sale de un ovario y viaja por una trampa de Falopio hasta el útero. Si el óvulo no es fecundado, se desintegra y sale del cuerpo a través de la vagina.
15. Al inicio del ciclo, el recubrimiento uterino se engruesa preparándose para recibir un óvulo fecundado. Si el óvulo no es fecundado, el útero elimina su recubrimiento.
16. Se forma un cigoto cuando un espermatozoide fecunda un óvulo. Durante los primeros cuatro días, el cigoto se divide rápidamente hasta convertirse en una esfera de células hueca. Después de unos cuatro días, llega al útero y se adhiere al recubrimiento uterino.
17. La capa en que se ubica la célula embrionaria determina su diferenciación. Por ejemplo, partes del sistema digestivo se desarrollan a partir de las células de la capa interna, mientras que los huesos se desarrollan a partir de las células de la capa intermedia.
18. El feto recibe alimento y oxígeno y elimina sus desechos a través de la placenta. El cordón umbilical contiene vasos sanguíneos que llevan oxígeno y nutrientes de la placenta al embrión. También contiene vasos sanguíneos que transportan productos de desecho del embrión a la placenta.

Razonamiento crítico (pág. 666)

19. Estas dos hormonas regulan la cantidad de azúcar en la sangre. Cuando aumenta el nivel de azúcar, el páncreas produce insulina, la cual ocasiona que disminuya el nivel de azúcar. Cuando el nivel de azúcar es bajo, el páncreas produce glucagón, el cual eleva el nivel de azúcar.
20. La ovulación ocurrirá alrededor del día 11 de un ciclo de 24 días y alrededor del día 19 en un ciclo de 32 días (acepte otras respuestas razonables).
21. Los gemelos idénticos se forman a partir de un mismo óvulo fecundado. El embrión en desarrollo se divide en dos embriones idénticos que tienen los mismos rasgos heredados. Los gemelos fraternos se desarrollan a partir de dos óvulos distintos que fueron fecundados por espermatozoides diferentes. Los gemelos fraternos no son más parecidos que otros hermanos o hermanas.
22. El bebé puede respirar y realizar otras funciones vitales por su cuenta.

Aplicar destrezas (pág. 666)

23. El mayor incremento ocurrió durante las semanas 12 a 16.
24. Las gráficas deberán mostrar que la longitud aumenta con el tiempo. La inclinación de la línea deberá cambiar hasta convertirse en una línea bastante diagonal después de las 20 semanas.
25. El feto ha incrementado cuatro veces esa longitud en la semana 24 y seis veces esa longitud en la semana 36.

Práctica de estándares (pág. 667)

1. B: S 7.5.b
2. B; S 7.5.d
3. C; S 7.5.d
4. D; S 7.1.f

5. A; S 7.1.f
6. D; S 7.5.e
7. D, S 7.5.e

Aplicar la gran idea (pág. 667)

8. Respuesta de ejemplo: En las mujeres, los ovarios producen y almacenan óvulos. Como parte del sistema endocrino, los ovarios producen y liberan hormonas femeninas (estrógeno y progesterona). Estas hormonas precipitan la función reproductora, que es la liberación de un óvulo. La progesterona también mantiene al útero durante el embarazo. En los varones, los testículos liberan hormonas masculinas, incluida la testosterona. Esta hormona regula la función reproductora, que es la producción de espermatozoides. S 7.5.d.

Evaluación de la Unidad 4

Estructura y función en el cuerpo humano

Conexión de las grandes ideas (pág. 669)

Respuestas

1. b
2. a
3. a
4. c
5. Respuesta de ejemplo: Los ojos detectan la luz del autobús y los impulsos nerviosos envían una imagen al encéfalo para que la interprete. El encéfalo se da cuenta de que el autobús es el que la persona quiere abordar y envía una señal al cuerpo para que responda. Como parte de esta respuesta se segrega una hormona llamada adrenalina. Los músculos entran en acción moviendo los huesos para que la persona corra. La respiración aumenta para introducir más oxígeno en el cuerpo. La frecuencia cardiaca aumenta para que la sangre circule más rápidamente y distribuya más oxígeno a todo el cuerpo.

Capítulo 1 Introducción a las ciencias físicas

¿Qué son las ciencias físicas?

1. a, c
2. ciencia, d; observación, c; observaciones cuantitativas, a; observaciones cualitativas, f; inferencia, b; predicción, e
3. b
4. **a.** física **b.** química
5. a, b

Investigación científica

1. investigación
2. a, c
3. hipótesis, c; parámetro, a; datos, b
4. **a.** manipulada **b.** respuesta
5. verdadero
6. Las alumnas y alumnos deben hacer un círculo alrededor de Diseñar un experimento.
7. falso
8. **a.** teoría **b.** ley

Mediciónes

1. **a.** sistema métrico **b.** SI
2. verdadero
3. metro
4. 1,000
5. masa, b; peso, a
6. Las alumnas y alumnos deben escribir una X en el platillo.
7. volumen
8. Las alumnas y alumnos deben trazar una línea en la parte inferior del menisco.
9. masa
10. 2,0 g/cm^3
11. segundo
12. kelvin (K)
13. a

Matemáticas y ciencias

1. estimación
2. falso
3. **a.** exactitud **b.** reproducibilidad
4. a, b
5. c
6. a, c
7. 28.7 m

Gráficas en ciencias

1. línea
2. Las alumnas y alumnos deben escribir una H en el eje de izquierda a derecha y una V en el eje de arriba a abajo.
3. punto de datos, b; coordenada, c; origen, a
4. lineal
5. b, c
6. de mayor aproximación
7. falso
8. pendiente
9. 0.5
10. no lineal
11. a

Seguridad en el laboratorio de ciencias

1. a
2. c
3. a, c
4. verdadero
5. c
6. falso

Capítulo 2 La naturaleza de la materia

Describir la materia

1. a
2. **a.** C **b.** P **c.** C **d.** P
3. **a.** átomo **b.** elemento
4. b
5. c
6. verdadero
7. **a.** solución **b.** mezcla
8. verdadero

Cambios en la materia

1. falso
2. **a.** Que se dobla **b.** Que se disuelve (en cualquier orden)
3. a, c

Energía y materia

1. verdadero
2. energía química, b; energía electromagnética, a; energía eléctrica, c
3. c
4. b

Capítulo 3 Sólidos, líquidos y gases

Estados de la materia

1. falso
2. b
3. c
4. **a.** forma **b.** volumen
5. b
6. verdadero

Cambios de estado

1. **a.** congelación **b.** fusión
2. **a.** Perdido o liberado **b.** Más rápidamente
3. falso
4. a
5. **a.** ganar **b.** perder
6. sublimación
7. falso

El comportamiento de los gases

1. presión, c; temperatura, b; volumen, a
2. a, c
3. **a.** El globo más grande tiene un volumen mayor. **b.** El globo más grande tiene una temperatura más alta.
4. El eje vertical muestra el volumen. El eje horizontal muestra la temperatura.
5. c
6. a
7. b
8. b
9. El eje vertical muestra la presión. El eje horizontal muestra el volumen.
10. **a.** alta **b.** baja

Capítulo 4 Los elementos y la tabla periódica

Introducción a los átomos

1. átomo
2. electrón, c; nivel de energía, b; protón, a
3. verdadero
4. Las alumnas y alumnos deben hacer un círculo alrededor de las partículas en el centro.
5. **a.** Núcleo **b.** Negativo **c.** Neutrón
6. verdadero
7. número atómico, c; isótopo, a; número de masa, b

Organizar los elementos

1. masa atómica, b; tabla periódica, a
2. falso
3. **a.** período **b.** grupo
4. **a.** período **b.** grupo
5. b, c
6. verdadero
7. **a.** Estaño **b.** 50 **c.** Sn

Metales

1. c
2. verdadero
3. maleable, b; dúctil, d; conductividad, a; reactividad, c
4. **a.** Álcali **b.** Alcalinos **c.** Transición
5. verdadero
6. falso
7. b

No metales, gases inertes y metaloides

1. **a.** P **b.** P **c.** C **d.** P
2. b
3. **a.** gases inertes **b.** halógenos
4. b
5. a
6. Las alumnas y alumnos deben colorear ocho cuadrados por encima y por debajo de la línea en zigzag de la tabla periódica. Los elementos incluyen el boro, silicio, germanio, arsénico, antimonio, telurio, polonio y astatina.
7. c

Elementos radiactivos

1. desintegración radiactiva, b; radiactividad, a
2. verdadero
3. c
4. verdadero
5. La partícula alfa es el núcleo más pequeño que contiene dos protones y dos neutrones.
6. b
7. trazadores
8. a, c

Capítulo 5 Átomos y enlaces

Átomos, enlaces y la tabla periódica

1. falso
2. Na, c; C, b; O, a
3. b, c
4. b
5. verdadero

Enlaces iónicos

1. **a.** enlace iónico **b.** ión
2. Las alumnas y alumnos deben hacer un círculo alrededor de NaCl.
3. a
4. **a.** subíndice **b.** fórmula química
5. a
6. **a.** Cristales **b.** Alto **c.** Electricidad
7. verdadero

Enlaces covalentes

1. verdadero
2. Las alumnas y alumnos deben hacer un círculo alrededor de los dos electrones entre los dos átomos de flúor en el extremo derecho.
3. molécula, b; enlace doble, a; enlace triple, c
4. molecular
5. c
6. falso
7. b

Enlaces en metales

1. c
2. falso
3. c
4. a, c
5. falso
6. Las alumnas y alumnos deben hacer un círculo alrededor del clip para papel.
7. **a.** Calor **b.** Dúctil **c.** Maleable (b y c, en cualquier orden)

Capítulo 6 Reacciones químicas

Observar el cambio químico

1. b
2. **a.** cambio químico **b.** cambio físico
3. verdadero
4. a, b
5. **a.** absorbido **b.** Exotérmica

Descripción de la reacciones químicas

1. Las alumnas y alumnos deben hacer un círculo alrededor de $CaCO_3$.
2. b
3. conservación de la materia
4. verdadero
5. átomos
6. falso
7. **a.** 2 **b.** 3
8. sustitución
9. síntesis, b; descomposición, c; sustitución, a
10. **a.** Descomposición **b.** Sustitución (en cualquier orden)

Control de las reacciones químicas

1. a, c
2. a
3. energía de activación, c; reacción endotérmica, a; reacción exotérmica, b
4. falso
5. **a.** F **b.** F **c.** S **d.** F
6. concentración, c; catalítico, b; inhibidor, a

Fuego y seguridad contra incendios

1. combustible
2. combustión
3. c
4. b, c

Capítulo 7 Ácidos, bases y soluciones

Entender las soluciones

1. solución, c; solvente, a; solute, b
2. verdadero
3. **a.** suspension **b.** colloid
4. c
5. a, b
6. falso
7. b
8. falso

Concentración y solubilidad

1. concentrata
2. diluta
3. verdadero
4. solubilidad
5. saturata
6. **a.** presión **b.** temperatura (en cualquier orden)

Descripción de los ácidos y las bases

1. c
2. indicador
3. corrosivos
4. a
5. falsa
6. Los estudiantes deberán encerrar en un círculo el limón y subrayar el pastel.
7. ácido, a, b, d; base, b, c

Ácidos y bases en solución

1. ácido
2. iones de hidrógeno
3. base

4. oxígeno
5. b
6. Los estudiantes deberán encerrar en un círculo la parte de la escala de 7 a 14.
7. neutralización
8. sal

Capítulo 8 Química del carbono

Propiedades del carbono

1. b
2. cadena ramificada, b; anillo, c; cadena lineal, a
3. verdadero
4. diamante, b; grafito, c; fullereno, a; nanotubo, d

Compuestos del carbono

1. c
2. c
3. **a.** hidrógeno **b.** agua **c.** inflamable
4. **a.** CH_4 **b.** 2 **c.** 8
5. enlace
6. Las alumnas y alumnos deben escribir una *H* al final de cada enlace, para obtener un total de ocho átomos de hidrógeno.
7. isómeros
8. **a.** grupo hidroxilo **b.** grupo carboxilo
9. **a.** Alcoholes **b.** Ácidos orgánicos
10. b, c
11. falso
12. a

Polímeros y materiales compuestos

1. **a.** polímero **b.** monómero
2. a
3. c
4. a, c
5. b
6. verdadero

La vida con el carbono

1. b
2. **a.** Complejo **b.** Glucosa **c.** Celulosa
3. **a.** proteínas **b.** aminoácidos
4. a
5. verdadero
6. grasa, a, c; aceite, b, d
7. b
8. b, c
9. verdadero
10. vitaminas, c; minerales, a; agua, b

Capitulo 9 Movimiento y energía

Descripción del movimiento

1. **a.** movimiento **b.** punto de referencia
2. verdadero
3. **a.** desplazamiento **b.** distancia
4. verdadero

Rapidez y velocidad

1. **a.**Distancia **b.**Tiempo
2. falso
3. a
4. velocidad
5. b, c
6. a, c
7. pendiente
8. b

Aceleración

1. aceleración
2. a, b, c
3. falso
4. **a.** Velocidad final **b.** Tiempo
5. verdadero
6. **a.** 8 m/s **b.** 2 m/s **c.** 3 s
7. c
8. **a.** Rapidez vs. tiempo **b.** Distancia vs. tiempo
9. **a.** Gráfico B **b.** Gráfico A **c.** Gráfico A

Energía

1. energía cinética
2. **a.** Masa **b.** Rapidez (en cualquier orden)
3. energía potencial
4. **a.** energía potencial **b.** energía gravitacional
5. falso
6. b
7. A
8. C
9. falso

Capítulo 10 Fuerzas

La naturaleza de la fuerza

1. b
2. verdadero
3. newton
4. **a.** Magnitud **b.** Dirección (en cualquier orden)
5. fuerza neta, b; fuerzas equilibradas, a; fuerzas desequilibradas, c
6. **a.** Fuerzas desequilibradas **b.** Fuerzas equilibradas

Fricción, gravedad y fuerzas elásticas

1. fricción
2. b
3. objeto
4. **a.** Fricción de fluidos **b.** Fricción de deslizamiento **c.** Fricción estática
5. gravedad
6. **a.** disminuye **b.** permanece igual
7. c
8. **a.** Gravedad **b.** Resistencia del aire
9. tensión

Primera y segunda ley de Newton

1. b
2. **a.** Un objeto en movimiento **b.** Una fuerza desequilibrada
3. verdadero
4. **a.** 15 N **b.** 5 kg **c.** 3

Tercera ley de Newton

1. **a.** Igual **b.** Opuesta (en cualquier orden)
2. **a.** Masa **b.** Velocidad
3. b
4. 8 kg·m/s
5. **a.** Momento **b.** Perdido

Cohetes y satélites

1. tercera
2. **a.** abajo **b.** arriba
3. **a.** Fuerza de acción **b.** Fuerza de reacción
4. **a.** Satélite **b.** Fuerza centrípeta **c.** Tierra
5. fuerza centrípeta

Capítulo 11 Fuerza en fluidos

Presión

1. **a.** pascal **b.** fuerza
2. b, c
3. **a.** fluido **b.** partículas
4. verdadero
5. equilibradas
6. C
7. A
8. b

Flotación y hundimiento

1. c
2. **a.** Se hunde **b.** Flota
3. b, a
4. fuerza de flotación
5. a, b
6. **a.** Se hunde **b.** Flota
7. b
8. falso

Principio de Pascal

1. **a.** fluido **b.** principio de Pascal
2. **a.** Fuerza **b.** Presión **c.** Fluido
3. a, c
4. verdadero

Principio de Bernoulli

1. falso
2. c
3. bajo
4. a
5. **a.** Más rápidamente **b.** Más lentamente

Capítulo 12 La Tierra, la Luna y el Sol

La Tierra en el espacio

1. Las alumnas y alumnos deben trazar una línea desde el Polo Norte hasta el Polo Sur.
2. El Sol está en el medio y la Tierra es el cuerpo que gira a su alrededor.
3. eje, b; rotación, c; revolución, a
4. a, c
5. **a.** verano **b.** invierno
6. **a.** Más corto que la noche **b.** Hacia el Sol

Gravedad y movimiento

1. **a.** gravedad **b.** masa **c.** fuerza
2. a, b
3. falso
4. **a.** inercia **b.** inercia **c.** gravedad
5. Las alumnas y alumnos deben dibujar una flecha desde la Luna hacia la Tierra.

Fases, eclipses y mareas

1. a, c
2. fases
3. **a.** Se puede ver la mitad del lado iluminado por el Sol. **b.** El lado entero iluminado por el Sol mira hacia la Tierra. **c.** Se puede ver la mitad del lado iluminado por el Sol.
4. eclipse
5. Las alumnas y alumnos deben dibujar líneas desde la Luna hacia la Tierra.
6. falso
7. **a.** eclipse lunar **b.** eclipse solar
8. verdadero
9. **a.** marea viva **b.** mareas **c.** marea muerta
10. a, b

La Luna de la Tierra

1. telescopio
2. maria, b; cráteres, a; región montañosa, d; meteoroides, c
3. c
4. frío
5. Tierra

Capítulo 13 Exploración del espacio

La ciencia de los cohetes

1. cohete
2. b
3. c
4. empuje, b; velocidad, a
5. c
6. Las alumnas y alumnos deben hacer un círculo alrededor de la flecha que señala la parte delantera del cohete.
7. b, c
8. verdadero

El programa espacial

1. satélite
2. b
3. **a.** *Explorador 1* lanzado **b.** John Glenn orbita la Tierra.
4. c
5. b
6. c
7. verdadero

Exploración del espacio en el presente

1. **a.** estación espacial **b.** trasbordador espacial
2. b, c
3. a, b
4. sonda espacial, b; róver, a
5. a, b, c

Usar la ciencia del espacio en la Tierra

1. **a.** materia **b.** microgravedad
2. b
3. Tierra
4. a, b, c
5. falso
6. percepción remota
7. Satélites de comunicación
8. c

Capítulo 14 El sistema solar

Observación del sistema solar

1. Tierra
2. a
3. c
4. c
5. a
6. a, b, c
7. falso
8. Júpiter está más lejos del Sol que la Tierra.

El Sol

1. gas
2. b
3. **a.** Núcleo **b.** Zona de radiación **c.** Zona de convección
4. corona, c; fotosfera, a; cromosfera, b
5. falso
6. c
7. **a.** mancha solar **b.** fulguración solar **c.** protuberancia solar
8. viento solar

Los planetas interiores

1. terrestre
2. b
3. verdadero
4. **a.** Corteza **b.** Manto **c.** Núcleo
5. a, c
6. Las alumnas y alumnos deben hacer un círculo alrededor del planeta más cercano al Sol.
7. b
8. calor
9. verdadero
10. a, b
11. falso
12. c

Los planetas exteriores

1. c
2. anillos
3. **a.** Júpiter **b.** Neptuno (en cualquier orden)
4. a, b
5. verdadero
6. a
7. verdadero
8. Las alumnas y alumnos deben hacer un círculo alrededor del sexto planeta contando a partir del Sol.
9. a, b, c
10. c
11. verdadero

12. falso
13. a, b
14. falso
15. Luna

Cometas, asteroides y meteoros

1. **a.** cometa **b.** núcleo **c.** coma
2. verdadero
3. asteroide
4. c
5. verdadero
6. b, c
7. falso
8. **a.** Meteoro **b.** Meteorito **c.** Meteoroide

¿Hay vida más allá de la Tierra?

1. extraterrestre
2. a, b, c
3. verdadero
4. a
5. c

Capítulo 15 Las estrellas, las galaxias y el universo

Telescopios

1. radiación electromagnética, c; luz visible, a; espectro, b
2. Se debe dibujar una línea desde la cresta de una onda hasta la cresta de la próxima.
3. a, b
4. telescopio
5. **a.** Reflexión **b.** Radio (en cualquier orden)
6. observatorio
7. a, b
8. falso

Características de las estrellas

1. verdadero
2. a
3. **a.** Temperatura **b.** Magnitud (en cualquier orden)
4. b, c
5. **a.** Magnitud aparente **b.** Magnitud absoluta
6. año luz
7. verdadero
8. paralaje
9. a
10. magnitud
11. secuencia principal
12. Se debe dibujar una línea desde el ángulo superior izquierdo hasta el ángulo inferior derecho.

La vida de las estrellas

1. b
2. c
3. **a.** nebulosa **b.** protoestrella
4. masa
5. falso
6. b
7. enana blanca, a; supernova, c; estrella de neutrones, d; agujero negro, b
8. gravedad
9. **a.** Enana blanca **b.** Agujero negro

Sistemas estelares y galaxias

1. sistema
2. verdadero
3. **a.** Eclipse binario **b.** Cúmulo abierto **c.** Cúmulo globular
4. galaxia
5. Grupo local
6. tres
7. a
8. espiral, b; elíptica, c; irregular, a
9. Vía Láctea
10. a
11. universo
12. b

El universo en expansión

1. Big Bang
2. b, c
3. verdadero
4. **a.** nebulosa solar **b.** planetésimos
5. a
6. verdadero
7. **a.** materia negra **b.** energía negra

Unidad 1

Elementos químicos básicos

Capítulo 1 Introducción a las ciencias físicas

Verifica lo que sabes (pág. 1)
Esta pregunta evalúa la comprensión de los estudiantes sobre cómo planear y realizar una investigación y evaluar la exactitud de sus datos. (S 8.9.a, S 8.9.b)

Respuestas y explicaciones posibles
Respuesta correcta: Se medirá con exactitud el tiempo requerido para disolver la misma cantidad de azúcar en las mismas cantidades de agua caliente y fría y se compararán los resultados. La respuesta es confiable si se pudieron reproducir los datos. *Explicación posible:* Probar una hipótesis, hacer un plan y realizar una investigación, usando herramientas de alta calidad y realizando mediciones cuidadosas. *Respuestas incorrectas posibles*: Disolver el azúcar en agua caliente y fría y ver cómo se disuelve el azúcar por completo. *Explicación posible:* Identificar la solución mejor mezclada responderá a la pregunta.

Desarrollar el vocabulario de Ciencias

¡Aplícalo! (pág. 2)
1. significativo
2. procedimiento
3. constante

Cómo leer en Ciencias

¡Aplícalo! (pág. 4)
Pida a los estudiantes que pongan los signos de interrogación en cada pregunta:
Preguntas y respuestas de ejemplo:

1. Estudio de la materia y la energía
Pregunta: **¿Qué es la materia?** (*La materia es cualquier cosa que tenga masa y ocupe espacio.*)

2. El proceso de investigación
Pregunta: **¿Qué procesos usan los científicos en la investigación?** (*Los procesos que usan los científicos en la investigación incluyen plantear preguntas, desarrollar hipótesis, diseñar experimentos, reunir datos y sacar conclusiones.*)

3. Peso y masa
Pregunta: **¿Cuál es la diferencia entre el peso y la masa?** (*El peso es una medida de la fuerza de la gravedad sobre un objeto. La masa es una medida de la cantidad de materia que contiene un objeto.*)

4. Estimación
Pregunta: **¿Qué es una estimación?** (*Una estimación es una aproximación basada en conjeturas razonables.*)

5. Pendiente
Pregunta: **¿Qué es una pendiente?** (*Pendiente es la inclinación de una gráfica lineal, o la razón del cambio vertical con respecto al cambio horizontal.*)

Sección 1 ¿Qué son las ciencias físicas? (págs. 6–9)

Objetivos
Al terminar esta lección, los estudiantes serán capaces de:
1.1.1 Explicar qué abarca la ciencia física.
1.1.2 Identificar las destrezas que usan los científicos para aprender acerca de la naturaleza.

Preparación para los estándares

¿Cómo rebota una pelota? (pág. 6)

Reflexiónalo Probablemente los estudiantes dirán que puesto que cada pelota por lo común tiene el mismo rebote, pueden predecir con exactitud los rebotes futuros. Algunos pueden indicar que las pelotas podrían rebotar diferente si se botaran en condiciones diferentes, tales como una superficie diferente del piso o a una temperatura ambiente diferente, o si se lanzaran en vez de botarlas.

Examina tu avance

Respuestas
Figura 1 (pág. 7) Los estudiantes deben inferir que las jóvenes probablemente ganaron el oso en un juego del parque de diversiones. La evidencia de esta inferencia es el oso y los objetos que se encuentran en el fondo de la fotografía.

Verificar la lectura (pág. 7) Las inferencias se basan en el razonamiento de lo que ya se sabe.

Examina tu avance

Respuesta

Verificar la lectura (pág. 9) El estudio de la materia, la energía, el movimiento y la fuerza y de cómo interactúan.

Evaluación
Destreza de vocabulario
Examinar la estructura del texto (pág. 9) Respuesta de ejemplo: Las ciencias físicas (física y química) son el estudio de la materia y la energía.

Repasar los conceptos clave (pág. 9)
1. **a.** Observar, inferir y predecir **b.** Las observaciones son información reunida usando uno o

más de tus sentidos. Las inferencias son explicaciones o interpretaciones de las cosas que has observado. **c.** Esta es una inferencia porque no describe una observación directa. Más bien, es una interpretación razonada basada en una observación, tal como un abrigo o un paraguas mojados.

2. **a.** El estudio de la materia, la energía y los cambios por los que atraviesan. **b.** La química y la física. **c.** Un conocimiento del sonido, incluyendo cómo se produce y cómo se propaga, sería útil para un músico. Un conocimiento de cómo se mueve la luz y cómo interactúa con los objetos sería útil para un fotógrafo. Los fotógrafos también pueden usar sustancias químicas para revelar sus fotografías.

Sección 2 Investigación científica (págs. 10–15)

Objetivos

Al terminar esta lección, los estudiantes serán capaces de:

1.2.1 Describir cómo investigan los científicos la naturaleza.

1.2.2 Explicar el papel que desempeñan los modelos, las leyes y las teorías en las ciencias.

Preparación para los estándares

¿Puedes hacer que una sombra desaparezca? (pág. 10)

Reflexiónalo Preguntas posibles: ¿Cuáles son las sombras más cortas y más largas que puedes producir? ¿Cómo es que la longitud de la sombra cambia si mueves la luz?

Examina tu avance

Respuesta

Verificar la lectura (pág. 11) Preguntas de ejemplo: ¿Cómo se crean las sombras? ¿Cómo cambia el tamaño y la ubicación de una sombra al transcurrir el día?

Examina tu avance

Respuestas

Figura 4 (pág. 12) La variable manipulada es la distancia entre el objeto y la fuente de luz.

Figura 5 (pág. 13) Los datos muestran que a medida que aumenta la distancia entre un objeto y una fuente de luz, disminuye la altura de la sombra de un objeto.

Verificar la lectura (pág. 12) Una posible respuesta a una pregunta o una explicación para un conjunto de observaciones.

Verificar la lectura (pág. 13) Una gráfica puede revelar una tendencia o un patrón en los datos.

Examina tu avance

Respuesta

Verificar la lectura (pág. 14) Una ilustración, un diagrama, una imagen de computadora u otra representación de un objeto o proceso.

Evaluación

Destreza de vocabulario

Palabras académicas de uso frecuente (pág. 15) Se mantendrían ciertos parámetros constantes en un experimento para asegurarse de que los cambios en la variable manipulada están causando los cambios en la variable respuesta.

Repasar los conceptos clave (pág. 15)

1. **a.** La investigación científica se refiere a las maneras diferentes en las que los científicos estudian la naturaleza y proponen explicaciones basadas en la evidencia que reúnen. **b.** Plantear preguntas, desarrollar hipótesis, diseñar experimentos, reunir e interpretar datos, sacar conclusiones y comunicar ideas y resultados. **c.** El conocimiento científico avanza cuando una hipótesis se prueba o se refuta. Una hipótesis que se refuta permite a los científicos estrechar las posibles explicaciones para un conjunto de observaciones, lo que permite que la atención se concentre en hipótesis alternativas.
2. **a.** Una teoría científica es una explicación bien comprobada de una gran variedad de observaciones o resultados experimentales. Una ley científica es un enunciado que describe lo que los científicos esperan que suceda cada vez que se dé una serie de condiciones determinadas. **b.** A diferencia de una teoría, una ley científica describe un patrón observado en la naturaleza sin intentar explicarlo. **c.** No puede llamarse una teoría científica, porque una teoría es una explicación para una gran variedad de resultados experimentales y debe ser apoyada por una gran cantidad de evidencia.

Sección 3 Mediciones (págs. 16–26)

Objetivos

Al terminar esta lección, los estudiantes serán capaces de:

1.3.1 Explicar por qué los científicos usan un sistema estándar de medida.

1.3.2 Identificar las unidades SI de medida para longitud, masa, volumen, densidad, tiempo y temperatura.

Preparación para los estándares

¿Cuál tiene mayor masa? (pág. 16)

Reflexiónalo Respuesta de ejemplo: Los objetos más grandes no siempre son los más pesados. Los objetos del mismo tamaño no siempre tienen la misma masa. Depende de la densidad del objeto.

Examina tu avance

Respuestas
Figura 8 (pág. 17) 100 veces más grande.

Verificar la lectura (pág. 17) 10

Examina tu avance

Respuestas
Figura 11 (pág. 21) Dividiendo entre 1,000.
Verificar la lectura (pág. 20) 10 milímetros

Examina tu avance

Respuesta
Figura 12 (pág. 22) Se debe leer la marca que se encuentra en el fondo del menisco.

Matemáticas Práctica

Repasar matemáticas: Sentido numérico 7.1.2 (pág. 24)

Respuestas
1. 0.46 g/cm^3
2. 0.94 g/mL

Examina tu avance

Respuestas
Figura 13 (pág. 24) La bola de boliche.
Figura 14 (pág. 25) La densidad de una sustancia es la misma para todas las muestras de esa sustancia. Todas las muestras de oro puro tienen una densidad de 19.3 g/cm^3. Por lo tanto, si la barra de metal tiene una densidad de 19.3 g/cm^3, el metal es oro.

Verificar la lectura (pág. 25) El objeto flotará porque tiene una densidad inferior a la densidad del agua, 1 g/cm^3.

Evaluación

Destreza clave de lectura

Examinar la estructra del texto (pág. 26) Ejemplo: ¿Qué son las unidades SI de peso y masa? Las unidades SI de peso y masa son el newton (N) y el kilogramo (kg), respectivamente.

Repasar los conceptos clave (pág. 26)
1. **a.** El Sistema Internacional de Unidades (SI). **b.** La confusión podría surgir si los científicos no toman en cuenta los dos sistemas.
2. **a.** Longitud: metro; masa: kilogramo; volumen: metro cúbico; densidad: kilogramo por metro cúbico; tiempo: segundo; temperatura: kelvin. **b.** Respuesta de ejemplo: 76 cm para la longitud de un bate de béisbol; 145 g para la masa de una pelota de béisbol. Para determinar cuán cerca están estos estimados, se puede medir la longitud de un bate y la masa de una pelota de béisbol. **c.** Para determinar la densidad de una pelota de béisbol, se siguen estos pasos: (1) Usar una pesa para medir la masa de la pelota. (2) Para calcular el volumen, sumergir la pelota en un volumen conocido de agua (en un recipiente grande), y medir cuánto sube el nivel del agua. (3) Dividir la masa entre el volumen para calcular la densidad de la pelota.
3. 6.25 g/cm^3 (6, a la cifra significativa correcta)
4. 0.781 g/cm^3 (0.8, a la cifra significativa correcta)

Laboratorio de destrezas

Darle sentido a la densidad

Analiza y concluye (pág. 27)
1. La densidad de todo el objeto debe ser igual a la densidad de cada porción.
2. Puesto que cada muestra de un material tiene la misma densidad, la densidad es una característica de ese material.
3. Si los objetos están húmedos, las medidas de masa y volumen incluirían agua, introduciendo una fuente de error.
4. Respuesta de ejemplo: Medir la masa y el volumen de cada objeto varias veces y hallar el promedio. Usar estos valores para calcular la densidad. El tener más datos proporcionaría evidencia más sólida para apoyar las respuestas a las preguntas 1 y 2.

Ciencias y sociedad

¿Debería los Estados Unidos cambiar al sistema métrico?

Tú decides (pág. 29)
1. Respuesta de ejemplo: Ventajas: El sistema métrico es fácil de usar, ya que se basa en el número 10. El resto del mundo usa el sistema métrico, y convertir a ese sistema ayudaría a

las compañías en los Estados Unidos de América que llevan a cabo comercio mundial. Desventajas: Aprender un nuevo sistema de medición pudiera ser difícil para los estadounidenses de mayor edad. El costo de convertir las máquinas y otros dispositivos sería muy alto.

2. Los estudiantes deben descubrir en su investigación que la mayoría de los países cambiaron al sistema métrico hace mucho tiempo. Por ejemplo, el Reino Unido comenzó la transición al sistema métrico en 1965. En Irlanda, la conversión todavía está en proceso; las señales carreteras tuvieron que ser convertidas de millas a kilómetros a finales de 2004. Los estudiantes podrían descubrir que algunos ciudadanos en países que se convirtieron al sistema métrico hace relativamente poco tiempo han reportado tener problemas con el aprendizaje de este sistema.
3. Algunos estudiantes pueden apoyar la conversión, mientras que otros pueden oponerse a ella. Sin importar su posición, los estudiantes deben estar preparados a apoyar su parte con hechos y argumentos bien razonados.

Sección 4 Matemáticas y ciencias (págs. 30–33)

Objetivo

Al terminar esta lección, los estudiantes serán capaces de:

1.4.1 Describir qué destrezas de matemáticas usan los científicos para reunir datos y hacer mediciones.

Preparación para los estándares

¿Cuántas canicas hay? (pág. 30)

Reflexiónalo Respuesta de ejemplo: El método que funcionó mejor fue contar y estimar las canicas en el octavo superior del frasco, y después multiplicar el resultado por 8 para determinar el número total de canicas.

Matemáticas Destrezas

Área (pág. 32)

Respuesta

7.7 cm^2

Examina tu avance

Respuestas

Figura 18 (pág. 32) Para hallar las cifras significativas en una medición, se cuenta el número de dígitos que se midieron con exactitud, más un dígito estimado. La regla utilizada para medir la baldosa puede medir con exactitud sólo un dígito. Por lo tanto, la longitud de la baldosa puede reportarse con sólo ese dígito más un dígito estimado, o dos dígitos.

Verificar la lectura (pág. 32) Todos los dígitos de un número que se han medido con exactitud, más un dígito cuyo valor se ha estimado.

Evaluación

Destreza de vocabulario

Palabras académicas de uso frecuente (pág. 33) *Significativa* significa "todos los dígitos que se han medido con exactitud más un dígito cuyo valor se ha estimado" en el término *cifras significativas*.

Repasar los conceptos clave (pág. 33)

1. **a.** Estimación **b.** Es importante ser exacto porque una medida exacta está cerca de la verdad o del valor aceptado. **c.** Tres dígitos; el último dígito en una medida es un estimado.
2. 28 cm^2

Sección 5 Gráficas en ciencias (págs. 34–41)

Objetivos

Al terminar esta lección, los estudiantes serán capaces de:

1.5.1 Explicar qué tipo de datos pueden representar las gráficas lineales.

1.5.2 Describir cómo se determina una recta de mayor aproximación o la pendiente de una gráfica.

1.5.3 Explicar por qué las gráficas lineales son herramientas importantes en ciencias.

Preparación para los estándares

¿Qué hay en una ilustración? (pág. 34)

Reflexiónalo Respuesta de ejemplo: Mostrar información de manera visual proporciona al observador una mejor comprensión de la manera en que se relacionan los datos y cómo ocurrió el cambio. Mostrar la información con palabras en forma de párrafo puede ser más confuso.

Examina tu avance

Respuesta

Figura 20 (pág. 35) Una gráfica lineal podría revelar rápidamente un patrón o tendencia a diferencia de la tabla de datos.

Examina tu avance

Respuesta

Verificar la lectura (pág. 36) Un par de números que se usan para determinar la posición de un punto en una gráfica.

Matemáticas Analizar datos

Repasar matemáticas: Álgebra y funciones 7.3.3

Viaje en auto (pág. 39)

Respuestas

1. Tiempo (min.), la variable manipulada se traza en el eje horizontal. La distancia (Km), la variable respuesta, se traza en el eje vertical.
2. El auto recorre 10 Km en 10 min y 40 Km en 40 min.
3. El auto viaja a 1 Km por min Viajaría 120 Km en 120 min.
4. La pendiente es 1 Km/min. La pendiente ofrece información acerca de la velocidad promedio del auto.

Examina tu avance

Respuestas

Figura 22 (pág. 38) Siempre que se reúnen datos, se pueden introducir errores e inexactitudes.
Figura 23 (pág. 39) La pendiente es 0.5 Km/min.

Verificar la lectura (pág. 38) Porque se daría demasiada importancia a cada punto individual en vez de a la tendencia general.

Examina tu avance

Respuestas

Figura 24 (pág. 40) Gráfica E: no hay ningún patrón en las horas que estos niños vieron televisión conforme crecen.

Verificar la lectura (pág. 40) Una gráfica en la que los puntos de datos no forman una línea recta.

Evaluación

Destreza clave de lectura

Examinar la estructura del texto (pág. 41)
Ejemplo: ¿Qué es una pendiente? La pendiente es la inclinación de una gráfica lineal.

Repasar los conceptos clave (pág. 41)

1. **a.** Tendencias y patrones **b.** Las gráficas lineales pueden mostrar la manera en que una variable (la variable respuesta) puede cambiar en respuesta a la otra variable (la variable manipulada). **c.** Sí, porque la variable manipulada (la altura) es continua.
2. **a.** Una recta de mayor aproximación enfatiza la tendencia general mostrada por todos los datos tomados en conjunto. **b.** Calcular la pendiente te indica cuántos cambios en y hay por cada cambio en x. **c.** Una gráfica lineal con una pendiente más inclinada indica que la variable respuesta cambia mucho por cada cambio en la variable manipulada. Una gráfica lineal con una pendiente más suave indica que la variable respuesta no cambia tanto con cada cambio en la variable manipulada.
3. **a.** Permiten a los científicos identificar tendencias y hacer predicciones. **b.** La gráfica D muestra un patrón repetitivo o cíclico. La gráfica A muestra una tendencia lineal.

Laboratorio de destrezas

Gráficas de densidad

Analiza y concluye (pág. 42)

1. La gráfica resultante debe ser lineal y atravesar (0, 0).
2. Los puntos de datos deben formar una línea recta con una pendiente hacia arriba.
3. Las pendientes variarán dependiendo del líquido.
4. La pendiente representa la densidad del líquido porque la densidad es igual a la masa sobre el volumen y la pendiente es igual a la distancia vertical sobre la distancia horizontal. En esta gráfica, la distancia vertical representa la masa del líquido y la distancia horizontal representa el volumen.
5. Los estudiantes deben mencionar que la densidad de una sustancia es la misma para todas las muestras.

Sección 6 Seguridad en el laboratorio de ciencias (págs. 43–47)

Objetivos

Al terminar esta lección, los estudiantes serán capaces de:

1.6.1 Explicar por qué la preparación es importante cuando se realizan investigaciones científicas en el laboratorio y en el campo.

1.6.2 Describir qué se debe hacer si ocurre un accidente.

Preparación para los estándares

¿Dónde está el equipo de seguridad en tu escuela? (pág. 43)

Reflexiónalo Respuesta de ejemplo: Es importante saber dónde se encuentra ubicado el equipo de seguridad porque en un caso de urgencia podría no haber tiempo de preguntar a un maestro o buscar el equipo.

Examina tu avance

Respuestas

Figura 26 (pág. 44) Cualesquiera tres de las siguientes: usar gafas de protección, usar guantes resistentes al calor, asegurarse de que los cables de electricidad no estén enredados y que no obstruyan el paso, usar delantal, mantener limpia y ordenada el área de trabajo, usar zapatos cerrados, manejar animales y plantas vivos con cuidado, usar guantes de hule, atar el cabello largo hacia atrás.

Verificar la lectura (pág. 45) Siempre seguir las instrucciones del maestro y del libro de texto al pie de la letra.

Examina tu avance

Respuestas

Figura 27 (pág. 46) Respuesta de ejemplo: Tener cuidado al operar maquinaria; saber a quién avisar en caso de que ocurra un accidente; seguir las instrucciones.

Verificar la lectura (pág. 46) Respuestas de ejemplo: rayos, viento, exposición al sol, al frío, al calor, picaduras de insectos y serpientes, heridas, torceduras.

Evaluación

Destreza de vocabulario

Palabras académicas de uso frecuente (pág. 47) Los pasos deben contener la información que se da en la página 46. Título de ejemplo: Procedimientos al final del laboratorio.

Repasar los conceptos clave (pág. 47)

1. **a.** Leer el procedimiento para asegurarse de comprender todas las instrucciones, y revisar las reglas de seguridad del Apéndice A **b.** Objetos afilados: siempre dirige el lado afilado o la punta lejos de ti y de otras personas. Descarga eléctrica: nunca uses equipo eléctrico cerca del agua, o cuando el equipo esté mojado o tus manos estén mojadas. Asegúrate de que los cables no estén enredados y que no obstruyan el paso. Desconecta el equipo cuando no lo utilices. Desechos: las sustancias químicas y otros materiales de laboratorio utilizados en la actividad deben desecharse de manera segura. Sigue las instrucciones de tu maestro. **c.** Tal vez sea imposible anticipar algunos de los peligros en el campo.
2. **a.** Notificar al maestro de inmediato. **b.** Cubrir la herida con un apósito limpio. Aplicar presión directa sobre la herida para detener el sangrado. **c.** Respuesta de ejemplo: Sí. La buena preparación y un comportamiento seguro pueden ayudar a la gente a evitar muchas de las circunstancias y situaciones que causan accidentes.

Repaso y evaluación (págs. 49–50)

Destreza clave de lectura

Examinar la estructura del texto (pág. 49) Respuestas de ejemplo: Una estimación es una aproximación de un número basado en conjeturas razonables; la exactitud se refiere a cuán cerca está una medida del valor real; mientras que la reproducibilidad se refiere a cuán cerca está un grupo de medidas entre sí; ¿Cómo se relacionan las cifras significativas y la precisión?; Los científicos usan cifras significativas para expresar precisión en sus mediciones y cálculos.

Repasar los términos clave (pág. 49)

1. c
2. b
3. b
4. b
5. c
6. pronostica qué pasará en el futuro con base en la experiencia anterior y la información actual.
7. los hechos, cifras y otra evidencia recabada a través de observaciones.
8. su masa por unidad de volumen.
9. el 5 y el primer 2 se han medido con exactitud, y el segundo 2 fue estimado.
10. cuanto cambia y por cada cambio en x.

Verificar los conceptos (pág. 50)

11. Ejemplo: Las ciencias físicas son el estudio de la materia, la energía y cómo cambian.
12. Una hipótesis científica debe ser comprobable para que se pueda reunir información que apoya o no la hipótesis.
13. Es importante cambiar sólo un parámetro variable al mismo tiempo en un experimento controlado para decir lo que está causando cambios observables.
14. Los científicos deben usar unidades estándar para medir en sus experimentos para que puedan comparar datos y comunicarse entre sí acerca de sus resultados.

15. Respuesta de ejemplo: Sólo cuando las mediciones son exactas y precisas, se puede estar seguro de que están cerca de los valores verdaderos o correctos, y que fueron hechas cuidadosamente usando herramientas de medición de alta calidad.
16. Respuesta de ejemplo: Es muy probable que una recta muestre la tendencia general de los datos. Trazar una línea entre puntos podría no mostrar la tendencia y hasta puede provocar inconsistencias o variaciones normales en los datos que parecen ser demasiado importantes.
17. Respuesta de ejemplo: Se debe leer todo el procedimiento, repasar las reglas de seguridad y preguntar al maestro acerca de cualquier cosa que no esté clara.

Razonamiento crítico (pág. 50)

18. El objeto B tiene mayor volumen (64 cm^3) que el objeto A (48 cm^3).
19. Respuesta de ejemplo: Cuando el agua se expande, su volumen aumenta mientras que su masa permanece igual. Por lo tanto, su densidad disminuye. Los cubos de hielo flotan en el agua porque son menos densos que el agua.
20. Respuesta de ejemplo: Porque nos apresuramos, pudimos haber cometido errores en la realización de algunos procedimientos y haber tomado medidas que fueron imprecisas e inexactas.
21. Respuesta de ejemplo: Los alimentos o bebidas podrían ser peligrosos para la salud al contaminarse con materiales en el laboratorio, y los alimentos o bebidas pudieran contaminar materiales que se usan en los experimentos.

Practicar matemáticas (pág. 50)

22. 2.5 g/cm^3
23. 204 cm^2

Aplicar destrezas (pág. 50)

24. Tiempo (min) en el eje horizontal; Distancia (m) en el eje vertical.
25. No. Durante el primer minuto, la corriente recorrió unos 65 m. Durante el segundo minuto, la corriente recorrió sólo unos 10 m. La corriente recorrió menos metros por cada minuto adicional que transcurría.
26. Respuesta de ejemplo: La corriente apenas recorrió alguna distancia.

Práctica de estándares (pág. 51)

1. B; S 8.9.b
2. B; S 8.8.b
3. D; S 8.9.d
4. A; S 8.9.c
5. B; S 8.9.a

Aplicar la gran idea (pág. 51)

6. Se puede usar la densidad de la muestra para predecir la masa de una muestra mucho más grande. Si se conoce el volumen de la muestra, multiplicarlo por la densidad para obtener la masa de la muestra. S 8.8.a, 8.9.a

Capítulo 2 La naturaleza de la materia

Verifica lo que sabes (pág. 53)

Esta pregunta evalúa la comprensión de los estudiantes sobre la conservación de la materia. (S 8.5.a)

Respuestas y explicaciones posibles

Respuesta correcta: El peso de la galleta entera y el peso total de todas las migas de la galleta es el mismo. *Explicación posible:* Sólo cambiaste la forma de la galleta al romperla, no la cantidad de materia en la galleta. *Respuestas incorrectas posibles:* La galleta entera pesa más que el peso total de las migas de la galleta. *Explicación posible:* Siempre se pierden algunos pedazos de la materia cuando se rompe o divide la materia en pedazos más pequeños.

Desarrollar el vocabulario de Ciencias

¡Aplícalo! (pág. 54)

Respuesta de ejemplo: Los estudiantes deben descubrir que *endotérmico* significa un cambio en el que se absorbe el calor.

Cómo leer en Ciencias

¡Aplícalo! (pág. 56)

Pida a los estudiantes que usen oraciones completas a medida que responden a las preguntas.
Respuesta de ejemplo:

1. Tú mismo eres materia.
2. Las cosas hechas de plástico, metal, madera, vidrio y otros materiales son materia.

Sección 1 Describir la materia (págs. 58–67)

Objetivos

Al terminar esta lección, los estudiantes serán capaces de:

2.1.1 Identificar las propiedades usadas para describir la materia.
2.1.2 Definir los elementos y explicar cómo se relacionan con los compuestos.
2.1.3 Describir las propiedades de una mezcla.

Preparación para los estándares

¿Qué es una mezcla? (pág. 58)

Reflexiónalo Respuesta de ejemplo: Una sustancia tiene un conjunto de propiedades. Una mezcla está compuesta de partes que tienen diferentes propiedades.

Examina tu avance

Respuesta

Figura 1 (pág. 59) Cada uno tiene una composición específica y un conjunto de propiedades y es un solo tipo de materia.

Actividad Destrezas

Interpretar datos (pág. 60)

Resultado esperado Agua: líquido; etanol: líquido; propano: gas; sal de mesa: sólido. Una sustancia es un sólido a temperatura ambiente si su punto de fusión es superior a 20 °C. Es un líquido si su punto de fusión es inferior de 20 °C y su punto de ebullición es superior a 20 °C. Es un gas si su punto de ebullición es inferior a 20 °C.

Examina tu avance

Respuestas

Figura 2 (pág. 60) La fusión no hace que una sustancia se transforme en otra.

Verificar la lectura (pág. 61) Una característica de una sustancia que describe su capacidad de cambiar a una sustancia diferente.

Examina tu avance

Respuestas

Figura 6 (pág. 63) 3 (1 átomo de carbono, 2 átomos de oxígeno)

Verificar la lectura (pág. 63) Una partícula integrada por dos o más átomo unidos por enlaces químicos.

Matemáticas Destrezas

Razones (pág. 64)

Respuesta

N_2O_5 contiene dos átomos de nitrógeno por cada cinco átomos de oxígeno. Tanto N_2O_5 como NO_2 están hechos sólo de átomos de nitrógeno y átomos de oxígeno. Sin embargo, los dos compuestos son diferentes porque NO_2 contiene un átomo de hidrógeno por cada dos átomos de oxígeno.

Examina tu avance

Respuestas

Figura 8 (pág. 65) Se pueden ver sus diferentes partes.

Verificar la lectura (pág. 64) Una fórmula química muestra los elementos de un compuesto y la razón de los átomos.

Evaluación

Destreza de vocabulario

Prefijos (pág. 67) Respuesta de ejemplo: Saber que el prefijo *hetero* significa "diferente" y el prefijo *homo* significa "parecido" ayuda a recordar que una *mezcla heterogénea* es una mezcla en la que se pueden ver las diferentes partes, mientras que una *mezcla homogénea* es una mezcla cuyas partes están tan bien mezcladas que todas parecen iguales.

Repasar los conceptos clave (pág. 67)

1. **a.** Las propiedades químicas pueden observarse sin cambiar las sustancias puras en otras sustancias. Las propiedades químicas sólo se pueden observar al cambiar las sustancias puras en otras sustancias. **b.** El punto de fusión es una propiedad física porque el metal todavía es la misma sustancia, sólo cambia de forma. **c.** No. El hecho de que el helio no reaccione con ningún otra sustancia es una propiedad química porque describe la capacidad del helio de cambiar (o no cambiar) en diferentes sustancias.
2. **a.** Tanto los compuestos como los elementos son sustancias puras. Cada elemento o compuesto tiene propiedades químicas y físicas específicas. Mientras los elementos son las sustancias más simples, los compuestos son sustancias constituidas por dos o más elementos. **b.** $C_6H_{12}O_6$ está constituido por elementos de carbono, hidrógeno y oxígeno.
3. **a.** Se pueden ver las diferentes partes de una mezcla heterogénea, pero las sustancias en una mezcla homogénea están tan bien mezcladas que no es posible verlas. **b.** El agua de mar es una mezcla hecha de sal, agua y muchas otras sustancias. **c.** Respuestas de ejemplo: Se puede poner algo del líquido en un recipiente abierto. Cuando el agua en la solución se evapora, el bicarbonato quedará asentado.
4. No, las fórmulas H_2O_2 y H_2O representan compuestos diferentes porque describen razones diferentes (2 : 2 y 2 : 1, respectivamente) de átomos de hidrógeno y de oxígeno. (La razón 2 : 2 también puede expresarse en su mínima expresión 1 : 1.)

Sección 2 Cambios en la materia (págs. 68–72)

Objetivos

Al terminar esta lección, los estudiantes serán capaces de:

2.2.1 Describir qué es un cambio físico.

2.2.2 Describir qué es un cambio químico.

Preparación para los estándares

¿Se formó una sustancia nueva? (pág. 68)

Reflexiónalo Respuesta de ejemplo: Al triturar la tiza sólo cambió su apariencia física. Cuando se agregó vinagre a la tiza triturada, la formación de burbujas de gas indicó que se había formado una nueva sustancia.

Examina tu avance

Respuestas

Figura 11 (pág. 69) Todavía es la misma sustancia.

Verificar la lectura (pág. 69) Cuando se derrite un cubo de hielo, sigue siendo agua.

Examina tu avance

Respuestas

Figura 13 (pág. 70) Cera

Verificar la lectura (pág. 71) La combustión involucra la rápida combinación de un combustible con oxígeno para producir nuevas sustancias.

Matemáticas Analizar datos

Repasar matemáticas: Álgebra y ecuaciones 7.1.5

¿Se conserva la materia? (pág. 72)

Respuestas

1. La masa del dióxido de carbono es inferior a la suma de las masas del oxígeno y el propano.
2. Los estudiantes deben escribir la masa "faltante" de los productos.
3. La gráfica producirá una recta.
4. 300 g.

Evaluación

Destreza clave de lectura

Identificar ideas principales (pág. 72) Respuesta de ejemplo: Los experimentos de Lavoisier; no se pierde ni se gana masa; el modelo muestra la reacción del metano y el oxígeno.

Repasar los conceptos clave (pág. 72)

1. **a.** Respuesta de ejemplo: doblar la cuchara, romperla en pedazos y derretirla. **b.** Porque no se forma una nueva sustancia. **c.** Encender un fósforo no es un cambio físico.
2. **a.** Si se forma una nueva sustancia, ocurrió un cambio químico. **b.** En la electrólisis, el agua se descompone en hidrógeno y oxígeno, dos sustancias diferentes. Cuando el agua se congela, es la misma sustancia, pero en forma diferente. **c.** Durante la oxidación, el oxígeno en el aire se combina con el hierro del clavo. El clavo oxidado tiene átomos de oxígeno que el clavo no tenía antes de oxidarse.

Sección 3 Energía y materia (págs. 73–77)

Objetivos

Al terminar esta lección, los estudiantes serán capaces de:

2.3.1 Identificar las formas de energía relacionadas con los cambios en la materia.

2.3.2 Describir cómo se relaciona la energía química con el cambio químico.

Preparación para los estándares

¿Dónde estaba la energía? (pág. 73)

Reflexiónalo El agua absorbió energía térmica cuando se quemó el malvavisco. La quema del malvavisco liberó energía y dejó un residuo negro en el fondo de la lata. Se liberó luz y energía térmica. La energía liberada había estado almacenada en el malvavisco.

Matemáticas Analizar datos

Repasar matemáticas: Álgebra y funciones 7.1.5

Comparar cambios en la energía (pág. 75)

Respuestas

1. El experimento duró 10 minutos.
2. La temperatura bajó en el vaso de precipitados B, pero aumentó en el vaso de precipitados A.
3. La reacción A es exotérmica porque se liberó energía térmica, causando un aumento en la temperatura.
4. Reacción A.

Examina tu avance

Respuestas

Figura 16 (pág. 74) La energía térmica fluirá desde el chocolate al aire y a las manos de la persona. Esto causará que la temperatura del chocolate descienda.

Verificar la lectura (pág. 75) En los enlaces químicos entre los átomos.

Examina tu avance

Respuestas

Figura 19 (pág. 76) El agua está constituida de una razón de dos átomos de hidrógeno por cada átomo de oxígeno.

Verificar la lectura (pág. 76) Una forma de energía que viaja a través del espacio en forma de ondas.

Verificar la lectura (pág. 77) Pasa de energía electromagnética a energía química

Evaluación

Destreza de vocabulario

Prefijos (pág. 77) Respuesta de ejemplo: *Endo-* significa "adentro", entonces un *cambio endotérmico* absorbe energía. *Exo-* significa "afuera", entonces un *cambio exotérmico* despide energía.

Repasar los conceptos clave (pág. 77)

1. **a.** Energía química, electromagnética, eléctrica y térmica. **b.** La energía térmica es la energía total de todas las partículas que se encuentran en un objeto. Se puede medir la temperatura en los dos vasos de agua. **c.** Se debe agregar energía térmica (en la forma de calor) para iniciar la reacción, y después continuar agregando energía.
2. **a.** Durante un cambio químico, la energía química se transforma en otras formas de energía. **b.** La energía química almacenada en el papel se transforma y se libera como energía electromagnética y energía térmica. **c.** La energía electromagnética del Sol es convertida en energía química por las plantas durante la fotosíntesis. Cuando comes verduras o productos derivados de las verduras, esta energía está disponible para tu cuerpo. Tu cuerpo convierte esta energía química en energía de movimiento cuando le das vuelta a una página.

Laboratorio de destrezas

Aislar el cobre con electrólisis

Analiza y concluye (pág. 79)

1. Los diagramas de los estudiantes deben incluir todas las partes del arreglo y deben rotularse en forma correcta.
2. El cobre sólido se forma sobre el electrodo negativo. Las burbujas de gas de cloro se forman en el electrodo positivo.
3. El cobre es un metal brillante color anaranjado. El cloro es un gas con olor irritante. La solución de cloruro de cobre es un líquido verde claro.
4. El color de la solución cambió, indicando que el cloruro de cobre cambió químicamente para formar nuevas sustancias.
5. Sí, el cloruro de cobre disuelto sufrió cambios químicos que formaron nuevas sustancias: el cobre sólido y el gas de cloro.
6. Respuesta de ejemplo: La electrólisis causó un cambio químico al romper los enlaces químicos del cloruro de cobre y separar el compuesto en cobre y cloro.

Repaso y evaluación (págs. 81–82)

Destreza clave de lectura

Identificar la idea principal (pág. 81) Revise la exactitud de los organizadores gráficos de los estudiantes. Los estudiantes deben enumerar la energía térmica, la energía química, la energía electromagnética y la energía eléctrica.

Repasar los términos clave (pág. 81)

1. a
2. c
3. b
4. d
5. b
6. tiene masa y ocupa espacio.
7. describen una capacidad de la sustancia pura para transformarse en diferentes sustancias.
8. no pueden descomponerse en ninguna otra sustancia por medios químicos o físicos.
9. la sustancia no se crea ni se destruye en ningún cambio químico o físico.
10. la energía se absorbe.

Verificar los conceptos (pág. 82)

11. Compuestos: sustancias puras constituidas de dos o más elementos combinados químicamente; elementos combinados en una razón específica; las propiedades difieren de las que presentan los elementos combinados.
    Mezclas: no son sustancias puras; hechas de dos o más elementos y/o compuestos no combinados químicamente; las partes no están combinadas en una razón específica; las sustancias mezcladas conservan las propiedades individuales.
12. En un cambio físico, la misma sustancia está presente antes y después del cambio. En un cambio químico, se producen nuevas sustancias.

13. Cada cambio físico o químico en la materia incluye un cambio en la energía.
14. Al quemar la cera se libera energía en forma de luz (energía electromagnética) y calor (energía térmica). Un cambio que despide energía es un cambio exotérmico.

Razonamiento crítico (pág. 82)

15. El ponche de frutas es una solución porque sus partes conservan sus propiedades individuales pero están mezcladas uniformemente.
16. Respuesta de ejemplo: La solución tendría un sabor salado de manera que la sal todavía se encontraría presente. Al hervir el líquido se separa el agua de la sal.
17. La reacción liberó energía. Aumentó la temperatura de la mezcla de la reacción.

Practicar matemáticas (pág. 82)

18. 2 : 5; el compuesto P_2O_5 tiene dos átomos de fósforo por cada cinco átomos de oxígeno.

Aplicar destrezas (pág. 82)

19. Los diagramas A y B representan un solo elemento porque cada uno está constituido de un solo tipo de átomo.
20. Los diagramas A, B y D representan sustancias puras. Los diagramas A y B representan elementos. El diagrama D representa un compuesto porque sus dos tipos de átomos están combinados químicamente en una razón de conjunto.
21. A: un solo tipo de átomos; D: dos tipos de átomos.
22. El diagrama C representa una mezcla porque contiene varios tipos diferentes de sustancias que no están combinadas químicamente.

Práctica de estándares (pág. 83)

1. B; S 8.3.b
2. C; S 8.5.b
3. A; S 8.3.b
4. A; S 8.5.c
5. D; S 8.5.b
6. A; S 8.5.c
7. C; S 8.3.b

Aplicar la gran idea (pág. 83)

8. Respuesta de ejemplo: En un cambio físico, como la fusión o la congelación, el agua sigue siendo la misma sustancia: el compuesto H_2O. En un cambio químico, como la electrólisis, una reacción produce productos con diferentes propiedades a las del compuesto H_2O. S 8.3.b

Capítulo 3 Sólidos, líquidos y gases

Verifica lo que sabes (pág. 85)

Esta pregunta evalúa la comprensión de los estudiantes sobre la relación que existe entre la temperatura y la energía térmica. (S 8.3.d)

Respuestas y explicaciones posibles

Respuesta correcta: La temperatura de la toalla habría aumentado. *Explicación posible:* La toalla se calentó por la energía radiante proveniente del Sol. *Respuesta incorrecta posible:* La toalla hubiera estado a la misma temperatura del aire. *Explicación posible:* la toalla está en contacto con el aire, así es que se habría enfriado por el aire que pasaba a través de ella.

Desarrollar el vocabulario de Ciencias

¡Aplícalo! (pág. 86)

Respuesta de ejemplo: *Vaporización* significa el proceso o el acto de evaporar o transformar algo en vapor.

Cómo leer en Ciencias

¡Aplícalo! (pág. 88)

Pida a los estudiantes que usen las flechas como guía para responder a cada pregunta. Respuestas de ejemplo:

1. Sólidos, Líquidos
2. Sólidos cristalinos, sólidos amorfos

Bosquejo de ejemplo de la Sección 1

II.A.1. Las partículas están comprimidas pero pueden moverse libremente y chocar; II.A.2. Un líquido tiene volumen definido pero no una forma propia; II.B. Propiedades de los líquidos; II.B.1. Tensión superficial; II.B.2. Viscosidad; III. Gases, III.A. Las partículas en un gas; III.A.1. Las partículas están libres, se mueven con independencia, y chocan con frecuencia; III.A.2. Un gas no tiene forma definida ni volumen definido.

Sección 1 Estados de la materia (págs. 90–95)

Objetivos

Al terminar esta lección, los estudiantes serán capaces de:

3.1.1 Describir el movimiento de las partículas de un sólido.

3.1.2 Describir el movimiento de las partículas de un líquido.

3.1.3 Describir el movimiento de las partículas de un gas.

Preparación para los estándares

¿Qué son los sólidos, los líquidos y los gases? (pág. 90)

Reflexiónalo Respuesta de ejemplo: Sólido: tableta, globo, botella; líquido: agua; gas: burbujas. Definiciones de ejemplo: El gas puede formar burbujas en el agua o inflar un globo; el líquido adopta la forma del recipiente que lo contiene; el sólido conserva su forma.

Examina tu avance

Respuesta

Figura 1 (pág. 90) Respuesta de ejemplo: Dura, resbalosa.

Examina tu avance

Respuestas

Figura 6 (pág. 93) Ambos tienen volúmenes definidos. Los sólidos tienen formas definidas, mientras que los líquidos no las tienen.

Verificar la lectura (pág. 92) Las partículas en un sólido cristalino están dispuestas en un patrón regular repetitivo; las partículas en un sólido amorfo no están dispuestas en un patrón regular.

Actividad Inténtalo

Espeso como la miel (pág. 94)
Resultado esperado La miel tiene la mayor viscosidad. Las partículas en el aceite están menos unidas.

Examina tu avance

Respuestas

Figura 8 (pág. 95) Las partículas de gas se separarán y moverán hacia afuera del contenedor.

Verificar la lectura (pág. 94) Tensión superficial.

Evaluación

Destreza clave de lectura

Hacer bosquejos (pág. 95) Revise la exactitud de los bosquejos de los estudiantes. Los estudiantes deben incluir información acerca de la tensión superficial y la viscosidad.

Repasar los conceptos clave (pág. 95)

1. **a.** Los sólidos tienen formas definidas y volúmenes definidos. **b.** Las partículas en un sólido vibran. **c.** Las partículas de un sólido cristalino forman un patrón regular repetitivo y se derriten a una temperatura diferente; las partículas de un sólido amorfo no están dispuestas en un patrón regular y se derriten en un rango de temperaturas.
2. **a.** Los líquidos no tienen una forma definida, pero tienen un volumen definido. **b.** Dado que sus partículas pueden moverse libremente alrededor de las demás, un líquido adopta la forma del recipiente que lo contiene. Debido a que las partículas están comprimidas, un líquido tiene un volumen definido. **c.** Debido a la tensión superficial, una aguja puede flotar en la superficie del agua; la superficie del agua actúa como una especie de piel.
3. **a.** Las partículas de un gas se mueven libremente y chocan con frecuencia.**b.** La forma y el volumen de un gas son los mismos del recipiente que lo contiene. **c.** Un gas no tiene una forma definida ni un volumen definido porque sus partículas se esparcen y se mueven libremente en todas direcciones, restringidas solamente por las paredes del recipiente que lo contiene.

Sección 2 Cambios de estado (págs. 96–101)

Objetivos

Al terminar esta lección, los estudiantes serán capaces de:

3.2.1 Explicar qué le sucede a una sustancia durante los cambios de sólido a líquido.

3.2.2 Explicar qué le sucede a una sustancia durante los cambios de líquido a gas.

3.2.3 Explicar qué le sucede a una sustancia durante los cambios de sólido a gas.

Preparación para los estándares

¿Qué sucede cuando respiras sobre un espejo? (pág. 96)

Reflexiónalo Algo empañó la superficie del espejo. Algunos estudiantes pueden explicar que la humedad de su respiración cálida se condensó en la superficie fría del espejo. A mayor distancia, la humedad de su respiración se dispersó en el aire antes de llegar a la superficie del espejo.

Examina tu avance

Respuesta

Figura 9 (pág. 97) Una joyera puede derretir la plata. La plata sólida fría entonces mantiene la forma que la joyera creó.

Actividad Inténtalo

Mantener el frío (pág. 98)
Resultado esperado El alcohol de frotar se

evapora más rápido porque enfría el termómetro más que el agua.

Examina tu avance

Respuestas

Figura 11 (pág. 99) La evaporación ocurre sólo en la superficie. La ebullición ocurre tanto en la superficie como dentro del líquido.

Verificar la lectura (pág. 98) Las partículas se mueven tan lentamente que comienzan a tomar posiciones fijas.

Matemáticas Analizar datos

Repasar matemáticas: Álgebra y funciones 7.1.5

Temperatura y cambios de estado (pág. 100)

Respuestas

1. La temperatura (°C) en el eje y, el tiempo (minutos) en el eje x
2. La temperatura se eleva de 0 °C a 100 °C
3. Segmento B: el punto de fusión del hielo; segmento D: el punto de ebullición del agua
4. El cambio de sólido a líquido; el cambio de líquido a gas
5. Las moléculas de agua en el segmento E tienen más energía térmica porque se encuentran a una mayor temperatura.

Examina tu avance

Respuestas

Figura 13 (pág. 101) Nada quedará porque todo el dióxido de carbono se sublimará y mezclará con el aire.

Verificar la lectura (pág. 101) El estado líquido.

Evaluación

Destreza de vocabulario

Sufijos (pág. 101) evaporará; vaporización

Repasar los conceptos clave (pág. 101)

1. **a.** Las partículas del sólido vibran tan rápido que se liberan de sus posiciones fijas. **b.** La energía térmica aumenta. **c.** Se debe derretir la nieve y después beberla. Si se come nieve, el cuerpo debe usar algo de su valiosa energía para transformar la nieve en un líquido.
2. **a.** El cambio de líquido a gas. **b.** La evaporación y la ebullición; en ambos, un líquido se convierte en gas. La evaporación ocurre sólo en la superficie de un líquido, mientras que la ebullición ocurre tanto en la superficie como por debajo de ella. **c.** El cuerpo suministra la energía térmica necesaria para transformar el sudor de un líquido en un gas, lo que causa que el cuerpo pierda calor y se enfríe.
3. **a.** Sublimación. **b.** Vapor de agua; el vapor de agua en el aire se enfría y se condensa cuando el hielo seco se sublima.

Laboratorio de destrezas

Hielo derretido

Analiza y concluye (pág. 102)

1. Respuesta de ejemplo: Predije que el cubo de hielo en el agua caliente se derretiría más rápido, y eso ocurrió en el experimento.
2. En el vaso con agua caliente; la mayor diferencia entre la temperatura inicial y el punto de fusión.
3. La energía térmica del agua en cada vaso. La energía agregada aumentó la libertad relativa del movimiento de las moléculas del agua.
4. Respuesta de ejemplo: Los errores podrían ser leer mal el termómetro o no medir el tiempo correctamente. Tomar la temperatura final demasiado tarde aumentará la medición del tiempo.

Sección 3 El comportamiento de los gases (págs. 103–111)

Objetivos

Al terminar esta lección, los estudiantes serán capaces de:

3.3.1 Enumerar los tipos de medidas usadas al trabajar con gases.

3.3.2 Explicar cómo se relacionan el volumen, la temperatura y la presión de un gas.

Preparación para los estándares

¿Cómo puede ayudar el aire a que la tiza no se rompa? (pág. 103)

Reflexiónalo La tiza no se rompió cuando estaba en la envoltura de plástico con burbujas. Respuesta de ejemplo: Las partículas de aire dentro de la envoltura de plástico con burbujas se comprimieron cuando pegó contra el suelo y absorbieron la fuerza del impacto.

Actividad Inténtalo

Bajo presión (pág. 105)

Resultado esperado El globo se reventará. La presión del aire dentro del globo fue mayor que la presión fuera del globo. Después de que el aire dentro del globo salió, no había nada que causara que el globo mantuviera su forma.

Examina tu avance

Respuestas

Figura 14 (pág. 104) El helio en el tanque se encuentra a una mayor presión y ocupa un menor volumen.

Verificar la lectura (pág. 105) Pascales (Pa) o kilopascales (kPa).

Examina tu avance

Respuestas

Figura 17 (pág. 106) Las partículas se mueven más rápido y se separan más.

Verificar la lectura (pág. 107) Agregando 273.

Examina tu avance

Respuestas

Figura 21 (pág. 109) El volumen aumentaría y la presión disminuiría.

Figura 22 (pág. 109) 240 kPa

Verificar la lectura (pág. 109) Volumen

Matemáticas Analizar datos

Repasar matemáticas: Álgebra y funciones 7.1.5

Hacer una gráfica del comportamiento del gas (pág. 111)

Respuestas

1. Los datos graficados definirán una línea que se inclina hacia arriba a la derecha.
2. La temperatura.
3. Lineal. Conforme aumenta la temperatura de un gas en un volumen constante, la presión del gas aumenta de manera similar.
4. Aumenta la presión del gas.

Evaluación

Destreza clave de lectura

Hacer bosquejos (pág. 111) Revise la exactitud de los bosquejos de los estudiantes. Los estudiantes deben incluir información acerca de la presión, el volumen y la temperatura.

Repasar los conceptos clave (pág. 111)

1. **a.** La presión del gas es la fuerza de su impulso hacia el exterior dividida entre el área de las paredes del recipiente que lo contiene. **b.** Conforme las partículas de gas en movimiento chocan contra las paredes de su recipiente, empujan las paredes del recipiente. **c.** Entre mayor sea el número de partículas de gas dentro de la pelota de básquetbol, habrá más choques, lo que aumentará el empuje del gas hacia el exterior.
2. **a.** A temperatura constate, cuando la presión del gas aumenta, el volumen del gas disminuye. **b.** Cuando la temperatura aumenta, las partículas del gas se mueven más rápido y chocan con las paredes de su recipiente con mayor frecuencia y fuerza. Si el recipiente es rígido, su volumen no puede cambiar, así es que la presión aumenta. **c.** Porque sabes que la temperatura aumentará, el volumen del gas en los globos también aumentará. Para evitar que la expansión reviente los globos, no los debes llenar por completo.

Laboratorio de destrezas

Es un gas

Analiza y concluye (pág. 113)

1. Las gráficas de los estudiantes deben tener los rótulos correctos. El volumen del gas debe disminuir conforme se agregan los libros.
2. Las gráficas de los estudiantes deben tener los rótulos correctos. El volumen debe aumentar conforme se quitan los libros.
3. Probablemente, las predicciones del Paso 6 se confirmen. Las predicciones del Paso 9 tal vez no se confirmen porque el volumen quizá no regrese al volumen original. Conforme se quitan los libros, el volumen del gas puede aumentar menos que lo que disminuyó por la fricción en la jeringa.
4. Respuesta de ejemplo: Las gráficas tienen más o menos la misma forma. Sin embargo, los puntos de datos son diferentes por la fricción en la jeringa.
5. Aumentar la presión (al agregar los libros) disminuye el volumen del aire en la jeringa.
6. Respuesta de ejemplo: el volumen del gas disminuye en una pequeña cantidad cada vez que se agrega un libro. Se forza a las partículas de gas a que se compriman entre sí conforme se agrega más peso. Finalmente, el volumen ya no disminuirá porque las partículas de gas están lo más cerca posible.

Repaso y evaluación (págs. 115–116)

Destreza clave de lectura

Hacer bosquejos (págs. 115) Revise la exactitud de los bosquejos de los estudiantes. Bosquejo de ejemplo para la Sección 2: I.A.1. El punto de fusión es una temperatura característica; I.A.2. La mayor energía térmica aumenta el movimiento molecular promedio; I.B.1. El punto de congelación es el mismo que el punto de fusión; I.B.2. El movimiento molecular promedio disminuye; II.A.1. La vaporización que ocurre sólo en la superficie de un líquido; II.B. Ebullición; II.C. Condensación.

Repasar los términos clave (pág. 115)

1. b
2. c
3. d
4. c
5. b
6. las sustancias que fluyen
7. la temperatura característica a la que ocurre la fusión
8. cambia a un sólido
9. cambia a un gas
10. el producto de las dos variables es una constante

Verificar los conceptos (pág. 116)

11. Las partículas de un sólido vibran en el mismo lugar.
12. Tanto los líquidos como los gases tienen partículas que se mueven libremente que pueden fluir de un lugar a otro.
13. Todos los líquidos fluyen. Sin embargo, los líquidos con alta viscosidad fluyen más lentamente que los líquidos con baja viscosidad.
14. Conforme aumenta la energía térmica, la materia cambia de sólido a líquido y de líquido a gas.
15. Respuesta de ejemplo: El hielo que se derrite es de sólido a líquido. El agua que se congela es de líquido a sólido. El agua que hierve es de líquido a gas. Las nubes que se forman es de gas a líquido.
16. Las moléculas de agua obtienen suficiente energía para convertirse en gas.
17. Las partículas de gas dentro de la pelota se encuentran a una mayor presión que el aire que se encuentra fuera de la pelota, de manera que golpean la superficie interior de la pelota más a menudo, llegan al orificio y se escapan. Entonces las partículas de gas se alejan unas de otras conforme se fugan de la pelota.
18. La presión del gas aumenta.

Razonamiento crítico (pág. 116)

19. Calentar la pelota de tennis de mesa causa que el aire dentro de ella se expanda y empuje la abolladura hacia fuera de la pelota.
20. A través de la sublimación, el sólido se convierte en un gas conforme las partículas del desodorante ambiental escapan y se mezclan con el aire que se encuentra en la habitación.
21. La gráfica será una curva que se inclina hacia abajo de izquierda a derecha, mostrando que la presión y el volumen son inversamente proporcionales.

Aplicar destrezas (pág. 116)

22. Las gráficas tendrán una recta que apunta hacia arriba y a la derecha. La temperatura se traza en el eje *x*, y la masa del compuesto disuelto se traza sobre el eje *y*. El rango de valores en cada eje debe ser razonable. Por ejemplo, en el eje *x*, la temperatura puede ir de cero a cuando menos 40 °C, en incrementos de 5 ó 10. En el eje *y*, la masa podría ir de cero a cuando menos 75 u 80 g, en incrementos de 10 ó 15.
23. Entre más se caliente el agua, más se disolverá el compuesto.
24. Se disolverán unos 85 g

Práctica de estándares (pág. 117)

1. C; S 8.5.d
2. C; S 8.3.e
3. A; S 8.3.e
4. B; S 8.3.d
5. C; S 8.9.e
6. D; S 8.3.d
7. C; S 8.5.d

Aplicar la gran idea (pág. 117)

8. Conforme las moléculas de gas dentro de la lata adquieren mayor energía térmica, se mueven más rápido y golpean los costados de la lata con mayor frecuencia y fuerza. El resultado es un aumento en la presión dentro de la lata. Conforme la presión aumenta, hay mayor peligro de que la lata explote.

Capítulo 4 Los elementos y la tabla periódica

Verifica lo que sabes (pág. 119)

Esta pregunta evalúa la comprensión de los estudiantes sobre de qué está hecha la materia. (S 8.3.b)

Respuestas y explicaciones posibles

Respuesta correcta: Un átomo es la pieza más pequeña posible de la hoja que puede identificarse como el elemento aluminio. *Explicación posible:* Un átomo es la partícula más pequeña de la que están hechos los elementos. *Respuestas incorrectas posibles:* Un protón, neutrón o electrón son las piezas más pequeñas posibles de la cadena que puede identificarse como el elemento hierro. *Explicación posible:* Los protones, neutrones y electrones son partículas que integran los átomos.

Desarrollar el vocabulario de Ciencias

¡Aplícalo! (pág. 120)
El significado de *molécula diatómica*: dos veces, el doble.
El significado del prefijo *di-* en *diatómico*: una molécula que consiste de dos átomos.

Cómo leer en Ciencias

¡Aplícalo! (pág. 122)
Pida a los estudiantes que copien el organizador gráfico y después lo completen con las respuestas.
Respuestas de ejemplo:
R. La mayoría de los elementos son metales, los cuales se representan en la tabla periódica con cuadrados en azul.
R. Un símbolo químico que aparece en rojo significa que el elemento se presenta naturalmente como un gas.
R. Los lantánidos y los actínidos se colocan debajo de la parte principal de la tabla periódica a fin de hacer la tabla más compacta y fácil de leer.

Sección 1 Introducción a los átomos
(págs. 124–130)

Objetivos
Al terminar esta lección, los estudiantes serán capaces de:
4.1.1 Describir cómo se desarrolló y cambió la teoría atómica.
4.1.2 Eescribir el modelo actual del átomo.

Preparación para los estándares

¿Qué hay en la caja? (pág. 124)
Reflexiónalo Los dibujos de los estudiantes deben ser consistentes con sus observaciones, pero tal vez no sean correctos. Los estudiantes deben explicar la manera en que sus observaciones indirectas les llevaron a identificar ciertas propiedades del objeto. Por ejemplo, un objeto redondo rodará y un objeto blando hará menos ruido.

Examina tu avance

Respuesta
Verificar la lectura (pág. 125) La partícula más pequeña de un elemento.

Examina tu avance

Respuestas
Figura 5 (pág. 127) El hueso representa el núcleo del átomo, y el resto de la fruta es el espacio que ocupan los electrones.

Verificar la lectura (pág. 126) Esparcidos por toda una pelota con carga positiva.

Actividad Inténtalo

¿A qué distancia? (pág. 128)
Resultado esperado Los estudiantes probablemente predecirán que el extremo exterior del modelo de átomo está cerca del extremo de su hoja de papel o escritorio.

Examina tu avance

Respuestas
Figura 7 (pág. 128) Ninguno; los neutrones no tienen carga

Verificar la lectura (pág. 128) En una región con apariencia de nube que rodea al núcleo.

Examina tu avance

Respuesta
Figura 10 (pág. 130) Carbono-14

Evaluación

Destreza de vocabulario

Palabras derivadas del griego (pág. 130)
Respuesta de ejemplo: La palabra griega *atomos* ("no se puede cortar") es la raíz de la palabra átomo, lo que refleja la idea de Demócrito acerca de que la materia está constituida por pequeñas piezas que no pueden ser cortadas en partes más pequeñas. La palabra moderna *átomo* significa "la partícula más pequeña de un elemento".

Repasar los conceptos clave (pág. 130)
1. **a.** Una serie de modelos se desarrolló a partir de la evidencia experimental. Conforme se recabó evidencia, la teoría y los modelos fueron modificados. **b.** El modelo del átomo de Bohr consistió de un núcleo central rodeado de electrones en órbitas específicas. Bohr dijo que los electrones podían tener sólo cantidades específicas de energía. Estro contribuyó a la idea de los niveles de energía. **c.** El modelo atómico moderno incluye un pequeño núcleo que contiene protones y neutrones. El núcleo está rodeado de una región de electrones con apariencia de nube que tiene niveles específicos de energía. A diferencia del modelo de Bohr, en el modelo atómico moderno, no se piensa que los electrones ocupen órbitas específicas. El modelo de Bohr se modificó cuando los científicos descubrieron que los electrones pueden encontrarse en cualquier lugar de una región parecida a una nube que rodea al núcleo.

2. a. Los protones, neutrones y electrones. b. El número de protones en cada átomo de ese elemento; cada elemento tiene un número atómico único porque todos los átomos de ese elemento tienen el mismo número de protones. c. Cada átomo de nitrógeno-5 contiene 7 protones, 8 neutrones y 7 electrones.

Sección 2 Organizar los elementos
(págs. 131–137)

Objetivos
Al terminar esta lección, los estudiantes serán capaces de:

4.2.1 Explicar cómo descubrió Mendeleev el patrón que llevó a la tabla periódica.

4.2.2 Describir cómo se organizan los elementos en la tabla periódica actual.

Preparación para los estándares

¿Cuál es más fácil? (pág. 131)

Reflexiónalo Los estudiantes pueden organizar las casillas por número, por color o al azar. Respuesta de ejemplo: Lleva mucho más tiempo encontrar una casilla numerada cuando las casillas no se encuentran en ningún orden.

Examina tu avance

Respuestas
Figura 12 (pág. 132) El sodio

Verificar la lectura (pág. 132) La plata y el cobre son metales brillantes que se tiznan con el aire.

Examina tu avance

Respuestas
Figura 16 (pág. 137) Un átomo de hierro tiene 26 protones

Verificar la lectura (pág. 136) Siete períodos

Evaluación

Destreza clave de lectura

Examinar visuales (pág. 137) Revise que las preguntas de los estudiantes sean adecuadas.

Repasar los conceptos clave (pág. 137)

1. a. Mendeleev organizó los elementos en orden de masa atómica ascendente. b. Descubrió que las propiedades de los elementos se repetían. c. El sodio y el potasio.
2. a. El número atómico, el símbolo químico, el nombre del elemento y la masa atómica. b. En la tabla periódica actual, se agregaron nuevos elementos y los elementos se ordenan por número atómico. c. La plata.

Sección 3 Metales
(págs. 138–145)

Objetivos
Al terminar esta lección, los estudiantes serán capaces de:

4.3.1 Enumerar las propiedades físicas de los metales.

4.3.2 Explicar cómo cambia la reactividad de los metales en la tabla periódica.

4.3.3 Explicar cómo se producen los elementos sintéticos.

Preparación para los estándares

¿Por qué usar aluminio? (pág. 138)

Reflexiónalo Respuesta de ejemplo: Las propiedades del aluminio son brillo, dureza, capacidad de doblarse y conductor de calor y la corriente eléctrica. Los estudiantes deben relacionar la función de cada objeto que examinaron con cuando menos una propiedad del aluminio.

Examina tu avance

Respuestas
Figura 17 (pág. 139) Físicas: magnetismo y maleabilidad; químicas: reactividad

Verificar la lectura (pág. 139) Las propiedades físicas incluyen brillo, maleabilidad, ductilidad, conductividad termal y eléctrica y algunas veces el magnetismo.

Matemáticas Analizar datos

Repasar matemáticas: Álgebra y funciones 7.1.5

Puntos de fusión en un grupo de elementos
(pág. 141)

Respuestas

1. Los puntos de fusión disminuyen del litio al francio.
2. El nuevo elemento 119 debe tener un punto de fusión de aproximadamente 25 °C o menos.
3. El cesio, el francio

Examina tu avance

Respuestas
Figura 18 (pág. 140) Reaccionan por medio de perder un electrón, se encuentran en la naturaleza sólo en compuestos, y son brillantes y blandos.

Verificar la lectura (pág. 140) En el Grupo 1; los metales alcalinos son el litio, el sodio, el potasio, el rubidio, el cesio, el francio.

Examina tu avance

Respuestas

Figura 23 (pág. 144) Respuesta de ejemplo: ¿Qué partículas altas en energía produce el curio, cómo se usan las partículas?

Verificar la lectura (pág. 144) Los elementos con número atómico mayor a 92; no se encuentran naturalmente en la Tierra.

Evaluación

Destreza clave de lectura

Examinar visuales (pág. 145) Revise que las preguntas de los estudiantes sean adecuadas.

Repasar los conceptos clave (pág. 145)

1. **a.** Ductilidad: la capacidad de un material para estirarse o extenderse hasta convertirse en un alambre largo; conductividad termal: la capacidad de un objeto de transferir calor **b.** Respuesta de ejemplo: La ductilidad del cobre permite hacer alambre que conduce la corriente eléctrica. **c.** Los metales son buenos conductores de calor. Las manijas de plástico o madera, que no conducen calor, protegen las manos del calor.
2. **a.** Grupo I, o metales alcalinos. **b.** Grupos 13 al 15 **c.** El cobre.
3. **a.** Los elementos nuevos se sintetizan cuando los núcleos atómicos son forzados a chocar contra el núcleo de otros elementos con suficiente energía para combinarse y resultar en un solo núcleo. **b.** El plutonio se forma al bombardear el núcleo del uranio-238 con neutrones en un reactor nuclear.

Laboratorio del consumidor

¿Cobre o carbono? Esa es la cuestión

Analiza y concluye (pág. 147)

1. El cobre es brillante, duro y flexible. El grafito es opaco, relativamente blando (mostrado en su capacidad de dejar una marca en el papel), y se rompe con facilidad (frágil).
2. El cobre se clasifica como un metal porque es duro, brillante, dúctil y un buen conductor de calor y corriente eléctrica.
3. Se controló la longitud de las muestras. Era importante controlar este parámetro para hacer una comparación exacta de la conductividad termal de las dos sustancias.
4. El grafito funcionaría mejor para cubrir el mango de una sartén porque tiene una conductividad termal menor a la del cobre.
5. Los párrafos de los estudiantes deben dar énfasis a las propiedades como flexibilidad, ductilidad y mayor conductividad eléctrica que harían al cobre la mejor opción para una instalación eléctrica.

Sección 4 No metales, gases inertes y metaloides (págs. 148–155)

Objetivos

Al terminar esta lección, los estudiantes serán capaces de:

4.4.1 Describir las propiedades de los no metales y los gases inertes.

4.4.2 Enumerar los usos de los metaloides.

Preparación para los estándares

¿Cuáles son las propiedades del carbón? (pág. 148)

Reflexiónalo Respuesta de ejemplo: El carbono es frágil, opaco, no maleable y sin brillo. El carbono no es un metal.

Examina tu avance

Respuesta

Figura 25 (pág. 149) El azufre es frágil, el nitrógeno y el oxígeno son gases, y los plásticos no conducen la corriente eléctrica. Los metales se pueden mezclar, por lo general son sólidos a temperatura ambiente y buenos conductores de la corriente eléctrica.

Examina tu avance

Respuestas

Figura 28 (pág. 151) Ambos ganan o comparten tres electrones.

Verificar la lectura (pág. 150) A la derecha de los metaloides.

Actividad Inténtalo

Muéstrame el oxígeno (pág. 152)

Resultado esperado Las burbujas se forman en el H_2O_2 después de agregar MnO_2. La tablilla de madera que brilla se vuelve a encender y se quema con luminosidad. Respuesta de ejemplo: Se produjo un gas de la reacción de un sólido y un líquido. La tablilla se volvió a encender, indicando la presencia de oxígeno.

Examina tu avance

Respuesta

Figura 29 (pág. 152) Oxígeno, 8; azufre, 16; selenio, 34; telurio, 52; y polonio, 84.

Examina tu avance

Respuestas

Figura 31 (pág. 154) Los átomos de los gases inertes por lo general no ganan, pierden o comparten electrones.

Verificar la lectura (pág. 154) Los gases nobles.

Verificar la lectura (pág. 155) El silicio.

Evaluación

Destreza de vocabulario

Palabras derivadas del griego (pág. 155) Respuesta de ejemplo: *Hals* significa "relacionado con la sal", de manera que *halógeno* significa "que forma sal".

Repasar los conceptos clave (pág. 155)

1. **a.** Gases o sólidos opacos y frágiles a temperatura ambiente; malos conductores de calor y corriente eléctrica. **b.** Los átomos de los no metales por lo general ganan o comparten electrones cuando reaccionan con otros elementos. **c.** Los gases inertes por lo general no forman compuestos. Los halógenos son en extremo reactivos, mientras que los gases inertes tienden a ser no reactivos.
2. **a.** Entre los metales y los no metales. **b.** Para hacer vidrio, materiales de limpieza y semiconductores. **c.** Su conductividad eléctrica bajo algunas condiciones pero no otras.

Laboratorio de destrezas

Tabla periódica extraterrestre

Analiza y concluye (pág. 157)

1. Consultar la columna derecha.
2. Sí. Algunas pistas identificaron una característica que corresponde a un solo elemento, como doggone que tiene 4 protones, pfsst que es el elemento más ligero, y anatom que tiene 49 electrones.
3. Algunas pistas aplican a varios elementos como las pistas acerca de un grupo, así que se necesita más información para identificar elementos específicos.
4. Aunque hay algunas excepciones al patrón, la masa atómica de los elementos por lo general aumenta conforme aumenta el número atómico.
5. La tabla periódica extraterrestre no incluye los metales de transición, los lantánidos, actínidos y los elementos que se encuentran después del número atómico 50. Respuesta de ejemplo: No es probable que algunos grupos de elementos faltaran en un lugar donde hay muchos otros elementos presentes.

1.

Tierra	Extraterrestre
hydrógeno	pfsst
helio	bombal
litio	chow
berilio	doggone
boro	ernsst
carbono	floxxit
nitrógeno	goldy
oxígeno	nuutye
flúor	apstrom
neón	logon
sodio	byyou
magnesio	zapper
aluminio	yazzer
silicio	highho
fósforo	magnificon
azufre	oz
cloro	kratt
argón	jeptum
potasio	quackzil
calcio	doadeer
galio	rhaatrap
germanio	terriblum
arsénico	sississ
selenio	urrp
bromuro	vulcania
kriptón	wobble
rubidio	xtalt
estroncio	pie
indio	anatom
estaño	eldorado

Sección 5 Elementos radiactivos (págs. 158–163)

Objetivos

Al terminar esta lección, los estudiantes serán capaces de:

4.5.1 Explicar cómo se descubrió la radiactividad.

4.5.2 Identificar los tipos de partículas y energía que puede producir la desintegración radiactiva.

4.5.3 Describir el uso de los isótopos radiactivos.

Preparación para los estándares

¿Qué ocurre cuando un átomo se desintegra? (pág. 158)

Reflexiónalo El nuevo modelo representa al helio. Tiene el número atómico 2, que es el número atómico del helio. El número de masa es 4.

Examina tu avance

Respuesta

Verificar la lectura (pág. 159) La propiedad de una sustancia de poder emitir radiación espontáneamente.

Actividad Destrezas

Predecir (pág. 161)
Resultado esperado Torio-234 (pierde 2 protones y 2 neutrones); cobre-63 (gana 1 protón y pierde 1 neutrón); xenón-131 (gana 1 protón y pierde 1 neutrón); radón-222 (pierde 2 protones y 2 neutrones)

Examina tu avance

Respuestas
Figura 37 (pág. 160) La desintegración beta produce una partícula con carga negativa.
Figura 38 (pág. 161) Rayos gamma.

Verificar la lectura (pág. 161) La radiación alfa puede causar una lesión muy parecida a una quemadura grave.

Examina tu avance

Respuesta

Verificar la lectura (pág. 162) Un isótopo radiactivo que puede seguirse mediante una reacción química o un proceso porque emite radiación.

Evaluación

Destreza de vocabulario

Palabras derivadas del griego (pág. 163) Respuesta de ejemplo: *Alpha* y *beta* son las primeras dos letras del alfabeto griego. De los tres tipos de radiación nuclear, las partículas alfa se bloquean con mayor facilidad (primero) y las partículas beta son las segundas más fáciles de bloquear (segundo).

Repasar los conceptos clave (pág. 163)

1. **a.** Cuando la radiación del material que contiene uranio expuso la película sin luz solar. **b.** Respuesta de ejemplo: La radiación producida por el uranio en el mineral provocó la formación de una imagen en la película. **c.** El matrimonio Curie descubrió dos elementos aún más radiactivos que el uranio: el polonio y el radio.
2. **a.** Tres productos de la desintegración radiactiva son las partículas alfa, las partículas beta y los rayos gamma. **b.** Los más penetrantes: gamma; los medianamente penetrantes: beta; los menos penetrantes: alfa. **c.** Se forma el aluminio-28.
3. **a.** Los isótopos radiactivos se comportan de la misma manera que las formas no radiactivas de un elemento. Los científicos pueden seguir los trazadores con el equipo que detecta radiación. **b.** La radiación gamma puede causar cambios en las células cancerosas que matan a las células.

Repaso y evaluación (págs. 165–166)

Destreza clave de lectura

Examinar visuales (pág. 165) Revise que las respuestas muestren la comprensión de los estudiantes de los tres tipos de desintegración.
Respuestas de ejemplo:
R. Desintegración radiactiva.
R. Cada diagrama representa un tipo de desintegración radiactiva (desintegración alfa, desintegración beta o desintegración gama).
R. Las flechas apuntan a los productos de la desintegración radiactiva. La flecha más corta apunta a un tipo de radiación emitida por el núcleo inestable (partícula alfa, partícula beta o rayo gamma). La flecha más larga apunta al núcleo que resulta después de pasar por una desintegración radiactiva.

Repasar los términos clave (pág. 165)

1. a
2. b
3. a
4. c
5. a
6. átomos del mismo elemento que tienen diferentes números de neutrones.
7. un arreglo de los elementos que muestra el patrón repetido de sus propiedades.
8. la capacidad de un objeto para transferir calor.
9. entre los de los metales y los no metales.
10. ser capaz de emitir radiación espontáneamente.

Verificar los conceptos (pág. 166)

11. Rutherford descubrió que un átomo es en su mayoría espacio vacío, con electrones que se mueven alrededor de un núcleo pequeño y con carga positiva que se encuentra en el centro del átomo.
12. Tienen un número diferente de neutrones, pero el mismo número de protones.
13. El número atómico del neón es 10 y la masa atómica es 4.0026 uma.
14. Respuesta de ejemplo: El flúor y el bromuro tienen propiedades similares a las del cloro.
15. Es probable que el yodo sea un mal conductor de electricidad y un sólido frágil a temperatura ambiente.
16. Los isótopos radiactivos emiten energía que puede usarse para generar electricidad. También, la radiación que emiten los isótopos les permite ser usados como trazadores en el diagnóstico y tratamiento de enfermedades.

Razonamiento crítico (pág. 166)

17. Protón: masa: cerca de una uma, ubicación: el núcleo; Neutrón: masa: cerca de una uma, ubicación: el núcleo; Electrón: masa: cerca de 1/1,836 uma, ubicación: fuera del núcleo.
18. (**A**) 28: número atómico; (**B**) Ni: símbolo químico; (**C**) Níquel: nombre; (**D**) 58.71: masa atómica.
19. La masa atómica está determinada por los porcentajes combinados de las masas de todos sus isótopos.
20. El potasio es el más reactivo. Los metales en el Grupo 1 son más reactivos que los otros metales.
21. Los materiales usados en los chips de computadoras son semiconductores, que tienen la propiedad de conducir la corriente eléctrica en algunas condiciones, y no en otras.

Aplicar destrezas (pág. 166)

22. El número atómico (eje *x*) indica el número de protones en los núcleos de cada isótopo. El número de masa es la suma del número de protones y neutrones en los núcleos. El número de neutrones puede calcularse al restar el número atómico del número de masa.
23. Cuatro elementos; dos isótopos de uranio (U-238, U-234), dos isótopos de torio (Th-234, Th-230), y un isótopo de protactinio y uno de radio (Pa-234, Ra-226).
24. La desintegración alfa; el número atómico disminuyó en 2 y el número de masa disminuyó en 4, que es lo que ocurre cuando un átomo emite una partícula alfa.
25. El torio-234 sufre una desintegración beta para formar el protactinio-234, que sufre una desintegración beta para formar uranio-234.
26. El torio-230 debe ser radiactivo porque se desintegra en radio-226.
27. Sería necesario saber qué tipo de desintegración radiactiva sufre el radón-226.

Práctica de estándares (pág. 167)

1. D; S 8.3.a
2. A; S 8.7.c
3. C; S 8.7.b
4. B; S 8.7.c
5. D; S 8.7.b
6. A; S 8.3.a
7. D; S 8.7.a

Aplicar la gran idea (pág. 167)

8. Respuesta de ejemplo: El elemento 120 sería radiactivo y probablemente tendría una reactividad similar a la de los metales alcalinotérreos (Grupo 2). S 8.7

Evaluación de la Unidad 1

Elementos químicos básicos

Conexión de las grandes ideas (pág. 169)

Respuestas

1. a
2. b
3. a
4. b
5. Cuando el agua carbonatada se congeló, la velocidad y el rango de movimiento de las moléculas de agua disminuyeron. Cuando el agua carbonatada se derritió, la velocidad y el rango de movimiento de las moléculas aumentaron. El agua carbonatada no sufrió ningún cambio químico. La congelación y el derretimiento son cambios físicos.

Unidad 2

Elementos químicos básicos

Capítulo 5 Átomos y enlaces

Verifica lo que sabes (pág. 171)

Esta pregunta evalúa la comprensión que los estudiantes sobre cómo los compuestos pueden diferir de los elementos de los que se forman. (S 8.3.b)

Respuestas y explicaciones posibles

Respuesta correcta: El agua es un líquido a temperatura ambiente. El hidrógeno y el oxígeno son gases a temperatura ambiente. *Explicación posible:* Puedo ver que el agua es un líquido a temperatura ambiente. El hidrógeno y el oxígeno están en el aire, que es una mezcla de gases. *Respuestas incorrectas posibles:* El agua es una mezcla de hidrógeno y oxígeno. *Explicación posible:* Si mezclas oxígeno e hidrógeno, forman agua.

Desarrollar el vocabulario de Ciencias

¡Aplícalo! (pág. 172)

1. símbolo
2. estructura
2. estable

Cómo leer en Ciencias

¡Aplícalo! (pág. 174)

Después de leer la Sección 2, los estudiantes pueden completar la tabla de comparar y contrastar al reconocer que la sal de mesa es un sólido a temperatura ambiente.

Después de leer la Sección 3, los estudiantes deben ser capaces de comparar los compuestos moleculares y los compuestos iónicos en términos de puntos de fusión, puntos de ebullición y conductividad. Los compuestos iónicos tienen altos puntos de fusión y ebullición, y conducen la corriente eléctrica cuando se funden o disuelven en agua. Los compuestos moleculares tienen puntos de fusión y ebullición más bajos, y son malos conductores.

Sección 1 Átomos, enlaces y la tabla periódica (págs. 176–182)

Objetivos

Al terminar esta lección, los estudiantes serán capaces de:

5.1.1 Explicar cómo se relaciona la reactividad de los elementos con los electrones de valencia de los átomos.

5.1.2 Establecer qué índica la tabla periódica acerca de lòs átomos y las propiedades de los elementos.

Preparación para los estándares

¿Cuáles son las tendencias de la tabla periódica? (pág. 176)

Reflexiónalo Tal vez los estudiantes no sepan que una fila termina y una nueva fila comienza cuando el número de electrones de valencia llegue a ocho. Sin embargo, los estudiantes pueden relacionar los cambios en el número atómico con los cambios en el número de electrones.

Examina tu avance

Respuestas

Figura 2 (pág. 177) Dos electrones más.

Verificar la lectura (pág. 177) El número de electrones de valencia que tiene un átomo.

Examina tu avance

Respuestas

Figura 5 (pág. 179) Al igual que otros elementos del Grupo 17, el cloro es reactivo porque sólo tiene que ganar un electrón para tener un conjunto estable de ocho electrones de valencia.

Verificar la lectura (pág. 179) Cada uno tiene un electrón de valencia en sus átomos.

Examina tu avance

Respuesta

Verificar la lectura (pág. 182) Porque sólo tiene un electrón de valencia como otros elementos del Grupo 1.

Evaluación

Destreza de vocabulario

Palabras académicas de uso frecuente (pág. 182) Respuesta de ejemplo: Los halógenos tienden a combinarse fácilmente con otros elementos porque ganar sólo un electrón más les da el número estable de ocho electrones.

Repasar los conceptos clave (pág. 182)

1. **a.** Los electrones que tienen la mayor energía y se mantienen con mayor libertad. **b.** Es más probable que los electrones de valencia participen en el enlace químico. Cuando los elementos reaccionan para formar compuestos, los electrones de valencia pueden transferirse de un átomo a otro o compartirse entre átomos. **c.** Cuando el oxígeno forma compuestos, los átomos de oxígeno ganan o comparten electrones de valencia, lo que da a cada átomo de oxígeno un conjunto de ocho electrones de valencia y hace más estables a los átomos.
2. **a.** Los elementos están organizados en la tabla periódica por número atómico ascendente en filas horizontales, o períodos, y grupos verticales. La posición de un elemento en la tabla brinda información acerca de las propiedades del elemento. **b.** Las propiedades de los elementos cambian en forma regular en un período porque el número de electrones de valencia cambia en un patrón que se repite en cada período. **c.** Los gases inertes son los elementos menos reactivos en la tabla periódica porque, excepto por el helio, sus átomos tienen ocho electrones de valencia. El helio es estable con dos electrones.

Laboratorio de destrezas

Comparar el tamaño de los átomos

Analiza y concluye (pág. 183)

1. Los estudiantes pudieron haber predicho correctamente que el radio de los átomos aumentará de arriba hacia abajo de un grupo.
2. Asegúrese de que los estudiantes haya hecho y rotulado sus gráficas correctamente.

3. La gráfica debe ser una curva. Los átomos con mayores números atómicos tienen radios más grandes.
4. Es probable que los estudiantes predigan que se encontraría el átomo más grande en la parte inferior del grupo. Necesitarían datos acerca de los radios atómicos de otras familias para comprobar sus predicciones.
5. Se puede usar centímetros para representar los picómetros. Si 1 centímetro representa 100 picómetros, entonces se puede mantener la escala correcta.

Tabla de datos de ejemplo			
Número atómico	Elemento	Radio (pm)	Radio relativo
4	Be	112	1
12	Mg	160	1.4
20	Ca	197	1.8
38	Sr	215	1.9
56	Ba	222	2.0

Sección 2 Enlaces iónicos
(págs. 184–189)

Objetivos
Al terminar esta lección, los estudiantes serán capaces de:

5.2.1 Explicar cómo los iones forman enlaces.

5.2.2 Explicar cómo se escriben las fórmulas y los nombres de los compuestos iónicos.

5.2.3 Identificar las propiedades de los compuestos iónicos.

Preparación para los estándares
¿Cómo se forman los iones? (pág. 184)

Reflexiónalo Antes de que se movieran las fichas rojas (electrones), cada grupo era eléctricamente neutro. El grupo que ganó una o dos fichas rojas tenía una carga de 1− ó 2−. El grupo que perdió una o dos fichas rojas tenía una carga de 1+ ó 2+. Un átomo adquiere carga positiva cuando pierde electrones y adquiere carga negativa cuando gana electrones.

Examina tu avance
Respuestas

Figura 8 (pág. 185) Dos electrones

Verificar la lectura (pág. 185) Al perder dos electrones.

Actividad Destrezas
Interpretar datos (pág. 187)

Resultado esperado Se espera que los estudiantes relacionen iones positivos y negativos en proporciones que resulten en compuestos iónicos neutrales: NaBr, Li_2O, MgS, AlF_3, KNO_3, NH_4Cl.

Examina tu avance
Respuestas

Figura 9 (pág. 186) La carga 1+ del ión de sodio está equilibrada por la carga 1− del ión de cloro.

Verificar la lectura (pág. 187) El sulfuro de potasio.

Actividad Inténtalo
Cristalino (pág. 188)

Resultado esperado El cristal aumentará en tamaño conforme los iones de sodio y cloro en la solución impregnen el hilo y unan el cristal.

Examina tu avance
Respuestas

Figura 11 (pág. 188) La atracción entre iones con cargas opuestas.

Verificar la lectura (pág. 189) Un patrón ordenado y tridimensional de partículas.

Evaluación
Destreza clave de lectura

Comparar y contrastar (pág. 189) Revise la exactitud de las tablas de los estudiantes. Asegúrese de que los estudiantes sepan que el cloruro de sodio es un conductor sólo cuando se encuentra en una solución.

Repasar los conceptos clave (pág. 189)

1. **a.** Un ión es un átomo o grupo de átomos que tiene una carga eléctrica. **b.** Un ión de sodio (Na^+) se forma cuando un átomo de sodio pierde un electrón y adquiere carga positiva. Un ión de cloro (Cl^-) se forma cuando un átomo de cloro gana un electrón y adquiere carga negativa. **c.** La atracción entre los iones positivos y negativos; un ión de sodio tiene una carga de 1+, y un ión de cloro tiene una carga de 1−.
2. **a.** La razón de iones positivos a iones negativos. **b.** El sulfuro de sodio está constituido por dos iones de sodio por cada ión de sulfuro. **c.** La fórmula es $CaCl_2$; se necesitan dos iones de cloro (Cl^-) para equilibrar un ión de calcio (Ca^{2+}).
3. **a.** Los compuestos iónicos son cristales duros y frágiles que tienen altos puntos de fusión y pueden conducir electricidad cuando se funden o en una solución. **b.** Los enlaces iónicos son fuertes debido a la atracción que existe entre iones con cargas opuestas. Esto hace que

los cristales de compuestos iónicos sean duros y frágiles y causa que los compuestos tengan altos puntos de fusión. Debido a que los iones están cargados, pueden conducir la electricidad cuando el compuesto se funde o disuelve.

Laboratorio de destrezas

Aclarar los iones

Analiza y concluye (pág. 191)

1. Los parámetros variables fueron las diferentes sustancias probadas (1 cucharada de sólido / 50 mL de líquido). Los parámetros controlados fueron 50 mL de agua de la llave y 50 mL de agua destilada.
2. Tanto el agua de la llave como el agua destilada se usaron como controles. La prueba del agua de la llave demostró que el circuito estaba funcionado, porque el agua de la llave contiene iones y conduce la electricidad. La prueba de agua destilada demostró que el agua sin iones disueltos no conduce la electricidad.
3. No; el agua de la llave es un conductor y no permitiría determinar si las sustancias disueltas también son conductores.
4. Las sustancias que los estudiantes identifican como conductores o no conductores dependerán de las sustancias probadas. Es probable que el agua de la llave, el agua salada, y cualquier otra solución de compuestos iónicos sean buenos conductores, mientras que no es probable que el aceite vegetal, la solución de sacarosa y otras soluciones de compuestos moleculares sean buenos conductores.
5. Los iones en el cloruro de sodio seco permanecen enlazados en una estructura rígida de cristales. Cuando se disuelve el cloruro de sodio, los enlaces iónicos se rompen, lo que permite que los iones se muevan libremente por la solución y lleven una carga.
6. Se espera que los estudiantes observen que una solución de sacarosa no lleva una carga y decidan que no está hecha de iones.

Tabla de datos

Ejemplo	Observaciones
Agua de la llave	Conduce la corriente
Agua destilada	No conduce la corriente
Cloruro de sodio	No conduce la correinte
Cloruro de sodio en agua	Conduce la corriente

Sección 3 Enlaces covalentes
(págs. 192–197)

Objetivos

Al terminar esta lección, los estudiantes serán capaces de:

5.3.1 Indicar qué mantiene unidos a los átomos enlazados de manera covalente.

5.3.2 Identificar las propiedades de los compuestos moleculares.

5.3.3 Explicar cómo afecta a las moléculas los electrones que se comparten en forma desigual.

Preparación para los estándares

¿Pueden mezclarse el agua y el aceite?
(pág. 192)

Reflexiónalo Definición de ejemplo: El detergente es una sustancia que permite que el aceite y el agua se mezclen. Los estudiantes pudieran sugerir que agregar detergente afecta las interacciones entre las moléculas. Acepte todas las ideas razonables, ya que la mayoría de los estudiantes no pensarán en las atracciones intermoleculares en este punto.

Examina tu avance

Respuesta

Figura 15 (pág. 193) Tres

Matemáticas Analizar datos

Repasar matemáticas: Estadísticas, análisis de datos y probabilidad 7.1.1

Comparar compuestos moleculares y compuestos iónicos (pág. 195)

Respuestas

1. Revise que las gráficas se hayan hecho y rotulado correctamente antes de que los estudiantes tracen los datos.
2. Los puntos de fusión de los compuestos moleculares son menores que los de los compuestos iónicos.
3. Los compuestos moleculares tienen fuerzas de atracción débiles entre moléculas a comparar de las que existen entre iones, así es que se necesita menos energía para fundir los compuestos moleculares.
4. Los puntos de ebullición de los compuestos moleculares son menores que los de los compuestos iónicos.
5. Los estudiantes pueden predecir que el amoníaco es un compuesto molecular porque tiene puntos de fusión y ebullición relativamente inferiores.

Examina tu avance

Respuestas

Figura 16 (pág. 194) Tres electrones cada uno.

Verificar la lectura (pág. 194) En un enlace doble, se comparten cuatro electrones. En un enlace triple, se comparten seis electrones.

Examina tu avance

Respuestas

Figura 18 (pág. 196) Las instrucciones en las que los electrones compartidos se halan con mayor fuerza.

Verificar la lectura (pág. 197) El agua: los electrones se comparten de manera desigual y la molécula se curva; el flúor: los electrones se comparten de manera igual en el único enlace.

Evaluación

Destreza clave de lectura

Comparar y contrastar (pág. 197) Revise que la tabla muestre las propiedades de los compuestos moleculares y de los compuestos iónicos analizados en esta sección y la anterior.

Repasar los conceptos clave (pág. 197)

1. **a.** La atracción del núcleo de cada átomo por los electrones compartidos. **b.** Cuatro. **c.** Un enlace doble es un enlace en el que dos átomos comparten dos pares de electrones. La Figura 16 muestra que el carbono tiene un enlace doble con cada uno de los dos átomos de oxígeno. Esto da a cada átomo un conjunto estable de ocho electrones de valencia.
2. **a.** Los puntos de fusión y ebullición de los compuestos moleculares son menores que los de los compuestos iónicos, y los compuestos moleculares no conducen bien la electricidad. **b.** Porque no tienen partículas con carga para transportar una corriente.
3. **a.** Algunos átomos en los enlaces covalentes se vuelven ligeramente negativos o positivos cuando halan más o menos con fuerza a los electrones compartidos. Estos átomos forman enlaces covalentes polares. **b.** El dióxido de carbono es no polar porque su forma de línea recta causa que dos átomos de oxígeno halen a los electrones compartidos en direcciones opuestas y se anulen entre sí. El agua es polar porque su forma curvada causa que el extremo del oxígeno de la molécula tenga una ligera carga negativa y el extremo del hidrógeno tenga una ligera carga positiva. **c.** El agua; las atracciones entre las moléculas polares del agua requieren más energía para sobrepasar las atracciones entre las moléculas no polares del dióxido de carbono.

Sección 4 Enlaces en metales
(págs. 198–203)

Objetivos

Al terminar esta lección, los estudiantes serán capaces de:

5.4.1 Explicar cómo se comparan las propiedades de los metales y de las aleaciones.

5.4.2 Describir cómo los átomos metálicos se enlazan con el metal sólido.

5.4.3 Explicar cómo resultan los enlaces metálicos en las propiedades útiles de los metales.

Preparación para los estándares

¿Todavía son lo mismo? (pág. 198)

Reflexiónalo Los dos clavos se oxidaron; el perno no se oxidó o se oxidó muy poco. El clavo estampado cambió más; el perno fue el que menos cambió. Los materiales de los clavos determinan la manera en que los clavos reaccionan al agua salada.

Examina tu avance

Respuestas

Figura 21 (pág. 199) Duro, brillante, sólido, maleable.

Verificar la lectura (pág. 199) Las aleaciones de oro son más duras y menos fáciles de doblar que el oro puro.

Actividad Inténtalo

¿Qué hacen los metales? (pág. 200)
Resultado esperado Se espera que los estudiantes puedan doblar por completo los materiales y darles otras formas.

Examina tu avance

Respuestas

Figura 23 (pág. 200) Porque los electrones de valencia están fuertemente unidos en los átomos de los no metales.

Verificar la lectura (pág. 200) Una atracción entre un ión metálico positivo y los electrones que lo rodean.

Examina tu avance

Respuesta

Verificar la lectura (pág. 202) Porque sus electrones de valencia absorben la luz y la liberan nuevamente.

Evaluación

Destreza de vocabulario

Palabras académicas de uso frecuente
(pág. 203) Respuesta de ejemplo: El modelo del "mar de electrones" de los enlaces metálicos es responsable de la capacidad de los metales para conducir la corriente eléctrica.

Repasar los conceptos clave (pág. 202)

1. **a.** Una aleación es una mezcla hecha de dos o más elementos que tiene las propiedades de un metal. **b.** El acero inoxidable se hace de hierro, carbono, níquel y cromo. **c.** Las aleaciones por lo general son más fuertes y es menos probable que reaccionen con el aire o el agua que los metales puros. Las aleaciones conservan muchas de las propiedades físicas de los metales.
2. **a.** Un enlace metálico es una atracción entre un ión metálico positivo y los electrones que lo rodean. **b.** Cada átomo metálico contribuye un ión positivo y uno o más electrones de valencia que tengan mayor libertad. Las atracciones entre los electrones de valencia y los iones positivos mantienen unidos a los átomos metálicos. **c.** Un enlace metálico es la atracción que existe entre un ión metálico positivo y los electrones que lo rodean. Un enlace iónico es la atracción que existe entre los iones positivos y negativos.
3. **a.** Las cuatro propiedades son: la capacidad de cambiar de forma, conductividad del calor, conductividad eléctrica y lustre. Los electrones de valencia que se mantienen con mayor libertad son responsables de estas propiedades. **b.** La capacidad del tungsteno metálico para conducir la corriente eléctrica y su capacidad de convertirlo en alambre lo hicieron un buen material para hacer filamentos. **c.** Una cuchara no metálica no conduce el calor a la mano, y así se evita una posible quemadura.

Repaso y evaluación (págs. 205–206)

Destreza clave de lectura

Comparar y contrastar (pág. 205)

- **a.** La atracción entre iones con cargas opuestas.
- **b.** Respuesta de ejemplo: cloruro de sodio (NaCl).
- **c.** Sí; ligeramente positivo y ligeramente negativo.
- **d.** Respuesta de ejemplo: fluoruro de hidrógeno (HF)
- **e.** Comparten por igual los electrones.
- **f.** No
- **g.** La atracción entre iones con carga positiva y los electrones que los rodean.
- **h.** Respuesta de ejemplo: el papel aluminio.

Repasar los términos clave (pág. 205)

1. a
2. c
3. a
4. c
5. d
6. la fuerza de la atracción que mantiene unidos a dos átomos como resultado del reacomodo de los electrones entre ellos
7. más de un átomo
8. iones positivos y negativos
9. partículas neutrales hechas de dos o más átomos unidos por enlaces covalentes
10. mezcla hecha de dos o más elementos, en la cual al menos uno de ellos es un metal

Verificar los conceptos (pág. 206)

11. Un elemento cuyos átomos tienen ocho electrones de valencia es menos reactivo, porque no requiere ningún electrón adicional para ser estable.
12. Porque se requiere mucha energía para romper sus fuertes enlaces iónicos.
13. Dos átomos de hidrógeno, un átomo de azufre y cuatro átomos de oxígeno.
14. Un enlace iónico se forma como resultado de una atracción entre iones con cargas opuestas. Un enlace covalente se forma cuando dos átomos comparten uno o más pares de electrones.
15. Porque cada átomo ejerce la misma atracción sobre los electrones compartidos.
16. Los electrones de valencia de los metales sólo se mantienen con libertad por los iones con carga positiva, permitiéndoles moverse libremente entre los iones y conducir la electricidad.

Razonamiento crítico (pág. 206)

17. Respuesta de ejemplo: Los elementos dentro del mismo grupo tienen el mismo número de electrones de valencia en sus átomos, y el número de electrones de valencia determina cómo reaccionan los elementos. La reactividad de los metales disminuye de izquierda a derecha en la tabla. Los elementos del Grupo 17 son los no metales más reactivos. Los elementos del Grupo 18 son los elementos menos reactivos de todos.
18. Ambas moléculas son no polares. Los átomos de oxígeno en la molécula de oxígeno ejercen

la misma atracción sobre los electrones compartidos. Los átomos de oxígeno en el dióxido de carbono ejercen su atracción más fuerte que el átomo de carbono, creando enlaces polares. Pero los átomos de oxígeno halan en direcciones opuestas, por lo que los enlaces polares se anulan entre sí.

19. Dado que el agua es polar, las moléculas de agua tienen extremos positivos y negativos. Esto causa que las moléculas de agua sean atraídas entre sí y formen un líquido a temperatura ambiente. Las moléculas no polares, que carecen de este tipo de atracción, pueden apartarse más y formar un gas a temperatura ambiente.

20. Debido a que la herradura es metálica, golpearla causa que los iones positivos del metal cambien de posición, pero los enlaces metálicos entre los iones y los electrones de valencia que se mueven libremente evitan que los iones metálicos se aparten.

Aplicar destrezas (pág. 206)

21. Habrá tres átomos de hidrógeno por un átomo de nitrógeno. Esa combinación da al átomo de nitrógeno ocho electrones de valencia y a cada átomo de hidrógeno dos electrones de valencia.

22. El sodio se puede volver más estable al perder un electrón, dejándolo con ocho electrones en su siguiente nivel.

23. El argón tiene menos probabilidad de reaccionar; tiene un conjunto estable de ocho electrones de valencia.

24. El oxígeno reaccionaría con dos átomos de sodio para formar un compuesto iónico. Un ión de óxido tiene una carga de 2− y necesita dos iones de sodio, cada uno con una carga 1+, para equilibrarlo.

25. Se forman enlaces covalentes en ambos casos. Se forma un enlace triple cuando dos átomos de nitrógeno se unen, y se forma un enlace doble cuando dos átomos de oxígeno se unen.

Práctica de estándares (pág. 207)

1. B; S 8.3.f
2. C; S 8.3.b
3. C; S 8.3.b
4. C; S 8.3.b
5. D; S 8.3.f
6. A; S 8.3.c
7. B; S 8.3.c

Aplicar la gran idea (pág. 207)

8. Electrones de valencia: potasio, 1; calcio, 4; aluminio, 3; oxígeno, 6; yodo, 7. KI, CaO, AlI_3, K_2O. S 8.3.b, 8.3.f

Capítulo 6 Reacciones químicas

Verifica lo que sabes (pág. 209)

Esta pregunta evalúa la comprensión de los estudiantes sobre la conservación de la materia. (S 8.5.b, 8.5.d)

Respuestas y explicaciones posibles

Respuesta correcta: La masa es la misma. *Explicación posible:* Cuando el hielo se derrite se conserva la materia. Ha ocurrido un cambio de estado, pero la masa es la misma. *Respuestas incorrectas posibles:* Hay menos materia cuando el hielo se derrite. *Explicación posible:* El agua tiene menos masa que el hielo.

Desarrollar el vocabulario de Ciencias

¡Aplícalo! (pág. 210)

1. concentración
2. concentración (significado científico)

Cómo leer en Ciencias

¡Aplícalo! (pág. 212)

Pida a los estudiantes que terminen cada respuesta con la puntuación final apropiada. Preguntas y respuestas de ejemplo:

1. La materia es cualquier cosa que tenga masa y ocupe espacio.
2. La materia puede describirse en términos de propiedades físicas y químicas.

Sección 1 Observar el cambio químico (págs. 214–221)

Objetivos

Al terminar esta lección, los estudiantes serán capaces de:

6.1.1 Exponer cómo se describen los cambios en la materia.

6.1.2 Explicar cómo se puede indicar cuando ocurre una reacción química.

Preparación para los estándares

¿Cómo cambia la materia? (pág. 214)

Reflexiónalo Los estudiantes tal vez digan que podían oír cómo hacía burbujas la mezcla, sentir que el vaso se enfriaba y que ya no olían el vinagre.

Examina tu avance

Respuesta

Figura 1 (pág. 215) Al llegar la primavera, la nieve se fundirá y se convertirá en agua líquida.

Actividad Inténtalo

Observar el cambio (pág. 216)

Resultado esperado Ocurre un cambio químico. El cloruro de calcio y el bicarbonato de sodio reaccionan y forman carbonato de sodio, agua, cloruro de sodio y dióxido de carbono. El gas CO_2 llena la bolsa. Los estudiantes tal vez también observen que la bolsa se sentía más caliente y que luego se enfrío.

Examina tu avance

Respuestas

Figura 3 (pág. 217) El ión de oxígeno tiene una carga 2− porque obtiene dos electrones del magnesio.

Verificar la lectura (pág. 217) Es un polvo frágil y blanco que se funde a temperaturas de más de 2,800ºC.

Actividad Inténtalo

Especialmente turbio (pág. 219)

Resultado esperado Ocurre una reacción química en el vaso con agua de cal. La evidencia es un precipitado blanco (carbonato de calcio).

Examina tu avance

Respuestas

Figura 4 (pág. 218) La evidencia podría incluir cambios en las propiedades como calor, conductividad o reactividad.

Verificar la lectura (pág. 219) Un precipitado es evidencia de una reacción química porque muestra que se ha formado una nueva sustancia.

Matemáticas Analizar datos

Repasar matemáticas: Álgebra y funciones 7.1.5

La energía en los cambios químicos (pág. 220)

Respuestas

1. A los 3 minutos, la temperatura en el frasco fue de unos 30 ºC. La primera vez que la temperatura fue de 6 ºC fue aproximadamente a los 7 minutos.
2. aproximadamente 20 ºC
3. La reacción fue endotérmica, porque absorbió la energía térmica de la reacción de la mezcla, lo que hizo que bajara la temperatura.
4. La reacción se detuvo aproximadamente a los 2 ºC. Se puede saber esto porque ésa es la temperatura más baja alcanzada.
5. Si en cambio aumentara la temperatura, la reacción sería exotérmica, porque una reacción exotérmica es aquella en la que la energía se libera.

Examina tu avance

Respuestas

Figura 5 (pág. 220) El huevo cocinado se vuelve sólido. La clara del huevo cambia de transparente a blanca. La yema se endurece y se pone de color amarillo más ligero.

Verificar la lectura (pág. 221) Una reacción endotérmica es una reacción en la que la energía se absorbe.

Evaluación

Destreza de vocabulario

Identificar significados múltiples (pág. 221)

Ejemplo: El dióxido de carbono es *materia* porque tiene masa y ocupa espacio.

Repasar los conceptos clave (pág. 221)

1. **a.** Las propiedades físicas son las que pueden observarse sin que la sustancia se convierta en otra sustancia. Las propiedades químicas son las que pueden observarse sólo cuando la sustancia se convierte en otra sustancia. **b.** Se podría preguntar si la costra negra es una nueva sustancia formada a partir de la plata y el agua. De ser así, entonces la plata sufrió un cambio químico, puesto que un cambio químico produce nuevas sustancias. **c.** Los enlaces químicos se forman entre los átomos que comparten, ganan o pierden electrones, o los enlaces se rompen y se forman nuevos enlaces.
2. **a.** El cambio de color, la formación de un precipitado, la producción de burbujas de gas, el cambio de textura u otras propiedades observables y el cambio en la energía. **b.** El huevo cocinado es sólido, mientras que un huevo crudo es líquido. La clara del huevo cocinado es blanca en lugar de transparente, y la yema cocinada es de color más claro que la yema cruda. **c.** En ambas reacciones, hay cambios en la energía. Las reacciones endotérmicas absorben la energía, en tanto que las reacciones exotérmicas liberan la energía.

Laboratorio de destrezas

¿Dónde está la evidencia?

Analiza y concluye (pág. 223)

1. Acepte todas las respuestas lógicas y debidamente explicadas que relacionan predicciones con observaciones.
2. Los estudiantes pueden señalar que no hubo más burbujas o vapor.
3. La evidencia en la Parte 1 fue la producción de burbujas de gas. La evidencia en la Parte 2 fue la producción de un sólido negro y áspero.
4. El producto de la reacción en la Parte 3 fue un sólido. Se sabe porque se produjo un precipitado verde visible.
5. Se sabe que se formaron nuevas sustancias porque cambiaron propiedades como el color y la solubilidad en las reacciones.
6. En sus cuadros o tablas, los estudiantes deben describir sus observaciones de las tres reacciones e interpretar las observaciones para determinar la evidencia de un cambio químico.

Sección 2 Descripción de las reacciones químicas (págs. 224–231)

Objetivos

Al terminar esta lección, los estudiantes serán capaces de:

6.2.1 Identificar qué información contiene una ecuación química.

6.2.2 Explicar cómo se conserva la materia durante una reacción química.

6.2.3 Explicar lo que debe mostrar una ecuación química equilibrada.

6.2.4 Mencionar los tres tipos de reacciones químicas.

Preparación para los estándares

¿Pierdes algo? (pág. 224)

Reflexiónalo Los estudiantes pueden inferir que, como la cantidad total y los tipos de monedas en la actividad, las cantidades totales y tipos de átomos no cambian durante las reacciones químicas.

Examina tu avance

Respuesta

Figura 8 (pág. 225) Que cada molécula de carbonato de calcio contiene tres átomos de oxígeno.

Actividad Inténtalo

¿Se conserva la materia? (pág. 226)

Resultado esperado La masa del recipiente y su contenido es la misma en los pasos 2 y 4. En el paso 5, la masa es menor. Después de retirar la tapa, escapa parte del gas producido.

Examina tu avance

Respuestas

Figura 10 (pág. 227) Antes de la fogata, se necesitaría medir las masas de los reactantes, de la madera y del oxígeno. Después de la fogata, se necesitaría medir las masas de los productos, cenizas, dióxido de carbono y otros gases.

Verificar la lectura (pág. 227) Un sistema cerrado es aquel en el que la materia no puede entrar ni salir.

Matemáticas Analizar datos

Repasar matemáticas: Razonamiento matemático 7.2.6

Equilibrar ecuaciones químicas (pág. 229)

Respuestas

1. $4\ Na + 0_2 \rightarrow 2\ Na_2O$
2. $Sn + C1_2 \rightarrow SnC1_2$

Examina tu avance

Respuesta

Figura 11 (pág. 230) Las figuras en lo individual representan elementos o compuestos simples, y las figuras combinadas representan compuestos más complejos.

Evaluación

Destreza de vocabulario

Identificar significados múltiples (pág. 231)
producto

Repasar los conceptos clave (pág. 231)

1. a. Las fórmulas indican los elementos y compuestos que participaron en la reacción, la flecha significa "produce" y apunta hacia los productos, y el signo de suma indica dos o más reactantes o productos. b. Los reactantes y los productos se escriben como fórmulas. Los reactantes se colocan a la izquierda de la flecha de reacción, mientras que los productos se colocan a la derecha de flecha de reacción.
2. a. En una reacción química, la cantidad de átomos permanece igual. Esto demuestra que la materia no se crea ni se destruye durante una reacción química. b. 250 g
3. a. Síntesis, descomposición y reemplazo. b. Dos. c. Síntesis
4. $2\ Fe_2O_3 + 3\ C \rightarrow 4\ Fe + 3\ CO_2$
5. $2\ SO_2 + O_2 \rightarrow 2\ SO_3$

Tecnología y sociedad

Bolsas de aire

Mide el impacto (pág. 233)

1. En una colisión es importante contener a las personas porque puede producirse la muerte o una lesión grave cuando los pasajeros chocan contra las partes duras del interior del automóvil durante una colisión.
2. Los estudiantes posiblemente aprendan que se han agregado bolsas de aire frontales del lado del pasajero de muchos autos y que algunos autos también tienen bolsas de aire laterales, lo que ayuda a proteger a las personas en las volcaduras. Además, los estudiantes posiblemente aprendan que las bolsas de aire han mejorado y ahora son más sensibles al tamaño y/o la masa de los conductores. Esto debe hacer que las bolsas de aire sean más seguras para los niños y los adultos pequeños.
3. Entre los posibles tipos de tecnología de bolsas de aire sobre los que podrían escribir los estudiantes se hallan las escalas de los asientos, las unidades ultrasónicas de las salpicaduras, los sistemas de campo eléctrico y los sensores de los asientos que leen etiquetas pegadas a los asientos de seguridad para bebés. Los párrafos de los estudiantes podrían resumir el funcionamiento de la tecnología, su etapa de desarrollo, qué tan bien protege a las personas de lesiones y cualquier inconveniente de la tecnología.

Sección 3 Control de las reacciones químicas
(págs. 234–239)

Objetivos

Al terminar esta lección, los estudiantes serán capaces de:

6.3.1 Explicar cómo se relaciona la energía de activación con las reacciones químicas.

6.3.2 Identificar los factores que afectan la velocidad de una reacción química.

Preparación para los estándares

¿Puedes aumentar o reducir la velocidad de una reacción? (pág. 234)

Reflexiónalo A temperaturas más elevadas, la vitamina C y el yodo reaccionan mucho más rápidamente.

Examina tu avance

Respuestas

Figura 12 (pág. 235) La roca cae cuando es empujada sobre el montículo, del mismo modo en que una reacción se produce cuando se genera energía de activación.

Verificar la lectura (pág. 235) Proporcionar energía de activación.

Actividad Destrezas

Interpretar datos (pág. 237)

Resultado esperado El área total original de la superficie era menor que el área total después de que se cortó el cubo. Los estudiantes pueden predecir que cortar los cubos una vez más aumentará el área total de la superficie.

Examina tu avance

Respuestas

Figura 13 (pág. 236) El pico en la curva de cada gráfica representa la energía de activación.

Verificar la lectura (pág. 236) Los reactantes tienen menos energía que los productos en las reacciones endotérmicas.

Examina tu avance

Respuestas

Figura 15 (pág. 238) Una gran concentración de ácido hace que la reacción sea más rápida en el tubo de ensayo de la derecha.

Verificar la lectura (pág. 238) Un aumento en la temperatura puede permitir que las partículas tengan más energía y así tener más probabilidades de entrar en contacto entre sí y alcanzar el nivel de energía de activación.

Evaluación

Destreza clave de lectura

Tomar notas (pág. 239) Las notas de los estudiantes deben anotarse en un organizador para tomar notas como el que se aprecia en la página 212. Respuesta de ejemplo: Las velocidades varían (las explosiones son rápidas); afectadas por el área de la superficie, la temperatura, la concentración, los catalizadores o los inhibidores.

Repasar los conceptos clave (pág. 239)

1. **a.** La cantidad mínima de energía necesaria para iniciar una reacción química. **b.** Todas las reacciones químicas necesitan cierta cantidad

de energía de activación para iniciarse. **c.** Los estudiantes podrían decir que las reacciones endotérmicas y exotérmicas necesitan un nivel similar de energía de activación para iniciarse.

2. **a.** Los químicos pueden controlar las velocidades de reacciones químicas modificando factores como el área de la superficie, la temperatura y la concentración, y usando sustancias llamadas catalizadores e inhibidores. **b.** Los cristales de azúcar, porque se exponen más partículas de azúcar que en un cubo de azúcar.

Laboratorio de destrezas

Temperatura y actividad de las enzimas

Analiza y concluye (pág. 241)

1. Los tiempos promedio deben disminuir de 0 °C a temperatura ambiente a 37 °C, sin reacción a los 100 °C.
2. Revise que los estudiantes hayan rotulado correctamente ambos ejes y que hayan usado las escalas apropiadas. Los datos de la tercera columna de su tabla de datos deben estar representados en la gráfica.
3. Las respuestas pueden variar dependiendo de las hipótesis de los estudiantes. Los datos mostrarán que la reacción es más rápida a 37 °C. Los estudiantes tal vez hayan predicho que la reacción ocurriría más rápido a la temperatura más elevada, 100 °C.
4. Una velocidad de reacción más lenta dará como resultado un período más prolongado para que el disco se eleve hasta la parte superior del tubo invertido.
5. Los estudiantes podrían llegar a la conclusión de que la enzima muestra poca actividad a 0 °C, más actividad a temperatura ambiente, la actividad más elevada a la temperatura corporal normal de 37 °C y ninguna actividad a 100 °C.
6. Es probable que los estudiantes predigan que a 10 °C, la enzima mostraría más actividad que a 0 °C, pero menos actividad que a temperatura ambiente. Podrían predecir que a 60 °C la enzima mostraría menos actividad que a temperatura corporal, y a 70 °C mostraría menos actividad que a 60 °C.
7. La catalasa es más efectiva descomponiendo peróxido de hidrógeno a 37 °C, que es la temperatura corporal normal. En consecuencia, el peróxido de hidrógeno no se acumula ni daña las células.

Sección 4 Fuego y seguridad contra incendios (págs. 242–245)

Objetivos

Al terminar esta lección, los estudiantes serán capaces de:

6.4.1 Enumerar las tres cosas necesarias para mantener un fuego.

6.4.2 Explicar por qué se debe saber sobre las causas de los incendios y cómo prevenirlos.

Preparación para los estándares

¿Cómo afecta el bicarbonato de sodio al fuego? (pág. 242)

Reflexiónalo Los estudiantes posiblemente digan que el dióxido de carbono producido por la reacción química sofocó la flama de la vela privándola de oxígeno.

Examina tu avance

Respuestas

Figura 17 (pág. 243) El cierre de los orificios de ventilación de abajo haría que el fuego se extinguiera porque lo privaría de oxígeno.

Verificar la lectura (pág. 243) El papel del calor para que se inicie un incendio consiste en proporcionar la energía de activación necesaria para iniciar la reacción de combustión.

Examina tu avance

Respuestas

Figura 18 (pág. 244) Los detectores de humo se encuentran en cada piso porque el fuego puede iniciarse en cualquier piso, y cuanto más próximo esté el detector de humo de la fuente del humo, más pronto se activará.

Verificar la lectura (pág. 245) El bicarbonato de sodio apaga el fuego porque produce dióxido de carbono que es un gas que sofoca el fuego.

Evaluación

Destreza de vocabulario

Tomar notas (pág. 245) Respuesta posible: Recordar el triángulo del fuego; prevenir problemas: casa preventiva de incendios.

Repasar los conceptos clave (pág. 245)

1. **a.** Combustible, oxígeno y calor. **b.** El triángulo muestra que eliminar cualquiera de los tres elementos necesarios para el fuego permite extinguir o prevenir un incendio. **c.** Eliminar

los árboles interrumpe la fuente de combustible que necesita el incendio.

2. **a.** Saber qué produce el fuego y cómo impedir los incendios te da una forma de reducir los riesgos y aumentar la seguridad de tu familia. **b.** Calentadores pequeños, cocinar y cables eléctricos en mal estado. **c.** Los estudiantes deben describir las medidas que pueden emprenderse para prevenir incendios producidos por calentadores pequeños, cocinar y cables eléctricos en mal estado. Por ejemplo, podrían decir que cuando el cableado eléctrico lo instala un electricista profesional puede prevenirse los incendios ocasionados por cables eléctricos en mal estado.

Repaso y evaluación (págs. 247–248)

Destreza clave de lectura

Tomar notas (pág. 247) El organizador para tomar notas de los estudiantes debe contener pistas y preguntas y oraciones de resumen extraídas de los títulos de la Sección 2 que les ayuden recordar. Fila de ejemplo: ¿Qué es la conservación de la materia? El principio que establece que la materia no se crea ni se destruye durante una reacción química.

Repasar los términos clave (pág. 247)

1. b
2. d
3. b
4. a
5. c
6. b
7. los átomos se reordenan para formar nuevas sustancias con diferentes propiedades químicas y físicas
8. sufren un cambio en la reacción
9. durante una reacción química, la materia no se crea ni se destruye
10. la cantidad de sustancia en un determinado volumen

Verificar los conceptos (pág. 248)

11. Dos tipos de cambios son los cambios físicos y los cambios químicos. Un cambio físico no convierte una sustancia en otra sustancia. Un cambio químico convierte una sustancia en otra.
12. No se pueden cambiar los subíndices porque eso modifica la identidad de las sustancias.
13. No contradice el principio de conservación de la materia. No todos los reactantes y los productos se midieron, de modo que es imposible decir si la cantidad total de masa cambió o permaneció igual.
14. Las enzimas disminuyen la energía de activación necesaria para que ocurran las reacciones químicas en tu cuerpo. Por ello, las reacciones tienen lugar a temperaturas corporales normales que son seguras para ti.
15. El agua cubre el combustible, lo que impide que entre en contacto con el oxígeno. Además, la evaporación del agua usa una gran cantidad de calor, lo que hace que el fuego se enfríe.
16. Los inhibidores disminuyen la velocidad de reacción, como la descomposición del alimento. La acción de mayor parte de los inhibidores consiste en impedir que se unan los reactantes.

Razonamiento crítico (pág. 248)

17. Los estudiantes tal vez digan que pintarían el acero o lo cubrirían con alguna otra cubierta protectora para impedir que el acero entre en contacto con el agua y la sal.
18. **a.** Reemplazo **b.** Síntesis **c.** Descomposición **d.** Síntesis
19. Respuesta de ejemplo: Abrir la puerta hace que entre de pronto oxígeno en la habitación. El oxígeno adicional permite que el fuego crezca.
20. Respuesta de ejemplo: Las estatuas talladas con detalles ofrecen más área de superficie para que la lluvia ácida reaccione con ella.

Practicar matemáticas (pág. 248)

21. $MgO + 2\,HBr \rightarrow MgBr_2 + H_2O$
22. $2\,N_2 + 5\,O_2 \rightarrow 2\,N_2O_5$
23. $C_2H_4 + 3\,O_2 \rightarrow 2\,CO_2 + 2\,H_2O$
24. $Fe + 2HCl \rightarrow FeCl_2 + H_2$

Destrezas aplicadas (pág. 248)

25. La energía de los productos es mayor que la energía de los reactantes.
26. La reacción es endotérmica.
27. El uso de un catalizador podría explicar que la "joroba" está más baja en la segunda gráfica, debido a que un catalizador es un material que disminuye la energía de activación.

Práctica de estándares (pág. 249)

1. B; S 8.5.a
2. C; S 8.5.c
3. D; S 8.5.b
4. B; S 8.5.c
5. C; S 8.5.c
6. A; S 8.5.b

Aplicar la gran idea (pág. 249)

7. $CH_4 + 2O_2 \rightarrow CO_2 + 2H_2O$. La combustión del metano es un cambio químico porque los átomos se reordenan y forman sustancias nuevas con diferentes propiedades químicas y físicas. Este cambio libera calor. S 8.5

Capítulo 7 Ácidos, bases y soluciones

Verifica lo que sabes (pág. 251)
Esta pregunta evalúa la comprensión de los estudiantes sobre las soluciones. (S 8.5.e)

Respuestas y explicaciones posibles
Respuesta correcta: Sí. Se puede hervir el agua salada o dejar descubierto el vaso y exponer el agua salada al aire. *Explicación posible:* El agua se evaporará y la sal se quedará. *Respuestas incorrectas posibles:* No. El agua salada es una solución. *Explicación posible:* Las sustancias en una solución no pueden separarse.

Desarrollar el vocabulario de Ciencias

¡Aplícalo! (pág. 252)
1. saturada
2. saturación

Cómo leer en Ciencias

¡Aplícalo! (pág. 254)
Pida a los estudiantes que usen el bosquejo para hallar las respuestas a las preguntas. Respuestas de ejemplo:
1. ¿Qué es una solución?; coloides y suspensiones
2. La definición en el texto es más completa e incluye las palabras "la parte de una solución".

Sección 1 Entender las soluciones
(págs. 256–261)

Objetivos
Al terminar esta lección, los estudiantes serán capaces de:
7.1.1 Exponer las características de las soluciones, los coloides y las suspensiones.
7.1.2 Describir qué les sucede a las partículas de un soluto cuando se forma una solución.
7.1.3 Explicar cómo afectan los solutos al punto de congelación y al punto de ebullición de un solvente.

Preparación para los estándares

¿Qué convierte a una mezcla en una solución?
(pág. 256)

Reflexiónalo En la primera mezcla, el papel es visible. En la segunda mezcla, la sal se disuelve y forma una mezcla clara. Los estudiantes podrían decir que la arena y el agua son similares al papel y el agua y que el azúcar y el agua son similares a la sal y el agua. Acepte cualquier otra respuesta apropiada.

Examina tu avance

Respuestas
Figura 1 (pág. 257) Los solutos son cromo, níquel y carbón; el solvente es hierro

Verificar la lectura (pág. 257) Agua

Actividad Inténtalo

Luz que se dispersa (pág. 258)
Resultado esperado La luz se proyectará a través de la solución de agua salada pero las partículas más grandes en la gelatina la dispersarán.

Examina tu avance

Respuestas
Figura 2 (pág. 258) En la suspensión.

Verificar la lectura (pág. 259) Una solución de un compuesto iónico disuelto en agua.

Actividad Destrezas

Diseñar experimentos (pág. 260)
Resultado esperado Diseño de ejemplo: Hacer dos muestras de soluciones que sólo difieran en cuanto a la masa del soluto; ponerlas en un calentador; medir la temperatura cuando comience la ebullición. La cantidad de agua, el tipo de soluto y la cantidad de calor deben permanecer constantes. La variable manipulada es la masa del soluto. La variable respuesta es el punto de ebullición. Aumentar la masa del soluto elevará el punto de ebullición.

Examina tu avance

Respuestas
Figura 5 (pág. 261) El refrigerante actúa elevando el punto de ebullición y reduciendo el punto de congelación del agua.

Verificar la lectura (pág. 261) Más bajo

Evaluación

Destreza de vocabulario

Identificar formas de palabras relacionadas (pág. 261) solución, soluto

Repasar los conceptos clave (pág. 261)
1. **a.** Una solución es una mezcla homogénea que contiene un solvente y por lo menos un soluto que tiene las mismas propiedades generales.
   b. Las soluciones tienen las partículas más pequeñas, y las partículas se distribuyen de modo uniforme y son demasiado pequeñas para desviar la luz. Los coloides tienen partículas mucho más grandes que desvían la luz, pero

no la filtran. Las suspensiones tienen las partículas más grandes. Las partículas son lo suficientemente grandes que pueden verse y separarse fácilmente colándolas o filtrándolas. **c.** Si la mezcla es uniforme todo el tiempo, es una solución. Las partículas del colorante para alimentos son demasiado pequeñas para poder verlas o para separarlas con facilidad.

2. **a.** Cuando se forma una solución, las partículas del soluto se separan y las rodean las partículas del solvente. **b.** Paso 1: la sal se disuelve. Paso 2: las moléculas de agua rodean y separan los iones positivos y negativos. Paso 3: la solución de compuestos iónicos en el agua conduce la electricidad.
3. **a.** Los solutos hacen que baje el punto de congelación y elevan el punto de ebullición de un solvente. **b.** Una razón es que el agua del océano tiene sal disuelta en ella. **c.** Agregar sal al hielo forma una solución que tiene un punto de congelación más bajo que el agua.

Sección 2 Concentración y solubilidad
(págs. 262–267)

Objetivos
Al terminar esta lección, los estudiantes serán capaces de:

7.2.1 Describir cómo se mide la concentración.

7.2.2 Explicar por qué la solubilidad es útil para identificar las sustancias.

7.2.3 Identificar los factores que afectan la solubilidad de una sustancia.

Preparación para los estándares

¿Se disuelve? (pág. 262)

Reflexiónalo La capacidad para disolver no se relaciona con el hecho de que una sustancia sea sólida o líquida. Algunos sólidos y líquidos se disuelven fácilmente, otros no.

Matemáticas Destrezas

Calcular una concentración (pág. 263)

Respuesta 33%

Examina tu avance

Respuestas
Figura 6 (pág. 263) Saturada

Verificar la lectura (pág. 263) Cambiando la cantidad de soluto o solvente.

Actividad Destrezas

Predecir (pág. 264)
Resultado esperado Es probable que los estudiantes predigan que en el agua caliente se disolverá más bicarbonato de sodio que en el agua fría.

Examina tu avance

Respuestas
Figura 7 (pág. 264) El azúcar de mesa es la más soluble. El dióxido de carbono es el menos soluble.

Verificar la lectura (pág. 264) Cuánto puede disolverse un soluto en un solvente a una determinada temperatura; algunos estudiantes tal vez digan que la solubilidad puede usarse para ayudar a identificar una sustancia porque es una propiedad característica de la materia.

Matemáticas Analizar datos

Razonamiento matemático: Álgebra y funciones 7.1.5

Temperatura y solubilidad (pág. 266)

Respuestas
1. KNO_3 es menos soluble a 0 °C.
2. Se necesitan aproximadamente 65g de KNO_3 para saturar una solución de agua a 40 °C.
3. KNO_3 es casi el doble de soluble a 40 °C que a 20 °C.
4. No; la curva muestra que la solubilidad aumenta a una tasa mayor con cada incremento de 20 °C en la temperatura.

Examina tu avance

Respuestas
Figura 10 (pág. 266) El azúcar forma cristales porque es menos soluble a menores temperaturas.

Verificar la lectura (pág. 267) Disminuye

Evaluación

Destreza de vocabulario

Identificar formas de palabras relacionadas (pág. 267) Respuesta de ejemplo: *Solubilidad*: describe una medida que puedes hacer para indicar cuánto soluto puedes disolver antes de que una *solución* se sature. El adjetivo describe una propiedad del sustantivo.

Repasar los conceptos clave (pág. 267)

1. **a.** La cantidad de soluto disuelta en cierta cantidad de un solvente o una solución. **b.** La cantidad de un soluto se compara con la cantidad de solvente o la cantidad total de solución. **c.** No, porque desconoces la cantidad de solvente o la cantidad total de la solución.
2. **a.** La solubilidad es una medida de cuánto soluto puede disolverse en un solvente a una determinada temperatura. **b.** Como la solubilidad es una propiedad característica de la materia, tal vez puedas identificar una sustancia desconocida comparando su solubilidad con la solubilidad de sustancias conocidas. **c.** El azúcar es aproximadamente cinco veces más soluble.
3. **a.** Tres factores que afectan la solubilidad son la presión, el tipo de solvente y la temperatura. **b.** La solubilidad de la mayor parte de los sólidos es mayor a temperaturas más elevadas. **c.** A una temperatura más baja, el azúcar tiene menor solubilidad, de modo que parte del azúcar sale de la solución.
4. 9%
5. 350g

Sección 3 Descripción de los ácidos y las bases (págs. 268–273)

Objetivos

Al terminar esta lección, los estudiantes serán capaces de:

7.3.1 Mencionar las propiedades de los ácidos y las bases.

7.3.2 Identificar dónde se usan comúnmente los ácidos y las bases.

Preparación para los estándares

¿De qué color se vuelve el papel de tornasol? (pág. 268)

Reflexiónalo El jugo de limón, el jugo de naranja y el vinagre convierten el papel de tornasol azul en rojo. El amoníaco, el jabón y el bicarbonato de sodio convierten el papel de tornasol rojo en azul. El agua de la llave y el agua salada no tienen efecto. Los estudiantes posiblemente digan que los ácidos saben agrios y que las bases se sienten resbalosas.

Examina tu avance

Respuesta

Figura 12 (pág. 269) Gas de hidrógeno

Examina tu avance

Respuestas

Figura 13 (pág. 270) El líquido no es un ácido.

Verificar la lectura (pág. 270) El papel de tornasol se hace recubriendo tiras de papel con tornasol, un tinte hecho a partir de líquenes.

Verificar la lectura (pág. 271) Probarlo con papel de tornasol rojo. Una base convertirá el papel de tornasol rojo en azul.

Examina tu avance

Respuesta

Verificar la lectura (pág. 272) La vitamina C (ácido ascórbico) o el ácido fólico.

Evaluación

Destreza de vocabulario

Identificar formas de palabras relacionadas (pág. 273) Respuesta de ejemplo: Al conocer el significado de *corroer* se puede determinar el significado del adjetivo *corrosivo*, "que tiende a desgastar".

Repasar los conceptos clave (pág. 273)

1. **a.** Los ácidos saben agrios, reaccionan con los metales, reaccionan con los carbonatos y convierten el papel de tornasol azul en rojo. **b.** Un ácido convierte el papel de tornasol azul en rojo. Una base convierte el papel de tornasol rojo en azul. **c.** Si un alimento contiene un ácido, puede saber agrio.
2. **a.** Respuesta de ejemplo: Los ácidos se usan para limpiar ladrillos y metales, para cambiar el sabor de los alimentos y para hacer fertilizantes. Las bases se usan en los limpiadores, en los productos horneados y en la fabricación de cemento. **b.** En tu propia casa, tienes más probabilidades de hallar ácidos en los alimentos y en algunos limpiadores. Las bases pueden encontrarse en alimentos y en los productos de limpieza y jardinería. **c.** Porque el fertilizante contiene ácidos que pueden irritar la piel.

Sección 4 Ácidos y bases en solución (págs. 274–279)

Objetivos

Al terminar esta lección, los estudiantes serán capaces de:

7.4.1 Exponer qué tipos de iones forman los ácidos y las bases en el agua.

7.4.2 Explicar qué indica el pH sobre una solución.

7.4.3 Describir qué sucede en una reacción de neutralización.

Preparación para los estándares

¿Qué puede indicarte el jugo de repollo? (pág. 274)

Reflexiónalo Los ácidos hacen que el jugo de repollo rojo parezca rojo. Las bases convierten el jugo de repollo rojo en verde.

Examina tu avance

Respuestas

Figura 17 (pág. 275) Comienzan con hidrógeno.

Verificar la lectura (pág. 275) Los iones de hidrógeno reaccionan con el papel de tornasol azul volviéndolo rojo.

Actividad Inténtalo

Predicciones de pH (pág. 276)

Resultado esperado Clasificación de ejemplo de las sustancias del pH más bajo al más alto: jugo de naranja, café / té, agua carbonatada, antiácido. A los estudiantes tal vez les sorprenda la elevada acidez de algunos alimentos.

Examina tu avance

Respuestas

Figura 20 (pág. 277) Básica

Verificar la lectura (pág. 277) La base débil produciría menos iones hidróxido en solución.

Examina tu avance

Respuestas

Figura 21 (pág. 278) El color que el papel del pH convierte en cada una de esas soluciones.

Verificar la lectura (pág. 279) Una sal es cualquier compuesto iónico que puede formarse por la neutralización de un ácido con una base.

Evaluación

Destreza clave de lectura

Hacer bosquejos (pág. 279) La fortaleza de los bosquejos de los estudiantes se reflejará en sus respuestas a las preguntas de Repasar los conceptos clave.

Repasar los conceptos clave (pág. 279)

1. **a.** Hidrógeno **b.** Los ácidos forman iones de hidrógeno; las bases forman iones de hidróxido. **b.** HNO_3 formará H^+ y iones NO_3^-.
2. **a.** El pH expresa la concentración de iones de hidrógeno en una solución. **b.** Menos.**c.** No; aún seguirá siendo un ácido fuerte porque la concentración de iones H^+ sigue siendo elevada en relación con la cantidad de HCl en la solución.
3. **a.** Un ácido y una base **b.** Un ácido reacciona con una base y produce una sal y agua **c.** HCl

Laboratorio del consumidor

La prueba del antiácido

Analiza y concluye (pág. 281)

1. La solución de anaranjado de metilo indica si una solución es ácida o neutra.
2. Las respuestas pueden variar dependiendo de las predicciones de los estudiantes. Si los estudiantes predijeron que el anaranjado de metilo cambiaría de rojo a amarillo al agregarse el antiácido, entonces su predicción probablemente se base en sus observaciones.
3. Los estudiantes podrían decir que los antiácidos son bases que reaccionan con los ácidos para neutralizar el ácido estomacal. La variable manipulada es el antiácido utilizado. La variable respuesta es la cantidad de antiácido usada para neutralizar el ácido.
4. La cantidad de ácido debe controlarse para saber que cualquier diferencia en la acidez resultante tiene que deberse a los antiácidos.
5. Las respuestas pueden variar dependiendo de los antiácidos probados. Los estudiantes tal vez digan que el antiácido que neutralizó el ácido que tenía la menor cantidad de gotas contenía una base mucho más fuerte o más concentrada.
6. El antiácido que neutralizó el HCl que tenía la menor cantidad de gotas puede neutralizar al más ácido.
7. Si los estudiantes encuentran diferencias en la cantidad de gotas de diferentes antiácidos necesarios para neutralizar el ácido, podrían llegar a la conclusión de que el que necesitaba la menor cantidad de gotas era el más efectivo. Sin embargo, algunos estudiantes tal vez digan que los antiácidos podrían actuar en forma diferente en el cuerpo, lo que hace que resulte difícil sacar conclusiones sobre cuál fue más efectivo.
8. Los folletos de los estudiantes podrían explicar la forma en que los antiácidos neutralizan el ácido que causa la acidez estomacal y la indigestión. También podrían incluir una tabla de

datos o una gráfica que muestre los resultados de sus pruebas para demostrar por qué su marca es más efectiva.

Repaso y evaluación (págs. 283–284)

Destreza clave de lectura

Hacer bosquejos (pág. 283) I. C. Reacciona con carbonatos. D. Convierte el papel de tornasol azul en rojo; II. A. Sabe más amargo, B. Se siente resbaloso. C. Convierte el papel de tornasol rojo en azul.

Repasar los términos clave (pág. 283)

1. b
2. b
3. c
4. a
5. c
6. partículas de soluto (moléculas o iones) que son demasiado pequeñas para verse
7. las partículas de la pimienta pueden verse y separarse fácilmente colándolas o filtrándolas
8. convierte el papel de tornasol azul en rojo
9. el jabón sabe más amargo, se siente resbaloso, convierte el papel de tornasol rojo en azul y produce iones de hidróxido en el agua
10. cambia el color cuando entra en contacto con un ácido o una base

Verificar los conceptos (pág. 284)

11. No se podría proyectar una luz a través de ellos. La luz atraviesa una solución sin desviarse, pero un coloide desvía la luz.
12. Una solución concentrada de agua con azúcar contiene más soluto en relación con la cantidad de solvente que una solución diluida. Una solución concentrada también sabe más dulce y tiene un punto de congelación más bajo y un punto de ebullición más alto.
13. Respuesta de ejemplo: El jugo de tomate convertiría el papel de tornasol azul en rojo, y éste reaccionaría con una base.
14. Un indicador es un color diferente en un ácido que en una base.
15. Un ácido fuerte podría tener un pH de 1, 2 ó 3.
16. El ácido clorhídrico (HCl) y el hidróxido de sodio (NaOH) se combinan y forman la sal cloruro de sodio (NaCl).

Razonamiento crítico (pág. 284)

17. La solubilidad de un gas disminuye conforme se reduce la presión. Cuando un buzo sale de una inmersión, la presión disminuye y el nitrógeno se vuelve menos soluble. Si el buzo saliera demasiado rápido, el nitrógeno se separaría de la solución en la sangre, formando burbujas de gas y se produciría como resultado el "aeroembolismo".
18. La solubilidad de un gas es menor a temperaturas más elevadas. Cuando se calienta el agua fría a temperatura ambiente, disminuye la solubilidad de los gases disueltos en el agua, haciendo que algunos de los gases disueltos se separen de la solución.
19. Con base en los cambios en el papel de tornasol, un líquido es un ácido y el otro es una base. Cuando reaccionan, forman una solución neutra de sal en agua. Esta reacción se llama neutralización.
20. Un ácido forma iones de hidrógeno (H^+) en una solución de agua. Una base forma iones de hidróxido (OH^-) en una solución de agua.
21. KCl
22. CA^- y OH^+

Practicar matemáticas (pág. 284)

23. 100 g
24. 50 mL

Aplicar destrezas (pág. 284)

25. Se puede decir que la solución contiene un ácido débil porque muy pocas partículas de ácido se han descompuesto en iones de hidrógeno y iones negativos.
26. Los cubos amarillos y los círculos azules impares representan iones.
27. Los diagramas de los estudiantes deben mostrar que la mayor parte o todos los iones de hidrógeno y los iones negativos se han separado unos de otros.
28. Cuanto más elevada sea la concentración de iones de hidrógeno, menor será el pH. Un ácido fuerte produce más iones de hidrógeno en una solución que un ácido débil, de modo que un ácido fuerte tiene un pH menor que un ácido débil de la misma concentración.

Práctica de estándares (pág. 285)

1. B; S 8.5e
2. A; S 8.5e
3. D; S 8.5e
4. A; S 8.5d
5. D; S 8.5e
6. C; S 8.5d
7. D; S 8.5e

Aplicar la gran idea (pág. 285)

8. Los ácidos saben agrios, reaccionan con los metales y los carbonatos, convierten el papel de tornasol azul en rojo; las bases saben amargas, se sienten resbalosas y convierten el papel de tornasol rojo en azul. Se podría disolver la

solución en agua. Si produce iones de hidrógeno (H^+), es un ácido. Si produce iones de hidróxido (OH^-), es una base. S 8.5.e

Capítulo 8 Química del carbono

Verifica lo que sabes (pág. 287)
Esta pregunta evalúa la comprensión de los estudiantes sobre la combustión. (S 6.3.b)

Respuestas y explicaciones posibles
Respuesta correcta: La reacción libera energía. *Explicación posible:* Durante la combustión, la energía química del combustible (en este caso, metano) se transforma en energía térmica y energía electromagnética. *Respuestas incorrectas posibles:* La reacción absorbe energía. *Explicación posible:* Finalmente consumirás el gas natural si sigues quemándolo.

Desarrollar el vocabulario de Ciencias

¡Aplícalo! (pág. 288)

1. Es una forma de carbono en la que los átomos están dispuestos en forma de un cilindro o tubo largo y hueco.
2. Los nanotubos son diminutos, livianos, flexibles y extremadamente resistentes. Son buenos conductores de electricidad y calor.

Cómo leer en Ciencias

¡Aplícalo! (pág. 290)
Pida a los estudiantes que usen oraciones completas para responder a las preguntas. Respuestas de ejemplo:

1. Grafito y diamante
2. Los átomos del grafito están dispuestos en capas llanas; los átomos del diamante están dispuestos en una estructura de cristal.

Sección 1 Propiedades del carbono
(págs. 292–295)

Objetivos
Al terminar esta lección, los estudiantes serán capaces de:

8.1.1 Describir cómo puede el carbono formar una enorme variedad de compuestos.

8.1.2 Identificar cuatro formas de carbono puro.

Preparación para los estándares

¿Por qué escriben los lápices? (pág. 292)

Reflexiónalo Sí. Los papeles se deslizan más fácilmente cuando se cubren de grafito. Respuesta de ejemplo: Se podría usar grafito para lubricar o reducir la fricción entre las partes en movimiento de la maquinaria.

Examina tu avance

Respuesta

Verificar la lectura (pág. 293) Los electrones de valencia de un átomo de carbono se comparten con otros átomos, lo que forma enlaces covalentes.

Examina tu avance

Respuestas
Figura 4 (pág. 294) Diamante

Verificar la lectura (pág. 294) Porque cada átomo de carbono está enlazado con otros cuatro átomos de carbono.

Evaluación

Destreza clave de lectura

Comparar y contrastar (pág. 295) Grafito: resbaloso, útil como lubricante; diamante: extremadamente duro, útil en herramientas para cortar.

Repasar los conceptos clave (pág. 306)

1. **a.** Cuatro enlaces **b.** Los átomos de carbono pueden enlazarse con átomos de carbono y otros elementos en muchas formas diferentes.
2. **a.** Diamante, grafito, fullerenos y nanotubos **b.** En el grafito, cada átomo de carbono está unido estrechamente a otros tres átomos en una capa llana, pero débilmente con los átomos de otras capas **c.** En un cristal de diamante, cada átomo de carbono está unido fuertemente con otros cuatro átomos de carbono, lo que hace que el diamante sea duro. Los átomos de carbono del grafito están dispuestos en capas que pueden deslizarse fácilmente una sobre otra, lo que hace que el grafito sea resbaloso.

Sección 2 Compuestos del carbono
(págs. 296–304)

Objetivos
Al terminar esta lección, los estudiantes serán capaces de:

8.2.1 Identificar algunas propiedades de los compuestos orgánicos.

8.2.2 Identificar algunas propiedades de los hidrocarburos.

8.2.3 Describir la estructura y enlace de los hidrocarburos.

8.2.4 Enumerar las características de los hidrocarburos sustituidos, los ésteres y los polímeros.

Preparación para los estándares

¿Qué hueles? (pág. 296)

Reflexiónalo Hipótesis de ejemplo: Cada muestra tiene un olor diferente porque está hecha de un compuesto distinto o de una mezcla de compuestos.

Examina tu avance

Respuesta

Verificar la lectura (pág. 297) Compuesto que contiene carbono.

Actividad Inténtalo

¿Seco o mojado? (pág. 299)
Resultado esperado El dedo cubierto de vaselina no está tan húmedo como el dedo que no está cubierto. Esto demuestra que los hidrocarburos no se mezclan adecuadamente con el agua.

Examina tu avance

Respuestas

Figura 7 (pág. 298) Globo aerostático: inflamable; mancha de petróleo: se mezcla mal con el agua.

Figura 8 (pág. 299) El carbono central está enlazado a dos hidrógenos; los dos carbonos finales están enlazados a tres.

Verificar la lectura (pág. 299) Fórmula que muestra el tipo, la cantidad y la posición de los átomos en una molécula.

Matemáticas Analizar datos

Repasar matemáticas: Estadísticas, análisis de datos y probabilidad 7.1.1

Puntos de ebullición de los hidrocarburos (pág. 300)

Respuestas

1. Casi en el centro del eje *y*
2. C_3H_8: aproximadamente –44 °C; C_5H_{12}: aproximadamente 34 °C; C_6H_{14}: aproximadamente 68 °C (las respuestas pueden variar ligeramente.)
3. Aproximadamente 78 °C (las respuestas dependerán de las respuestas de los estudiantes a la pregunta 2.)
4. C_2H_6, C_3H_8 y C_4H_{10} son gases porque sus puntos de ebullición están por debajo de la temperatura ambiente (alrededor de 22 °C.) C_5H_{12} y C_6H_{14} pueden ser líquidos o sólidos, dependiendo de sus puntos de fusión.

Actividad Destrezas

Clasificar (pág. 301)
Resultado esperado C_2H_6, C_3H_8 y C_4H_{10} tienen uno o más enlaces simples. C_2H_4 tiene un enlace doble. C_2H_2 tiene un enlace triple. C_3H_4 tiene dos enlaces dobles o uno simple y un enlace triple.

Examina tu avance

Respuestas

Figura 9 (pág. 300) Isobutano

Verificar la lectura (pág. 301) Los hidrocarburos saturados sólo tienen enlaces simples y la máxima cantidad posible de átomos de hidrógeno. Los hidrocarburos no saturados tienen uno o más enlaces dobles o triples y menos átomos de hidrógeno por cada átomo de carbono que los hidrocarburos saturados.

Examina tu avance

Respuesta

Figura 11 (pág. 302) Un grupo hidroxilo reemplaza a uno de los átomos de hidrógeno en el metano.

Examina tu avance

Respuestas

Figura 14 (pág. 304) Los polímeros están hechos de cadenas de monómeros

Verificar la lectura (pág. 304) La molécula más pequeña de un polímero.

Evaluación

Destreza clave de lectura

Comparar y contrastar (pág. 304) Revise la exactitud de los diagramas de Venn de los estudiantes. Los estudiantes deben incluir información sobre los elementos incluidos y la naturaleza de los enlaces de cada grupo de hidrocarburos.

Repasar los conceptos clave (pág. 304)

1. **a.** Respuesta de ejemplo: olores fuertes, puntos de ebullición y de fusión bajos, conductores deficientes de la electricidad, no se disuelven bien en el agua **b.** Respuesta de ejemplo: prueba de conductividad eléctrica, punto de fusión y solubilidad en el agua.
2. **a.** Los hidrocarburos se queman fácilmente y no se mezclan bien con el agua. **b.** Todos los hidrocarburos contienen sólo los elementos

hidrógeno y carbono. Difieren en cuanto a la cantidad de átomos de hidrógeno y carbono, la disposición de los átomos y si son saturados o no saturados.

3. **a.** Rectas, ramificadas y con forma de anillo. **b.** Ambas tienen la misma fórmula química, C_4H_{10}, pero tienen fórmulas estructurales diferentes. El butano es una cadena recta, mientras que el isobutano es una cadena ramificada **c.** La fórmula estructural del buteno tendrá un enlace doble. El buteno tiene un enlace doble, mientras que el butano tiene sólo enlaces simples.
4. **a.** Un hidrocarburo en el que los átomos de otros elementos reemplazan uno o más átomos de hidrógeno. **b.** Un alcohol y un ácido orgánico. **c.** Material (tela) que es un polímero hecho de muchas moléculas de éster unidas.

Laboratorio de destrezas

¿Cuántas moléculas?

Analiza y concluye (pág. 305)

1. No. Si lo tuvieran, un átomo de hidrógeno tendría dos enlaces, lo cual no es posible.
2. En una cadena ramificada, un átomo de carbono puede enlazarse a más de otros dos átomos de carbono. En una cadena recta, un átomo de carbono puede enlazarse a uno u otros dos átomos de carbono.
3. C_3H_8: uno; C_4H_{10}: dos; C_5H_{12}: tres. Los diagramas deben sustentar las respuestas de los estudiantes.
4. No; los átomos aún están conectados del mismo modo. Para formar una estructura diferente, debe darse la ramificación.
5. Usar un modelo ayuda a visualizar las diferentes estructuras. C_6H_{14} indica cuántos átomos de carbono y de hidrógeno hay en la molécula, pero no cómo están conectados.

Sección 3 Polímeros y materiales compuestos (págs. 306–313)

Objetivos

Al terminar esta lección, los estudiantes serán capaces de:

8.3.1 Explicar cómo se forman los polímeros.

8.3.2 Indicar de qué están formados los compuestos.

8.3.3 Explicar cómo ayudar a reducir la cantidad de desechos plásticos.

Preparación para los estándares

¿Qué formaste? (pág. 306)

Reflexiónalo Un cambio en las propiedades indica que ocurrió una reacción química. Los dos líquidos se combinaron y formaron una sustancia parecida a una masilla. Los estudiantes podrían inferir que formaron un polímero.

Actividad Destrezas

Calcular (pág. 308)

Resultado esperado Los porcentajes pueden variar con base en las observaciones de los estudiantes. Los porcentajes se calculan dividiendo la cantidad de elementos que no son polímeros entre la cantidad total de elementos y luego multiplicando el producto resultante por 100.

Examina tu avance

Respuestas

Figura 18 (pág. 309) El Nailon, el cloruro de polivinilo o el polietileno de baja densidad serían adecuados para fabricar una cubierta de mesa de picnic.

Verificar la lectura (pág. 309) Los plásticos son polímeros sintéticos a los que se puede moldear o dar forma.

Examina tu avance

Respuesta

Verificar la lectura (pág. 311) La madera está hecha de dos polímeros vegetales, celulosa y lignina.

Examina tu avance

Respuestas

Figura 20 (pág. 313) Ventajas: no se pudrirá, usa materiales reciclados; desventajas: no es fácil deshacerse de él.

Verificar la lectura (pág. 312) Respuesta de ejemplo: madera y fibra de vidrio.

Evaluación

Destreza de vocabulario

Usar pistas para determinar el significado (pág. 313) Una definición y ejemplos son pistas del texto que ayudan a comprender lo que significa *material compuesto*.

Repasar los conceptos clave (pág. 313)

1. **a.** Los polímeros están hechos de moléculas mucho más pequeñas unidas en un patrón repetitivo. **b.** Los átomos de carbono pueden

formar enlaces covalentes, y enlazarse en cadenas rectas, cadenas ramificadas y grupos con forma de anillo. Los átomos de carbono también forman enlaces con otro tipo de átomos. **c.** Uno está hecho de un solo tipo de monómero que se repite. El otro está hecho de dos monómeros unidos en un patrón alternado.

2. **a.** Los polímeros naturales se forman en plantas, animales y otros seres vivos. Los polímeros sintéticos se elaboran en fábricas y laboratorios a partir de materiales que hay en el carbón vegetal y el petróleo. Los materiales compuestos combinan propiedades útiles de dos o más materiales y suelen incluir uno o más polímeros. Los materiales compuestos pueden ser naturales o sintéticos. **b.** Respuesta de ejemplo: entre los polímeros naturales se hallan la lana, el cabello, la celulosa y la ceda. Entre los polímeros sintéticos se encuentran artículos hechos de plástico y nailon. **c.** Los materiales compuestos combinan las propiedades deseables de los materiales individuales de los que están hechos.
3. **a.** Beneficios de ejemplo: son fuertes, baratos, duraderos, ligeros, flexibles, pueden moldearse o puede dárseles forma, no reaccionan con facilidad. Problemas de ejemplo: reciclar artículos usados puede ser más costoso que desecharlos y elaborar nuevos; no se descomponen rápidamente en el ambiente. **b.** Los desechos plásticos se convierten en nuevos artículos cuando se reciclan. **c.** Respuesta de ejemplo: Una bolsa de tela reutilizable puede reemplazar a una bolsa de plástico para comestibles.

Tecnología y sociedad

Felpa de poliéster

Evalúa el impacto (pág. 315)

1. Respuesta de ejemplo: La felpa de poliéster es una tela ligera y cálida, que es fácil de lavar y necesita menos energía que la lana o la pluma de ganso para secarse. Si se utiliza plástico reciclado para hacer fibras de felpa, también puede ahorrarse energía y pueden reducirse los desechos.
2. Respuesta de ejemplo: Esta forma de reciclaje reduce el volumen de la basura al disminuir la cantidad de plásticos. También ahorra energía.
3. Aliente a los estudiantes a que usen ilustraciones en sus panfletos y a que utilicen un lenguaje claro y conciso al describir el proceso empleado para fabricar felpa a partir de plástico PET. Los panfletos deben describir por qué es importante reciclar los plásticos y por qué es benéfico reutilizar plásticos PET para crear felpas de poliéster.

Sección 4 La vida con el carbono

(págs. 316–323)

Objetivos

Al terminar esta lección, los estudiantes serán capaces de:

8.4.1 Enumerar las cuatro principales clases de compuestos orgánicos que necesitan los seres vivos.

8.4.2 Explicar por qué los seres vivos necesitan agua, vitaminas, minerales y sales.

Preparación para los estándares

¿Qué hay en la leche? (pág. 316)

Reflexiónalo Los sólidos estaban en la mezcla de leche y vinagre. Respuesta de ejemplo: Los sólidos provinieron de la leche después de que ésta reaccionó con el vinagre.

Examina tu avance

Respuesta

Figura 21 (pág. 317) Respuesta de ejemplo: frutas, leche, verduras, galletas, dulces, refrescos

Actividad Inténtalo

Sopa de letras (pág. 318)

Resultado esperado Un ejemplo de reordenamientos de la palabra *proteínas* es *espina* y *panes*. Los reordenamientos de éstas palabras son *pisen* y *penas*. Esta actividad sirve como modelo de los reordenamientos de las proteínas en el cuerpo cuando las proteínas son digeridas por los aminoácidos, que se reagrupan en otras proteínas usadas por las células.

Examina tu avance

Respuestas

Figura 24 (pág. 319) Los aminoácidos son los componentes básicos de las proteínas.

Verificar la lectura (pág. 318) Frutas, verduras y alimentos hechos a partir de granos enteros

Verificar la lectura (pág. 319) Carne, pescado, huevos y leche son buenas fuentes de proteína

Actividad Inténtalo

¿Como agua o aceite? (pág. 320)

Resultado esperado Todos los líquidos basados en el aceite dejarán una marca húmeda en el trozo de la bolsa de papel.

Examina tu avance

Respuestas

Figura 26 (pág. 321) Aminoácidos

Verificar la lectura (pág. 320) Los alimentos provenientes de animales como el queso, los huevos y la carne.

Examina tu avance

Respuestas

Figura 27 (pág. 322) Respuesta de ejemplo: calabazas, cebollas, uvas, peras y chícharos

Verificar la lectura (pág. 322) Nucleótidos

Verificar la lectura (pág. 323) Un compuesto orgánico que sirve como molécula auxiliar en una reacción química en el cuerpo

Evaluación

Destreza de vocabulario

Usar pistas para determinar el significado (pág. 323) El texto da una definición que ayuda a comprender el significado de *colesterol*.

Repasar los conceptos clave (pág. 323)

1. **a.**Carbohidratos, proteínas, lípidos, ácidos nucleicos. **b.** La glucosa y la celulosa son carbohidratos; el ARN es un ácido nucleico; el colesterol y el aceite son lípidos. c. Los carbohidratos proporcionan al cuerpo energía y mantienen saludable el sistema digestivo. Las proteínas se usan para construir y reparar las partes del cuerpo. Los lípidos proporcionan energía, forman las estructuras de las células y forman compuestos que sirven como mensajeros químicos. Los ácidos nucleicos dirigen la producción de proteínas de los aminoácidos, lo que determina las diferencias entre los seres vivos. **c.** Los carbohidratos complejos se forman a partir de azúcares; las proteínas se forman de los aminoácidos.
2. **a.** Agua, vitaminas, minerales y sales ayudan a sustentar el funcionamiento de las moléculas grandes en los organismos. **b.** La parte líquida de la sangre transporta nutrientes por todo el cuerpo y saca los desechos de las células. Muchas reacciones químicas, como la descomposición de los nutrientes, ocurren en el agua. **c.** Las vitaminas son compuestos orgánicos. Las sales son compuestos iónicos inorgánicos.

Laboratorio del consumidor

¿Tienes tus vitaminas?

Analiza y concluye (pág. 325)

1. Esta prueba se usó como control para mostrar la reacción entre el yodo y el almidón solo.
2. Para mostrar que la reacción entre el yodo y el almidón ocurrirá en presencia de la vitamina C, pero sólo después de que se agreguen más gotas de yodo.
3. La presencia de vitamina C.
4. Es importante mantener constantes todos los factores excepto el que se está cambiando (la cantidad de vitamina C).
5. No verían un cambio de color cuando desapareciera la vitamina C.
6. Respuesta de ejemplo: La bebida con sabor a fruta necesitó la mayor cantidad de gotas de yodo, y la bebida deportiva la menor cantidad.
7. La bebida con sabor a fruta tenía la mayor cantidad de vitamina C. La bebida deportiva tenía la menor cantidad. La cantidad de gotas de yodo necesaria para mostrar un cambio de color se relaciona en forma directa con la cantidad de vitamina C en la bebida evaluada.
8. El yodo reaccionaba con la vitamina C en el jugo.
9. No. Puede tener otras vitaminas o nutrientes valiosos como minerales y proteínas. Demasiada azúcar, grasa o cafeína podría restarle valor nutricional a una bebida.

Repaso y evaluación (págs. 327–328)

Destreza clave de lectura

Comparar y contrastar a. (pág. 327) Respuestas de ejemplo: Título: Comparar y contrastar proteínas y ácidos nucleicos

a. Formado con aminoácidos
b. Moléculas orgánicas
c. Determina la secuencia de los aminoácidos en las proteínas

Repasar los términos clave (pág. 327)

1. a
2. c
3. d
4. a
5. c
6. compuestos que contienen carbono
7. tienen la misma fórmula química pero diferentes fórmulas estructurales
8. aminoácidos

9. compuestos orgánicos ricos en energía hechos de carbono, hidrógeno y oxígeno
10. es una molécula mucho más pequeña a partir de la cual pueden formarse polímeros más grandes

Verificar los conceptos (pág. 328)

11. Un guión representa un enlace.
12. Diamantes, grafito, fullerenos y nanotubos son todos formas de carbono.
13. Por el olor; muchos ésteres tienen olores frutales agradables.
14. Respuesta de ejemplo: la lana de las ovejas, el algodón de las plantas, la celulosa de las plantas, la ceda de los gusanos de ceda, las proteínas de los seres vivos.
15. El cuerpo descompone el almidón en glucosa para obtener energía. El cuerpo no puede descomponer la celulosa. Ésta atraviesa el cuerpo sin ser digerida. Sin embargo, la celulosa mantiene activo y saludable el tracto digestivo.
16. Las grasas que son sólidas a temperatura ambiente contienen ácidos grasos saturados. Las grasas líquidas contienen ácidos grasos no saturados.

Razonamiento crítico (pág. 328)

17. Los átomos de carbono pueden formar cuatro enlaces con otros átomos de carbono y con átomos de otros elementos. Los átomos de carbono también pueden formar cadenas rectas, cadenas ramificadas y anillos.
18. El diagrama B representa un hidrocarburo saturado porque sólo tiene enlaces simples y la cantidad máxima de átomos de hidrógeno. El diagrama A representa un hidrocarburo no saturado porque tiene un enlace doble y menos átomos de hidrógeno por cada átomo de carbono.
19. Las respuestas pueden variar. Respuesta de ejemplo: Los posibles reemplazos del plástico son el cartón, los recipientes reutilizables y los materiales que se degradan fácilmente.
20. Respuesta de ejemplo: ¿Tienen formulas estructurales diferentes?

Aplicar destrezas (pág. 328)

21. A y B son alcoholes porque ambos compuestos contienen grupos de hidroxilo (−OH).
22. Cada fórmula estructural contiene tres átomos de carbono; el subíndice del carbono es tres.
23. Sí. Son isómeros porque tienen la misma fórmula química, pero fórmulas estructurales diferentes.
24. Tendrían diferentes propiedades. Los isómeros difieren en cuanto a propiedades, como el punto de ebullición y el punto de fusión, porque los átomos en sus moléculas están ordenados en forma diferente.
25. Combinando el compuesto A, un alcohol, con un ácido orgánico produciría un éster. Un éster tiene comúnmente un olor frutal placentero.

Práctica de estándares (pág. 329)

1. B; S 8.3.c
2. C; S 8.6.b
3. C; S 8.6.c
4. D; S 8.6.c
5. C; S 8.3.c
6. A; S 8.6.c
7. D; S 8.6.a
8. A; S 8.6.a
9. C; S 8.6.a

Aplicar la gran idea (pág. 329)

10. Los carbohidratos, las proteínas y los lípidos son nutrientes. Proporcionan energía y materias primas que necesita el cuerpo para crecer, reparar las partes heridas y funcionar apropiadamente. S 8.6.c.

Evaluación de la Unidad 2

Interacciones químicas

Conexión de las grandes ideas (pág. 331)

Respuestas

1. a
2. d
3. a
4. c
5. El calentamiento del agua es un cambio físico. El agua sigue siendo la misma químicamente después de calentada. El cambio en las membranas de la células es un cambio químico, que no puede revertirse. Mezclar vinagre y aceite cambia el sabor, pero esto no es un cambio químico. Hacer una mezcla es un cambio físico.

Unidad 3

Movimiento, fuerzas y energía

Capítulo 9 Movimiento y energía

Verifica lo que sabes (pág. 333)

Esta pregunta evalúa la comprensión de los estudiantes sobre cómo describir el movimiento de un objeto, al registrar el cambio de posición del objeto con el tiempo. (S 2.1.b)

Respuestas y explicaciones posibles

Respuesta correcta: El auto se está alejando de ti. Conforme pasa el tiempo, está cambiando la posición del auto con respecto a la tuya. *Explicación posible:* El movimiento del auto puede medirse con relación al tuyo debido a que tú estás en un auto estacionario. *Respuestas incorrectas posibles:* El auto se está alejando de ti a una velocidad constante. *Explicación posible:* Los estudiantes pueden suponer que si el auto te rebasa, su velocidad es constante. De hecho, su velocidad podría estar cambiando.

Desarrollar el vocabulario de Ciencias

¡Aplícalo! (pág. 334)

1. fórmula
2. concluyó
3. potencial

Cómo leer en Ciencias

¡Aplícalo! (pág. 336)

Pida a los estudiantes que usen una oración completa para responder a la primera pregunta. Respuestas de ejemplo:

1. Una medida de distancia puede indicar qué tan largo es el recorrido de un objeto.
2. Medición de la distancia

Sección 1 Descripción del movimiento

(págs. 338–341)

Objetivos

Al terminar esta lección, los estudiantes serán capaces de:

9.1.1 Determinar cuándo un objeto están en movimiento.

9.1.2 Distinguir entre distancia y desplazamiento.

Preparación para los estándares

¿Cuán rápido y cuán lejos? (pág. 338)

Reflexiónalo Entre más rápido camines, menos tiempo te toma recorrer una cierta distancia. Entre más rápido camines, más lejos llegarás en un tiempo determinado. Si caminas una distancia mayor en una cantidad de tiempo dada, estás caminando más rápido.

Examina tu avance

Respuestas

Figura 1 (pág. 339) Si eliges un punto de referencia en movimiento, puedes pensar que te estás moviendo cuando no es así o que te estás moviendo más rápido o más despacio de lo que te estás moviendo en realidad.

Verificar la lectura (pág. 339) Un lugar u objeto usado como punto de comparación para determinar si un objeto está en movimiento.

Examina tu avance

Respuestas

Figura 2 (pág. 340) Sí, los paracaidistas están en movimiento con relación al avión y al suelo

Verificar la lectura (pág. 341) Desplazamiento es la longitud y la dirección que un objeto se ha movido desde su punto inicial.

Evaluación

Destreza de vocabulario

Palabras académicas de uso frecuente

(pág. 341) Los estudiantes deberán describir una situación en la que usaron un punto de referencia para determinar el movimiento relativo usando la palabra *concluir* en sus explicaciones. Por ejemplo, pueden elegir una silla de escritorio y concluir que otro estudiante está en movimiento porque su posición cambia con relación a la silla.

Repasar los conceptos clave (pág. 353)

1. **a.** Se sabe que un objeto está en movimiento si cambia su posición con relación a un punto de referencia estacionario. **b.** Si tu punto de referencia se mueve, encontrarás difícil determinar en cuál dirección te estás moviendo hacia delante o incluso si te estás moviendo en absoluto. **c.** Tú estás estacionario con relación al auto y moviéndote hacia delante con relación al camino. En tanto tu auto se esté moviendo en una línea recta, el Sol no parece moverse mucho en un período corto. Así, parece que tú estás casi inmóvil con relación al Sol.
2. **a.** Desplazamiento es la longitud y dirección en que se mueve un objeto desde su punto inicial. **b.** Tanto la distancia como el desplazamiento se refieren a la longitud entre dos puntos. La distancia es la longitud total de la trayectoria real entre esos dos puntos. Desplazamiento es la longitud y dirección de una línea recta entre esos puntos. **c.** El desplazamiento final del objeto desde su origen es 5 cm a la derecha.

Sección 2 Rapidez y velocidad

(págs. 342–347)

Objetivos

Al terminar esta lección, los estudiantes serán capaces de:

9.2.1 Calcular la rapidez y velocidad de un objeto.

9.2.2 Describir los cambios en la velocidad de un objeto.

9.2.3 Interpretar gráficas de distancia versus tiempo.

Preparación para los estándares

¿Cuán lento fluye? (pág. 342)

Reflexiónalo Puedes decir que un objeto se está moviendo al observar que cambia de posición con relación a un punto de referencia estacionario durante un período de tiempo.

Examina tu avance

Respuestas

Figura 4 (pág. 343) La rapidez instantánea es la razón en un instante de tiempo dado pero la rapidez media es la razón desde el principio del curso hasta el momento actual.

Verificar la lectura (pág. 343) Rapidez media = distancia total ÷ tiempo total

Examina tu avance

Respuesta

Verificar la lectura (pág. 345) La velocidad es la rapidez en una dirección dada.

Examina tu avance

Respuesta

Figura 5 (pág. 346) 1,000 m

Evaluación

Destreza clave de lectura

Identificar ideas principales (pág. 347) Los organizadores gráficos de los estudiantes deberán mostrar "Para calcular la rapidez de un objeto, divide la distancia que recorre el objeto entre la cantidad de tiempo que le toma recorrer esa distancia" como la idea principal. Los detalles podrían incluir la fórmula y ejemplos.

Repasar los conceptos clave (pág. 347)

1. **a.** Rapidez es la distancia recorrida por unidad de tiempo. **b.** 80 km por hora u 80 km/h **c.** 13 1/3 s
2. **a.** La velocidad es la rapidez en una dirección dada. **b.** La velocidad puede cambiar en rapidez o dirección o ambos. **c.** Probablemente no. Es probable que la dirección en la que va tu auto esté cambiando parte del tiempo.
3. **a.** La pendiente de una gráfica de distancia versus tiempo muestra la rapidez de un objeto en movimiento. **b.** La pendiente es 200 m/min.

Laboratorio de destrezas

Inclinado para rodar

Analiza y concluye (pág. 349)

1. La rapidez media en el piso es la distancia recorrida en el piso (desde la parte de debajo de la rampa hasta la línea de llegada, 1.5 m) dividida entre el tiempo en el piso (tiempo medio 2 − tiempo medio 1).
2. Variable manipulada: inclinación de la rampa; variable respuesta: rapidez media. Varías la inclinación de la rampa para determinar su relación con la rapidez media de la patineta.
3. Las gráficas deberán mostrar un aumento en la rapidez media cuando aumenta el ángulo de la rampa.
4. La rapidez aumenta conforme aumenta el ángulo de inclinación de la rampa.
5. Las medidas inexactas de distancia, tiempo o ángulo habrían causado que la rapidez media también fuera inexacta.
6. Respuesta de ejemplo: Sí, pienso que nuestro método de medición es preciso. Para mejorar la precisión varios estudiantes podrían tomar el tiempo de una carrera particular, y luego podría usarse el tiempo medio. De manera alternativa, podrías emplear un dispositivo electrónico para tomar el tiempo, como los que se usan para el esquí invernal y otros eventos atléticos.

Sección 3 Aceleración
(págs. 350–355)

Objetivos

Al terminar esta lección, los estudiantes serán capaces de:

9.3.1 Describir el movimiento de un objeto conforme acelera.

9.3.2 Calcular la aceleración.

9.3.3 Describir qué gráficas se usan para analizar el movimiento de un objeto que acelera.

Preparación para los estándares

¿Puedes apurarte? (pág. 350)

Reflexiónalo Entre más rápido caminabas, menos tiempo te tomaba recorrer la distancia.

Examina tu avance

Respuestas

Figura 6 (pág. 351) Lanzarla: la rapidez de la pelota aumenta al lanzarla. Batearla: la pelota cambia de dirección. Atajarla: la rapidez de la pelota disminuye.

Verificar la lectura (pág. 351) Aun si la rapidez de un auto es constante, puede acelerar al cambiar de dirección.

Matemáticas Práctica

Calcular la aceleración (pág. 353)

Respuestas

1. $(30 \text{ m/s} - 10 \text{ m/s}) \div 2$ segundos $= 10 \text{ m/s}^2$
2. $(27 \text{ m/s} - 0 \text{ m/s}) \div 9 \text{ s} = 27 \text{ m/s} \div 9 \text{ s} = 3 \text{ m/s}^2$

Examina tu avance

Respuestas

Figura 7 (pág. 352) En el diagrama, la distancia recorrida en cada segundo aumenta mientras el avión está acelerando. En general, si el objeto que acelera se mueve en una línea recta, la distancia que recorre puede aumentar o disminuir.

Verificar la lectura (pág. 352) Su cambio de velocidad durante un período de tiempo.

Examina tu avance

Respuestas

Figura 8 (pág. 354) Si el ciclista estuviera acelerando más rápido, la pendiente de la línea de rapidez versus tiempo sería más pronunciada. Si estuviera acelerando más despacio, la pendiente de la línea sería menos pronunciada

Verificar la lectura (pág. 355) Una línea curva en una gráfica de distancia versus tiempo indica que el objeto está acelerando.

Evaluación

Destreza clave de lectura

Identificar ideas principales (pág. 355) Los organizadores gráficos de los estudiantes deberán mostrar la oración "En ciencias, la aceleración se refiere al aumento de la rapidez, la disminución de la rapidez o el cambio de dirección", como la idea principal.

Repasar los conceptos clave (pág. 355)

1. **a.** Un objeto puede acelerar al aumentar su rapidez, disminuirla o cambiar de dirección. **b.** Respuesta de ejemplo: Al principio, el jugador acelera desde el plato. Al llegar a cada base, el jugador acelera al cambiar de dirección. El jugador acelera de nuevo cuando disminuye su rapidez después de tocar el plato. **c.** Sí, el patinador acelera al cambiar de dirección en forma continua.
2. **a.** Aceleración = (velocidad final − velocidad inicial) ÷ Tiempo **b.** 1.5 m/s^2
3. **a.** Se puede usar una gráfica de rapidez versus tiempo o una gráfica de distancia versus tiempo para analizar la aceleración de un objeto. **b.** Dicha gráfica significa que el objeto se está moviendo con una rapidez constante o está estacionario. **c.** Una gráfica de distancia versus tiempo para el objeto en movimiento será una línea recta con una pendiente positiva.
4. $(18 \text{ m/s} - 9 \text{ m/s}) \div 3 \text{ s} = 3 \text{ m/s}^2$
5. $(40 \text{ m/s} - 0 \text{ m/s}) \div 4 \text{ s} = 10 \text{ m/s}^2$

Laboratorio de destrezas

Detenerse rápidamente

Analiza y concluye (pág. 357)

1. Encuentra al estudiante con el menor tiempo para correr el recorrido. Divide la distancia (25 m) entre su tiempo para obtener la velocidad máxima de carrera en m/s.
2. Este cálculo combina al estudiante más rápido con el tiempo de reacción más lento. De esta manera, multiplicar la rapidez máxima de carrera con el tiempo de reacción menor da la distancia máxima posible fuera de la pista antes que cualquier estudiante probado se percate de que necesita detenerse.
3. Suponiendo que el estudiante en la pregunta 2 también tiene la distancia de frenado más larga medida, la distancia total calculada aquí representa qué tan lejos habría recorrido fuera de la pista antes de detenerse por completo.
4. Respuesta de ejemplo: Esta respuesta representa la distancia máxima que debería tomar un estudiante para detenerse, el llamado "escenario del peor caso". Es muy improbable que cualquier estudiante combinara la rapidez máxima, el tiempo de reacción más lento y la mayor distancia de frenado. En otras palabras, todos los estudiantes deberían ser capaces de detenerse en una distancia que es más corta de la que hemos calculado.
5. Respuesta de ejemplo: Un jugador podría salirse de la cancha corriendo de lado, saltando o tropezando. Un jugador podría no darse cuenta de inmediato que está fuera de la cancha. Estos factores podrían aumentar la distancia que el jugador se sale de la cancha.
6. Respuesta de ejemplo: Podrías hacer la cancha más segura agregando una línea amarilla ancha para alertar a los jugadores cuando se están aproximando a la línea de fondo.

También podrías colocar acojinamiento en las paredes para reducir el riesgo de lesión en colisiones.

Sección 4 Energía
(págs. 358–363)

Objetivos
Al terminar esta lección, los estudiantes serán capaces de:

9.4.1 Identificar los factores que afectan a la energía cinética y a la energía potencial de un objeto.

9.4.2 Describir cómo pueden transformarse la energía cinética y la energía potencial.

9.4.3 Enunciar la ley de conservación de la energía.

Preparación para los estándares

¿Cuán alto rebota una pelota? (pág. 358)

Reflexiónalo Entre mayor es la altura desde la que se deja caer la pelota, más alto rebota la pelota.

Matemáticas Destrezas

Exponentes (pág. 359)

Respuesta 1,500 joules

Examina tu avance

Respuestas

Figura 10 (pág. 359) En el primer ejemplo, la bola de boliche transferirá más energía debido a que tiene más masa. En el segundo ejemplo, la bola de boliche que se mueve con mayor rapidez transferirá más energía a los bolos.

Verificar la lectura (pág. 359) La energía cinética es la energía que tiene un objeto debido a su movimiento.

Examina tu avance

Respuestas

Figura 11 (pág. 360) El esquiador rojo tiene más energía potencial gravitatoria en la pista más alta, debido a que la energía potencial gravitatoria = peso × altura.

Figura 12 (pág. 361) La pelota de fútbol americano tiene energía potencial porque está en el aire, encima del suelo.

Verificar la lectura (pág. 361) Energía cinética y energía potencial.

Examina tu avance

Respuestas

Figura 14 (pág. 362) Su energía potencial es mayor en los puntos más altos de su oscilación.

Figura 15 (pág. 363) Toda la energía cinética del trompo se convierte en energía térmica.

Verificar la lectura (pág. 363) Su energía cinética se transforma.

Evaluación

Destreza de vocabulario

Palabras académicas de uso frecuente
(pág. 363) Energía almacenada que resulta de la posición o forma de un objeto.

Repasar los conceptos clave (pág. 363)

1. **a.** La energía cinética es la energía que tiene un objeto debido a su movimiento. Se mide en joules. **b.** La masa y la rapidez afectan la energía cinética de un objeto. **c.** 75,000 joules.

2. **a.** La energía potencial es energía almacenada que resulta de la posición o forma de un objeto. **b.** El peso y la altura con relación a un punto de referencia afecta la energía potencial gravitatoria de un objeto. **c.** 2000 joules

3. **a.** La energía no puede crearse ni destruirse. **b.** La energía cinética aumenta y la energía potencial disminuye conforme cae la pelota. En el punto más bajo la pelota no tiene energía potencial. Algo de energía cinética se convierte en energía térmica cuando la pelota golpea el suelo. Conforme la pelota se eleva, la energía potencial aumenta y la energía cinética disminuye. **c.** 5J

4. 4.5 joules

5. Se duplicaría a 9 joules. Aumentaría al cuádruple a 18 joules.

Repaso y evaluación (págs. 365–366)

Destreza clave de lectura

Identificar ideas principales (págs. 365) Los estudiantes deberán introducir la idea principal en la casilla grande del organizador gráfico y completar las casillas más chicas con detalles.

Repasar los términos clave (pág. 365)

1. d
2. b
3. c
4. a
5. c
6. el desplazamiento es la longitud de una línea recta (distancia más corta) y dirección entre

los puntos inicial y final mientras la distancia es la trayectoria real.
7. tienen magnitud y dirección
8. dividir la distancia total recorrida entre el tiempo total
9. está cambiando de dirección constantemente
10. la energía no puede crearse ni destruirse

Verificar los conceptos (pág. 366)
11. La pasajera parecería estar moviéndose hacia atrás desde un punto de referencia en el tren. Desde el suelo, parecería estar moviéndose hacia adelante, porque el tren se mueve hacia adelante más rápido de lo que ella camina hacia atrás.
12. El pato, a 12 m/s, tiene una rapidez mayor que la garza, la cual viaja a 10 m/s.
13. El insecto está acelerando porque la dirección de su movimiento siempre está cambiando.
14. En la rama el águila tiene su energía potencial más alta. Conforme desciende volando, la energía potencial disminuye y la energía cinética aumenta. Cuando el águila aterriza, deja de moverse y su energía cinética es 0.

Razonamiento crítico (pág. 366)
15. Respuesta de ejemplo: Alineo el objeto con un punto de referencia que no se esté moviendo. Compruebo la posición del objeto con relación al punto de referencia en diferentes momentos para ver si ha cambiado.
16. De 0 a 4 segundos, la rapidez media es 1 m/s. De 4 a 8 segundos, la rapidez media es 0 m/s. De 8 a 12 segundos, la rapidez media es 0.5 m/s. Durante el tiempo completo, la rapidez media es 0.5 m/s. Se está moviendo más rápido de 0 a 4 segundos debido a que la pendiente de la gráfica es mayor durante ese tiempo. El auto se mueve más lento de 4 a 8 segundos debido a que la pendiente es cero.
17. La familia viajó 160 km en 3 horas, así que su rapidez media es alrededor de 53 km/h.
18. Su energía potencial gravitatoria se reduce en 950 joules.

Practicar matemáticas (pág. 366)
19. $(35 \text{ m/s} - 0 \text{ m/s}) \div 0.5 \text{ s} = 70 \text{ m/s}^2$
20. 144
21. 97,000 joules

Aplicar destrezas (pág. 366)
22. De la línea de salida a la línea B = 2.0 cm; de la línea B a la línea de llegada = 5.0 cm
23. 2.0 cm/s
24. 1.0 cm/s^2

Práctica de estándares (pág. 367)
1. A; S 8.1.a
2. C; S 8.1.b
3. D; S 8.1.c
4. B; S 8.1.f
5. B; S 8.1.d
6. D; S 8.1.e
7. B; S 8.1.f

Aplicar la gran idea (pág. 367)
8. Rapidez, velocidad y aceleración son todas medidas de movimiento. La rapidez mide qué tan lejos se mueve un objeto en una cantidad de tiempo dada. La velocidad no sólo mide la rapidez de un objeto, sino también la dirección en la que se mueve el objeto. La aceleración mide la razón a la que cambia la velocidad considerando un aumento en la rapidez, una disminución en la rapidez o un cambio en la dirección. S 8.1.e

Capítulo 10 Fuerzas

Verifica lo que sabes (pág. 369)
Esta pregunta evalúa la comprensión de los estudiantes sobre las fuerzas, como la gravedad, que actúan sobre los objetos. (S 8.2.a)

Respuestas y explicaciones posibles
Respuesta correcta: Las pelotas caen al piso debido a que la fuerza de gravedad las atrae hacia abajo. *Explicación posible:* La fuerza de gravedad atrae a los objetos hacia el centro de la Tierra. *Respuestas incorrectas posibles:* Las pelotas son pesadas, por eso caen al piso. *Explicación posible:* Los objetos pesados tienen más probabilidad de caer que los objetos ligeros.

Desarrollar el vocabulario de Ciencias

¡Aplícalo! (pág. 370)
Un proyectil es un objeto que es lanzado por el aire.

Cómo leer en Ciencias

¡Aplícalo! (pág. 372)
Pida a los estudiantes que usen las palabras exactas de las notas de ejemplo para responder a las preguntas. Respuestas de ejemplo:
1. La fuerza es un empuje o atracción; unidad SI llamada newton (N)
2. ¿Qué es la fuerza? ¿Cuáles son las unidades de fuerza SI?

Sección 1 La naturaleza de la fuerza
(págs. 392–396)

Objetivos
Al terminar esta lección, los estudiantes serán capaces de:

10.1.1 Describir lo que es una fuerza.

10.1.2 Explicar cómo las fuerzas equilibradas y desequilibradas afectan la velocidad de un objeto.

Preparación para los estándares

¿Está la fuerza contigo? (pág. 374)

Reflexiónalo La lectura en el dinamómetro de mi compañero aumentó también a 3 N. Hasta que las fuerzas se igualaron la patineta se movió ligeramente en la dirección de la fuerza mayor.

Examina tu avance

Respuestas

Figura 2 (pág. 375) Se resta la fuerza menor de la fuerza mayor. La fuerza neta será en la dirección de la fuerza mayor.

Verificar la lectura (pág. 375) La potencia de una fuerza se mide en newtons (N).

Examina tu avance

Respuestas

Figura 3 (pág. 377) Sí. Las dos fuerzas actuarían en la misma dirección y la caja se movería en esa dirección.

Verificar la lectura (pág. 376) Las fuerzas desequilibradas causan un cambio en el movimiento del objeto.

Evaluación

Destreza clave de lectura

Tomar notas (pág. 377) Respuestas de ejemplo: Cuando un objeto es sometido a dos o más fuerzas a la vez el resultado es la combinación de todas las fuerzas; las fuerzas desequilibradas pueden causar que cambie la velocidad de un objeto.

Repasar los conceptos clave (pág. 377)

1. **a.** Una fuerza es un empuje o una atracción. **b.** Una fuerza se describe por la dirección en la que actúa y su potencia, o magnitud. **c.** La flecha de fuerza más larga representa una fuerza con una mayor potencia, o magnitud.
2. **a.** Para calcular la fuerza neta, se combinan las fuerzas opuestas por sustracción. **b.** Las fuerzas equilibradas se cancelan y no cambian el movimiento del objeto. Las fuerzas desequilibradas causan que cambie el movimiento del objeto. **c.** La fuerza neta es 270 N.

Laboratorio del consumidor

Zapatos deportivos pegajosos

Analiza y concluye (pág. 379)

1. Las variables controladas son la masa del zapato deportivo y el tipo de superficie. Estas variables son controladas porque no cambian. La variable manipulada es el zapato deportivo; la variable respuesta es la cantidad de fricción.
2. La fricción es la fuerza que actúa en la dirección opuesta al movimiento. Así, justo cuando el zapato deportivo comienza a moverse la escala del dinamómetro muestra la cantidad de fricción del movimiento opuesto.
3. Las respuestas de los estudiantes dependerán del tipo de zapatos deportivos probados. En general los zapatos deportivos para correr tienen más fricción inicial, los zapatos para básquetbol ejercen más fricción de frenado hacia adelante y los zapatos para tenis ejercen más fricción de frenado hacia el costado.
4. No, en el uso real hay mucha más masa en los zapatos deportivos.
5. Se haló el zapato deportivo con una rapidez baja para probar la fricción de frenado debido a que el zapato deportivo se desliza lentamente a lo largo del suelo o del piso cuando dejas de correr. Se hala un zapato deportivo que no se mueve para probar la fricción inicial porque el zapato deportivo no se está moviendo cuando se empieza a correr.
6. Las respuestas de los estudiantes pueden afirmar que una marca de zapato deportivo proporciona mejor tracción que otra debido a que las suelas están hechas de materiales diferentes o tienen diferentes diseños de dibujo.
7. La elección de los estudiantes de un zapato deportivo para un deporte particular deberá reflejar su conocimiento de las acciones en el deporte elegido que se completarían mejor con el zapato deportivo con la fricción inicial, fricción de frenado hacia el costado o fricción de frenado hacia adelante apropiada de la tabla que compara sus fricciones.

Sección 2 Fricción, gravedad y fuerzas elásticas
(págs. 380–388)

Objetivos
Al terminar esta lección, los estudiantes serán capaces de:

10.2.1 Identificar los factores que determinan la fuerza de fricción entre dos objetos.

10.2.2 Identificar los factores que afectan a la fuerza de gravedad entre dos objetos.

10.2.3 Explicar por qué los objetos aceleran durante la caída libre.

10.2.4 Explicar cuándo se considera que la materia es elástica.

Preparación para los estándares

La regla de 1 metro flexible (pág. 380)

Reflexiónalo Las masas de ambos libros hacen que aumente la fuerza contra la regla. La regla se flexiona hasta que la fuerza ascendente debida a la distorsión elástica equilibra el peso de los libros. Con más libros, la regla tiene que flexionarse más para soportar el aumento de peso.

Examina tu avance

Respuesta

Figura 4 (pág. 381) La fricción actúa en la dirección opuesta al movimiento.

Actividad Inténtalo

Platos giratorios (pág. 382)

Resultado esperado Los estudiantes deberán notar que el plato de arriba gira con más facilidad cuando se colocan las canicas. Las aplicaciones posibles incluyen ruedas con baleros.

Examina tu avance

Respuestas

Figura 6 (pág. 383) La fricción actúa en la dirección opuesta al movimiento del objeto.

Verificar la lectura (pág. 382) La fricción estática permite que los objetos permanezcan en un lugar. La fricción de deslizamiento permite que los objetos en movimiento se detengan para evitar chocar con otros objetos.

Actividad Destrezas

Calcular (pág. 385)

Resultado esperado Las estimaciones de los estudiantes variarán. Los estudiantes pueden comprobar lo razonable de sus respuestas multiplicando mentalmente la masa por 10.

Examina tu avance

Respuestas

Figura 8 (pág. 384) La fuerza de gravedad entre los objetos aumenta conforme disminuye la distancia entre los objetos.

Figura 9 (pág. 385) La masa del astronauta es la misma en la Tierra y en la Luna. El peso del astronauta es mucho menor en la Luna.

Verificar la lectura (pág. 385) La masa es la cantidad de materia en un objeto; el peso es la fuerza de gravedad sobre un objeto.

Matemáticas Analizar datos

Álgebra y funciones 7.3.3

Caída libre (pág. 386)

Respuestas

1. 9.8 m/s; 29.4 m/s
2. La pendiente es 9.8. La rapidez aumenta en 9.8 m/s cada segundo.
3. 58.8 m/s
4. La rapidez del objeto aumenta a una razón constante.

Examina tu avance

Respuestas

Figura 11 (pág. 387) En un vacío, la bellota y la hoja golpearían el fondo al mismo tiempo.

Figura 12 (pág. 387) No, la velocidad horizontal no afecta lo rápido que caerá. La gravedad actúa sobre la pelota de la misma manera.

Verificar la lectura (pág. 387) Atrae a los objetos hacia el centro de la Tierra en la misma forma en que atrae a un objeto que se deja caer.

Examina tu avance

Respuesta

Figura 13 (pág. 388) La fuerza de gravedad en el zapato causa la tensión del sedal hacia abajo.

Evaluación

Destreza de vocabulario

Palabras derivadas del latín (pág. 388) Los orígenes de la palabra *compresión* son *com-* (con) y *premere* (presionar o apretar). Para *tensión*, el origen de la palabra es *tensus* (extender).

Repasar los conceptos clave (pág. 388)

1. **a.** La potencia de la fuerza de fricción entre dos superficies depende de la naturaleza de las dos superficies y con que fuerza se empujan entre sí. **b.** Fricción estática, fricción de deslizamiento, fricción de rodamiento, fricción de fluido **c.** Fricción de rodamiento y fricción de fluido.
2. **a.** La fuerza de gravedad actúa entre todos los objetos en el universo. **b.** Entre más masa tiene un objeto, es mayor la potencia de su fuerza gravitacional; entre mayor es la distancia entre dos objetos, es más débil la fuerza gravitacional entre ellos. **c.** El peso sería mayor debido a que la fuerza gravitacional sería mayor.
3. **a.** La fuerza gravitacional causa que el objeto acelere hacia el centro de la Tierra. **b.** La masa de un objeto no tiene efecto en su aceleración durante la caída libre. **c.** La resistencia del aire aumenta, pero la fuerza de gravedad sigue siendo la misma.
4. **a.** Los dos tipos de fuerza elástica son compresión y tensión. **b.** El peso del niño y el neumático ejercen una fuerza de tensión hacia abajo en la cuerda. El objeto (es decir, el árbol) al que está unida la cuerda ejerce una fuerza de tensión igual hacia arriba en la cuerda.

Sección 3 Primera y segunda ley de Newton (págs. 389–392)

Objetivos

Al terminar esta lección, los estudiantes serán capaces de:

10.3.1 Enunciar la primera ley de Newton del movimiento.

10.3.2 Enunciar la segunda ley de Newton del movimiento.

Preparación para los estándares

¿Qué cambia el movimiento? (pág. 389)

Reflexiónalo El auto se detendrá o rebotará hacia atrás cuando golpee el libro, mientras las arandelas seguirán moviéndose hacia adelante. El libro ejerció una fuerza en el auto que causó que se detuviera, sin embargo el libro no ejerció una fuerza en las arandelas, así que continuaron moviéndose.

Actividad Inténtalo

Vueltas y más vueltas (pág. 390)

Resultado esperado La pelota continuará viajando en la dirección en que se estaba moviendo cuando se soltó. Los diagramas de los estudiantes deberán mostrar que la pelota debe soltarse cuando se está moviendo en la dirección deseada.

Examina tu avance

Respuestas

Figura 14 (pág. 390) Para reducir la fricción estática y de deslizamiento.

Figura 15 (pág. 391) La aceleración será menor.

Verificar la lectura (pág. 390) La masa se relaciona en forma directa con la inercia. Entre mayor es la masa de un objeto, será mayor su inercia.

Verificar la lectura (pág. 391) La aceleración depende de la masa del objeto y de la fuerza neta que actúa sobre el objeto.

Matemáticas Práctica

Calcular la fuerza (pág. 392)

Respuestas

1. 3,000 N (1,000 kg $\times$ 3 m/s^2)
2. 350 N (25 kg $\times$ 14 m/s^2)

Evaluación

Destreza de vocabulario

Palabras derivadas del latín (pág. 392) El prefijo *in* significa "no". *Ars* significa "en movimiento o activo" así que *inercia* significa "sin movimiento o inactivo".

Repasar los conceptos clave (pág. 392)

1. **a.** A menos que actúe sobre él una fuerza desequilibrada, un objeto en reposo se mantendrá en reposo y un objeto en movimiento a una velocidad constante continuará moviéndose a una velocidad constante. **b.** La inercia es la medida de la tendencia de un objeto a resistirse a un cambio en su movimiento, un enunciado que tiene el mismo significado que la primera ley de Newton del movimiento. **c.** Debido a tu inercia, tu cuerpo tiende a permanecer en su lugar. El asiento de un auto causa que aceleres, por tanto, al ejercer una fuerza en tu espalda.
2. **a.** Respuesta de ejemplo: Cuando se acelera un objeto aplicando una fuerza, entre mayor es la fuerza, es mayor la aceleración o entre mayor es la masa del objeto, es menor la aceleración. **b.** Se podría duplicar la masa del objeto. **c.** Se requiere una fuerza mayor para acelerar un auto con más masa, por tanto, se necesita más potencia del motor y más combustible.
3. 1.8 N (0.15 kg $\times$ 12 m/s^2)
4. 5 m/s^2

Sección 4 Tercera ley de Newton
(págs. 393–399)

Objetivos
Al terminar esta lección, los estudiantes serán capaces de:

10.4.1 Enunciar la tercera ley de Newton del movimiento.

10.4.2 Explicar cómo se calcula el momento de un objeto.

10.4.3 Enunciar la ley de conservación del momento.

Preparación para los estándares

¿Cuánto puede empujar un popote? (pág. 393)

Reflexiónalo Respuesta de ejemplo: El libro y el elástico ejercieron una fuerza en el popote mientras el popote ejercía una fuerza en el libro y en el elástico.

Examina tu avance

Respuestas
Figura 16 (pág. 394) Las fuerzas de reacción del potro de madera, el agua y el suelo incrementan la velocidad del gimnasta, el kayakista y el perro.
Figura 17 (pág. 395) No; las fuerzas en la pelota de voleibol están equilibradas.

Verificar la lectura (pág. 395) Las fuerzas de acción y reacción no se cancelan entre sí porque actúan en objetos diferentes.

Matemáticas Práctica

Calcular el momento (pág. 396)

Respuestas
1. Pelota de golf: 0.045 kg × 16 m/s = 0.72 kg·m/s
Pelota de béisbol: 0.14 kg × 7 m/s = 0.98 kg·m/s
La pelota de béisbol tiene un momento mayor.
2. 0.27 kg·m/s (0.018 kg × 15 m/s = 0.27 kg·m/s)

Actividad Inténtalo

Autos que chocan (pág. 397)
Resultado esperado Respuesta de ejemplo: Los autos se pegarán y se detendrán. Sí, el momento se conservará. Los autos tenían momentos iguales y opuestos antes de chocar, lo que resulta en un momento total de cero después del choque.

Examina tu avance

Respuestas
Figura 18 (pág. 397) El perro con mayor masa tendrán el momento mayor.

Verificar la lectura (pág. 397) La velocidad y la masa del objeto.

Examina tu avance

Respuesta
Figura 19 (pág. 399) Todo el momento se transfiere al vagón verde en la parte B.

Evaluación

Destreza clave de lectura

Tomar notas (pág. 399) Respuestas de ejemplo: Los pares acción-reacción están en todas partes, no siempre se puede detectar el movimiento cuando están en acción pares de fuerzas, y que las fuerzas de acción-reacción no se cancelan porque actúan en objetos diferentes.

Repasar los conceptos clave (pág. 416)
1. **a.** Si un objeto ejerce una fuerza sobre otro objeto, el segundo objeto ejerce una fuerza igual y opuesta sobre el primer objeto. **b.** Las fuerzas de acción y reacción son iguales en potencia y opuestas en dirección. **c.** Cuando atrapa la pelota, él (con la pelota en su mano) se moverá en la dirección del movimiento inicial de la pelota.
2. **a.** El momento es una característica de un objeto en movimiento igual al producto de su masa y su velocidad. **b.** Debido a que la velocidad de un auto estacionado es cero, su momento es cero. **c.** Los autos que viajan a grandes velocidades tienen más momento y son más difíciles de detener que los autos que viajan a velocidades menores.
3. **a.** Haciendo caso omiso de la fricción, la cantidad de momento es la misma antes y después que interactúan los objetos. **b.** El momento total permanece igual: 0.06 kg·m/s.
4. 23,000 kg·m/s (920 kg × 25 m/s = 23,000 kg·m/s)
5. Delfín: 1,000 kg·m/s (250 kg × 4 m/s = 1,000 kg·m/s)
Manatí: 700 kg·m/s (350 kg x 2 m/s = 700 kg·m/s)
El delfín tiene más momento.

Laboratorio de destrezas

Forzado a acelerar

Analiza y concluye (pág. 401)
1. Respuesta de ejemplo: Con una fuerza de 2.2 N y una masa de 4.0 kg, el tiempo promedio para acelerar para 1.0 m será aproximadamente 2 s.

2. Respuesta de ejemplo: Para los mismos datos, la rapidez media será alrededor de 0.5 m/s.
3. Respuesta de ejemplo: Para los mismos datos, la rapidez final será alrededor de 1 m/s.
4. Respuesta de ejemplo: Para los mismos datos, la aceleración será alrededor de 0.5 a 0.6 m/s^2.
5. Las gráficas de los estudiantes deberán mostrar que la fuerza y la aceleración son directamente proporcionales.
6. La fuerza para una aceleración de cero se midió en el paso 5, cuando la aceleración era cero.
7. La aceleración es proporcional a la fuerza de atracción.
8. La fuerza es la variable manipulada; la aceleración es la variable respuesta. La masa se mantiene constante de modo que el efecto que tiene la fuerza sobre la aceleración pueda aislarse y medirse.

Sección 5 Cohetes y satélites
(págs. 402–405)

Objetivos
Al terminar esta lección, los estudiantes serán capaces de:

10.5.1 Explicar cómo despega del suelo un cohete.

10.5.2 Describir las fuerzas que mantienen en órbita a un satélite.

Preparación para los estándares

¿Qué hace que un objeto se mueva en círculos? (pág. 402)

Reflexiónalo El objeto se mueve en círculos cambiando de dirección constantemente; por tanto, está acelerando en forma constante. La fuerza neta es la fuerza interior que causa la aceleración.

Examina tu avance

Respuestas
Figura 20 (pág. 403) Su masa disminuirá conforme el cohete queme combustible.

Verificar la lectura (pág. 403) Una fuerza centrípeta

Examina tu avance

Respuestas
Figura 22 (pág. 404) La dirección de la gravedad de la Tierra es perpendicular a la dirección del movimiento de un proyectil en órbita.

Verificar la lectura (pág. 405) La gravedad de la Tierra proporciona la fuerza centrípeta completa necesaria para mantener a los satélites en órbita. La gravedad también cambia continuamente la dirección del satélite.

Evaluación

Destreza de vocabulario
Palabras derivadas del latín (pág. 405) El origen de *centri* es una forma de combinación que significa centro. Así que *centrípeta* significa *hacia el centro.*

Repasar los conceptos clave (pág. 405)

1. **a.** La tercera ley de Newton explica cómo despega un cohete. **b.** Fuerza de acción: el cohete ejerce una fuerza hacia abajo en los gases que expulsa; fuerza de reacción: los gases expulsados ejercen una fuerza igual y opuesta en el cohete, impulsándolo hacia arriba. **c.** Los tres factores aumentan la aceleración del cohete. La disminución de la resistencia del aire y la disminución de la fuerza de gravedad permiten al cohete acelerar más rápido porque ambos resultan en menos fuerza opositora a la aceleración del cohete. La disminución de la masa del cohete aumenta la aceleración debido a que la misma fuerza que actúa sobre una masa más pequeña causa una mayor aceleración.
2. **a.** Un satélite es cualquier objeto que viaja alrededor de otro objeto en el espacio. **b.** Los satélites permanecen en órbita debido a que la superficie de la Tierra se curva cuando la gravedad de la Tierra causa que caigan hacia la Tierra. **c.** Si el proyectil se lanzara con una velocidad mayor, escaparía de la gravedad de la Tierra y se movería hacia el espacio.

Repaso y evaluación (págs. 407–408)

Destreza clave de lectura
Tomar notas (págs. 407) Revise la precisión de las notas de los estudiantes.

Repasar los términos clave (pág. 407)

1. a
2. c
3. c
4. a
5. a
6. fuerzas iguales actúan sobre un objeto en direcciones opuestas
7. los tipos de superficies involucradas
8. las masas y distancias de los objetos
9. la hoja tiene un área de superficie mayor
10. su masa y su velocidad

Verificar los conceptos (pág. 408)

11. Las fuerzas que ejercen los cuatro niños sobre el objeto se equilibraron entre sí.
12. La fricción del fluido por lo general es menor que la fricción de deslizamiento. Al bañar las partes de la máquina en aceite, la fricción se reduce.
13. El yoyo ejerce una fuerza hacia abajo en la cuerda. Cualquier persona o cosa que esté sosteniendo la cuerda ejerce una fuerza igual hacia arriba.
14. La segunda ley de Newton establece que la fuerza es igual a la masa multiplicada por la aceleración.
15. Puedes lanzar tu equipo propulsor vacío lejos de la estación espacial. Como resultado, la fuerza de reacción ejercida sobre ti por el equipo propulsor te acelerará hacia la estación espacial.
16. Los dibujos de los estudiantes deberán parecerse a la imagen de la Figura 21, con la fuerza gravitacional de la Tierra dirigida hacia el centro de la Tierra y perpendicular al movimiento del satélite. Sí, el satélite está acelerando debido a su dirección cambiante.

Razonamiento crítico (pág. 408)

17. Cuando se aprieta una esponja se ejerce compresión.
18. La patineta se detiene, pero tu inercia causa que tú sigas moviéndose hacia adelante.
19. La fuerza neta es 90 N a la derecha. La aceleración es 9 m/s^2.
20. La fuerza de fricción es igual a la fuerza de empuje debido a que el libro se mueve a una velocidad constante.

Practicar matemáticas (pág. 408)

21. $7.3 \text{ kg} \times 3.7 \text{ m/s}^2 = 27.01 \text{ N}$; momento.
22. $(240 + 75) \text{ kg} \times 16 \text{ m/s} = 5{,}040 \text{ kg·m/s}$

Aplicar destrezas (pág. 408)

23. Pelota izquierda antes: $0.4 \text{ kg} \times 2 \text{ m/s} = 0.8 \text{ kg·m/s}$; pelota derecha antes: $0.4 \text{ kg} \times 0 \text{ m/s} = 0 \text{ kg·m/s}$; pelota izquierda después: $0.4 \text{ kg} \times 0.5 \text{ m/s} = 0.2 \text{ kg·m/s}$; pelota derecha después: $0.4 \text{ kg} \times 1.5 \text{ m/s} = 0.6 \text{ kg·m/s}$
24. Momento total antes: $0.8 \text{ kg·m/s} + 0 \text{ kg·m/s} = 0.8 \text{ kg·m/s}$; momento total después: $0.2 \text{ kg·m/s} + 0.6 \text{ kg·m/s} = 0.8 \text{ kg·m/s}$; Sí, la ley de conservación se satisface. El momento total antes de la colisión es igual al momento total después de la colisión.
25. Los diseños de los estudiantes variarán, pero deberán incluir una superficie de fricción alta para demostrar cómo la fricción disminuirá el momento.

Práctica de estándares (pág. 409)

1. A; S 8.2.d
2. B; S 8.2.e
3. B; S 8.2.e
4. C; S 8.2.a
5. D; S 8.2.e
6. A; S 8.2.f
7. C; S 8.2.c

Aplicar la gran idea (pág. 409)

8. Las fuerzas están desequilibradas debido a que una es mayor que la otra. La fuerza neta es 10 N a la derecha. La velocidad cambiaría debido a que una fuerza desequilibrada sobre un objeto afecta la velocidad del objeto. El hueso se movería a la derecha. S 8.2.b, 8.2.f

Capítulo 11 Fuerza en fluidos

Verifica lo que sabes (pág. 411)

Esta pregunta evalúa la comprensión de los estudiantes sobre la fuerza de flotación y la densidad. También evalúa la capacidad de los estudiantes para predecir si un objeto flotará o se hundirá. (S K.1.a, 8.8.a, 8.8.b)

Respuestas y explicaciones posibles

Respuesta correcta: El chaleco salvavidas disminuye tu densidad general. *Explicación posible*: El material del chaleco salvavidas es considerablemente menos denso que el agua. *Respuestas incorrectas posibles:* Te hundirías debido al peso adicional. *Explicación posible*: Aún no se ha alcanzado una comprensión de la densidad combinada de una persona y un chaleco salvavidas.

Desarrollar el vocabulario de Ciencias

¡Aplícalo! (pág. 412)

La palabra *presión* en la primera oración tiene significado científico.

Cómo leer en Ciencias

¡Aplícalo! (pág. 414)

Pida a los estudiantes que respondan a las preguntas con oraciones completas. Respuestas de ejemplo:

1. El *armazón* del barco se deslizó bajo el agua.
2. El *Titanic* se partió en dos.
3. El *Titanic* se hundió en el fondo del océano.

Sección 1 Presión
(págs. 416–422)

Objetivos

Al terminar esta lección, los estudiantes serán capaces de:

11.1.1 Explicar de qué depende la presión.

11.1.2 Explicar cómo ejercen presión los fluidos.

11.1.3 Describir cómo cambia la presión del fluido con la altura y la profundidad.

Preparación para los estándares

¿Devuelve el agua el empuje? (pág. 416)

Reflexiónalo El agua empuja hacia arriba cualquier objeto colocado en ella. El globo desinflado empujó el agua hacia abajo con una fuerza mayor que la fuerza ascendente del agua. El globo inflado empujó hacia abajo con una fuerza menor que la fuerza ascendente del agua. Como resultado, el agua empuja al globo a la superficie.

Matemáticas Destrezas

Área (pág. 417)

Respuestas El cuadrado tiene el área más grande. $4 \text{ cm} \times 20 \text{ cm} = 80 \text{ cm}^2$;
$10 \text{ cm} \times 10 \text{ cm} = 100 \text{ cm}^2$

Examina tu avance

Respuestas

Figura 1 (pág. 417) Las raquetas para la nieve evitarían que te hundieras en la nieve debido a su área mayor.

Verificar la lectura (pág. 417) La unidad SI de presión es el newton por metro cuadrado, o pascal.

Actividad Inténtalo

Truco de la tarjeta (pág. 418)
Resultado esperado La presión del aire mantiene al agua en el vaso.

Examina tu avance

Respuestas

Figura 2 (pág. 418) Agregar más partículas de aire al sillón produce una fuerza mayor ejercida por las partículas de aire.

Verificar la lectura (pág. 419) La presión de la atmósfera de la Tierra se ejerce en tu mano en todas direcciones.

Examina tu avance

Respuesta

Figura 5 (pág. 420) Una cabina presurizada equilibra la presión fuera del cuerpo humano con la presión dentro del cuerpo humano. La presión fuera de la cabina es demasiado baja para la comodidad y seguridad de los pasajeros y la tripulación.

Examina tu avance

Respuestas

Figura 6 (pág. 422) La presión atmosférica que disminuye con rapidez por lo general significa que se aproxima una tormenta.

Verificar la lectura (pág. 422) Un barómetro mide la presión atmosférica.

Evaluación

Destreza de vocabulario

Identificar significados múltiples (pág. 422)
fluido: una sustancia que puede fluir con facilidad; *presión*: una fuerza ejercida sobre una superficie dividida entre el área total sobre la que se ejerce la fuerza; *presión del fluido*: todas las fuerzas ejercidas por partículas individuales en un fluido combinadas para formar la presión.

Repasar los conceptos clave (pág. 422)

1. **a.** La presión depende de la fuerza y el área sobre la que se ejerce la fuerza. **b.** La mujer parada con tacones altos ejerce más presión porque la fuerza se ejerce sobre un área más pequeña; 100,000 Pa; 10,000 Pa.
2. **a.** Cada partícula en un fluido ejerce una fuerza cuando choca con una superficie. **b.** La presión que la atmósfera de la Tierra ejerce sobre el cuerpo es igual en todas direcciones. **c.** El cuerpo contiene fluidos que ejercen presión hacia afuera, como el aire en los pulmones y la sangre en las venas y arterias.
3. **a.** La presión atmosférica disminuye conforme te alejas de la superficie de la Tierra. **b.** La presión atmosférica disminuye con la elevación, pero la presión del agua aumenta mucho más con un cambio igual en la profundidad. **c.** Además de proporcionar oxígeno, el traje presurizado equilibra la presión fuera y dentro del cuerpo del astronauta.

Diseña tu laboratorio

Rociadores que giran

Analiza y concluye (pág. 423)

1. Entre mayor es el agujero, más rápido es el giro. Entre mayor es el número de agujeros, más rápido es el giro.
2. Parámetros que se dejan sin cambio: altura del agujero en la lata; tamaño y masa de la lata. Otras variables que podrían afectar el número de giros son la cantidad de agua en la lata o la altura a la que levantas la lata en el paso 6.
3. El agua dentro de la lata ejerce presión debido a su peso. La fuerza del agua que escapa por el agujero en la lata causa que la lata gire en la dirección opuesta.
4. La tercera ley de Newton. El agua que escapa de la lata ejerce una fuerza en la lata que es igual y opuesta a la fuerza que ejerce la lata en el agua que escapa, así que la lata gira en la dirección opuesta al agua que escapa.
5. Los estudiantes deberán usar la tercera ley de Newton del movimiento para explicar por qué gira un rociador giratorio de césped. Las explicaciones pueden incluir cómo el número y tamaño de los agujeros afectan la velocidad de rotación.

Sección 2 Flotación y hundimiento
(págs. 424–429)

Objetivos

Al terminar esta lección, los estudiantes serán capaces de:

11.2.1 Explicar cómo la densidad de un objeto determina si se hunde o flota.

11.2.2 Describir el efecto de la fuerza de flotación.

Preparación para los estándares

¿Qué puedes medir con un lápiz? (pág. 424)

Reflexiónalo Respuesta de ejemplo: El hidrómetro flotará más arriba cuando más azúcar esté disuelta en el agua.

Matemáticas Destrezas

Calcular la densidad (pág. 425)

Respuesta 2.9 g/cm^3

Examina tu avance

Respuestas

Figura 7 (pág. 425) Una arandela de goma se hundirá en aceite de maíz debido a que la arandela es más densa.

Verificar la lectura (pág. 425) Un objeto flotará si es menos denso que el fluido en el que se coloca.

Examina tu avance

Respuestas

Figura 10 (pág. 427) El peso de la langosta es mayor que la fuerza de flotación, así que se hunde.

Verificar la lectura (pág. 426) Un submarino emergerá cuando entre aire comprimido en los tanques, forzándolo a subir. La densidad disminuida del submarino es menor que el agua.

Examina tu avance

Respuestas

Figura 11 (pág. 428) Algo del líquido se derramará cuando el tubo de película se empuje hacia abajo. El volumen del fluido desplazado aumentará.

Verificar la lectura (pág. 428) El helio es menos denso que el aire.

Evaluación

Destreza de vocabulario

Identificar significados múltiples (pág. 429)
fuerza: empuje o atracción que un objeto ejerce sobre otro; *fuerza de flotación*: una fuerza ascendente que actúa sobre un objeto. Actúa en la dirección opuesta a la fuerza de gravedad.

Repasar los conceptos clave (pág. 429)

1. **a.** Densidad es igual a masa por unidad de volumen. **b.** Si la densidad del objeto es mayor que la del agua, el objeto se hundirá; si la densidad del objeto es menor que la del agua, el objeto flotará. **c.** Porque el agua no puede entrar en esos compartimientos, el aire dentro de ellos le da a la canoa un mayor volumen mientras sólo aumentan ligeramente la masa de la canoa. Esto hace que la canoa sea menos densa que el agua aun si el material del que está hecha la canoa es más denso que el agua.
2. **a.** La fuerza de flotación actúa en forma ascendente sobre un objeto sumergido, haciendo que el objeto parezca más ligero. **b.** La fuerza de flotación en el objeto es igual al peso del fluido desplazado por el objeto. **c.** Debido a que el objeto flota, el peso del agua desplazada es igual al peso del objeto, 340 N. La fuerza de flotación sobre el objeto es igual a su peso, 340 N.

Laboratorio de destrezas

Hundir y derramar

Analiza y concluye (pág. 431)

1. Debido a que el volumen del frasco permaneció constante, entre menor fue el peso, más alto flotó.
2. La cantidad de agua desplazada depende sólo del volumen del frasco que está sumergido. Debido a que éste varió cada vez, también varió la cantidad de agua desplazada.
3. Debido a que el frasco flota, la fuerza de flotación es la misma (o casi la misma) que el peso del agua desplazada.
4. Si el frasco se hunde, la fuerza de flotación es menor que el peso. La fuerza de flotación todavía será igual al peso del agua desplazada, el cual puede determinarse usando el método de este laboratorio.
5. Respuesta de ejemplo: Si el frasco no se secara por completo entre ensayos, algunos datos para el peso total del frasco, la sal y la tapa serían incorrectos. Este error podría controlarse secando con cuidado el frasco con una toalla de papel después de cada ensayo.

Sección 3 Principio de Pascal
(págs. 432–436)

Objetivos

Al terminar esta lección, los estudiantes serán capaces de:

11.3.1 Enunciar el principio de Pascal y reconocer sus aplicaciones.

11.3.2 Explicar cómo un sistema hidráulico multiplica la fuerza.

Preparación para los estándares

¿Por qué se hunde el buzo cartesiano? (pág. 432)

Reflexiónalo Pida a los estudiantes que prueben el buzo en el frasco. Si el buzo está menos de 0.5 cm sobre el agua, puede hundirse en el frasco. Cuando se aprieta el frasco, el buzo se hunde. Cuando se suelta el frasco, el buzo asciende. La presión en el agua incrementa cuando se aprieta el frasco, causando que el agua entre en el popote. El buzo se hunde debido a que tiene una densidad mayor.

Examina tu avance

Respuestas

Figura 13 (pág. 433) El agua se derramaría de la botella por el aumento en la presión.

Verificar la lectura (pág. 443) Cuando se aplica una fuerza a un fluido confinado, el cambio en la presión se transmite por igual a todas las partes del fluido.

Matemáticas Analizar datos

Repasar matemáticas: Álgebra y funciones 7.3.3

Comparar elevadores hidráulicos (pág. 435)

Respuestas

1. Elevador A: 4,000 N; elevador B: 2,000 N
2. 3,000 N
3. Elevador A: fuerza aplicada multiplicada por cuatro; elevador B: fuerza aplicada multiplicada por dos
4. La pendiente da la razón de la fuerza de elevación a la fuerza aplicada. Entre mayor es la pendiente, la elevación multiplica más la fuerza.
5. El elevador A, porque multiplica más su fuerza que el elevador B.

Examina tu avance

Respuestas

Figura 14 (pág. 434) Su área de superficie debe ser cuatro veces mayor que la del pistón izquierdo.

Verificar la lectura (pág. 434) La fuerza aplicada al pistón izquierdo se multiplica en el pistón derecho debido a que el pistón derecho tiene un área de superficie mayor.

Examina tu avance

Respuesta

Figura 15 (pág. 436) Es menor que la del pistón de la pastilla de freno.

Evaluación

Destreza clave de lectura

Ordenar en serie (pág. 436) Revise los diagramas de flujo de los estudiantes para asegurarse de que usan los pasos para mostrar la fuerza aplicada, el cambio en la presión transmitida por igual y el efecto del cambio de área.

Repasar los conceptos clave (pág. 436)

1. **a.** La presión se transmite por igual a lo largo de todas las partes del fluido. **b.** El principio de Pascal establece que la presión aplicada a un fluido se transmite a lo largo del fluido. Cuando aprietas el recipiente, la presión que aplicas se transmite al buzo, forzando el agua dentro del buzo. Esto aumenta la densidad del buzo y éste se hunde. **c.** La fuerza se multiplicará diez veces debido a que el área de

superficie del pistón más grande es diez veces mayor. Por tanto, el pistón más grande aplicará una fuerza de 100 N.

2. **a.** Un sistema hidráulico es aquel que usa un fluido confinado para transmitir presión y multiplicar la fuerza. **b.** Cuando se aplica una fuerza a un pistón pequeño en contacto con un fluido confinado, el fluido transmite la presión aumentada a un pistón más grande. Debido a que la presión en ambos pistones es la misma y el pistón más grande tiene un área de superficie mayor, el pistón más grande aplica una fuerza mayor. **c.** El conductor ejerce una fuerza en el pedal del freno, lo cual causa que el pistón del pedal del freno ejerza una presión aumentada en el fluido de frenos. El fluido de frenos confinado transmite la presión aumentada a pistones que empujan las pastillas de freno en las ruedas del auto. Cuando las pastillas de freno hacen fricción contra los discos del freno, la fuerza de la fricción entre las pastillas y los discos hace que se detengan las ruedas del auto.

Sección 4 Principio de Bernoulli
(págs. 462–467)

Objetivos

Al terminar esta lección, los estudiantes serán capaces de:

11.4.1 Explicar cómo se relaciona la presión del fluido con el movimiento de un fluido.

11.4.2 Enlistar algunas aplicaciones del principio de Bernoulli.

Preparación para los estándares

¿Crea fuerzas desequilibradas el movimiento de aire? (pág. 437)

Reflexiónalo Respuesta de ejemplo: La presión es menor sobre el papel. Debido a que el papel se eleva, la fuerza en la parte de abajo del papel debe ser mayor que la fuerza sobre el papel. Debido a que las fuerzas están desequilibradas, el papel se mueve.

Actividad Destrezas

La fuerza de la llave (pág. 438)
Resultado esperado La cuchara se moverá hacia la corriente de agua. Respuesta de ejemplo: La cuchara se movió hacia la corriente de agua debido a que el agua en movimiento causó que la presión sea menor en la parte de atrás de la cuchara.

Examina tu avance

Respuestas

Figura 17 (pág. 439) Porque el aire se mueve más rápido sobre el ala que debajo de ella

Verificar la lectura (pág. 438) Entre más rápido se mueve un fluido, ejerce menos presión el fluido.

Examina tu avance

Respuestas

Figura 18 (pág. 440) Apretar la bombilla mueve el aire a través de la parte superior del tubo, disminuyendo la presión ahí. La presión mayor en el fondo del tubo empuja el perfume hacia arriba por el tubo y hacia la corriente de aire que sale del tubo.

Figura 19 (pág. 440) En parte porque el aire caliente se eleva, y en parte porque el viento disminuye la presión sobre la chimenea, así que la presión mayor del aire en la parte inferior de la chimenea empuja el aire y el humo hacia arriba.

Figura 20 (pág. 441) Un disco volador gira conforme se mueve por el aire; el ala de un avión no.

Verificar la lectura (pág. 440) Apretar la bombilla de un atomizador crea una diferencia en la presión entre la parte superior y la parte inferior de su tubo, lo cual atrae al perfume hacia arriba.

Evaluación

Destreza clave de lectura

Ordenar en serie (pág. 441) Los diagramas de flujo de los estudiantes deberán mostrar los pasos para que funcione un atomizador. Asegúrese de que incluyen el hecho que el aire que se mueve rápidamente en la parte superior del tubo disminuye la presión.

Repasar los conceptos clave (pág. 441)

1. **a.** Sorber por el popote crea una presión menor dentro del popote. La presión más alta en la superficie del fluido hace que éste suba por el popote. **b.** Entre más rápido se mueve un fluido, ejerce menos presión. **c.** El aire entre los dos vehículos se mueve más rápido que el aire en el otro lado del auto. La mayor presión en el lado del auto alejado del camión empuja al auto hacia el camión.
2. **a.** Alas de avión, atomizadores, chimeneas, discos voladores **b.** Al volar, la forma del ala causa que el aire sobre el ala se mueva más

rápido que el aire debajo de ésta. El resultado es que la presión del aire sobre el ala es menor que la presión del aire debajo del ala. Esto causa una fuerza ascendente neta, o elevación. **c.** El viento que sopla sobre el techo ejerce menos presión que el aire quieto dentro de la casa. La mayor presión dentro de la casa empuja el techo hacia arriba.

Tecnología y sociedad

Helicópteros

Evalúa el efecto (pág. 443)

1. Los helicópteros pueden quedar suspendidos en el aire y aterrizar casi en cualquier lugar. Los helicópteros pueden volar hacia adelante, hacia atrás, lateralmente y hacia arriba y hacia abajo.
2. Las respuestas variarán dependiendo de la misión elegida. Las respuestas de los estudiantes deberán incluir información sobre las misiones de los helicópteros, incluyendo, pero no limitándose a, la dificultad, el propósito, la ubicación y el resultado de la misión.
3. Los informes de los estudiantes deberán incluir información sobre las ventajas o desventajas de los helicópteros como un apoyo para su opinión.

Repaso y evaluación (págs. 445–446)

Destreza clave de lectura

Ordenar en serie (pág. 445) Revise la precisión de los diagramas de flujo de los estudiantes. Asegúrese que los estudiantes incluyen la idea de que el fluido está confinado dentro de un sistema.
a. La presión en un fluido confinado aumenta
b. La presión se transmite por igual por todo el fluido
c. El fluido confinado presiona un pistón con un área de superficie mayor
d. El pistón más grande empuja con una fuerza mayor.

Repasar los términos clave (pág. 445)

1. b
2. c
3. d
4. a
5. b
6. has disminuido el área sobre la cual se aplica la fuerza, y la presión es fuerza por unidad de área
7. masa por unidad de volumen
8. la fuerza ascendente ejercida por un líquido en un objeto sumergido, de modo que hace que el objeto se sienta más ligero
9. la fuerza de flotación que actúa en un objeto sumergido es igual al peso del volumen de fluido desplazado por el objeto.
10. conforme aumenta la rapidez de un fluido en movimiento, disminuye la presión ejercida por el fluido

Verificar los conceptos (pág. 446)

11. Ejerces menos presión acostado. Cuando estás acostado, extiendes la fuerza de tu peso sobre un área mayor, ejerciendo por tanto menos presión.
12. La presión de los fluidos dentro del cuerpo de una persona equilibra la presión del aire fuera del cuerpo de la persona.
13. En el agua, una fuerza ascendente mayor (la fuerza de flotación) actúa en la dirección opuesta de tu peso. Entonces, la fuerza descendente neta, es menor que en el aire.
14. La presión del fluido confinado dentro de un sistema hidráulico es igual por todo el fluido. Por tanto, el pistón más grande experimenta una fuerza mayor debido a que tiene una mayor área de superficie que el pistón más pequeño.
15. El sistema de frenos de un auto y la elevación hidráulica en un taller de reparación son ejemplos de sistemas hidráulicos con los que un mecánico de autos estaría familiarizado.
16. El aire que se mueve sobre la chimenea causa que la presión sea menor ahí que la presión en el aire calmado en la parte inferior de la chimenea.

Razonamiento crítico (pág. 446)

17. La presión es mayor a niveles más bajos dentro de la jarra. El agujero más bajo tiene la presión mayor. El hecho que la corriente de agua que sale por ese agujero llegue más lejos de la jarra proporciona evidencia para esta conclusión.
18. Se halla un objeto que flote en ambos fluidos o se hunda sólo en uno de los fluidos. Si se hunde en un fluido, el otro fluido es más denso. Si flota en ambos, el fluido en el que flota más arriba es más denso.
19. La esfera puede estar hueca.
20. Este método aumentaría el volumen del agua desplazada, disminuyendo la densidad general del barco y aumentando la fuerza de flotación.

Practicar matemáticas (pág. 446)

21. alrededor de 620 cm^2

22. El billete de dólar tiene un área de aproximadamente 110 cm^2. El billete de yuan tiene un área de aproximadamente 100 cm^2. Por tanto, la moneda estadounidense usa un billete más grande.

Aplicar destrezas (pág. 446)

23. El objeto pesa menos en el agua porque la fuerza de flotación sobre él en el agua es opuesta a la fuerza de gravedad.
24. La fuerza de flotación es 2.0 N.
25. El volumen del agua sobre la línea punteada es igual al volumen del objeto. El peso del volumen de agua desplazada es igual a la fuerza de flotación en el objeto, 2.0 N.

Práctica de estándares (pág. 447)

1. A; S 8.8.c
2. C; S 8.8.c
3. D; S 8.8.d
4. B; S 8.2.e
5. B; S 8.8.d
6. C; S 8.8.d

Aplicar la gran idea (pág. 447)

7. Los objetos experimentan una fuerza de flotación cuando se sumergen en un fluido debido a que la fuerza de flotación actúa en una dirección opuesta a la gravedad. La fuerza de flotación es igual al peso del fluido que desplaza el objeto. Si se conoce la densidad de un objeto y la del fluido en el que está sumergido, se puede predecir si el objeto flotará o se hundirá porque si el objeto es menos denso que el fluido, flotará. Si es más denso, se hundirá. S 8.8

Evaluación de la Unidad 3

Movimiento, fuerzas y energía

Conexión de las grandes ideas (pág. 449)

Respuestas

1. a
2. b
3. a
4. Cuando nadaba, era sostenido por una fuerza de flotación, la misma fuerza ascendente que hace que las boyas floten. Esto afectó mi movimiento porque impedía que me hundiera en el agua. Mientras pataleaba y braceaba en el agua, empujaba el agua y la fuerza de reacción del agua me empujaba hacia adelante. La fricción del fluido entre mi cuerpo y el agua era una fuerza que actuaba contra mi movimiento hacia adelante. En la bicicleta, apliqué fuerza a los pedales para causar que giraran. Esta fuerza causó que las ruedas giraran, moviendo a la bicicleta y a mí hacia adelante. La fricción de rodamiento entre las llantas y el suelo actuó contra mi movimiento hacia adelante, pero sólo ligeramente. Mientras corría, con cada paso empujaba hacia abajo el suelo. La fuerza de reacción del suelo me empujaba hacia adelante. La resistencia del aire era una fuerza pequeña que actuó contra mi movimiento hacia adelante.

Unidad 4
Astronomía

Capítulo 12 La Tierra, la Luna y el Sol

Verifica lo que sabes (pág. 459)

Esta pregunta evalúa la comprensión de los estudiantes de por qué la Luna es visible en el cielo. (S 7.6.f, 8.4.d)

Respuestas y explicaciones posibles

Respuesta correcta: La Luna no produce su propia luz. Se le puede ver porque la luz solar se refleja en su superficie. *Explicación posible:* Los estudiantes podrían mencionar eclipses y/o las fases de la Luna como evidencia de que la Luna refleja la luz solar. *Respuestas incorrectas posibles:* Algunos estudiantes pueden pensar que la Luna genera su propia luz. *Explicación posible:* Es visible para los observadores en la Tierra, por tanto debe generar luz.

Desarrollar el vocabulario de Ciencias

¡Aplícalo! (pág. 460)

Respuestas de ejemplo: Un cráter es un hoyo en forma de vasija para mezclar grande en la superficie de la Luna.

Cómo leer en Ciencias

¡Aplícalo! (pág. 462)

Pida a los estudiantes que respondan a la primera pregunta con una oración completa. Respuesta de ejemplo: Un diagrama de ciclos ilustra cómo una estación sigue a otra en un ciclo.

1. Diciembre: el extremo sur del eje de la Tierra está inclinado hacia el Sol, lo que produce invierno en el Hemisferio Norte y verano en el Hemisferio Sur; marzo: ningún extremo del eje de la Tierra está inclinado hacia el Sol, lo que crea un tiempo meteorológico templado en ambos hemisferios; junio: el extremo norte del eje de la Tierra está inclinado hacia el Sol, lo que resulta en verano en el Hemisferio Norte e invierno en el Hemisferio Sur; septiembre:

ningún extremo del eje de la Tierra está inclinado hacia el Sol, creando más tiempo templado.
2. Luna nueva, cuarto creciente, Luna llena, cuarto menguante

Sección 1 La Tierra en el espacio
(págs. 464–471)

Objetivos
Al terminar esta lección, los estudiantes serán capaces de:

12.1.1 Demostrar cómo se mueve la Tierra en el espacio.

12.1.2 Explicar las causas del ciclo de las estaciones en la Tierra.

Preparación para los estándares

¿Qué hace que sea de día y de noche? (pág. 464)

Reflexiónalo Un giro completo del globo terráqueo representa una rotación de la Tierra sobre su eje, lo cual es igual a un día. En el modelo, un día son cinco segundos. Una forma posible de representar un año es llevar al globo terráqueo para que gire en un círculo alrededor del foco.

Examina tu avance

Respuesta
Figura 3 (pág. 465) Un año

Examina tu avance

Respuesta

Verificar la lectura (pág. 467) Un año bisiesto es un ajuste hecho al calendario egipcio por los romanos. Durante un año bisiesto, el cual ocurre cada cuatro años, febrero tiene 29 días en lugar de los 28 usuales.

Actividad Inténtalo

Las sombras del Sol (pág. 468)
Resultado esperado Las sombras se moverán alrededor de la regla en el sentido de las manecillas del reloj. Las sombras serán más largas temprano por la mañana y al atardecer y más cortas alrededor del mediodía.

Examina tu avance

Respuestas
Figura 4 (pág. 468) Hace más frío cerca de los polos porque la luz solar llega a la Tierra ahí en un ángulo menos directo y los rayos del Sol se extienden sobre un área más grande.

Figura 5 (pág. 469) El Sol está a su altura máxima en el Hemisferio Norte en el solsticio de junio.

Verificar la lectura (pág. 468) Cuando es verano en el Hemisferio Norte.

Examina tu avance

Respuestas
Figura 6 (pág. 470) En enero, poco después de un solsticio, el extremo sur del eje de la Tierra está inclinado hacia el Sol. En octubre, poco después de un equinoccio, ningún extremo del eje apunta hacia el Sol.

Verificar la lectura (pág. 471) Un día durante el cual el Sol de mediodía está directamente sobre el ecuador y hay igual cantidad de horas de día y de noche.

Evaluación

Destreza clave de lectura

Ordenar en serie (pág. 471) Pida a los estudiantes que repasen sus diagramas antes de responder a las preguntas.

Repasar los conceptos clave (pág. 471)

1. **a.** Rotación y revolución **b.** Rotación
2. **a.** La inclinación del eje de la Tierra mientras gira alrededor del Sol **b.** Un solsticio ocurre cuando el Sol está más al norte o al sur del ecuador. Durante un equinoccio, el Sol de mediodía está directamente sobre el ecuador. Los solsticios marcan el inicio del verano y el invierno; los equinoccios marcan el inicio del otoño y la primavera. **c.** No habría estaciones; las temperaturas permanecerían casi constantes todo el año en cualquier lugar.

Laboratorio de destrezas

Razones de las estaciones

Analiza y concluye (pág. 473)

1. Durante el invierno, el área cerca de los 23.5° de latitud sur recibe la luz más concentrada. En verano, la región cerca de los 23.5° de latitud norte recibe más luz concentrada.
2. La luz está más concentrada en la zona intermedia durante el verano y más extendida durante el invierno.
3. La misma cantidad de energía está extendida sobre un área más grande.
4. Los polos son consistentemente más fríos porque la luz solar está más extendida ahí. El ecuador es más cálido porque la luz solar está más concentrada ahí.

5. La sombra será más larga durante el invierno y más corta durante el verano.
6. Conforme el ángulo se vuelve menos directo, la luz y el calor se vuelven menos concentrados y se extienden sobre un área más grande. Cada cuadrado recibe una porción más pequeña de luz y calor.
7. Durante el verano en el Hemisferio Norte, los rayos solares chocan con el Hemisferio Norte en forma más directa. El efecto de calentamiento es mayor, y el Hemisferio Norte se calienta. Durante el invierno los rayos chocan en el Hemisferio Norte en un ángulo menos directo, así que el efecto de calentamiento disminuye.

Sección 2 Gravedad y movimiento
(págs. 474–477)

Objetivos
Al terminar esta lección, los estudiantes serán capaces de:

12.2.1 Identificar qué determina la potencia de la fuerza de gravedad entre dos objetos.

12.2.2 Describir dos factores que mantienen a la Luna y la Tierra en órbita.

Preparación para los estándares

¿Puedes quitar la moneda de 1 centavo de la base de la pila? (pág. 474)

Reflexiónalo La ley de la inercia (los objetos en reposo tienden a permanecer en reposo) se demuestra en esta actividad. La única moneda de 1 centavo sobre la que se actuó por una fuerza horizontal es la moneda de la base. Como resultado, las monedas restantes tienden a permanecer sin tocar.

Examina tu avance

Respuestas
Figura 7 (pág. 475) La fuerza de gravedad entre los objetos aumentaría.
Verificar la lectura (pág. 475) La fuerza de gravedad sobre un objeto.

Matemáticas Analizar datos

Repasar matemáticas: Álgebra y funciones 7.1.5

Gravedad versus distancia (pág. 476)

Respuestas
1. 4 millones de newtons
2. 1 millón de newtons
3. No lineal. La gráfica es una curva.
4. Disminuye.
5. 0.16 millones de newtons, ó 160,000 newtons, es la respuesta exacta. Los estudiantes deberán ser capaces de aproximar este valor al extrapolar la curva.

Examina tu avance

Respuestas
Figura 9 (pág. 477) La gravedad de la Tierra la atraería directo hacia la Tierra.

Verificar la lectura (pág. 476) La tendencia de un objeto a resistirse a un cambio en su movimiento.

Evaluación

Destreza de vocabulario

Palabras derivadas del latín (pág. 477) *Gravitas* significa "pesado", y el peso es la fuerza de gravedad actuando sobre un objeto.

Repasar los conceptos clave (pág. 477)
1. **a.** Todos los objetos en el universo se atraen entre sí. **b.** Las masas de los objetos y la distancia entre ellos **c.** Sería mayor.
2. **a.** La inercia y la gravedad **b.** La inercia de la Tierra causa que tienda a moverse en línea recta. **c.** La Tierra se movería en línea recta debido a que ninguna fuerza gravitacional contrarrestaría su inercia.

Sección 3 Fases, eclipses y mareas
(págs. 478–485)

Objetivos
Al terminar esta lección, los estudiantes serán capaces de:

12.3.1 Explicar qué causa las fases de la Luna.

12.3.2 Describir los eclipses solar y lunar.

12.3.3 Identificar qué produce las mareas.

Preparación para los estándares

¿Cómo se mueve la Luna? (pág. 478)

Reflexiónalo La Luna no parece rotar cuando se ve desde la Tierra porque siempre es visible el mismo lado de la Luna desde la Tierra.

Examina tu avance

Respuesta
Figura 10 (pág. 479) No; la Tierra no parecería ponerse porque ese punto en la superficie de la Luna siempre mira hacia la Tierra.

Examina tu avance

Respuestas

Figura 11 (pág. 480) La Luna nueva y la Luna llena

Verificar la lectura (pág. 481) La fase en la que el lado de la Luna que mira hacia la Tierra no está iluminado debido a que el Sol está detrás de la Luna.

Actividad Destrezas

Hacer modelos (pág. 482)
Resultado esperado Con la Tierra de 1 cm de diámetro, la Luna tendrá un diámetro de 2.5 mm, a 30 cm de distancia en la esquina opuesta de la página.

Examina tu avance

Respuestas

Figura 14 (pág. 483) Durante un eclipse lunar, la umbra es la parte más oscura de la sombra de la Tierra. La penumbra es la parte más grande y menos oscura de la sombra de la Tierra.

Verificar la lectura (pág. 483) Luna llena

Examina tu avance

Respuestas

Figura 16 (pág. 484) Las mareas altas se producen en el lado de la Tierra más cercano a la Luna y en el lado directamente opuesto a la Luna.

Verificar la lectura (pág. 485) Una marea muerta ocurre cuando la Luna está en ángulo recto con el Sol. Esta marea tiene la menor diferencia entre las mareas baja y alta consecutivas.

Evaluación

Destreza clave de lectura

Ordenar en serie (pág. 485) Revise que los diagramas de los estudiantes enumeren las fases en el orden correcto.

Repasar los conceptos clave (pág. 485)

1. **a.** La luz del Sol reflejada **b.** Las posiciones relativas de la Luna, la Tierra y el Sol cambian. **c.** El lado de la Luna iluminado por el Sol no mira hacia la Tierra.
2. **a.** Un eclipse ocurre cuando un objeto en el espacio se interpone entre el Sol y un tercer objeto, arrojando una sombra sobre ese objeto. **b.** Durante un eclipse solar, la Luna bloquea la luz solar e impide que llegue a la Tierra. Durante un eclipse lunar, la Tierra bloque la luz solar e impide que llegue a la Luna. **c.** La órbita de la Luna está inclinada con respecto a la órbita de la Tierra, así que la mayor parte de los meses la Luna no se interpone directamente entre el Sol y la Tierra o no queda directamente detrás de la Tierra.
3. **a.** Las mareas son causadas principalmente por diferencias en cuánto atrae la gravedad de la Luna a diferentes partes de la Tierra. **b.** Las mareas altas ocurren tanto del lado de la Tierra más cercano a la Luna como del más alejado de la Luna. Cada punto en la Tierra pasa por estos dos lugares una vez cada 25 horas más o menos. Las mareas bajas ocurren entre cada marea alta. **c.** Durante una marea viva, las mareas altas son más altas que lo usual y las mareas bajas son más bajas que lo usual. Durante una marea muerta, las mareas altas son más bajas que lo usual y las mareas bajas son más altas que lo usual. La diferencia es causada por las posiciones diferentes de la Tierra, la Luna y el Sol relativas entre sí.

Laboratorio de destrezas

Una "lunésima" de fases

Analiza y concluye (pág. 487)

1. El estudiante que sostiene la pelota representa la Tierra. La lámpara representa el Sol. La pelota de espuma de estireno representa la Luna.
2. Ninguna
3. 1: Luna nueva, 2: Luna creciente, 3: cuarto creciente, 4: Luna gibosa creciente, 5: Luna llena, 6: Luna gibosa menguante, 7: cuarto menguante, 8: Luna menguante
4. Para los primeros cuatro giros, alrededor de 25% más de la parte iluminada de la pelota era visible con cada giro. Luego la parte iluminada de la pelota era completamente visible (Luna llena). Para los siguientes cuatro giros, alrededor de 25% menos de la parte iluminada era visible con cada giro hasta que el lado oscuro de la Luna (Luna nueva) miraba de nuevo al observador.
5. La mitad de la pelota estaba siempre iluminada. La oscuridad de la Luna nueva no fue causada por un eclipse; cuando la Luna está entre la Tierra y el Sol, un observador en la Tierra ve el lado no iluminado de la Luna.
6. Respuesta posible: El modelo permite observar el ciclo de las fases en una cantidad de tiempo corta. La desventaja de un modelo es que no siempre muestra el tamaño, forma o color verdaderos del objeto real. Otro modelo podría usar una pelota pintada de negro en un

hemisferio y de blanco en el otro. La mitad blanca representaría el lado iluminado de la Luna. Un estudiante podría caminar alrededor de la pelota para ver las diferentes fases.

Sección 4 La Luna de la Tierra
(págs. 488–491)

Objetivos
Al terminar esta lección, los estudiantes serán capaces de:

12.4.1 Describir las formaciones que se encuentran en la superficie de la Luna.

12.4.2 Identificar algunas características de la Luna.

12.4.3 Explicar cómo se formó la Luna.

Preparación para los estándares

¿Por qué se ven los cráteres diferentes entre sí? (pág. 488)

Reflexiónalo Las canicas se mueven más rápido en el paso 3. Entre más masa tenga el objeto que choca o más rápido choque, será mayor el cráter resultante.

Examina tu avance

Respuestas
Figura 18 (pág. 489) Regiones montañosas.

Verificar la lectura (pág. 489) Grandes pedazos de roca o polvo del espacio

Examina tu avance

Respuestas
Figura 19 (pág. 490) 3,476:384,000, o alrededor de 1:110

Verificar la lectura (pág. 490) Cerca de los polos

Evaluación

Destreza de vocabulario

Palabras derivadas del latín (pág. 491) Las maria son áreas planas y oscuras en la Luna que fueron formadas por antiguos flujos de lava. Galileo pensó que estas áreas eran mares, así que las llamó *maria,* la palabra en latín para "mares". Por tanto, el origen en latín de esta palabra no describe con precisión lo que los científicos saben actualmente.

Repasar los conceptos clave (pág. 491)

1. **a.** Cráteres, maria y regiones montañosas **b.** Por impactos de meteoroides. **c.** El agua, el viento y otras fuerzas desgastan los cráteres en la Tierra. No hay viento ni agua líquida en la Luna que desgasten los cráteres.
2. **a.** 130 °C a −180 °C **b.** La Luna tiene aproximadamente una cuarta parte del diámetro de la Tierra. La gravedad de la superficie lunar es mucho más débil que la de la Tierra. **c.** La gravedad débil de la superficie de la Luna permite que los gases escapen al espacio, así que la Luna no tiene atmósfera, lo que produce temperaturas superficiales ampliamente variables.
3. **a.** La teoría de colisión y anillo **b.** Estaba lleno de fragmentos rocosos **c.** Un objeto del tamaño de un planeta chocó con la Tierra. El material fue expulsado a la órbita alrededor de la Tierra y formaron un anillo. La gravedad causó que este material se combinara para formar la Luna.

Repaso y evaluación (págs. 493–494)

Destreza clave de lectura

Ordenar en serie (pág. 493)
a. Cuarto creciente
b. Luna llena
c. Cuarto menguante

Repasar los términos clave (pág. 493)

1. c
2. d
3. b
4. d
5. c
6. una órbita alrededor del Sol
7. todos los objetos en el universo se atraen entre sí
8. la Luna pasa directamente entre la Tierra y el Sol, bloqueando la luz solar de la Tierra
9. la subida y bajada del agua del océano que ocurre cada 12.5 horas más o menos
10. recibió impactos de meteoroides en la superficie de la Luna

Verificar los conceptos (pág. 494)

11. A la Tierra le toma 24 horas rotar una vez; cada ciclo de 24 horas se llama día. A la Tierra le toma alrededor de 365 días, o un año, completar una órbita alrededor del Sol.
12. La fuerza de gravedad entre ellos disminuiría.
13. Un objeto en reposo no se moverá, y un objeto en movimiento seguirá moviéndose con la misma rapidez y en la misma dirección, a menos que actúe sobre él una fuerza neta.
14. Las fases son causadas por cambios en las posiciones relativas de la Luna, la Tierra y el Sol.
15. La Tierra proyecta una sombra más grande sobre la Luna de la que la Luna proyecta sobre la Tierra. Un eclipse lunar total puede verse en

cualquier lugar de la Tierra donde sea visible la Luna. Durante un eclipse solar total, la umbra de la Luna llega sólo a una pequeña parte de la superficie de la Tierra, y sólo las personas dentro de la umbra pueden ver el eclipse solar total.

16. Más cerca de la Luna, la atracción gravitacional de la Luna sobre el agua en la superficie de la Tierra es más fuerte que su atracción sobre la Tierra entera, y el agua fluye hacia ese punto. En el lado más alejado de la Luna, la Luna atrae con más intensidad a la Tierra entera que al agua en la superficie de la Tierra, creando también una marea alta en ese punto.
17. Marea viva; el Sol, la Luna y la Tierra están alineados en una línea recta.
18. Usando un telescopio, Galileo pudo determinar que la Luna no era la esfera perfecta que imaginaron los griegos. Más bien, tenía una superficie irregular con una variedad de formaciones como cráteres, maria y regiones montañosas.
19. La Luna no tiene una atmósfera; los gases atmosféricos ayudan a atrapar el calor del Sol y moderan las variaciones de temperatura.
20. Los científicos plantearon la teoría de que un objeto del tamaño de un planeta chocó con la Tierra. Material de la colisión fue expulsado a la órbita alrededor de la Tierra, donde se formó un anillo. La gravedad causó que este material se combinara para formar la Luna.

Razonamiento crítico (pág. 494)

21. Sí; Marte tiene estaciones debido a que sus polos norte y sur apuntan hacia el Sol o lejos de éste en diferentes momentos durante su revolución.
22. La masa es la cantidad de materia en un objeto. El peso es la fuerza de gravedad sobre un objeto.
23. La persona pesaría una sexta parte de su peso en la Tierra, o unos 75 newtons (17 libras).
24. La Luna llena sale al atardecer porque tiene que estar opuesta al Sol en el cielo para que su cara se ilumine por completo. Por tanto sale en el este cuando el sol se pone en el oeste.
25. Respuesta posible: Se tendría que considerar la falta de atmósfera de la Luna, sus temperaturas superficiales variables, su gravedad débil y su terreno.

Aplicar destrezas (pág. 494)

26. Caen de manera más directa en el Hemisferio Norte.
27. Es el solsticio de verano porque el extremo norte del eje de la Tierra está inclinado hacia el Sol.
28. Los bocetos de los estudiantes deberán mostrar el extremo sur del eje de la Tierra inclinado hacia el Sol.

Práctica de estándares (pág. 495)

1. A; S 8.4.e
2. D; S 8.4.e
3. D; S 8.4.d
4. C; S 8.2.g
5. C; S 8.4.e
6. B; S 8.4.d
7. B; S 8.4.d
8. D; S 8.2.g
9. A; S 8.4.d

Aplicar la gran idea (pág. 495)

10. Ejemplo: Tanto la Tierra como la Luna se mueven por rotación y revolución. La rotación de la Tierra causa el día y la noche. La rotación de la Tierra y la atracción gravitacional de la Luna y el Sol causan las mareas. La revolución de una Tierra inclinada alrededor del Sol causa las estaciones. La revolución de la Luna alrededor de la Tierra y las posiciones relativas cambiantes de la Tierra, la Luna y el Sol causan las fases de la Luna y los eclipses. S 8.4.d, 8.4.e

Capítulo 13 Exploración del espacio

Verifica lo que sabes (pág. 497)

Esta pregunta evalúa la comprensión de los estudiantes sobre la gravedad y la inercia. (S 5.5.c)

Respuestas y explicaciones posibles

Respuesta correcta: Los astronautas y otros objetos parecen flotar porque están en caída libre. *Explicación posible:* Junto con su nave espacial, en realidad están cayendo alrededor de la Tierra como resultado de su inercia y la atracción de la gravedad de la Tierra. *Respuestas incorrectas posibles:* Algunos estudiantes pueden pensar que la gravedad no existe en el espacio. *Explicación posible:* Los astronautas y los objetos parecen flotar, por tanto la gravedad no tiene efecto en ellos en el espacio.

Desarrollar el vocabulario de Ciencias

¡Aplícalo! (pág. 498)

1. consumidor
2. tecnología
3. benefician

Cómo leer en Ciencias

¡Aplícalo! (pág. 500)
Respuesta de ejemplo: La Luna gira alrededor de la Tierra debido a los efectos combinados de la inercia y la gravedad.

Sección 1 La ciencia de los cohetes
(págs. 502–507)

Objetivos
Al terminar esta lección, los estudiantes serán capaces de:
13.1.1 Explicar cómo se desarrollaron los cohetes.
13.1.2 Demostrar cómo funciona un cohete.
13.1.3 Identificar la ventaja principal de un cohete de etapas múltiples.

Preparación para los estándares

¿Qué fuerza hace mover a un globo? (pág. 502)

Reflexiónalo El aire salió expulsado del globo. El globo se movió en la dirección opuesta a la del aire que salió. Las fuerzas de acción-reacción hacen que el globo se mueva. La posición de la mano libre no afecta al movimiento del globo.

Examina tu avance

Respuesta

Verificar la lectura (pág. 503) Konstantin Tsiolkovsky, Robert Goddard y Wernher von Braun

Actividad Inténtalo

Conviértete en un científico de cohetes (pág. 504)
Resultado esperado El cohete se elevará unos 2 a 5 metros en el aire. La presión del gas se acumuló dentro del tubo de película como resultado de la reacción del antiácido y el agua. La presión continúa acumulándose hasta que la tapa del tubo sale volando y el cohete es lanzado.

Matemáticas Analizar datos

Repasar matemáticas: Álgebra y funciones 7.1.5

Altitud del cohete (pág. 505)

Respuestas

1. Altitud y tiempo, metros y segundos
2. Unos 65 metros; unos 128 metros
3. 6 segundos
4. La inercia del cohete causó que continuara elevándose después que se agotó su combustible. Con el tiempo la fricción causó que el cohete disminuyera su rapidez y la gravedad causa que caiga.

Examina tu avance

Respuestas

Figura 3 (pág. 504) Para elevar un cohete desde el suelo, el empuje hacia arriba debe ser mayor que la fuerza de gravedad hacia abajo. La mayor parte de los cohetes crean empuje quemando combustibles. El cohete se mueve hacia adelante conforme los gases son propulsados hacia atrás.

Verificar la lectura (pág. 505) Combustible sólido, combustible líquido e iones de gas

Examina tu avance

Respuestas

Figura 5 (pág. 506) La parte superior del cohete.

Verificar la lectura (pág. 507) Un cohete en el que cohetes más pequeños, o etapas, se colocan uno encima del otro y luego se encienden en sucesión.

Evaluación

Destreza clave de lectura

Relacionar causa y efecto (pág. 507) Los organizadores gráficos de los estudiantes deberán incluir causas y efectos para las contribuciones de los chinos, Tsiolkovsky, Goddard y von Braun. Revise la precisión de los organizadores gráficos de los estudiantes.

Repasar los conceptos clave (pág. 507)

1. **a.** Un aparato que expulsa gas en una dirección para permitir el movimiento en la dirección opuesta **b.** En China en el siglo XII **c.** Para uso militar y para fuegos artificiales.
2. **a.** La fuerza de reacción que propulsa a un cohete hacia adelante **b.** La mayor parte de los cohetes crean empuje quemando combustible **c.** Los combustibles que se queman producen gas caliente que empuja hacia afuera en todas direcciones. El gas sólo puede escapar a través de aberturas en la parte posterior del cohete y sale expulsado por estas aberturas. Esta fuerza de acción produce una fuerza de reacción igual que empuja al cohete hacia adelante.
3. **a.** Un conjunto de secciones de cohete se colocan una sobre otra y luego se encienden en sucesión. Conforme cada etapa agota su combustible, el contenedor de combustible vacío se separa y cae. Entonces se enciende la siguiente etapa y continúa impulsando al cohete hacia su destino **b.** En un cohete de etapas múltiples, el peso total del cohete se reduce en gran

medida conforme se eleva el cohete. **c.** Lleva menos peso y ya ha sido acelerada por las etapas anteriores.

Laboratorio de tecnología

Diseñar y construir un cohete de agua

Analiza y concluye (pág. 509)

1. Las respuestas deberán reflejar una comprensión de que, cuando se agregó agua, la masa extra expulsada por el globo hizo que el globo se elevara más alto.
2. El agua proporcionó masa extra que, cuando fue expulsada del globo, proporcionó empuje para impulsar el globo.
3. Los estudiantes deberán notar que la adición de agua al globo causó que volara más alto cuando se soltó. Esta observación deberá causar que agreguen una cantidad significativa de agua a su cohete en la Parte 2. Sin embargo, si se agrega demasiada agua, la fuerza requerida para elevar el cohete puede contrarrestar la propulsión adicional proporcionada por el agua.
4. Las respuestas variarán pero deberán demostrar una comprensión del cumplimiento de los criterios de diseño.
5. Las respuestas deberán describir varias características de diseño diferentes incorporadas en varios cohetes y señalar cuáles características de diseño parecen haber contribuido a los lanzamientos más exitosos.
6. Las respuestas variarán pero las mejoras posibles pueden incluir ajustar la cantidad de agua, modificar la forma o número de aletas o usar materiales diferentes.
7. Las respuestas variarán pero deberán incluir una comprensión de la forma en que la propulsión de cohetes ha permitido los viajes espaciales.

Sección 2 El programa espacial
(págs. 510–514)

Objetivos

Al terminar esta lección, los estudiantes serán capaces de:

13.2.1 Describir la carrera espacial.

13.2.2 Exponer el programa *Apollo*.

Preparación para los estándares

¿Dónde alunizaron los astronautas? (pág. 510)

Reflexiónalo Los nombres de los lugares de la Luna en ocasiones son descriptivos de lugares reales en el mapa, pero no necesariamente son precisos. Por ejemplo, un "mar" en la Luna puede ser un área relativamente lisa, pero no es un océano. Los astronautas no necesitaron barcos para explorar el Mar de la Tranquilidad y el Océano Proceloso.

Examina tu avance

Respuestas

Figura 6 (pág. 511) En la parte superior

Verificar la lectura (pág. 511) Alan Shepard

Actividad Destrezas

Calcular (pág. 512)

Resultado esperado 667 N + 636 N = 1303 N; 1303 N ÷ 6 = 217 N

Examina tu avance

Respuestas

Figura 8 (pág. 513) Les permitiría explorar un área mayor.

Verificar la lectura (pág. 513) Aprendieron sobre la composición mineral de la Luna. También pudieron estimar cuándo se formaron diferentes partes de la superficie de la Luna.

Examina tu avance

Respuesta

Figura 9 (pág. 514) Una base lunar proporcionaría un terreno de prueba para nuevas tecnologías que podrían usarse en Marte. Además, desde una base lunar se podrían lanzar misiones para llevar personas a Marte.

Evaluación

Destreza clave de lectura

Relacionar causa y efecto (pág. 514) Los organizadores gráficos de los estudiantes deberán mostrar las causas de la carrera espacial. Por ejemplo, una causa fue la rivalidad entre los Estados Unidos y la entonces Unión Soviética.

Repasar los conceptos clave (pág. 388)

1. **a.** La rivalidad en la exploración del espacio entre los Estados Unidos y la Unión Soviética **b.** El lanzamiento del *Sputnik I* en órbita **c.** La competencia desempeñó un gran papel, causando que los Estados Unidos y la Unión Soviética trataran con más ahínco y lograran grandes resultados.
2. **a.** El esfuerzo de los Estados Unidos para hacer llegar astronautas a la Luna **b.** *Sputnik I*, se crea la NASA, Yuri Gagarin orbita la Tierra, primer norteamericano en el espacio, John Glenn orbita la Tierra, los primeros hombres en la Luna **c.** Sí. El programa fue exitoso porque los humanos descendieron en la Luna en 1969.

Sección 3 Exploración del espacio en el presente (págs. 515–519)

Objetivos

Al terminar esta lección, los estudiantes serán capaces de:

13.3.1 Distinguir entre el papel de los transbordadores espaciales y el de las estaciones espaciales.

13.3.2 Identificar características que tienen en común las sondas espaciales.

Preparación para los estándares

¿Qué necesitas para sobrevivir en el espacio? (pág. 515)

Reflexiónalo No. Todo lo que se necesitaría, como aire, agua y alimento, no podría encontrarse en el espacio. Es probable que fuera difícil llevar todos estos artículos al espacio. El alimento, por ejemplo, tendría que almacenarse y conservarse. Se necesitaría diseñar un sistema de circulación de aire y una forma de almacenar, purificar y reutilizar el agua.

Examina tu avance

Respuestas

Figura 10 (pág. 516) Es probable que sea más barato que usar cohetes nuevos para cada misión. También puede aterrizar como un avión.

Verificar la lectura (pág. 517) Un satélite artificial grande en el que las personas pueden vivir y trabajar por períodos largos

Examina tu avance

Respuestas

Figura 12 (pág. 518) Un róver puede moverse por la superficie del planeta y obtener una vista de cerca. También puede juntar y analizar materiales como suelo y rocas.

Verificar la lectura (pág. 519) Un robot pequeño que puede moverse por la superficie de un planeta o de la Luna

Evaluación

Destreza de vocabulario

Palabras académicas de uso frecuente (pág. 519) La principal *fuente* de energía de la Estación Espacial Internacional es una serie de ocho paneles solares grandes.

Repasar los conceptos clave (pág. 519)

1. **a.** Una nave espacial que puede llevar a una tripulación al espacio y regresarla a la Tierra; puede realizar esta tarea repetidamente. **b.** Un satélite artificial grande en el que las personas pueden vivir y trabajar por períodos largos. **c.** Los transbordadores espaciales ponen en órbita satélites, llevan a tripulaciones a reparar satélites dañados y llevan astronautas y equipo a las estaciones espaciales y los regresan. Las estaciones espaciales permiten que ocurran experimentos y observaciones a largo plazo en el espacio.
2. **a.** Una nave espacial sin tripulación con varios instrumentos científicos que pueden reunir datos, incluyendo imágenes visuales. **b.** Un sistema de energía que produce electricidad, un sistema de comunicación para enviar y recibir señales, e instrumentos científicos para reunir datos y realizar experimentos. **c.** Respuestas posibles: Ventajas: menor costo debido a que no es necesario llevar artículos esenciales para la supervivencia humana en sondas espaciales sin tripulación, no hay riesgo para los astronautas; Desventajas: menos flexibilidad, nadie está presente para reparar problemas que podría experimentar la sonda espacial.

Sección 4 Usar la ciencia del espacio en la Tierra (págs. 520–524)

Objetivos

Al terminar esta lección, los estudiantes serán capaces de:

13.4.1 Explicar en qué se diferencian las condiciones en el espacio a las de la Tierra.

13.4.2 Identificar los beneficios que brinda la tecnología espacial a la sociedad moderna.

13.4.3 Describir algunos de los usos de los satélites que orbitan la Tierra.

Preparación para los estándares

¿Qué herramienta será más útil en el espacio? (pág. 520)

Reflexiónalo El taladro inalámbrico sería más útil en la Estación Espacial Internacional porque puede operar sin conectarse en un sistema eléctrico. Los astronautas ingrávidos pueden usar el bolígrafo espacial mientras flotan en cualquier posición.

Examina tu avance

Respuestas

Figura 14 (pág. 521) La inercia del astronauta lo mantiene moviéndose hacia adelante de modo que permanece en órbita con la nave espacial.

Verificar la lectura (pág. 521) La condición en que las personas y los objetos en órbita experimentan falta de peso debido a que están cayendo por el espacio junto con la nave espacial.

Examina tu avance

Respuestas

Figura 15 (pág. 522) Un astronauta en una caminata espacial no puede quitarse su carátula para limpiarla. En la Tierra, las personas que realizan actividades que requieren ambas manos y el uso constante de protección para los ojos ya no necesitan dejar lo que están haciendo para limpiar lo empañado de sus gafas de protección.

Verificar la lectura (pág. 523) No hay lugar donde conectar una herramienta en el espacio.

Examina tu avance

Respuestas

Figura 16 (pág. 524) Desierto

Verificar la lectura (pág. 524) Reunir información sobre la superficie de la Tierra sin estar en contacto directo con ella

Evaluación

Destreza de vocabulario

Palabras académicas de uso frecuente (pág. 524) Respuesta de ejemplo: Dos tecnologías nuevas desarrolladas para usarse en el espacio fueron las herramientas inalámbricas y los alimentos congelados deshidratados.

Repasar los conceptos clave (pág. 524)

1. **a.** Casi un vacío, temperaturas extremas y microgravedad **b.** Las naves espaciales están bien aisladas y son herméticas. Además, los sistemas y aparatos están diseñados para trabajar en microgravedad.
2. **a.** Un artículo que fue diseñado originalmente para su uso en el espacio pero que tiene usos en la Tierra **b.** Las derivaciones médicas incluyen aparatos que usan rayos láser para limpiar arterias obstruidas, marcapasos que usan baterías de larga duración y técnicas de imágenes asistidas con computadoras. **c.** Respuesta posible: Los materiales aislantes que protegen a la nave espacial de la radiación se usan en la Tierra en los hogares.
3. **a.** Respuesta posible: Transmisión de señales de televisión, recolección de datos del clima y transmisión de datos de computadora **b.** Porque un satélite en órbita geoestacionaria permanece en el mismo lugar sobre la Tierra, las señales desde y hacia el satélite siempre pueden ser dirigidas desde y hacia la misma ubicación en el cielo. **c.** Los científicos pueden examinar imágenes de satélite de un área tomadas a lo largo de un período de años para averiguar si el área cubierta por un bosque tropical está cambiando.

Laboratorio del consumidor

Derivaciones espaciales

Analiza y concluye (pág. 525)

1. La gráfica deberá tener tiempo en el eje de x y temperatura en el eje de y. Los tres termómetros pueden graficarse en la misma gráfica. Cada uno tendrá su propia línea curva.
2. Los resultados variarán dependiendo de la temperatura en el salón y las cantidades de material aislante y hielo usadas. El termómetro cubierto con tela se protege mejor contra la pérdida de calor.
3. Los tubos de ensayo en los que se coloca el termómetro sin cubrir también se enfrían. Este tubo de ensayo sirve como control para mostrar los efectos de los materiales aislantes en la pérdida de calor.
4. La cobertura de tela protege mejor contra la pérdida de calor que la cobertura de papel aluminio. Los datos muestran que la temperatura no descendió tanto cuando un termómetro estaba envuelto en tela.
5. Las respuestas variarán. Acepte cualquier anuncio creativo que incorpore procedimientos de prueba y proporcione datos para apoyar la afirmación.

Tecnología y sociedad

Satélites de comunicaciones

Evalúa el efecto (pág. 527)

1. Los estudiantes podrían sugerir que las personas tienen más acceso a las transmisiones de televisión. También podrían exponer cómo se usan los satélites para hacer muchas llamadas de larga distancia y para transmitir datos e imágenes de computadora.

2. El análisis deberá encontrar al menos cuatro usos de los satélites de comunicaciones y su influencia en la sociedad. Las respuestas podrían incluir la transmisión instantánea de noticias que permite a las personas de cualquier parte de la Tierra reaccionar de inmediato ante los sucesos. Otras podrían incluir el uso de teléfonos celulares, localizadores, faxes o la Internet.
3. Los párrafos de los estudiantes deberán describir formas en que los estudiantes y sus familias usan la tecnología de los satélites en su vida diaria.

Repaso y evaluación (págs. 529–530)

Destreza clave de lectura

Relacionar causa y efecto (pág. 529) Respuesta posible: Productos como las palancas de mando y los detectores de humo son útiles para los consumidores; la ciencia médica en la Tierra se ha beneficiado de muchas derivaciones espaciales.

Repasar los términos clave (pág. 529)

1. a
2. c
3. c
4. b
5. d
6. la fuerza de reacción que propulsa a un cohete hacia adelante
7. naves espaciales que llevan instrumentos científicos que pueden reunir datos, pero no tienen una tripulación humana
8. una sensación de falta de peso que ocurre cuando un astronauta cae a través del espacio a la misma velocidad que la nave espacial
9. un satélite artificial grande en el que las personas pueden vivir y trabajar por largos períodos
10. la recolección de información sobre la Tierra y otros objetos en el espacio sin estar en contacto directo

Verificar los conceptos (pág. 530)

11. Los combustibles sólidos y los combustibles líquidos se usan para impulsar a la mayor parte de los cohetes. Algunos cohetes usan iones de gas para producir empuje.
12. Neil Armstrong dijo: "Es un pequeño paso para el hombre, pero un gran paso para la humanidad."
13. La tripulación del transbordador espacial pone satélites en órbita, repara satélites dañados y transporta equipo desde y hacia el espacio.
14. El propósito de una estación espacial es proporcionar un lugar donde puedan realizarse observaciones y experimentos a largo plazo en el espacio.
15. Respuesta posible: Las técnicas de imágenes asistidas por computadoras son una derivación médica. Los zapatos deportivos que contienen materiales de amortiguación de vibraciones son una derivación de materiales. Una palanca de mando es una derivación para el consumidor.

Razonamiento crítico (pág. 530)

16. La flecha roja que apunta hacia abajo representa la fuerza de acción del gas expulsado por la parte trasera de un cohete. La flecha azul que apunta hacia arriba representa la fuerza de reacción del empuje que propulsa al cohete hacia adelante.
17. Sí. Un cohete expulsa gas en una dirección para mover el aparato en la dirección opuesta.
18. Respuesta posible: Los educadores tomaron esta decisión para asegurar que los estudiantes estadounidenses, los científicos futuros del país, comprendieran y pudieran contribuir con la exploración espacial y otras áreas de logro tecnológico.
19. Respuesta posible: Sí. Los beneficios tienen más peso que los costos debido a que hemos aprendido mucho sobre los orígenes de la Tierra y la Luna. También nos hemos beneficiado de muchas derivaciones espaciales.
20. La velocidad orbital es la velocidad que debe lograr un cohete para establecer una órbita. La velocidad de escape es la velocidad que debe alcanzar un cohete para volar más allá de la atracción gravitacional de un planeta. La velocidad de escape es mucho mayor que la velocidad orbital.
21. Respuesta posible: Los astronautas están realizando una variedad de experimentos en la Estación Espacial Internacional. Esta investigación puede producir avances tecnológicos y una mayor comprensión de los efectos de la microgravedad que ayudarán a la exploración subsiguiente del sistema solar.

Aplicar destrezas (pág. 530)

22. Al satélite le tomará más o menos 37 horas completar una órbita.
23. El satélite orbita a una altitud de unos 36,000 km.
24. En general, entre mayor sea la altitud de un satélite, será más largo su período orbital.

Práctica de estándares (pág. 531)

1. D; S 8.4.d Estructura
2. B; S 8.2.e, 8.2.g
3. C; S 8.2.e
4. B; S 8.4.d Estructura
5. D; S 8.4.d Estructura
6. A; S 8.4.d Estructura
7. D; S 8.4.d Estructura
8. B; S 8.4.d Estructura

Aplicar la gran idea (pág. 531)

9. Ejemplo: La sonda podría tomar imágenes de Plutón, las cuales podrían usarse para localizar formaciones en su superficie. La sonda también podría buscar evidencia de minerales o hielos en la superficie de Plutón y gases en su atmósfera delgada. Podría examinar cómo cambia la temperatura superficial de Plutón con el tiempo y en diferentes lugares. La sonda también podría hacer un mapa de los campos gravitacional y magnético de Plutón. S 8.4.d Estructura, S 8.4.e

Capítulo 14 El sistema solar

Verifica lo que sabes (pág. 533)

Esta pregunta evalúa la comprensión de los estudiantes sobre los papeles de la gravedad y la inercia para mantener las órbitas de los planetas. (S 5.5.c, 8.2.g)

Respuestas y explicaciones posibles

Respuesta correcta: La pelota se moverá en una línea recta en la dirección en que se estaba moviendo en el instante en que se rompió la cuerda. *Explicación posible:* El movimiento de la pelota antes que se rompiera la cuerda se debía a una combinación de la inercia de la pelota y la fuerza de la cuerda que atraía a la pelota hacia el centro. Cuando la cuerda se rompió, la fuerza que atrae a la pelota hacia el centro se eliminó. *Respuestas incorrectas posibles:* Los estudiantes pueden pensar que la pelota se alejará directamente del centro. *Explicación posible:* Sólo la fuerza de la cuerda está actuando sobre la pelota.

Desarrollar el vocabulario de Ciencias

¡Aplícalo! (pág. 534)

Pida a los estudiantes que respondan a la pregunta y luego revisen la respuesta en el texto. Anímelos a explicar por qué su respuesta es correcta. (*Ejemplo: Helios significa "Sol" en griego, así que heliocéntrico debe significar "centrado en el Sol".*)

Cómo leer en Ciencias

¡Aplícalo! (pág. 536)

Pida a los estudiantes que usen mayúsculas donde sea necesario cuando respondan a las preguntas. Respuestas de ejemplo:

1. *La Tierra en el centro* y *El Sol en el centro*
2. el primer número bajo el subencabezado A. Observaciones griegas
3. Los bosquejos deberán reflejar la estructura del capítulo e incluir cada una de las ideas principales y detalles importantes que las apoyan.

Sección 1 Observación del sistema solar (págs. 538–544)

Objetivos

Al terminar esta lección, los estudiantes serán capaces de:

14.1.1 Identificar los sistemas geocéntrico y heliocéntrico.

14.1.2 Reconocer cómo contribuyeron científicos como Copérnico, Galileo y Kepler a la aceptación del sistema heliocéntrico.

14.1.3 Identificar los objetos que forman el sistema solar.

Preparación para los estándares

¿Qué está en el centro? (pág. 538)

Reflexiónalo Sería difícil si no es que imposible decir si la Tierra o el Sol están en el centro del sistema solar.

Examina tu avance

Respuestas

Figura 2 (pág. 539) La Tierra está en el centro.

Verificar la lectura (pág. 539) Un sistema geocéntrico es aquel en el que la Tierra está en el centro de un sistema de planetas que giran alrededor de ella.

Actividad Destrezas

Una elipse que gira (pág. 541)

Resultado esperado Mover las tachuelas más cerca hace que la elipse sea más redonda. Si los estudiantes usaran sólo una tachuela, dibujarían un círculo.

Examina tu avance

Respuestas

Figura 3 (pág. 540) La Luna

Verificar la lectura (pág. 541) Un modelo del sistema solar en el que la Tierra y los otros planetas giran alrededor del Sol

Matemáticas Analizar datos

Repasar matemáticas: Álgebra y funciones 7.1.5

Rapidez de los planetas versus distancia (pág. 542)

Respuestas

1. Unos 30 km/s
2. Mercurio; Mercurio
3. Los planetas que están más cerca del Sol se mueven más rápido.
4. La rapidez de Urano es menor que la de Júpiter debido a que Urano está más lejos del Sol que Júpiter.

Actividad Destrezas

Calcular (pág. 543)
Resultado esperado Para Ceres, 2.77 UA × 150 millones de km/UA ≈ 416 millones de km; usando la Figura 5, los estudiantes deberán determinar que Ceres está entre Marte y Júpiter. La distancia entre las órbitas de Ceres y la Tierra es 416 millones de km − 150 millones de km, ó 266 millones de km, lo cual es 1.77 UA.

Examina tu avance

Respuestas
Figura 5 (pág. 542) Mercurio.

Verificar la lectura (pág. 543) La distancia promedio de la Tierra al Sol: 150 millones de kilómetros

Evaluación

Destreza de vocabulario

Palabras derivadas del griego (pág. 544) Los estudiantes deberán relacionar los significados de las palabras griegas *geo, helios* y *kentron* con los términos *geocéntrico* y *heliocéntrico*.

Repasar los conceptos clave (pág. 544)

1. **a.** Geocéntrico: La Tierra está en el centro del sistema solar. Heliocéntrico: el Sol está en el centro. **b.** Ptolomeo pensaba que los planetas, la Luna y el Sol giraban alrededor de la Tierra. Copérnico pensaba que el Sol estaba en medio y que los planetas giraban alrededor del Sol. **c.** Las lunas que giraban alrededor de Júpiter y las fases de Venus. **d.** No; la Tierra está girando de oeste a este. Esto causa que el Sol parezca moverse a través del cielo.
2. **a.** Para describir el movimiento de los planetas y determinar la forma de sus órbitas **b.** Que son elípticas **c.** Brahe observó y anotó sus observaciones. Kepler usó la evidencia reunida por Brahe para formular una hipótesis sobre las órbitas. Luego hizo predicciones basado en sus observaciones.
3. **a.** El Sol, los planetas y sus lunas, y varios tipos de objetos más pequeños **b.** Mercurio, Venus, Tierra, Marte, Júpiter, Saturno, Urano, Neptuno **c.** Venus.

Sección 2 El Sol
(págs. 545–550)

Objetivos
Al terminar esta lección, los estudiantes serán capaces de:
14.2.1 Explicar cómo produce energía el Sol.
14.2.2 Nombrar las capas del interior del Sol y de la atmósfera del Sol.
14.2.3 Identificar las tres capas de la atmósfera del Sol.
14.2.4 Describir las características que se forman sobre o encima de la superficie del Sol.

Preparación para los estándares

¿Cómo puedes observar el Sol en forma segura? (pág. 545)

Reflexiónalo Aparecerá un círculo brillante grande en el papel. También pueden ser visibles manchas solares.

Examina tu avance

Respuestas
Figura 8 (pág. 547) En el núcleo

Verificar la lectura (pág. 547) La capa más superficial del interior del Sol

Actividad Inténtalo

Ver las manchas solares (pág. 548)
Resultado esperado Sugiera a los estudiantes que miren las manchas solares dos o tres veces por día durante diez días. Sus tablas de datos deberán incluir el número de manchas solares anotadas en cada intervalo, así como el número promedio de manchas solares por día.

Examina tu avance

Respuestas
Figura 11 (pág. 549) Núcleo, zona radiactiva, zona de convección.

Verificar la lectura (pág. 548) Durante un eclipse solar total

Examina tu avance

Respuesta

Verificar la lectura (pág. 550) Un enorme arco rojizo de gas en la superficie del Sol

Evaluación

Destreza de vocabulario

Palabras derivadas del griego (pág. 550) Los estudiantes deberán usar los significados de las palabras griegas *photo, chróma* y *sphaira* para explicar las diferencias entre los términos.

Repasar los conceptos clave (pág. 550)

1. **a.** Un proceso en el que se libera energía cuando los núcleos atómicos se combinan en los núcleos de las estrellas **b.** En el núcleo del Sol. **c.** Los núcleos de hidrógeno chocan y se fusionan para formar helio. Algo de la masa del hidrógeno se convierte en energía.
2. **a.** Interior: núcleo, zona radiactiva, zona de convección; exterior: fotosfera, cromosfera, corona **b.** La fotosfera **c.** El brillo de la fotosfera bloquea a la corona más tenue.
3. **a.** Manchas solares: áreas más oscuras y más frías en la superficie del Sol; protuberancias: arcos rojizos de gas que a menudo conectan las manchas solares; y fulguraciones solares: erupciones de gas que llegan al espacio **b.** Las manchas solares son más frías y por tanto liberan menos luz que la fotosfera circundante.

Laboratorio de destrezas

Manchas solares y tormentas

Analiza y concluye (pág. 551)

1. Mayor número: 1980, 1990 y 2000; menor número: 1976, 1986 y 1996
2. Cada 10 a 11 años
3. Actividad máxima de manchas solares más reciente: 2000; actividad mínima de manchas solares más reciente: 1996
4. Los períodos de máxima actividad de las manchas solares corresponden a un incremento en las tormentas magnéticas. Los períodos de baja actividad de las manchas solares corresponden a una disminución en las tormentas magnéticas.
5. Cada resumen deberá incluir ejemplos y una explicación clara de la relación entre el número de manchas solares para el año, el número de días en ese año con tormentas magnéticas y la ocurrencia de interferencias eléctricas.

Sección 3 Los planetas interiores (págs. 552–559)

Objetivos

Al terminar esta lección, los estudiantes serán capaces de:

14.3.1 Describir las características que tienen en común los planetas interiores.

14.3.2 Identificar las características principales que diferencian a cada uno de los planetas interiores.

Preparación para los estándares

¿Cómo se ve Marte desde la Tierra? (pág. 552)

Reflexiónalo El compañero puede ver y dibujar patrones y líneas que no están en el dibujo original. La vista desde el otro lado del salón no es una representación precisa de la forma en que lucía el dibujo original.

Examina tu avance

Respuestas

Figura 14 (pág. 553) Corteza, manto y núcleo

Verificar la lectura (pág. 553) Nitrógeno y oxígeno

Examina tu avance

Respuestas

Figura 15 (pág. 554) La superficie de Mercurio está llena de cráteres y está baldía. No tiene agua líquida.

Verificar la lectura (pág. 554) Las temperaturas en Mercurio varían de 430 °C en el lado iluminado por el Sol hasta menos de −170 °C en la noche.

Actividad Inténtalo

Efecto invernadero (pág. 556)

Resultado esperado La temperatura en el frasco cubierto deberá elevarse más rápido.

Examina tu avance

Respuestas

Figura 18 (pág. 557) Marte tiene una atmósfera delgada y transparente.

Verificar la lectura (pág. 556) Principalmente de gotitas de ácido sulfúrico

Actividad Inténtalo

Control remoto (pág. 558)

Resultado esperado Las instrucciones simples y claras funcionaron mejor. Los estudiantes no pudieron moverse con rapidez. En forma similar, a los róvers deben dárseles instrucciones simples y se mueven despacio.

Examina tu avance

Respuesta

Verificar la lectura (pág. 559) Dos; Fobos y Deimos

Evaluación

Destreza clave de lectura

Hacer bosquejos (pág. 559) Los estudiantes deberán completar bosquejos detallados para la Sección 3 y usarlos conforme respondan a las preguntas.

Repasar los conceptos clave (pág. 559)

1. **a.** Mercurio, Marte, Venus, Tierra **b.** Todos son pequeños, densos y tienen superficies rocosas.
2. **a.** Respuestas posibles: Mercurio: superficie con muchos cráteres; Venus: atmósfera espesa; Tierra: agua líquida en su superficie; Marte: tiene el volcán más grande en el sistema solar **b.** Mercurio: casi no tiene atmósfera; Venus: atmósfera espesa formada principalmente por dióxido de carbono; Tierra: atmósfera formada principalmente por nitrógeno y oxígeno; Marte: atmósfera delgada formada principalmente por dióxido de carbono **c.** La atmósfera espesa de Venus atrapa el calor como resultado del efecto invernadero. En contraste, Mercurio casi no tiene atmósfera de modo que el calor escapa al espacio por la noche.

Ciencias y sociedad

Exploración espacial: ¿Vale la pena el costo?

Tú decides (pág. 561)

1. Los costos pueden incluir el gasto monetario al igual que el costo posible en vidas humanas. Los beneficios pueden incluir el conocimiento obtenido, la tecnología de derivación y los empleos que resultan de la construcción de naves espaciales.
2. Las tablas de opciones deberán incluir tres enfoques. Respuesta posible para el enfoque de la exploración humana: Las personas pueden interpretar situaciones en diferentes formas y extender su investigación; por ejemplo, si una prueba indica que ciertas sustancias químicas en la superficie de un planeta podrían haber sido producidas por una forma de vida, un explorador humano puede diseñar mayores pruebas para llegar a conclusiones más exactas. Respuesta posible para el enfoque basado en la Tierra: Cada día se encuentran mejores formas de refinar instrumentos. Respuesta posible para otro enfoque: Podrían diseñarse sondas no tripuladas que fueran capaces de hacer los tipos de análisis que en la actualidad sólo puede hacer el cerebro humano.
3. Los estudiantes pueden establecer prioridades para el presupuesto del Congreso en muchas formas diferentes. Muchos pueden poner el financiamiento de la educación o la investigación de enfermedades cerca del principio de la lista y la exploración espacial cerca del final.

Sección 4 Los planetas exteriores
(págs. 562–569)

Objetivos

Al terminar esta lección, los estudiantes serán capaces de:

14.4.1 Describir las características que tienen en común los gigantes gaseosos.

14.4.2 Identificar características que distinguen a cada planeta exterior.

Preparación para los estándares

¿Qué tamaño tienen los planetas? (pág. 562)

Reflexiónalo Júpiter, Saturno, Urano, Neptuno, Tierra; Júpiter.

Examina tu avance

Respuesta

Figura 20 (pág. 563) Júpiter

Examina tu avance

Respuestas

Figura 21 (pág. 564) Los planetas telúricos son pequeños y rocosos. Júpiter es grande y en su mayor parte líquido, aunque puede tener un núcleo sólido.

Figura 22 (pág. 565) Ganímedes

Verificar la lectura (pág. 564) Principalmente de hidrógeno y helio

Actividad Destrezas

Hacer modelos (pág. 566)

Resultado esperado Las partículas de bicarbonato de sodio representan los fragmentos de hielo y roca que forman los anillos de Saturno.

Examina tu avance

Respuestas

Figura 23 (pág. 566) Los anillos son tan delgados que cuando sus bordes están orientados hacia la Tierra son casi invisibles.

Figura 24 (pág. 567) Durante la primavera y el otoño, todas las partes del planeta experimentan horas iguales de luz solar y oscuridad. Durante el invierno y el verano, un hemisferio está casi siempre en oscuridad mientras el otro está casi siempre con luz solar.

Verificar la lectura (pág. 566) Fragmentos de hielo y roca

Verificar la lectura (pág. 567) William Herschel

Matemáticas Destrezas

La circunferencia (pág. 568)

Respuesta 2 × 3.14 × 60,270 km = alrededor de 378,000 km

Examina tu avance

Respuesta

Verificar la lectura (pág. 568) Urano no seguía exactamente la órbita que predijeron los científicos. Éstos creían que la gravedad de un objeto grande, probablemente un planeta, estaba afectando la órbita de Urano.

Evaluación

Destreza clave de lectura

Hacer bosquejos (pág. 569) Respuesta de ejemplo: Los gigantes gaseosos son mucho más grandes y con más masa que la Tierra; todos tienen muchas lunas; todos están rodeados por una serie de anillos.

Repasar los conceptos clave (pág. 569)

1. **a.** Todos son mucho más grandes que la Tierra y no tienen superficies sólidas. Están compuestos principalmente de hidrógeno y helio. También tienen anillos y muchas lunas. **b.** Su atracción gravitacional potente evita que los gases escapen al espacio. **c.** Neptuno, Urano, Saturno, Júpiter **d.** Un planeta telúrico común es pequeño y rocoso. Un gigante gaseoso común es grande y principalmente líquido con un núcleo sólido.
2. **a.** Respuestas posibles: Júpiter: gran mancha roja; Saturno: anillos espectaculares; Urano: eje de rotación; Neptuno: gran mancha oscura **b.** Plutón es mucho más pequeño que los planetas y tiene una órbita muy elíptica. El descubrimiento de otros objetos parecidos a Plutón más allá de Neptuno causó que los astrónomos replantearan la definición de un planeta y reclasificaran a Plutón.
3. Alrededor de 449,000 km

Diseña tu laboratorio

Correr alrededor del Sol

Analiza y concluye (pág. 571)

1. El tubo de plástico representa al Sol. El tope de goma representa el planeta.
2. La atracción de la cuerda representa la fuerza de gravedad.
3. El período de revolución deberá haber aumentado conforme se incrementó la longitud de la cuerda. Este resultado puede confirmar o refutar las hipótesis de los estudiantes.
4. Los planetas más cercanos al Sol giran alrededor de éste en menos tiempo. Los estudiantes deberán apoyar esta conclusión señalando que cuando la cuerda era más corta en el modelo, el período de revolución también era corto.
5. Los estudiantes pueden citar variables como la masa o el ángulo de rotación. Asegúrese de que los estudiantes diseñaron su experimento para tomar en cuenta una forma de controlar esa variable.
6. Respuesta de ejemplo: Los resultados de las tres pruebas fueron similares pero no idénticos. Mis datos fueron bastante precisos, pero algunos errores menores causaron que los resultados de cada prueba difirieran ligeramente.
7. Revise la precisión de los artículos de los estudiantes. Asegúrese de que incluyeron la información solicitada.

Tabla de datos de ejemplo

Distancia	Prueba 1	Prueba 2	Prueba 3	Promedio
(cm)	(s)	(s)	(s)	(s)
20	0.4	0.5	0.4	0.43
40	0.6	0.6	0.7	0.63
60	0.8	0.8	0.8	0.8

Sección 5 Cometas, asteroides y meteoros
(págs. 572–575)

Objetivos

Al terminar esta lección, los estudiantes serán capaces de:

14.5.1 Describir las características de los cometas.

14.5.2 Identificar dónde se encuentran la mayoría de los asteroides.

14.5.3 Explicar qué son los meteoroides y cómo se forman.

Preparación para los estándares

¿En qué dirección apuntan las colas de los cometas? (pág. 572)

Reflexiónalo Mover la pelota no cambia la dirección en la que apuntan las cuerdas. La cola de un cometa siempre apunta alejándose del Sol.

Examina tu avance

Respuestas

Figura 28 (pág. 573) Por lo común una elipse muy larga y estrecha.

Verificar la lectura (pág. 573) Una región esférica de cometas que rodea al sistema solar desde 1,000 a 10,000 veces la distancia entre Plutón y el Sol.

Actividad Inténtalo

Micrometeoritos (pág. 574)
Resultado esperado La mayoría de los escombros serán polvo, polen y otros objetos microscópicos. Pero algunos serán micrometeoritos.

Examina tu avance

Respuestas

Verificar la lectura (pág. 574) Ceres, Palas, Vesta e Higía.

Verificar la lectura (pág. 575) Un meteoroide que atraviesa la atmósfera y golpea la superficie de la Tierra.

Evaluación

Destreza clave de lectura

Hacer bosquejos (pág. 575) Los estudiantes deberán completar bosquejos detallados de la sección y usarlos para ayudarles a responder a las preguntas.

Repasar los conceptos clave (pág. 575)

1. **a.** Conjuntos no compactos de hielo, polvo y partículas de roca pequeñas **b.** Coma, núcleo y cola **c.** Se libera algo de gas y polvo, formando una coma y dos colas; debido a la energía en la luz solar que choca con el cometa
2. **a.** Un objeto rocoso pequeño en el espacio **b.** En el cinturón de asteroides que se encuentra entre las órbitas de Marte y Júpiter **c.** Son pedazos que quedaron del sistema solar primitivo que nunca se unieron para formar un planeta.
3. **a.** Un fragmento de roca o polvo en el espacio **b.** Cometas o asteroides **c.** Un meteoroide es un fragmento de roca o polvo en el espacio. Un meteoro es un meteoroide que entra en la atmósfera de la Tierra y produce un rayo de luz mientras se desintegra. Un meteorito es un meteoroide que atraviesa la atmósfera y choca con la superficie de la Tierra.

Sección 6 ¿Hay vida más allá de la Tierra? (págs. 576–579)

Objetivos

Al terminar esta lección, los estudiantes serán capaces de:

14.6.1 Enumerar las condiciones que necesitan los seres vivos para existir en la Tierra.

14.6.2 Reconocer por qué los científicos piensan que Marte y Europa son buenos lugares para buscar señales de vida.

Preparación para los estándares

¿Está viva o no la levadura? (pág. 576)

Reflexiónalo El primer conjunto de observaciones sugiere que la levadura no está viva. El segundo conjunto de observaciones sugiere que la levadura está viva. Algo está vivo si crece, se reproduce, usa energía, responde a su entorno y produce desechos.

Actividad Destrezas

Comunicar (pág. 577)
Resultado esperado Las cartas deberán señalar que la Tierra tiene agua líquida y un rango de temperatura y atmósfera adecuadas para los seres vivos.

Examina tu avance

Respuestas

Figura 32 (pág. 577) Los científicos aprenden más sobre la amplia gama de condiciones en las que podría existir la vida en otros planetas o lunas.

Verificar la lectura (pág. 577) Están formados por una o más células, absorben energía, crecen, se desarrollan, se reproducen y producen desechos.

Examina tu avance

Respuestas

Figura 33 (pág. 578) Porque la vida como la conocemos requiere agua, la evidencia de agua líquida fluyendo en Marte hace más probable que alguna vez haya habido vida ahí.

Verificar la lectura (pág. 578) Los dos róvers encontraron rocas y otras características de la superficie en Marte que fueron formadas por agua líquida.

Evaluación

Destreza clave de lectura

Hacer bosquejos (pág. 579) Respuesta posible: La vida puede existir bajo una amplia gama de condiciones; Marte y Europa son lugares posibles para buscar evidencia de vida.

Repasar los conceptos clave (pág. 579)

1. **a.** Agua líquida y un rango de temperatura y atmósfera adecuadas **b.** El agua, la temperatura y la atmósfera de la Tierra son justo las correctas para que sobrevivan los seres vivos. **c.** Respuesta de ejemplo: no; Neptuno es extremadamente frío y no hay agua líquida.
2. **a.** Europa está cubierta por una capa de hielo como el océano Ártico de la Tierra; puede haber agua líquida debajo del hielo. **b.** Agua líquida en la superficie; no **c.** Alguna vez tuvieron o pueden tener ahora agua líquida.

Repaso y evaluación (págs. 581–582)

Destreza clave de lectura

Hacer bosquejos (pág. 581) Los estudiantes deberán completar bosquejos detallados para la Sección 1. Revise que los bosquejos incluyan los temas principales y subtemas, conceptos clave y detalles que los apoyen.

Repasar los términos clave (pág. 581)

1. d
2. b
3. c
4. a
5. b
6. un círculo ligeramente aplanado (alargado)
7. libera luz visible
8. la acumulación de calor en la atmósfera
9. no tiene superficie sólida, tamaño grande, muchas lunas y rodeado por una serie de anillos
10. vida más allá de la Tierra

Verificar los conceptos (pág. 582)

11. Tycho observó los planetas y anotó datos planetarios durante un período de 20 años. Kepler usó los datos de Tycho para determinar la forma verdadera de las órbitas planetarias.
12. El viento solar es un torrente de partículas cargadas eléctricamente que emanan del Sol.
13. La masa de Mercurio es pequeña, así que su gravedad es débil. Mercurio está tan caliente que los gases escapan con facilidad de su gravedad débil.
14. La atmósfera de Marte es delgada. Sin embargo, Venus está cubierto por completo por nubes espesas.
15. Hay regiones en la superficie de Marte que se ven como si hubieran sido formadas por antiguos arroyos, lagos o inundaciones. También hay enormes cañones y formaciones que parecen los restos de antiguas costas. Además, los róvers *Spirit* y *Opportunity* encontraron rocas y características superficiales que claramente fueron formadas por agua líquida.

Practicar matemáticas (pág. 582)

16. alrededor de 21,330 km
17. alrededor de 71,500 km

Razonamiento crítico (pág. 582)

18. La atmósfera de Venus crea un efecto invernadero que atrapa la energía calorífica del Sol.
19. No; se han descubierto muchas lunas nuevas en años recientes por medio de tecnología mejorada. Es probable que se descubran muchas lunas pequeñas adicionales.
20. Los cometas son conjuntos no compactos de hielo, polvo y partículas de roca pequeñas. Por lo general tienen órbitas elípticas largas y estrechas. Los asteroides son objetos espaciales rocosos pequeños encontrados a menudo en órbita entre Marte y Júpiter. Los meteoroides son pedazos de roca o polvo en el espacio.
21. Representa un gigante gaseoso. Su estructura y composición general se parecen a las de Júpiter. (En realidad es Saturno.)
22. Debido a que el agua es esencial para la vida en la Tierra, la presencia de agua en otro planeta aumenta la posibilidad de que pueda encontrarse vida ahí.

Aplicar destrezas (pág. 582)

23. El planeta A gira alrededor de la estrella X en la menor cantidad de tiempo.
24. En 150 días, el planeta A habrá girado alrededor de la estrella X dos veces. El planeta B habrá completado tres cuartas partes de una revolución. El planeta C habrá completado sólo la mitad de una revolución. En 400 días, el planeta A habrá completado cinco revoluciones y un tercio. El planeta B habrá completado dos revoluciones. El planeta C habrá completado una revolución y un tercio.
25. Sí, los planetas A y C podrían estar en un lado de la estrella y el B en el otro. Después de 300 días, los planetas A y C están donde comenzaron, en el mismo lado de la estrella X, pero el planeta B está en el lado opuesto de la estrella.

Práctica de estándares (pág. 583)

1. C; S 8.4.e
2. D; S 8.4.e
3. C; S 8.4.b
4. B; S 8.4.d
5. B; S 8.2.g
6. A; S 8.4.e
7. C; S 8.4.c
8. B; S 8.4.e

Aplicar la gran idea (pág. 583)

9. Ejemplo: Los gigantes gaseosos son mucho más grandes y con más masa que los planetas telúricos. Los gigantes gaseosos están mucho más lejos del Sol y por tanto por lo común tienen temperaturas más bajas. Los planetas telúricos tienen superficies rocosas mientras los gigantes gaseosos están compuestos principalmente de hidrógeno y helio. Además, cada uno de los gigantes gaseosos está rodeado por un conjunto de anillos y tienen muchas lunas. Ninguno de los planetas telúricos tiene anillos y ninguno tiene más de dos lunas. S 8.4.e

Capítulo 15 Las estrellas, las galaxias y el universo

Verifica lo que sabes (pág. 585)

Esta pregunta evalúa la comprensión de los estudiantes sobre el hecho que la luz de una estrella se extiende y se vuelve más difusa con la distancia. (S 7.6.c, 8.4.d)

Respuestas y explicaciones posibles

Respuesta correcta: El tamaño del círculo de luz en la pared se haría mayor y su brillantez disminuiría conforme te alejas de la pared. *Explicación posible:* La luz de la linterna se extiende con la distancia. *Respuestas incorrectas posibles:* : El diámetro del círculo de luz no cambiará con la distancia. *Explicación posible:* La "cantidad" de luz de la linterna es constante.

Desarrollar el vocabulario de Ciencias

¡Aplícalo! (pág. 588)

1. ciencias
2. científica

Cómo leer en Ciencias

¡Aplícalo! (pág. 588)

Pida a los estudiantes que reconozcan que no se está pidiendo información específica en la pregunta 2. Respuestas de ejemplo:

1. La Teoría del Big Bang
2. Más evidencia que apoye la teoría de que el universo se formó en una explosión
3. Evidencia adicional para la Teoría del Big Bang incluye la presencia de radiación cósmica de fondo

Sección 1 Telescopios (págs. 590–596)

Objetivos

Al terminar esta lección, los estudiantes serán capaces de:

15.1.1 Enunciar las regiones del espectro electromagnético.

15.1.2 Explicar qué son los telescopios y cómo funcionan.

15.1.3 Identificar dónde se encuentran los telescopios más grandes.

Preparación para los estándares

¿Cómo afecta la distancia a una imagen? (pág. 590)

Reflexiónalo La imagen de la letra en la lupa se verá más grande que la observada por el ojo sin la lupa. En el paso 2, conforme el objeto se aleja de la lupa, se vuelve borrosa y luego se invierte (parece estar de cabeza).

Examina tu avance

Respuestas

Figura 1 (pág. 591) Más largas

Verificar la lectura (pág. 591) La radiación electromagnética es energía que puede viajar a través del espacio en forma de ondas.

Actividad Inténtalo

Encontrar ondas de radio (pág. 593)

Resultado esperado La recepción es mejor con el mango sostenido paralelo al piso. La mejor posición de la radio es en el punto focal de la sombrilla. El mango apunta al transmisor. Las ondas son reflejadas por el papel aluminio y dirigidas a un punto focal en el mango.

Examina tu avance

Respuesta

Verificar la lectura (pág. 593) Isaac Newton

Examina tu avance

Respuesta

Verificar la lectura (pág. 596) Un edificio que contiene uno o más telescopios o un telescopio en el espacio

Evaluación

Destreza de vocabulario

Sufijos (pág. 596) *-ica*, adjetivo, energía, como la luz, que puede viajar a través del espacio en forma de ondas

Repasar los conceptos clave (pág. 596)

1. **a.** Radio, infrarroja, luz visible, ultravioleta, rayos X y rayos gamma **b.** El Hubble está sobre la atmósfera de la Tierra; la atmósfera produce imágenes borrosas o bloquea la transmisión de la luz visible y la radiación ultravioleta e infrarroja.
2. **a.** Refractores y reflectores **b.** Un telescopio refractor usa dos lentes convexas. La lente objetiva enfoca la luz. La lente ocular amplifica la imagen producida por la lente objetiva. **c.** Un telescopio reflector usa un espejo curvado para captar y enfocar la luz; un telescopio refractor usa una lente convexa para hacer lo mismo.
3. **a.** La atmósfera hace que los objetos en el espacio se vean borrosos debido a que interfiere con la transmisión de la luz visible. La atmósfera también bloquea los rayos X, los rayos gamma y la mayor parte de la luz ultravioleta, e interfiere con la transmisión de radiación infrarroja. **b.** Hay menos atmósfera sobre las cimas de las montañas que interfiera con la transmisión de ondas electromagnéticas. Además el cielo no se hace más brillante por las luces de las ciudades. **c.** No. Los rayos X y los rayos gamma son bloqueados por la atmósfera de la Tierra, así que los telescopios que detectan estas ondas deben estar en el espacio.

Laboratorio de tecnología

Diseñar y construir un telescopio

Analiza y concluye (pág. 597)

1. Para enfocar objetos a diferentes distancias.
2. Se deben acercar los tubos.
3. Las respuestas variarán. Un tubo más ancho y lentes más anchas captarían más luz.
4. Es probable que el tamaño y amplificación de las lentes objetiva y ocular sean los factores más importantes.

Sección 2 Características de las estrellas (págs. 598–605)

Objetivos

Al terminar esta lección, los estudiantes serán capaces de:

15.2.1 Explicar cómo se clasifican las estrellas.

15.2.2 Describir cómo miden los astrónomos las distancias hacia las estrellas.

15.2.3 Describir el diagrama H-R y explicar cómo lo usan los astrónomos.

Preparación para los estándares

¿Cómo se mueve tu pulgar? (pág. 598)

Reflexiónalo Podrías usar este método para estimar distancias comparando cuánto parece moverse un objeto contra un fondo.

Examina tu avance

Respuesta

Figura 5 (pág. 599) 300 veces

Actividad Destrezas

Inferir (pág. 600)

Resultado esperado Estrella A: hidrógeno y helio; estrella B: helio y calcio; estrella C: hidrógeno y sodio

Actividad Inténtalo

Brillo de una estrella (pág. 601)

Resultado esperado Paso 2: La magnitud absoluta y aparente son las mismas para ambas; Paso 3: La magnitud absoluta es la misma para ambas. La linterna más cercana tiene una magnitud aparente mayor; Paso 4: Tanto la magnitud absoluta como la aparente son mayores para la linterna más brillante. Hacer modelos: Los estudiantes podrían colocar la linterna más brillante en un lugar más alejado.

Examina tu avance

Respuestas

Figura 7 (pág. 601) Porque la brillantez aparente de las luces del alumbrado público más cercanas es mayor.

Verificar la lectura (pág. 600) Un instrumento que separa la luz en colores y crea una imagen del espectro resultante

Verificar la lectura (pág. 601) El brillo que tendría una estrella si estuviera a una distancia estándar de la Tierra

Examina tu avance

Respuestas

Figura 8 (pág. 602) Cada persona está viendo la pantalla desde una posición diferente.

Figura 9 (pág. 603) La Tierra se mueve, así que las estrellas cercanas aparecen contra una parte diferente del fondo distante.

Verificar la lectura (pág. 603) Los astrónomos pueden usar la paralaje para calcular las distancias a las estrellas cercanas.

Examina tu avance

Respuestas

Figura 10 (pág. 604) Rigel

Verificar la lectura (pág. 605) Un área diagonal en un diagrama H-R donde pueden encontrarse la mayoría de las estrellas

Evaluación

Destreza de vocabulario

Sufijos (pág. 605) *-ción*, sustantivo, una *constelación* es un patrón imaginario de estrellas

Repasar los conceptos clave (pág. 605)

1. **a.** Cualesquiera tres: Color, temperatura, tamaño, masa, composición y magnitud absoluta **b.** La magnitud aparente es la brillantez de una estrella vista desde la Tierra. La magnitud absoluta es la brillantez que tendría una estrella si estuviera a una distancia estándar de la Tierra. **c.** La estrella A tiene la mayor magnitud absoluta debido a que está más lejos, pero aún parece tan brillante como la estrella B.
2. **a.** La distancia que recorre la luz a través del espacio en un año **b.** El cambio aparente en la posición de un objeto cuando se ve desde lugares diferentes **c.** Vega tendría un mayor paralaje debido a que entre más cerca está una estrella de la Tierra, más parece moverse con relación a las estrellas de fondo distantes.
3. **a.** La temperatura de la superficie y la magnitud absoluta **b.** Los astrónomos pueden usar el diagrama H-R para clasificar estrellas y para comprender cómo cambian las estrellas con el tiempo **c.** Enana blanca

Laboratorio de destrezas

¿A qué distancia está esa estrella?

Analiza y concluye (pág. 607)

1. Cambió la posición de la visión.
2. La distancia a la estrella 1 es 2,530 mm, de acuerdo con los datos de ejemplo.
3. 2.53 m
4. Datos de ejemplo: Estrella 2: 5,060 mm, 5.06 m; estrella 3: 10,120 mm, 10.12 m
5. Los estudiantes que predijeron que el punto se movería menos están en lo correcto.
6. Vea la tabla de datos de ejemplo. La diferencia fue mayor para la estrella 3 (10 cm). Las formas posibles de mejorar los resultados incluirían repetir las mediciones y cálculos, asegurándose de que la caja no cambia de posición y asegurándose de que se marcan las imágenes exactas.
7. El cambio de paralaje es menor para las estrellas que se encuentran más alejadas. La estrella más cercana, la estrella 1, tuvo el mayor cambio de paralaje; y la estrella más alejada, la estrella 3, tuvo el cambio más pequeño.

Tabla de datos de ejemplo

Estrella	Cambio de paralaje (mm)	Longitud focal (mm)	Diámetro de la órbita (mm)	Distancia calculada a la estrella (mm)	Distancia calculada a la estrella (mm)	Distancia real a la estrella (m)
1	80	440	460	2,530	2.53	2.52
2	40	440	460	5,060	5.06	5.09
3	20	440	460	10,120	10.12	10.22

Sección 3 La vida de las estrellas (págs. 608–613)

Objetivos

Al terminar esta lección, los estudiantes serán capaces de:

15.3.1 Explicar cómo se forma una estrella.

15.3.2 Identificar qué determina cuánto tiempo existirá una estrella.

15.3.3 Describir qué le sucede a una estrella cuando se queda sin combustible.

Preparación para los estándares

¿Qué determina cuánto viven las estrellas? (pág. 608)

Reflexiónalo Las estrellas con menos masa viven más tiempo que las estrellas con más masa.

Examina tu avance

Respuestas

Figura 12 (pág. 609) La gravedad causa que el gas y el polvo se contraigan para formar una protoestrella.

Verificar la lectura (pág. 609) Alrededor de 10 mil millones de años

Actividad Destrezas

Predecir (pág. 610)

Resultado esperado Algol: secuencia principal, supergigante; Sirio B: enana blanca, la etapa de enana blanca es una etapa final de la evolución estelar; Polaris: supergigante, supernova

Examina tu avance

Respuestas

Figura 13 (pág. 610) Una estrella de masa baja o masa media que ha evolucionado en una gigante roja

Verificar la lectura (pág. 610) Una nube de gas incandescente en el espacio formada cuando las partes externas de una gigante roja se dispersan por el espacio

Examina tu avance

Respuestas

Figura 15 (pág. 613) Pueden usar telescopios de rayos X para detectar los rayos X que provienen del gas caliente cerca del agujero negro e inferir que está presente un agujero negro. También pueden detectar un agujero negro observando su efecto gravitacional en una estrella cercana.

Verificar la lectura (pág. 612) Una estrella de neutrones que gira

Evaluación

Destreza clave de lectura

Identificar evidencia de apoyo (pág. 613) Revise la precisión del trabajo de los estudiantes.

Repasar los conceptos clave (pág. 613)

1. **a.** Una nube grande de gas y polvo extendida en un volumen inmenso **b.** La gravedad atrae algo del gas y polvo en la parte más densa de una nebulosa, formando con el tiempo una protoestrella. Cuando el gas y el polvo que se contraen se vuelven muy densos y calientes, comienza la fusión nuclear y nace una estrella. **c.** Una protoestrella es una nube de gas y polvo que se está contrayendo con suficiente masa para formar una estrella; la fusión nuclear no tiene lugar aún en una protoestrella.
2. **a.** Su masa **b.** Más corta
3. **a.** Una enana blanca es el núcleo azul blanquecino de una estrella que alguna vez fue una gigante roja. Difiere de una estrella de neutrones en que evoluciona de estrellas de masa baja o estrellas de masa media, mientras las estrellas de neutrones evolucionan de estrellas de masa alta. **b.** La masa de la estrella original determina si se convierte en una enana blanca, una estrella de neutrones o un agujero negro. **c.** Cuando el Sol se quede sin combustible, sus capas externas se expandirán y se volverá una gigante roja. Finalmente, las capas externas de la gigante roja se alejan por el espacio y el núcleo caliente restante será una enana blanca.

Sección 4 Sistemas estelares y galaxias
(págs. 614–621)

Objetivos

Al terminar esta lección, los estudiantes serán capaces de:

15.4.1 Definir un sistema estelar.

15.4.2 Identificar los tipos principales de galaxias.

15.4.3 Explicar cómo describen los astrónomos la escala del universo.

Preparación para los estándares

¿Por qué se ve difusa la Vía Láctea? (pág. 614)

Reflexiónalo Ver los agujeros en el papel desde una distancia es como ver las estrellas debido a que se ven difusos, igual que las estrellas. Como las estrellas que están cerca en la fotografía de la Vía Láctea, el modelo es nebuloso cuando se ve desde lejos.

Examina tu avance

Respuesta

Figura 16 (pág. 615) Cuando la estrella acompañante tenue pasa detrás de la estrella brillante

Examina tu avance

Respuesta

Verificar la lectura (pág. 616) Un conjunto grande de estrellas viejas

Actividad Inténtalo

Una galaxia espiral (pág. 619)

Resultado esperado No puedes tener una buena vista de las estrellas en los brazos espirales de la galaxia de la Tierra debido a que estás dentro de esta galaxia, viéndola desde uno de sus bordes.

Examina tu avance

Respuestas

Figura 21 (pág. 619) En un brazo espiral, a unos 25,000 años luz del centro de la galaxia

Verificar la lectura (pág. 618) En un brazo espiral

Verificar la lectura (pág. 619) Aproximadamente a 25,000 años luz

Matemáticas Destrezas

Notación científica (pág. 620)

Respuesta

2.2×10^8 años

Examina tu avance

Respuestas

Figura 22 (pág. 621) aproximadamente 2.3×10^9 veces más grande

Verificar la lectura (pág. 621) Aproximadamente 10^{10} años luz, o 10^{26} metros

Evaluación

Destreza de vocabulario

Sufijos (pág. 621) *-ica*, adjetivo, Ejemplo: Las galaxias elípticas tienen formas redondas u ovaladas.

Repasar los conceptos clave (pág. 621)

1. **a.** Un sistema estelar con dos estrellas **b.** Sí; cualquier grupo de dos o más estrellas forma un sistema estelar. **c.** Una de las estrellas en el sistema de eclipse binario periódicamente bloquea la luz de la otra estrella, o la eclipsa.
2. **a.** Espiral, elíptica e irregular **b.** Espiral o espiral barrada **c.** Elíptica
3. **a.** Un sistema que usa potencias de diez para escribir números muy grandes o muy pequeños en forma abreviada **b.** Los astrónomos usan la notación científica para ayudar a describir las vastas distancias y tamaños encontrados en el espacio. **c.** Aproximadamente 3.2 años luz
4. 9.4×10^8 km; 4.27×10^2 años luz

Sección 5 El universo en expansión (págs. 622–627)

Objetivos

Al terminar esta lección, los estudiantes serán capaces de:

15.5.1 Enunciar la Teoría del Big Bang.

15.5.2 Explicar cómo se formó el sistema solar.

15.5.3 Describir qué predicen los astrónomos sobre el futuro del universo.

Preparación para los estándares

¿Cómo se expande el universo? (pág. 622)

Reflexiónalo Conforme el universo se expande, las galaxias que están más cerca entre sí se alejan más despacio que las galaxias que están más lejos.

Matemáticas Analizar datos

Repasar matemáticas: Estadísticas, datos y probabilidad 7.1.2

Acelerar galaxias (pág. 624)

Respuestas

1. Aproximadamente 2.5 mil millones de años luz; aproximadamente 39,000 km/s
2. Hydra; Virgo
3. Entre mayor es la distancia de la Tierra, es mayor la rapidez de la galaxia.
4. Aproximadamente 80,000 km/s

Examina tu avance

Respuestas

Figura 24 (pág. 624) Conforme se expande la masa, las pasas se alejan. Conforme se expande el universo, sus galaxias se alejan.

Verificar la lectura (pág. 625) Una nube grande de gas y polvo en el espacio como la que formó el sistema solar

Examina tu avance

Respuesta

Verificar la lectura (pág. 626) Está causando que la expansión del universo se acelere.

Evaluación

Destreza clave de lectura

Identificar evidencia de apoyo (pág. 627) Revise la precisión de los organizadores gráficos de los estudiantes.

Repasar los conceptos clave (pág. 627)

1. **a.** El Big Bang fue una explosión gigantesca después de la cual toda la materia en el universo comenzó a separarse. **b.** Hace unos 13.7 mil millones de años **c.** La ley de Hubble, la observación de que entre más lejos está una galaxia, más rápido se aleja de la Tierra, y la radiación cósmica de fondo, la cual es radiación que quedó del Big Bang.
2. **a.** Aproximadamente cinco mil millones de años **b.** La gravedad atrajo a la nebulosa solar y luego atrajo a la mayoría del gas hacia el centro del disco, donde el gas finalmente se volvió lo suficientemente caliente y denso para que comenzara la fusión nuclear y se formara el Sol. **c.** La nebulosa solar se encoge; se inicia la fusión nuclear en el Sol; se forman los planetésimos; se forman los planetas.

3. **a.** Materia que no despide radiación electromagnética **b.** Su presencia puede inferirse al observar el efecto de su gravedad sobre objetos visibles, como las estrellas, o en la luz. **c.** La expansión del universo parece estarse acelerando.

Repaso y evaluación (págs. 629–630)

Destreza clave de lectura

Identificar evidencia de apoyo (pág. 629) El tamaño y composición de los planetas interiores difiere mucho de los de los planetas exteriores; todos los planetas giran alrededor del Sol en la misma dirección.

Repasar los términos clave (pág. 629)

1. b
2. c
3. a
4. d
5. c
6. un instrumento que capta y enfoca la luz para formar una imagen de un objeto distante
7. una región en el diagrama Hertzsprung-Russell que clasifica las estrellas de acuerdo con la temperatura de la superficie y la magnitud absoluta
8. nubes enormes de gas y polvo
9. un grupo de estrellas individuales, sistemas estelares, cúmulos estelares, polvo y gas que se mantienen unidos por la gravedad
10. energía térmica que quedó de la explosión del Big Bang que formó el universo

Verificar los conceptos (pág. 630)

11. Un año luz es una unidad de distancia. Mide qué tan lejos viaja la luz a través del espacio en un año.
12. La distancia que una estrella tan alejada parecería moverse cuando es vista desde lados opuestos de la órbita de la Tierra sería demasiado pequeña para medirla con precisión.
13. Una estrella nace cuando comienza la fusión nuclear.
14. La formación de la mayoría de las estrellas tiene lugar en los brazos espirales de nuestra galaxia.
15. La ley de Hubble establece que entre más lejos esté una galaxia, se aleja más rápido de nosotros.
16. Su presencia puede inferirse al observar el efecto de su gravedad sobre objetos visibles, como las estrellas, o en la luz.

Practicar matemáticas (pág. 630)

17. Espiga está aproximadamente a 2.5×10^{15} kilómetros de nuestro sistema solar.
18. La estrella Antares está a 6.04×10^{2} años luz de la Tierra.

Razonamiento crítico (pág. 630)

19. La Luna no tiene atmósfera que pudiera interferir con la transmisión de radiación electromagnética.
20. Respuesta de ejemplo: Las luces altas en los faros de un auto tienen una magnitud absoluta mayor que las luces bajas. Además, entre más se acerque a ti un auto en dirección contraria, será mayor la magnitud aparente de sus faros (en baja o en alta).
21. Las estrellas de masa baja tienen vidas más largas que las estrellas de masa alta debido a que las estrellas de masa baja usan su combustible mucho más despacio.
22. Debido a las temperaturas altas en el sistema solar interior, la mayoría de los gases escaparon de la gravedad de los planetas que se formaron en esta región, causando que los planetas interiores sean rocosos. El sistema solar exterior, estando más lejos del Sol, estaba más frío. Como resultado, los planetas que se formaron en esta región fueron capaces de capturar gases y así convertirse en gigantes gaseosos.

Aplicar destrezas (pág. 630)

23. Aldebaran tiene una mayor magnitud absoluta.
24. Rigel y Sirio B tienen mayor temperatura en la superficie que Sirio A.
25. Es más probable que Betelgeuse sea roja.
26. El Sol es una estrella de tamaño mediano con magnitud absoluta promedio y una temperatura en la superficie de aproximadamente 5,500 °C. Aldebaran es una gigante con una magnitud absoluta alta y una temperatura en la superficie de aproximadamente 4,000 °C. Así, Aldebaran es más grande y más fría y tiene una magnitud absoluta mayor que el Sol.

Práctica de estándares (pág. 631)

1. A; S 8.4.d
2. B; S 8.4.b
3. C; S 8.4.b
4. A; S 8.4.c
5. A; S 8.4.b
6. D; S 8.4.a
7. D; S 8.4.b
8. D; S 8.2.g

Aplicar la gran idea (pág. 631)

9. Ejemplo: Desde la Tierra, la Vía Láctea se ve como un listón grueso de estrellas que atraviesa el cielo nocturno. Esto se debe a que la estamos viendo desde adentro de uno de sus brazos, así que es como si viéramos el borde de un plato de comida. Desde arriba y abajo, la Vía Láctea se vería como un disco o una espiral debido a que estaríamos fuera de ella y podríamos ver la galaxia entera. La evidencia más reciente sugiere que la Vía Láctea es una galaxia espiral barrada, es decir, una galaxia espiral con una región grande en forma de barra de estrellas y gas que pasan por su centro. S 8.4.a

Evaluación de la Unidad 4

Astronomía

Conexión de las grandes ideas (pág. 633)

Respuestas

1. a
2. d
3. c
4. b
5. Para sustentar la vida como la conocemos, un planeta debe tener justo la distancia correcta del Sol de modo que la temperatura de su superficie no sea ni demasiado caliente ni demasiado fría. Debe haber agua líquida porque todos los seres vivos necesitan agua para sobrevivir. El tamaño del planeta debe ser adecuado, de modo que la gravedad mantenga la atmósfera en su lugar sin causar que la presión atmosférica sea tan grande que aplaste a los seres vivos en la superficie.

   La Tierra es el único planeta conocido en el sistema solar donde existen todas estas condiciones. Marte puede haber tenido estas condiciones en el pasado, pero ya no tiene agua líquida en su superficie. Sin embargo, existe agua como hielo en los casquetes polares del planeta y posiblemente subterránea. Europa, una de las lunas grandes de Júpiter, puede tener un océano de agua líquida bajo su superficie helada.